waldo

I Glesni,

gyda chyfarchion gynnes

Alan Llwyd

Cyflwynedig i Closs

Y gorau'i gyfeillgarwch

*w*aldo

Cofiant Waldo Williams: 1904–1971

ALAN LLWYD

Argraffiad cyntaf: 2014

Dymuna'r cyhoeddwyr gydnabod cymorth ariannol
Cyngor Llyfrau Cymru

Cynllun y clawr: Sion Ilar

Rhif Llyfr Rhyngwladol:
978 1 78461 045 6 (clawr meddal)
978 1 78461 041 8 (clawr caled)

Cyhoeddwyd ac argraffwyd yng Nghymru gan
Y Lolfa Cyf., Talybont, Ceredigion SY24 5HE
gwefan www.ylolfa.com
e-bost ylolfa@ylolfa.com
ffôn 01970 832 304
ffacs 832 782

Cân i Waldo

Honnaist nad oedd brenhiniaeth
   y Twr yn ddim ond tarth,
mai trech oedd grym gweriniaeth
   y Graig na'r cŵn a'r carth,
a bod y tystion yn y tŷ'n
gwarchod o hyd frawdgarwch dyn.

Yn gwlwm unigoliaeth
   y gwelwn hwy yn byw:
ardalwyr yn frawdoliaeth
   dan ysbrydoliaeth Duw;
yr oedd Carn Gyfrwy imi'n gefn;
yr oedd Foel Drigarn imi'n drefn.

Egwan yw'r llais unigol;
   uchel yw'r lleisiau croch,
a'r Ysbryd Gwaredigol
   yn gibau, mwy, i'r moch:
pa fodd y tynnit yn gytûn
dosturi Duw a distryw dyn?

Roedd calon y ddynoliaeth
   o fewn fy mro fy hun:
Rhydwilym y frawdoliaeth,
   Trefdraeth cymdogaeth dyn,
lle'r oedd tosturi Duw o hyd,
ac mewn dau barc gymuned byd.

Ond rhith yw'r tosturiaethau
   tra delir dyn yng ngwe
ledrithiol Gwladwriaethau
   yn lleiddiad yn eu lle:

o dyngu llw i'r cleddyf llym
caethwas yw gras yn nheyrnas grym.

Tra bo o afael gwledydd
  trahaus un enaid rhydd,
cenhadaeth cân ehedydd
  a dyrr drwy darth y dydd,
a darostyngir grymoedd gau
y Tŵr, a'r Graig yn trugarhau.

A.Ll.

Waldo

Yr oedd nos ar ddinasoedd,
nos o drais a distryw oedd;
bwriwyd tai Abertawe'n
un â'r llawr, a thrwy'r holl le
nid oedd un cartref diddos
a'r tai'n sarn dan eira'r nos.

Rhy bell oedd y gwerthoedd gwâr,
rhy agos pob distrywgar,
ond er dicter rhwng ceraint
myfyriai ef am y fraint
brydferth o fod yn perthyn
i'r byd ac i Deulu Dyn.

Pan oedd ymgyrchoedd y gwyll
ar dai, a'r awyr dywyll
yn hyrddio pob tŷ'n furddun
cofiai'i gartref ef ei hun:

a hedd rhag y ddaear hon
yn nhawelwch y galon:
ystafell bell rhag y byd,
ystafell ddistaw hefyd.

Yma roedd noddfa pan oedd
un udlef drwy'r cenhedloedd,
ond tewi'r oedd sŵn ein trais
a'n hudlef yn hyfrydlais
y 'stafell; trôi'r llais dwyfol
ein byd yn wynfyd yn ôl.

Aed â'r Nef o'n daear ni;
un bedd oedd heb Dduw iddi;
un fidog o gofadail
a meirwon dynion fel dail;
Eden trwy lais Duw ydoedd;
heb lais y Nef, Belsen oedd.

Byw i Dduw ar y ddaear
a wnaent hwy'n un fintai wâr;
tystion Crist, a stanciau'r oes
yn dân gan waed eu heinioes;
galarent, ond disgleiriai
Duw'n eu mysg fel bedwen Mai.

Y dwrn nid ydyw'n dirnad
y llaw sy'n cynnig gwellhad:
er geiriau sarhaus yr haid
yn bur ymhlith barbariaid
y rhodiai, cans gweithredoedd
anwel Duw yn Waldo oedd.

Ar wahân i ni yr oedd;
nid un waed â ni ydoedd
ond angel Duw yng nghlai dyn
a hawliai'n gyfaill elyn:
dawn llwfr yw troi'r byd yn llwch,
dawn gwron yw dyngarwch.

Yn yr un ganrif yr oedd
y gras oll a'r gwersylloedd:
oes Buchenwald a Waldo,
enaid gwâr mewn byd o'i go';
un bardd ym mryntni ein bod,
un Waldo'n ein bwystfildod.

Heb berthyn i'r nef hefyd
ni all dyn berthyn i'r byd;
o'r ddaear roedd ei awen
ond torrai'n wyrdd tua'r nen,
a'r awen fawr honno'n faeth
i'r dail ar bren brawdoliaeth.

A.Ll.

Cynnwys

Diolchiadau

Y mae arnaf ddyled i amryw byd o bobl, a dechreuaf gyda'r tri chymwynaswr mwyaf.

I ddechrau, hoffwn enwi David Williams, Rhuthun, sef nai Waldo, mab Roger, ei frawd. Cefais doreth o ddeunydd gwerthfawr ar fenthyg ganddo – lluniau, llythyrau rhwng gwahanol aelodau o'r teulu, a llyfrau a phamffledi a berthynai i Waldo. Cefais i a Robert Rhys groeso cynnes iawn ganddo pan aethom i'w weld yn ei gartref ddiwedd mis Chwefror eleni. Ym meddiant Dilys Williams, chwaer Waldo, yr oedd y deunydd hwn yn wreiddiol. Llawer o ddiolch i David Williams am ei hynawsedd, ei gymorth hael a'i gydweithrediad parod. Cyfeirir at bopeth a gefais ar fenthyg gan Mr Williams yn y nodiadau fel 'Casgliad David Williams'. Mae fy nyled yn fawr hefyd i aelod arall o'r teulu cwbl arbennig ac unigryw hwn, Mrs Eluned Richards, Waun-fawr, Aberystwyth, am sawl cymwynas, a hoffwn ddiolch iddi hefyd am roi hawl imi ddyfynnu o waith Waldo.

Yn ail, hoffwn ddiolch i Robert Rhys. Tra oeddwn i'n gweithio ar y cofiant, roedd y ddau ohonom, Robert a minnau, yn gweithio ar y gyfrol *Waldo Williams: Cerddi 1922–1970*. Rhoddodd Robert doreth o ddeunydd ar fenthyg imi, ei drawsysgrifiadau ef o lythyrau Waldo at D. J. Williams a'i briod Siân yn un peth, gan arbed dyddiau o waith a sawl ymweliad â'r Llyfrgell Genedlaethol imi. Cefais olwg ar y llythyrau hyn fy hun yn y Llyfrgell Genedlaethol, ond nid oedd angen i mi eu copïo. Cefais hefyd fenthyg llungopïau o ysgrifau J. Edwal Williams yn *Y Piwritan Newydd* ganddo, yn ogystal ag ambell lyfr arall. Diolch iddo hefyd am y teithiau hynny a gawsom i'r Llyfrgell Genedlaethol pan oeddem yn gweithio ar y casgliad cynhwysfawr o gerddi Waldo. Prosiect dwbwl oedd y ddau lyfr hyn ar Waldo i mi, ac roedd y ddau waith, yn naturiol ac yn anochel, yn gorgyffwrdd â'i gilydd ar brydiau, gyda'r naill lyfr yn cyfrannu at y llall, ac fel arall. Hoffwn ddiolch i Robert hefyd am ddarllen y cofiant cyn iddo gael ei gyhoeddi, ar fy rhan i ac ar ran y Lolfa, ac am roi hawl inni i'w ddyfynnu ar y clawr ôl.

Yn drydydd, Alun Ifans, cyd-ysgrifennydd Cymdeithas Waldo. Anfonodd Alun nifer o bethau diddorol a defnyddiol ataf, anfonodd sawl ebost o awgrymiadau a gwybodaeth ataf, a rhoddodd imi fanylion cyswllt nifer o bobl a oedd un ai yn perthyn i Waldo neu wedi bod yn gyfeillion neu'n ddisgyblion iddo. Cymwynas arall ganddo oedd tynnu lluniau lliw o rai lleoedd yng nghynefin Waldo yn arbennig ar gyfer y cofiant hwn.

Cefais lawer o gymorth gan eraill yn ogystal. Trwy Hefin Wyn, aelod arall o Gymdeithas Waldo ac awdur y llyfr gwych hwnnw, *Ar Drywydd Waldo ar Gewn Beic*, y deuthum i gysylltiad ag Alice Kilroy. Fel y dengys y cofiant hwn, chwaraeodd rhieni Alice, Jim a Winnie Kilroy, ran allweddol bwysig ym mywyd Waldo rhwng 1953 a 1960. Diolch i Alice a'i chwaer Catherine am anfon lluniau gwerthfawr iawn ataf, ac am rannu eu hatgofion am Waldo gyda mi.

Aelod arall o deulu Waldo – ond ar ochr Llangernyw i'r llinach – yw Elwyn Williams, Abergele. Rhoddodd gopi o 'Ychydig Ffeithiau' Dilys Williams imi, ac roedd y ffeithiau yn ddadlennol ac yn ddiddorol.

Ychydig iawn o ddisgyblion Waldo, mewn gwahanol ysgolion yng Nghymru ac yn Lloegr, sydd ar ôl bellach, ond llwyddais, trwy gymorth eraill, i ddod o hyd i rai ohonynt. Fe'u henwir yn y nodiadau. Diolch i bob un o'r rhain am rannu eu hatgofion. Diolch hefyd i Islwyn John, Dinbych-y-pysgod, gŵr a oedd yn adnabod Waldo yn dda – ond nid fel disgybl iddo – am sawl sgwrs fuddiol ynglŷn â Waldo, E. Llwyd Williams a W. R. Evans. Diolchir i eraill yn y nodiadau yn ogystal.

Hoffwn ddiolch i staff y Llyfrgell Genedlaethol am bob cymorth a chymwynas a gefais ganddynt. Diolch hefyd i Angela Miles, Pen-y-bont ar Ogwr, am roi caniatâd i'r Llyfrgell Genedlaethol lungopïo fersiwn 1935 o awdl Waldo, 'Tŷ Ddewi', ar fy rhan, fel y gallwn astudio'r awdl drosof fy hun, a'i chymharu â fersiwn arall a oedd yn llaw Waldo ei hun.

Diolch hefyd i Norman Closs Parry am anfon deunydd ataf. Iddo ef, gyfaill diwylliedig a theyrngar, y cyflwynir y cofiant hwn.

Dymunaf ddiolch hefyd i Lefi Gruffudd, y Lolfa, am ei ddiddordeb yn y gwaith o'r cychwyn cyntaf, ac am bob cymorth a gefais ganddo, a diolch hefyd i Nia Peris am olygu'r gwaith gyda'i thrylwyredd arferol. A hoffwn ddiolch yn gyffredinol i'r wasg am roi diwyg mor atyniadol i'r cofiant hwn.

Dylwn esbonio un neu ddau o bethau. Wrth ddyfynnu rhyddiaith Waldo, defnyddiais gasgliad safonol Damian Walford Davies o ryddiaith Waldo, *Waldo Williams: Rhyddiaith*, er fy mod wedi newid un neu ddau o bethau lle mae fy narlleniad i o'r gwreiddiol yn wahanol i ddarlleniad Damian Walford Davies, ond prin yw'r enghreifftiau hynny. Hefyd, wrth ddyfynnu o waith Waldo a gweithiau eraill rwy'n mynnu cynnwys acenion yn y geiriau lle dylai acenion fod, rhag creu dryswch yn un peth, ac i nodi nad camgymeriad, blerwch neu esgeulustod ar fy rhan i neu ar ran y wasg yw eu habsenoldeb. Lle nad yw'r gwreiddiol yn dyblu'r 'n', gadewais y geiriau hynny fel ag y maent heb dynnu sylw at yr anghywirdeb. Ac i gloi, yn unol â'm polisi fel cofiannydd, ni chyfeirir yn y cofiant hwn at unrhyw ymdriniaeth feirniadol â gwaith Waldo a gyhoeddwyd ar ôl ei farwolaeth. Blynyddoedd y gwrthrych ar y ddaear yw rhychwant amseryddol y cofiant hwn, fel pob un o'r cofiannau diweddar hyn.

Alan Llwyd
Awst 2014

Byrfoddau

DP: *Dail Pren*, Waldo Williams, 1956

CAA: *Cof ac Arwydd: Ysgrifau Newydd ar Waldo Williams*, Golygyddion: Damian Walford Davies a Jason Walford Davies, 2006

CDWW: *Waldo: Cyfrol Deyrnged i Waldo Williams*, Golygydd: James Nicholas, 1977

CMWW: *Cyfres y Meistri 2: Waldo Williams*, Golygydd: Robert Rhys, 1981

ChANG: *Chwilio am Nodau'r Gân: Astudiaeth o Yrfa Lenyddol Waldo Williams hyd at 1939*, Robert Rhys, 1992

WWRh: *Waldo Williams: Rhyddiaith*, Golygydd: Damian Walford Davies, 2001

Pennod 1

'Cadw rhwymau teulu dyn'
Blynyddoedd Magwraeth
1904–1917

Pan oeddwn blentyn seithmlwydd oed
   Dy lais a dorrodd ar fy nghlyw.
Fe lamaist ataf, ysgafn-droed,
   Ac wele, deuthum innau'n fyw.

'Yr Iaith a Garaf'

Pan symudodd J. Edwal Williams o dref Hwlffordd i bentref Mynachlog-ddu yn ardal y Preseli ym 1911, mynd yn ôl at ei wreiddiau yr oedd, dychwelyd i'w gynefin; ond i weddill y teulu, roedd y symudiad o Hwlffordd yn fwy o ymfudo nag o fudo. Roedd yn fwy na newid aelwyd: roedd yn newid byd. Roedd croesi'r *landsker* rhwng de Sir Benfro, y rhan Seisnig o'r sir, a gogledd Sir Benfro, y rhan Gymreig, i Fynachlog-ddu bron yn gyfystyr â chroesi'r môr i gyrraedd gwlad dramor. Gwlad estron i'r teulu oedd cynefin y tad; iaith anghyfiaith oedd iaith y cynefin hwnnw.

Nid bod y rhan wledig a Chymraeg hon o ogledd Sir Benfro yn gwbl ddieithr i J. Edwal Williams, ei briod, Angharad, a'u plant. Brodor o Glunderwen oedd J. Edwal Williams, ac yn ystod gwyliau'r ysgol ymwelai â'i ardal enedigol yn fynych, ynghyd â'r teulu. Erbyn 1911 roedd y teulu yn derfynol gyflawn, tair merch a dau fachgen. Yn Hwlffordd y magwyd y pump, ar aelwyd Saesneg ei hiaith mewn tref Saesneg ei hiaith. Y plentyn hynaf oedd Morvydd Moneg neu Morvydd Monica, a aned ar Ebrill 8, 1902; yr ail oedd

Mary Enid Margaret, a aned ar Fehefin 2, 1903; y trydydd plentyn oedd bachgen y rhoddwyd iddo'r enw Waldo Goronwy; yna daeth Roger, a aned ar Orffennaf 11, 1907, a Dilys Angharad, a aned ar Fawrth 12, 1910. Waldo Goronwy oedd y plentyn canol, er na fyddai'n cerdded yr un ffordd ganol yn ystod y blynyddoedd a oedd i ddod. Ni fynnai ychwaith ei enw canol. Ganed Waldo Goronwy Williams yn Hwlffordd ar Fedi 30, 1904. Rhoddwyd iddo enw athronydd, cyfrinydd a bardd o America o'r enw Ralph Waldo Emerson, a bardd o Gymro a ymfudodd i America, Goronwy Owen, a daeth Waldo Goronwy Williams hefyd yn gyfrinydd ac yn fardd. Roedd ail hanner enw canol y tad – er mai J. Edwal Williams ei hun a ychwanegodd Edwal fel enw canol – hefyd yn rhan gyntaf enw'r mab, a bu'r tad yn ddylanwad dwfn ar y mab trwy'i fywyd.

Hyd at 1907 a 1908 roedd tad a mam J. Edwal Williams yn byw yn Rhosaeron, Clunderwen, y cartref teuluol. Prin fod gan Waldo unrhyw gof am ei dad-cu na'i fam-gu. Roedd ychydig dros dair a hanner oed pan fu farw ei dad-cu ar ochr ei dad, David Williams, ar y diwrnod olaf o Ebrill 1908. Ym mhlwyf Llanddewi Felffre yn y flwyddyn 1834 y ganed David neu Dafydd Williams, ond symudodd gyda'i fam weddw, Mary William, i Landysilio-yn-Nyfed ar ôl marwolaeth y tad, John William, un ai ym 1852 neu ym 1854. Rhyw ddeng mlynedd yn ddiweddarach, ym 1862, priodwyd Dafydd Williams a Martha Thomas yng Nghapel y Bedyddwyr ym Mlaenconin yn Llandysilio. Ganed pump o blant i'r ddau: John Edwal ym 1863, Lewis ym 1865, William ym 1867, merch o'r enw Mary ym 1868 a mab arall, Levi, ym 1870.

Ymfudodd Mary, unig ferch Dafydd a Martha Williams, i Denver, Colorado, yn yr Unol Daleithiau. Yno, ym 1892, priododd â Lewis Llewellyn, a aned yn Nhrefelen, pentref yng nghanolbarth Sir Benfro, ym 1858. Ganed merch o'r enw Gwladys Mary i Mary a Lewis Llewellyn ar Ionawr 27, 1893, yn Denver, ond bu farw'r fam ychydig ddyddiau ar ôl yr enedigaeth, ar Chwefror 5. Yn chwe wythnos oed, aeth y tad â Gwladys yn ôl i gartref ei mam yng Nghlunderwen, ac yno, yn Rhosaeron, y cafodd ei magu gan ei mam-gu a'i thad-cu, a'i hewythr William. Treuliodd Gwladys y rhan fwyaf o'i bywyd yn Rhosaeron, hyd at ei marwolaeth ym 1954. Yn ferch ifanc, cadwai gysylltiad agos â'i hewythr arall, J. Edwal Williams, ac ymwelai ag ef ac Angharad pan oedd y ddau yn byw yn Nhŷ'r Ysgol ym Mhrendergast yn Hwlffordd, ac yn amlach fyth ar ôl i J. Edwal Williams a'i deulu symud yn ôl i'r hen ardal ym 1911. Dychwelodd Lewis Llewellyn i Glunderwen yn y pen draw, ailbriododd, a bu farw ym Mronygâr, Clunderwen, ym mis Hydref 1923.

Ymfudodd Lewis Williams i Cleveland, Ohio, yn yr Unol Daleithiau yn ifanc iawn. Collodd ei arian yng nghwymp Wall Street ym 1929, a bu farw ryw ddwy neu dair blynedd wedi hynny. Ni phriododd erioed. Priododd Levi ag Elizabeth Watkins o gyffiniau Llandysilio, ac aeth y ddau i Lanelli i fyw. Edwal, o 1911 ymlaen, a William – Gwilamus – yn unig a arhosodd yn yr hen gynefin.

Postmon oedd David Williams – Dafy neu Dafi Williams i bobl yr ardal. Ymddangosodd ysgrif goffa iddo yn *Y Piwritan Newydd*, cylchgrawn Bedyddwyr Sir Benfro a Gorllewin Sir Gaerfyrddin, gan y Parchedig T. R. Williams, Lerpwl, cyfaill i'r teulu ac un o'r ddau a fu'n gwasanaethu yn angladd Dafi Williams yng Nghapel y Bedyddwyr ym Mlaenconin ar Fai 4, 1908. Yn ôl T. R. Williams:

> Dyn allan o'r llwybrau sathredig oedd ein cyfaill. Gwnawd ef gan Natur yn gymeriad cryf, yn meddu ar arbenigrwydd (*individuality*) a gwreiddioldeb nid bychan ... Ceid yn ei gyfansoddiad gryn lawer o'r *granite*, y sylwedd, mewn oesoedd llai ffodus, a geid yn ein merthyron. Fel ffrwyth nerth, purdeb, ac ymlyniad ei dadau wrth egwyddor, gwaddolwyd ein brawd o'i enedigaeth â defnyddiau cymeriad cadarn. Rhoddodd Natur iddo alluoedd meddyliol cryfion, ewyllys benderfynol, barn anibynnol, a ffraethineb mor iachusol ag awyr y mynydd.[1]

Roedd Dafi Williams, yn ôl T. R. Williams, yn '[d]dyn gonest, geirwir, cydwybodol, caredig, a llafurus',[2] ac o ran ei broffes grefyddol, arddel yr efengyl seml a wnâi, gan roi'r pwyslais ar ddyngarwch a goddefgarwch:

> Syniad trylwyr *ddynol* oedd gan ein brawd o'r bywyd crefyddol. Nid rhywbeth arall-fydol ond rhywbeth byw, ymarferol, agos! Iddo ef yr oedd defosiwn yn ddyfnach peth nag ymddangosiadau, na threm gwyneb, neu osgo gorfforol. Teimlai fod crefydd yn ddylanwad a drwythai natur dyn yn gyfangwbl, ac nad oedd gyneddf na ellid ei chysegru i'r gwasanaeth uwchaf. Credai na fwriadodd Duw i'r

ysbrydol wneyd dyn mewn un ystyr yn an-nynol neu yn an-naturiol; ac felly câs oedd ganddo ragrith, ffugdduwioldeb, a hir-wynebau![3]

Ac eto, er ei ddifrifwch ynghylch crefydd, perthynai iddo gryn dipyn o hwyl a direidi. Cofiai llawer o frodorion ardaloedd y Preseli am 'aml i stori flasus am ei ddywediadau chwarëus a ffraeth'.[4] A dyma un enghraifft o'r elfen chwareus honno yn ei natur:

Pan oedd yn llythyr-gludydd i ardal Rhydwilym gofynnai g[ŵ]r iddo un bore:
"Wês llythyr gyda chi, Dafi?"
"Wês!" oedd yr ateb byrr; a chwareuai bysedd Dafydd ag ymylon y llythyr yn ei fag llwythog.
Estynnodd yr ymofynydd ei law i dderbyn y llythyr disgwyliedig. Edrychai Dafi ar y llaw-estynedig, ond ni symudai na gwefus na gwalltyn. Cyflym ddiflannodd amynedd perchennog y llaw.
"Rhowch e' i fi?" ebe'r dyn yn swrth.
"Na Na!" oedd ateb Dafi tra y tröai ar ei sawdl ac ail gychwynai ei daith; "Na Na!, 'dwy i ddim yn myn'd i roi un o lythyron pobol er'ill i chi!"[5]

Gŵr ffraeth, gŵr yr ateb parod oedd Dafi Williams. Cofnododd T. R. Williams un arall o'i sylwadau ffraeth:

Dro arall gofynnai cymydog iddo un bore oer tua therfyn gwanwyn gwlyb a gaeafol:
"'Dych chi ddim wedi dodi'r ardd 'to Dafi?"
"Nag wdw!"
"Pam Dafi? Mae'n mynd yn ddiweddar?"
"Pwy gl'wodd erio'd," oedd yr ateb parod, "am roi bara yn y ffwrn cyn bo'r ffwrn yn dwym!"[6]

'Nid aml y ceir dyn mor egwyddorol, mor ymroddedig i'w ddyledswydd, mor gyson mewn gair a gweithred, mor llawn o wir lawenydd y gwirionedd [â]'n brawd,' oedd geiriau terfynol T. R. Williams amdano.[7]
Cyhoeddwyd adroddiad ar ei angladd yn *The Welshman*:

Another highly esteemed and aged brother has joined the majority. We speak of Mr. David Williams, Rhosaeron Cottage, who passed away on Thursday, 30th ult., aged 73 years. The funeral took place in the Blaenconin Graveyard on Monday

4th inst., and was attended by a very large number of sympathising friends ... The chief relatives present to mourn were Mr. John Edwal Williams, schoolmaster, Prendergast, and his wife (son and daughter-in-law); Mr. Levi Williams, draper, etc., Llanelly, and his wife (son and daughter-in-law); Mr.W. G. Williams, Rhosaeron (son); and Miss Gladys Llewelyn, granddaughter. One son, Lewis, resides in Ohio, U.S.A. ... Deceased was a most noteable individual in many ways. The two ministers who had known him for many years spoke of him in most touching terms as one of the most sincere and upright in all his doings that they had ever been privileged to meet with ... David Williams's word was always sufficient for anyone who knew him. Faithful in every detail, and he never deviated from the right to please any person on any consideration.[8]

Cof ardal ohono yn hytrach na chof personol a oedd gan Ernest Llwyd Williams, a oedd i ddod yn un o gyfeillion pennaf Waldo. Ganed E. Llwyd Williams ym 1906 yn y Lan, Efail-wen, fferm ar y ffin rhwng Sir Benfro a Sir Gaerfyrddin. Ymhen ychydig flynyddoedd byddai'n mynychu'r ysgol yr oedd mab Dafi Williams yn brifathro arni, a'i ŵyr, Waldo, yn un arall o'i disgyblion. Yn ôl Llwyd Williams, nid 'swyddog peiriannol' o bostmon oedd Dafi Williams, oherwydd 'yr oedd ei lond o'r peth cyfareddol hwnnw a elwir yn hiwmor sych'.[9] Cyfrifid Dafi Williams yn fath o athrylith gan ei gyd-ardalwyr, yn ôl Llwyd Williams, a chofnododd yntau hefyd enghraifft neu ddwy o'i ffraethineb:

Daeth at y tŷ ar fore arall wedi gwlychu hyd at ei groen. Gofynnodd y wraig iddo mewn cydymdeimlad maldodus, "Gawsoch chi'r gawod i gyd, Dafi?" Petrusodd eiliad er mwyn ateb yn effeithiol, "Naddo, mi gafodd rhywun arall ran ohoni." A dyna ffordd Dafi'r Postman o dramwy'r wlad, ac ysbarduno ymennydd hwn ac arall ar hyd y dydd.[10]

Yn ôl tystiolaeth D. Owen Griffiths, gŵr a oedd yn adnabod y teulu yn dda:

Yr oedd dywediad yn y gymdogaeth flynyddoedd yn [ô]l, – "Nid yw plant Dafi William yn gwirio," a gwir oedd y dywediad. "Ie" a "Nage" oedd y cwbl a geid ganddynt. Ceisiwyd unwaith gan rai o farbariaid drygionus yr ardal i gael gan un o'r plant ddywedyd, – "Yn wir," ond er iddynt gynnyg gwobrwy sylweddol iddo am wneuthur hyn methu a wnaethant. Cafodd plant Dafydd William eu gwreiddio yn y gred fod popeth dros yr "Ie" a'r "Nage" o'r drwg ... Dyn hynod oedd [Dafi

Williams] ... yr oedd ganddo bersonoliaeth gref, yr oedd yn annibynol iawn yn ei farn, ac o benderfyniad di-ildio. Ar gwestiwn o egwyddor nid oedd syflyd arno. Arferai ddywedyd mai ei fam a'i dysgodd i fod yn berffaith eirwir. Pa mor bell yn [ô]l yr â hyn ni wyddom ddim, ond cred Edwal mai mewn mynwent ym mhlwy Llanddewi Velfry y gorwedd lludw'r hen gyndad o Grynwr ... a waharddodd ddywedyd "yn wir" mewn ymddiddan. Nid yw Edwal yn sicr pwy ydoedd, ond nid oes amheuaeth am ei fodolaeth. Hawdd yw credu hyn, gan fod amryw o nodweddion y "Crynwyr" yn Dafi William a'i fab Gwilamus.[11]

Yr oedd tad-cu Waldo ar ochr ei dad, felly, yn meddu ar gymeriad cryf a chadarn; roedd hefyd yn gymeriad gwreiddiol, unigolyddol ac annibynnol ei farn, yn ŵr o egwyddor ac yn ŵr a gasâi ragrith, ffug-dduwioldeb a chrefydd a ddibynnai yn ormodol ar ddefodau a rheolau – ar 'ymddangosiadau'. Yr oedd hefyd yn ŵr ffraeth ryfeddol.

Plentyn canol Dafi a Martha Williams oedd William, fel Waldo o fewn ei deulu yntau. Cymeriad unigryw hollol, fel ei dad, oedd Gwilamus, fel yr adwaenid ef gan bawb. Yn ôl ei gyfaill a'i gofiannydd, D. Owen Griffiths:

Nid dyn cyffredin oedd Gwilamus. Mewn llawer ystyr yr oedd yn ddyn mawr; ymhob ystyr yr oedd yn ddyn ar ei ben ei hun. Yr oedd ei wreiddioldeb yn ddiarhebol, ac am a wyddom, ni cheisiodd efelychu neb erioed mewn unrhyw gyfeiriad. Safodd yn gyndyn ar ei wadnau ei hun drwy ei oes.[12]

Roedd Gwilamus hefyd yn gyfuniad o ddigrifwch a difrifwch:

Pan fynegai ei feddwl ar bynciau difrifol, a phan ei gynhyrfid ef gan hanes am ryw drais neu anghyfiawnder, fflachiai ei lygaid fel mellt. Ond fel rheol goleu difyrrus a llawen a ganfyddid ar ei wynepryd. Ni fu neb erioed yn llawnach o wir ddigrifwch ... Tuedd rhai pobl arwynebol oedd edrych arno fel "dyn 'smala." "Nid yw," meddent, "yn debig i ryw ddyn arall." Gwir hyny, ond na feddylied neb mai ysmaldod oedd ei brif nodwedd ... Cawsai Gwilamus olwg ar yr anweledig bethau er yn ieuanc, a bu'n ffyddlon i'r weledigaeth nefol drwy gydol oes. Gallai fod yn ddoniol ac yn ysmala iawn, ond nid oedd dim yn arwynebol yn ei gyfansoddiad.[13]

Roedd atal dweud ar Gwilamus, a hynny oherwydd iddo gael profiad ysgytwol pan oedd yn fachgen:

Un bore daeth i fewn i'r t[ŷ] yn wyllt a chynhyrfus a dywedodd, – "Bues ma's yn yr ardd, a gweles Iesu Grist yn hedfan ar gewn y cwmwle." Dyma'r tro cyntaf i'w rieni ganfod bod rhywbeth allan o le ar ei leferydd. Ceisiodd yn ddyfal orchfygu y diffyg yn ystod ei fywyd, ond ni lwyddodd. Hyn a'i cadwodd yn [ô]l yng ngyrfa bywyd, neu yn hytrach rhag llwyddo gyda'r daearolion bethau.[14]

Teiliwr oedd Gwilamus yn ôl ei grefft, ond rhoddodd y gorau i deilwra ac aeth yn bostmon fel ei dad. Roedd postmona, yn ôl D. O. Griffiths, yn waith mwy cydnaws â'i anian. Cerddai i Langolman a Maenclochog bob dydd, a châi ddigon o amser i ddarllen, meddwl a myfyrio wrth gerdded ar draws gwlad. Gwerinwr diwylliedig oedd Gwilamus. Roedd yn awdur ac yn fardd. Ef oedd awdur *Hanes Eglwys Blaenconin, Sir Benfro* (1898) a *Llyfr Coffa David Evans, Blaenconin* (1905). Ceir yn *Hanes Eglwys Blaenconin, Sir Benfro* ambell gyfeiriad at deulu Rhosaeron. Dyfynnir rhan o deyrnged J. Edwal Williams, 'yn awr o Beaumaris', i weinidog Eglwys Blaenconin, y Parchedig Owen Griffiths, a gyhoeddwyd yn *Seren Cymru* ym mis Hydref 1886; a cheir cyfeiriad at gyfarfod a gynhaliwyd yn y capel tua diwedd mis Mawrth 1892 'i ffarwelio â Miss Mary Williams, Rhosaeron, ar ei hymadawiad i Denver, Colorado, U.D.A.'.[15]

Roedd gan Gwilamus ddiddordeb mewn gwleidyddiaeth, llenyddiaeth a diwinyddiaeth, a bu'n golygu *Y Piwritan Newydd*, y cylchgrawn crefyddol misol a wasanaethai Fedyddwyr de-orllewin Cymru, am ryw dair blynedd o fis Medi 1905 ymlaen. Roedd wedi dechrau llunio nofel hyd yn oed, ond nid oedd dyfalbarhad yn un o'i rinweddau mawr, yn ôl pob coel. Oni bai am y ffaith fod y nam ar ei leferydd yn tanseilio'i holl hyder, mae'n debyg y byddai wedi dilyn ei frawd Edwal i fyd addysg.

Roedd Gwilamus yn wahanol i bawb yn ôl ei gofiannydd, ar wahân, efallai, i'w dad:

Yr oedd annibyniaeth meddwl yn nodweddiadol iawn o hono ... Nid adlais o'r hyn a glywsai ac a ddarllenasai ydoedd, ond llais gwreiddiol. Rhoddai ddelw ei feddwl byw ar bopeth a wn[â]i ... Nid oedd ganddo lawer o barch i ddefodau'r dydd, ac ni bu neb erioed yn fwy rhydd o ysbryd y "flunkey." Urddasol a chysegredig yn ei olwg oedd bywyd dyn, ac nid oedd ganddo'r parch lleiaf i wâg ogoniant cyfoeth a safle bydol. Dynoliaeth oedd yr unig beth a haeddai edmygedd a pharch.[16]

Ni chredai Gwilamus mai rhywbeth i'w gyfyngu i addoldy neu i sect neu enwad penodol oedd crefydd. Yn ôl D. O. Griffiths:

> Yr oedd gonestrwydd meddwl yn un o hanfodion ei fodolaeth. Cas beth gan Gwilamus oedd cerdded mewn rhigolau. Beiddiodd gymryd ei ffordd ei hunan, ac nid y ffordd fawr oedd honno fel rheol.[17]

Dyn ei gymdeithas oedd Gwilamus. Yr oedd yn un o sefydlwyr Urdd y Rechabiaid yn Llandysilio. Gwasanaethodd fel Ysgrifennydd Capel Blaenconin am bymtheng mlynedd, ac fe'i dyrchafwyd yn flaenor yn y capel ym 1910. Ar ben hynny, roedd yn ddyngarwr:

> Cyfrannodd gannoedd o bunnau yn ystod ei oes tuag at wahanol achosion crefyddol a dyngarol ... Nid oedd ar [ô]l i neb yn ei gyfraniadau tuag at y weinidogaeth a chasgliadau ereill yr eglwys. Rhoddodd ef a'i briod − yr hon a'i rhagflaenodd bedair-blynedd-ar-ddeg − ymborth a lletỳ rhad i ugeiniau o bregethwyr. A pha beth a ddywedwn am ei garedigrwydd a'i gymwynasgarwch i gleifion a gweiniaid, i dlodion a'r rhai mewn caledi, i weddwon ac amddifaid?[18]

Ac meddai D. O. Griffiths am ddaliadau gwleidyddol a chrefyddol Gwilamus (gan gyfeirio at *The Clarion*, wythnosolyn sosialaidd a sefydlwyd gan y newyddiadurwr o Fanceinion, Robert Blatchford, ym 1890):

> Yr oedd Gwilamus yn gymdeithaswr [sosialydd] o'r iawn ryw cyn i neb erioed glywed s[ô]n am y "Clarion" a "Blatchford" ... Gwnaeth lawer i agor meddwl pobl i ddrychfeddyliau newyddion, ac i greu diddordeb mewn gwleidyddiaeth oleuedig. Ni ddaeth i'w feddwl erioed i ysgaru'r broblem gymdeithasol a chrefydd oddi wrth ei gilydd fel y gwna llawer o gymdeithaswyr eraill.[19]

Roedd hefyd yn ddarllenwr eang. Yn ôl D. O. Griffiths eto:

> O'i fachgendod darllenai'r lenyddiaeth oreu yn y ddwy iaith. Ei hoff awduron oedd Carlyle, Olive Schreiner a Walt Whitman; gwrthryfelwyr bob un o honynt ... Yr oedd olion amlwg o'r Crynwr a'r gwrthryfelwr yng nghyfansoddiad Gwilamus. Yr oedd Tennyson hefyd yn un o'i hoff awduron.[20]

Darllenai, felly, weithiau athronwyr, diwygwyr a beirdd a oedd, i bob pwrpas, yn cyfoesi ag ef: Thomas Carlyle, yr athronydd a'r hanesydd o'r Alban; Olive Schreiner, y nofelwraig a'r heddychwraig o Dde Affrica, awdures y nofel enwog *The Story of an African Farm*, ffeminist gynnar a menyw radicalaidd ei syniadau; a Walt Whitman, y bardd mawr Americanaidd, hyrwyddwr democratiaeth, brawdoliaeth ac unigolyddiaeth dyn.

Ac ar ben popeth, neu yn anad popeth, roedd Gwilamus yn fardd, ac fel bardd yr oedd eto ymhell o flaen ei oes. Arferai Waldo ddweud mai Gwilamus oedd y bardd cyntaf i lunio cerddi *vers libre* yn y Gymraeg. Yn hynny o beth roedd yn gywir. Mae'r gerdd 'Mêl Gwyllt' yn nodweddiadol o waith Gwilamus ar ffurf y wers rydd, ac mae'n amlwg mai Walt Whitman oedd y prif ddylanwad arno. Dyma ran o 'Mêl Gwyllt':

> Dere ma's o'th gragen fach gul, O ddyn,
> I'th d[ŷ] mawr, llydan, uchel, pert:
> Digon o le yma i neidio, dringo, chwareu, gorwedd,
> Digon o le yma i wylo, chwerthin, dychmygu, meddwl,
> Digon o le rhwng y gorwelion i ymestyn at Anfeidroledd,
> Digon o le i dynnu allan raglen Tragwyddoldeb,
> Digon o unigedd, digon o ddistawrwydd,
> Digon o gyfeillach, digon o gyfrinach,
> Dyma gartref 'Duw a Digon'.[21]

Os oes i'r bardd ysbeidiol hwn thema o fath yn y byd, y thema honno yw'r angen am i ni godi ein golygon ymhell uwchlaw ein hamgylchiadau cyfyng, gadael y gragen fechan am y tŷ mawr, llydan, sef y byd, ac ehangu a lledu ein gorwelion. Dyna thema'r gerdd fechan 'Eangach Gorwel' yn ogystal:

> Gwib i'r Gerwyn, chwi iselwyr,
>   Pan fo'r nef yn iach a chlir,
> I gael golwg ar ysblander
>   Ac eangder m[ô]r a thir;
> Drannoeth yn eich 'perci llafur'
>   Gellwch fedi llawer mwy,
> A chwi gofiwch wers y mynydd –
>   *Fod ein byd yn fwy na phlwy.*[22]

Ceir yr un syniad gan Gwilamus yn ei gerdd fechan i'w nith, Morvydd:

> Blwyddyn Newydd Wen i gyd,
> Grym i'th fraich i godi'r byd,
> Golwg glir i weld ymhell
> Hwyl i ganu'r gobaith gwell.[23]

Gweld ymhell oedd y peth pwysig, a bod yn agored i syniadau newydd ym myd llenyddiaeth a gwleidyddiaeth.

Yn ôl D. Owen Griffiths, roedd Gwilamus yn 'Mêl Gwyllt' yn dangos 'mor wrthun ganddo oedd rhigolau crefydd ac addoliad'.[24] Galwai ein sylw, meddai, 'at y ffaith fod Duw ymhobman, ac nad ymwelydd achlysurol mohono â themlau o waith llaw'.[25] Ni ellid cynnal Duw na chrefydd rhwng muriau'r capel neu'r deml, ac allanolion yn aml oedd defodau crefyddol:

> Anfynych iawn y gwelir Duw
>   Rhwng pedair wal;
> Nid rhyfedd hyn; mae'n tai mor fach
>   A Duw mor dal.
>
> Pan ddaw y dyn fe ddwed yn hyf –
>   Wrth allanolwyr Cymru
> Mai chwareu plant yw hanner 'rhyn
>   A elwir yn 'addoli'.[26]

Un arall a oedd yn adnabod Gwilamus yn dda oedd gweinidog Capel Blaenconin oddi ar 1909, y Parchedig D. J. Michael, a disgrifiwyd ei nodweddion ganddo yntau:

> Meddai ar feddwl cryf ac annibynol. Yr oedd o duedd ymchwilgar ac athronyddol, ac yn awyddus i ddeall y "pa fodd" a'r "paham" ynglŷn â phob pwnc. Ffurfiai ei farn ei hun, ond gwerthfawrogai farnau pobl eraill, a pharchai argyhoeddiad bob amser. Yr oedd yn hynod o unplyg ei ysbryd, ac yn ffyddlon i'r weledigaeth a g[â]i.[27]

Ac, wrth gwrs, cofiai ei weinidog am yr elfen lai difrifol i'w gymeriad: 'Nodweddid ef gan ryw fath o ysmaldod a direidi diniwed, a llonnid ef gan ergyd doniol mewn darn o ryddiaeth neu farddoniaeth'.[28]

Yr oedd hefyd yn sosialydd o'r iawn ryw: 'Agos iawn at ei galon oedd lles y werin, a ch[â]i pob mudiad i wella a chodi cymdeithas ei gydymdeimlad llwyraf'.[29]

Roedd J. Edwal Williams yn berson mwy difrifol a llai cellweirus na Gwilamus, a derbyniodd lawer mwy o addysg ffurfiol na'i frawd. Bu'n dysgu mewn sawl ysgol yng Nghymru a Lloegr, a nodwyd rhai o'i symudiadau gan John Price, prifathro y Coleg Normal a Chadeirydd Bwrdd Ysgolion Bangor, a luniodd dystlythyr iddo ym mis Mehefin 1898:

> Mr J. Edwal Williams was one of our best and ablest Students during '87–'88. In a testimonial that I wrote for him when he left this College, I expressed a very favorable opinion of his qualifications as a Teacher and most cordially recommended him both from his character and attainments, as likely to prove very successful in his profession.
>
> My anticipations I am happy to say have been more than realised by his career since. He was for four years Assistant Master at the St Paul's Board Schools [Bangor] which are used as the Practising Schools in connection with this College ... It was with the greatest regret that the College and the Bangor School Board learnt he intended leaving for Sheffield ...
>
> I understand he was equally successful under the Sheffield Sch. Board and left there owing to a temporary indisposition. The Board, however, offered before accepting his resignation to give him some months' leave of absence.[30]

Ym mis Tachwedd 1888, roedd prifathro Ysgol Maenclochog, J. Cocker, yn nodi bod Edwal Williams wedi cwblhau tymor ei brentisiaeth yn yr ysgol honno. 'He has always been a hardworking and conscientious teacher controlling his classes with so much skill and kindness as to compel the pupils to learn almost unconsciously,' meddai.[31]

Roedd J. Edwal Williams yn athro cynorthwyol yn y Boys' British School yn Peterborough pan anfonodd nodyn ar 'The Brunswick Dynasty' i *The Cardiff Times and South Wales Weekly News* ym mis Tachwedd 1885.[32] Ar drothwy'r ugeinfed ganrif yr oedd yn athro yn Ysgol Sir Dinbych, a honno oedd ei swydd olaf cyn iddo gael ei benodi yn brifathro Ysgol y Cyngor, Prendergast, Hwlffordd. Yn y *Denbighshire Free Press*, Rhagfyr 9, 1899, nodwyd bod J. Edwal Williams, prifathro cynorthwyol yn yr ysgol, wedi hysbysu'r Bwrdd Llywodraethwyr ei fod yn dymuno gadael ei swydd oherwydd iddo gael ei benodi yn brifathro ar ysgol yn Hwlffordd. Wrth fwrw trem yn ôl ar y flwyddyn 1899 flwyddyn yn ddiweddarach, disgrifiwyd Edwal Williams gan brifathro Ysgol Sir Dinbych, yn ôl *The North Wales Times*, fel 'an exceedingly able teacher'.[33]

Ym 1896 dyfarnwyd un o ysgoloriaethau Coleg y Gogledd – 'agored i fyfyrwyr newydd yn unig' – i 'John Edwal Williams (addysg gartref)'.[34] Yn ôl cyd-fyfyriwr iddo yn y Coleg Normal, George W. Roome, aberthodd Edwal Williams addysg brifysgol a gyrfa lenyddol er mwyn dysgu plant:

> When he deliberately threw up his excellent prospects of university successes to devote more time and attention to what he considered had a higher claim upon him, many of us condemned the decision whilst compelled to acknowledge the high motive inspiring it. Both then and later he gave additional energy to his school-work, at the expense of literary studies and pursuits which most men would consider perfectly justifiable use of their spare time.[35]

Ym mha le bynnag y dysgai, clodforid J. Edwal Williams am ei allu i addysgu ac i ddisgyblu. 'Under his care, a large, backward and difficult class of boys was in a little over six months brought to a high state of efficiency,' meddai S. Wright, Bwrdd Ysgol Firs Hill, Sheffield, amdano, ac yn ôl F. Madoc Jones, prifathro Ysgol Ramadeg Sirol Beaumaris: 'Mr Williams has been mainly responsible for the Latin, English, and Mathematical work of the Lower School, while he has taught the Candidates for the Oxford Local and Welsh Matriculation with uniform success ... Thoroughness characterises his work'.[36]

Yn ystod y cyfnodau hyn pan oedd yn athro ifanc fan hyn a fan draw yn Lloegr y dechreuodd Edwal Williams fabwysiadu'r gwerthoedd a'r egwyddorion hynny y byddai'n eu trafod â'i frawd Gwilamus ac yn eu trosglwyddo i'w fab Waldo yn y dyfodol. Cyhoeddwyd erthygl ar bwysigrwydd llyfrgelloedd cyhoeddus, 'Manteision Darllendai Cyhoeddus', gan J. Williams (Edwal), Peterborough, yn *Seren Cymru* ym mis Awst 1884. Ar drothwy Etholiad Cyffredinol 1885, roedd ganddo erthygl arall yn *Seren Cymru*, ac o Peterborough yr anfonodd yr erthygl honno, 'Yr Adeg Bresennol', yn ogystal. Roedd ei ddaliadau gwleidyddol bellach yn dechrau ymffurfio. Yn ôl J. Edwal Williams, roedd yng Nghymru arwyddion o ddeffroad, ar ôl canrifoedd o drwmgwsg. Yr oedd rhywbeth, meddai, 'yn agwedd diweddar y genedl yn arwyddoc[á]u egni a phenderfyniad', a phrawf o hynny oedd y 'cri am y colegau ac am addysg uwchraddol'.[37] Casâi'r Ceidwadwyr â'i holl enaid. 'A ydyw yn debyg y bydd i Gymru ddychwelyd at Dor[i]aeth, a'i rhyfeloedd costfawr diangenrhaid [sic], a'i difaterwch a'i hanaddasrwydd mewn cyssylltiad ag achosion cartrefol?' gofynnodd.[38] Roedd yn drwm ei lach ar ryfelgarwch y Torïaid: 'Rhaid cael llai o ymffrostio mewn meirch a cherbydau, llai o fostio nerth milwrol y deyrnas, llai o'r ysbryd ymyrgar Jingoaidd, a llai o drachwant cenedlaethol,' meddai.[39] Yr achosion y dylid ymladd o'u plaid oedd 'Diwygiad Tirol, Addysg Rydd, a Dadgyssylltiad'.[40] Gŵr ifanc yn ei ugeiniau cynnar a chanol oedd J. Edwal Williams ar y pryd, ac eisoes roedd yn heddychwr digymrodedd ac yn ymgyrchwr brwd o blaid hawliau dynol.

Cyhoeddwyd erthygl hirfaith ganddo mewn dau rifyn olynol o *Seren Cymru* ym mis Ebrill 1894, 'Tuag at Gymru Fydd: Ystyriaethau ac Appel gan Edwal'. Angen mwyaf Cymru, meddai yn yr erthygl, oedd 'cant o bobl ieuainc a'u llygaid yn oleu, a'u calonau yn dân, a sêl Cymru Fydd yn eu hysu'.[41] Roedd angen dynion ieuainc a fyddai'n rhoi lles eu hachos o flaen popeth arall, heb geisio dim iddynt eu hunain, 'na chyfoeth, nac awdurdod, na pharch – nac yn awchu am sedd o un fath, nac hyd yn oed yn chwennych swydd diacon, pa mor bwysig bynag y dichon hono fod'.[42] Roedd angen dynion a fyddai 'yn barod i aberthu eu hunain yn aberth byw, eithr annghymmeradwy gan ddynion, er mwyn lladd culni, a diogi meddwl, a hunangais, ac annghariad, a gwneyd Cymru fel gardd yr Arglwydd'.[43] Dau o gasbethau Edwal oedd eilunaddoliaeth a sectyddiaeth. Yr hyn a olygai wrth 'aberth ... annghymmeradwy' oedd 'ysbryd y croeshoelio ... ysbryd yr Ysgrifenyddion a'r Phariseaid hyd heddyw'.[44] Mewn gwirionedd, pledio annibyniaeth barn a dewrder y safiad unigol, yn nannedd gwrthwynebiad y dorf, yr oedd Edwal yn yr erthygl hon:

A charwn ddweyd nad wyf yn ystyried ymuno â chymdeithas, neu glwb, neu eglwys, neu enwad yr un peth [â] chodi'r groes. Rhaid meddu ar ysbryd yr Hwn a aeth *tu allan i'r gwersyll*. Rhaid i'r rhai a fyddant yn offerynau achubiaeth Cymru (oddiwrth eilunaddoliaeth yn mhob agwedd) fod yn barod i golli eu *henw da* er mwyn gwneyd y gwasanaeth uchaf i'w cenedl.[45]

Roedd dyfodol y mab wedi ei broffwydo a'i ragbennu yng ngeiriau'r tad:

Meirw ydym mewn cydffurfiaeth bechadurus – lu o honom. Am gydffurfiaeth ddallbleidiol, draddodiadol, gellir dweyd "Drws i uffern yw ei th[ŷ] hi." Rhaid i mi gyfaddef mai iechyd i'm calon yw gweled un yn amddiffyn argyhoeddiadau dyfnaf ei enaid yn erbyn mintai o gydffurfwyr.[46]

Canmolai J. Edwal Williams y Piwritaniaid. Nid eu sychdduwioldeb na'u 'duwinyddiaeth oer a dideimlad' oedd y nodweddion a ddiffiniai Biwritaniaeth, ond yn hytrach:

Hawl dyn i "grefydda'n" bersonol, hawl dyn i ymwneyd â Duw yn uniongyrchol heb yr un math o offeiriad fel canolwr (*middle-man*) crefyddol – hawl i chwilio am wirionedd yn hytrach na'i ffug dderbyn mewn gostyngeiddrwydd ffugiol – wedi ei lasdwreiddio gan glymblaid o esgobion. Er mwyn rhyddid y dyoddefasant tra y buont fyw: er mwyn rhyddid y buont feirw – y gwroniaid anorchfygol! Yr ysbryd anniffoddadwy hwn (ac nid eu duwinyddiaeth) sydd yn eu canmol i'r canrifoedd.[47]

A dyma'r tad yn mynegi athroniaeth y mab ynghylch hawl yr unigolyn i fyw ei fywyd ei hun yn hytrach na gadael i'r nerthoedd negyddol a dinistriol gipio'i fywyd oddi arno:

Mae pob un o honom yn faes ymryson rhwng bywyd ar y naill law, a'r nerthoedd sydd yn cadwyno ac yn tagu bywyd ar y llaw arall. Mae gwyliadwriaeth ddiflino yn angenrheidiol rhag i ni mewn moment o hepian roddi'r fuddugoliaeth i'r nerthoedd sydd yn gwrthweithio bywyd.[48]

Yn ail ran yr erthygl, mae J. Edwal Williams yn condemnio'r ymadrodd 'eglwys gref', gan mai ystyr y dywediad yw eglwys gref yn ariannol, nid eglwys gref yn ysbrydol:

Dyna, mewn geiriau noeth, beth ydyw "eglwys gref" llawer un. Ar ddaear fasnachol – *commercialism* – y tyfodd y syniad yna sydd yn taflu ei gysgod du oer ar eglwys Crist mewn ambell le. A goreu i gyd po gyntaf y bo dyddiau *commercialism* wedi eu rhifo, os drwy hyny y bydd y gwaith ychydig yn haws – y gwaith o berffeithio dyn Duw. Y mae masnach, fel y llyfrau ysbrydoledig, fel pob seremoni, fel pob sefydliad dynol a dwyfol, fel yr Eglwys, ïe, a'r Wladwriaeth, yn llai pwysig na pherffeithiad dyn Duw. *Oblegid er mwyn cyrhaedd hyn y bodolant oll.* Dyna oedd Walt Whitman yn ei feddwl pan yr ysgrifenodd, "Do you place anything before a man?" Dyna y wers a ddysgodd Iesu o Nazareth, "Y Sabboth a wnaethpwyd er mwyn dyn."[49]

Nid trwy ymddiried mewn unrhyw sefydliad neu gyfundrefn y mae creu chwyldro a gweddnewid sefyllfaoedd anfoddhaol yn ôl Edwal, ac nid yw pob traddodiad yn werth ei arddel na'i ddilyn:

> Am ymwared ofer yw edrych *yn benaf* i swyddogaeth; ofer yw edrych yn benaf
> i sefydliadau a pheirianwaith; ofer yw edrych o gwbl at y sawl sydd yn bwyta
> traddodiadau fel bara, ac yn yfed brawddegau ystrydebol fel dwfr; gwaeth nag ofer
> fydd edrych at dylwyth hunan-elw.[50]

Trwy gwrs y ddwy ran i'r erthygl y mae J. Edwal Williams yn cyfeirio at sawl bardd a llenor; er enghraifft, cyfeiria yn rhan gyntaf yr erthygl at Tennyson a Thackeray, ac yn yr ail ran y mae'n dyfynnu William Blake a Walt Whitman.

Ym mis Ebrill 1895 cyhoeddwyd dau lythyr o'i eiddo yn *The Welshman*, y naill yn Saesneg a'r llall yn Gymraeg. 'Transplanted by a rude fate from South-West Wales to a North of England town, and imprisoned here in perpetual smoke,' meddai am Sheffield yn y llythyr Saesneg, 'I taste every week with unfailing regularity the delights of the *Welshman*.'[51] Gallai anghofio am fwg a drewdod y dref ddiwydiannol pan ddarllenai'r papur: 'For a brief time I forget the smoke, and breathe again of the pure and undefiled air which comes up from the Atlantic, blowing over Canaston and Dim Woods to the borders of "Shir Gâr".'[52] Diben y llythyr Saesneg oedd mynegi ei awydd i fod yn newyddiadurwr achlysurol trwy gyfrannu erthyglau i bapurau fel *The Welshman* a chyflwyno ei gyfraniad newyddiadurol cyntaf i'r papur, yn y Gymraeg. Ac wrth iddo ei gyflwyno ei hun i ddarllenwyr y papur, y mae Edwal hefyd yn nodi ei ddaliadau gwleidyddol: 'The shrewd reader will probably feel that the writer is inclined to Socialistic views, and I candidly avow that whereas I was once a Liberal, I am now a Socialist.'[53]

Anfonwyd y llythyr Cymraeg o Upperthorpe, Sheffield, adeg y Pasg, 1894. Disgrifiad o daith gerdded a gwersylla 'mewn gwlad dda odiaeth a elwir Derbyshire' yw'r llythyr.[54] Rhyddhad oedd cael dianc i ganol y wlad a gadael mwg a budreddi Sheffield ar ôl am wythnos. Agoriad llygad iddo oedd cyflwr y gweithwyr a'u teuluoedd yn un o drefi mwyaf diwydiannol Lloegr. 'Y nefoedd yn unig a [ŵ]yr yr ing a ddioddefir a'r bywydau a aberthir o fewn ein trefydd mawrion er mwyn gwyngalchu allanol bywyd a dod [â] gwagedd o fewn cyrraedd yr ychydig,' meddai.[55]

Cyhoeddwyd ysgrif o'i eiddo yn *Seren Cymru* ym mis Gorffennaf 1885, 'Fy Ngweledigaeth', ysgrif a gyflwynwyd 'i Ryddfrydwyr Morganwg', pan oedd yn athro yn Peterborough. Roedd llawer o ymgecru mewnol a sawl ymraniad a rhwyg o fewn y Blaid Ryddfrydol ym 1885, ac ym Morgannwg yn enwedig, o ganlyniad i aildrefnu etholaethau Prydain y flwyddyn honno. Gydag etholiad cyffredinol ar y gorwel cyn diwedd y flwyddyn, ofnid y byddai'r Ceidwadwyr yn manteisio ar y rhwyg yn y Blaid Ryddfrydol ac yn ennill yr etholiad. Seiliodd Edwal Williams ei ysgrif ar arddull *Gweledigaetheu y Bardd Cwsc* Ellis Wynne. Y mae'n syrthio i drwmgwsg ac mae'n breuddwydio bod holl wroniaid y gorffennol yn dynesu ato. Mae'r gwroniaid hyn wedi ymgynnull er mwyn cael Rhyddfrydwyr Morgannwg i fod yn fwy unol: 'Tra yr oeddwn mewn syndod yn syllu ar yr olygfa, daeth un o'r dorf yn mlaen ataf, ac a[']m hysbysodd mai gwroniaid rhyddid oedd y rhai hyn, wedi dychwelyd i addysgu eu brodyr ar y ddaear yn [*sic*] ngwersi pwysig undeb a chydweithrediad, ac mai eu cyrchfan oedd – Morganwg.'[56]

Ar Fehefin 2, 1900, priododd Edwal ag Angharad Elizabeth Jones, plentyn hynaf John a Margaret Jones, Pen'rallt Lodge, Bangor, yng Nghapel y Presbyteriaid Ffordd y Tywysog, Bangor Uchaf, lle yr addolai'r teulu. Yn ôl adroddiad byr a ymddangosodd yn y *Carnarvon and Denbigh Herald and North and South Wales Independent*:

> On Saturday morning, at the Prince's-road Chapel, Upper Bangor, there was solemnised the marriage of Mr Idwal [*sic*] Williams, formerly assistant master at St. Paul's Board School and now at Haverfordwest, to Miss Angharad Jones, Pen'rallt Lodge, Upper Bangor, who was an assistant mistress under the school board. The church was well filled with relations and friends of both parties.[57]

Brodor o Langernyw, Sir Ddinbych, oedd John Jones, tad Angharad, a brawd Syr Henry Jones, Athro Athroniaeth Foesol ym Mhrifysgol Glasgow o 1894 hyd at 1922. Roedd yna hefyd drydydd brawd, William, a chwaer, Elizabeth, yr un enw â'i mam, Elizabeth neu Betsi Williams. William, a aned ym 1846, oedd y plentyn hynaf; John, a aned ar Orffennaf 2, 1850, oedd yr ail hynaf; Henry, a aned ym 1852, oedd y brawd ieuengaf, ac ym 1855 y ganed Elizabeth. Bwthyn bychan o'r enw Cwm yn ymyl pentref Llangernyw oedd cartref y teulu, a chrydd oedd y tad, Elias Jones. Merch i ŵr hynod o grefyddol o'r enw William Williams oedd Elizabeth, gwraig Elias Jones. 'My grandfather, on my mother's side, could turn at once to any verse you might want, and tell you before-hand on what page of his own big Bible it was to be found and whether at the top, middle, or bottom,' meddai Henry Jones amdano yn ei hunangofiant, *Old Memories*.[58]

Roedd gan Henry Jones feddwl mawr o'i dad-cu, William Williams, sef hen-hen-dad-cu Waldo. Meddai amdano:

> He was "a born teacher." He was also, most probably, a natural orator, for he was the most beautiful public reader of the Bible in all the country round; and most probably of quite a distinct literary genius. In any case his life was very beautiful; for he was kindly and very playful as well as devout; and he nursed and nurtured his character on the finest book in the world, day by day, throughout the whole of a long, humble, industrious and very peaceful life. During the latter part of his life, and for a great many years he worked on the estate of the squire, Sandbach. When he became old his wages were repeatedly reduced. They were at last reduced to 4s. a week, which was starvation wages even in those days, and on this 4s. a week he was expected to live himself and keep his home going. But the ultimate reward of his long and faithful service was *half-a-crown* for a week's work; and *then*, my mother told me, "he broke his heart."[59]

Fel Dafi Williams a'i fab Gwilamus, yr oedd i William Williams natur chwareus a direidus yn ogystal ag ochr ddefosiynol ddwys; yr oedd hefyd wedi profi annhegwch ac anghyfiawnder yn ei fywyd.

Roedd Waldo, ar ochr ei fam, yn perthyn i fwy nag un genhedlaeth o bobl o argyhoeddiad crefyddol dwfn. Yn ôl Henry Jones:

> My mother, her father, and her father's father, and, I believe, my grandmother and great-grandmother also were deeply religious. My great-grandfather and great-grandmother, I think, must have been amongst those earliest dissenters, who, in Wales at the time, suffered a good deal of persecution.[60]

Felly, roedd teulu Waldo ar ochr ei fam, yn ogystal ag ochr ei dad, yn bobl grefyddol ac annibynnol eu barn. Ymneilltuwyr oedd hynafiaid Angharad. Meddai Henry Jones eto am ei linach:

> They were "members" of their church, and not merely "hearers" or "adherents." And to be a "member" of a dissenting church meant a good deal in those days. It meant much more than partaking of the sacrament when the communion was celebrated, and the little, cheap, ordinary earthenware sacramental cup was passed around, from lip to lip. The "members" were a select few, who stayed behind for more intimate spiritual communion when the mass of the congregation walked out at the end of the sermon. There was hardly one of them who could not point back to the very day of his conversion, or at least to a period when the sense of sin or the fear of hell, – yielding place sometimes after many weeks of torture to a consciousness of forgiveness, a great peace and a deep joy – overwhelmed the soul.[61]

John Jones, tenant ar fferm fechan ar gyrion tri phlwyf, Llanfair Talhaearn, Llansannan a Llanefydd, a phlentyn hynaf ffermwr o'r enw Harri Jones, oedd tad Elias Jones, a thad-cu William, John, Henry ac Elizabeth. Fel hyn y gwelai Henry Jones y gwahaniaeth rhwng ochr ei fam ac ochr ei dad o'r teulu:

> The strain, the disposition, the temperament, the character, the whole outlook on life and the way of living it, of the sides of my parentage were distinctly different. On the one side the whole make and bent of the soul, its natural tendencies and its history, were of the religious type. There was intuition, passion, yearning after perfection, imagination of what the best might be, and the pursuit of it; and the soul was so dedicated to the things "beyond," that *this* life, with its opportunities and chances and even ethical obligations, was in the background. On my father's side, on the other hand, we had the thoroughly secular but also thoroughly moral spirit. Honesty, simplicity, industry, truthfulness, fidelity, and above all an abounding neighbourliness and kindliness, were the ruling powers ... My mother was religious. Her mind had an imaginative reach which my father's had not; and if ever man or woman was endowed with that kind of intuitive power which, psychologists say, reaches true conclusions without the help of any premises, it was my mother. She also like her father knew her Bible well, and how to use its verses sometimes for dreadful castigation and reproof; she read any and every novel (in Welsh) that came within her reach; and she attended every sermon and marked every poetic turn it might take. My mother was imaginative and aesthetic and intuitive to the finger-tips; and she was extraordinarily clever.[62]

Bron na ellid dweud bod gwirionedd gyda'r tad a maddeuant a thosturi gyda'r fam.

Cafodd dau frawd hŷn Henry Jones, William a John, eu prentisio fel garddwyr i'r sgweier lleol. Yn gynnar ym 1873, ymgeisiodd Henry Jones am swydd prifathro yn Ysgol Elfennol Brynaman, pentref glofaol a diwydiannol ar y ffin rhwng Sir Gaerfyrddin a Sir Forgannwg. Roedd yn ugain oed ar y pryd. Roedd bron i ddau gant o enwau ar gofrestr yr ysgol – yr 'Ironworks School'. Ar y daith i Frynaman i gychwyn yn ei swydd newydd, cyfarfu â'i ddau frawd yng Nghaer, a pherswadiodd y ddau i adael eu swyddi fel garddwyr a'i ddilyn i Frynaman, i'w haddysgu eu hunain ymhellach, a gadael garddio yn gyfan gwbl. Lletyai'r tri gyda gweinidog Capel yr Annibynwyr ym Mrynaman, ond buan y blinodd William ar ei astudiaethau ac aeth yn ôl i arddio, gan adael Henry a John i ofalu am yr ysgol:

> In all my work I was loyally supported by the young lads I had as "pupil-teachers" and by my brother, John. He had been appointed "Assistant Master," though uncertified; and he was known, by young and old as, "John, brawd Mishtir" ... a rather humiliating title for an elder brother. The children were extravagantly fond of him. They were soft wax in his hands; but I must also add that he was apt to be soft wax in theirs.[63]

Erbyn mis Mai 1875 roedd Henry Jones wedi gadael ei swydd fel prifathro Ysgol Elfennol Brynaman, ac erbyn hynny roedd ei frawd John hefyd wedi troi'n ôl at ei briod alwedigaeth. Meddai Henry Jones yn *Old Memories*: 'My brother, John, had departed some time before. He got married and accepted a place as head-gardener, near Market Drayton.'[64]

Ac yn Styche Hall, Market Drayton, yn Swydd Amwythig y cafodd Angharad, mam Waldo, ei geni, ar Fedi 20, 1875. Hi oedd plentyn cyntaf-anedig John Jones a'i wraig Margaret. Yn Rhydaman, yn ymyl Brynaman, y cyfarfu John Jones â'i ddarpar wraig, Margaret Price, merch Azariah ac Angharad Price, o Dŷ'nygwndwn, Brynaman, ac ar ôl ei mam-gu y cafodd Angharad, mam Waldo, ei henwi, er bod sawl Angharad arall yn y gangen hon o'r teulu. Merch i Richard Williams (1778–1849), Cwm-garw, Brynaman a'i briod Anne (1781–1870) oedd Angharad Price (1825–1872), a adwaenid fel 'Angharad Sria' wedi iddi briodi.

Yr oedd i Angharad Price dri brawd ac un chwaer. Un o'i brodyr oedd William Williams, Pen-y-graig, a oedd yn dad i wyth o blant. Un o'r plant hynny – nai i Angharad – oedd Griffith Williams (1847–1894), a adwaenid wrth ei enw barddol, 'Tegynys'. Ymfudodd Tegynys i Pennsylvania yn yr Unol Daleithiau ym 1869. Roedd yn englynwr medrus, ac adroddai'r bardd a'r emynydd Watcyn Wyn un stori ddifyr amdano. Collodd gŵr o Kingston, Pennsylvania, ei goes a rhoed iddo goes bren yn ei lle. Roedd y gŵr hwn yn dipyn o feddwyn, a thorrodd y goes bren yn ei feddwdod. Lluniodd Tegynys yr englyn hwn iddo:

> Torraist un goes naturiawl, – ys torraist
>   Arall gelfyddydawl;
>   Ofer tra'r pethau yfawl
>   Dy goeso di – gwas y diawl.

Un arall o frodyr Angharad Price oedd Daniel Richard Williams (1816–1849). Glöwr oedd Daniel Williams yn ôl ei alwedigaeth, ond bu farw'n gymharol ifanc pan ysgubodd haint y geri marwol (colera) drwy'r wlad ym 1849, gan adael ei weddw, Mari, i fagu pedwar o fechgyn. Un o'r bechgyn hyn oedd Richard Williams (1842–1917), y daethpwyd i'w adnabod trwy Gymru gyfan fel Gwydderig, y bardd a'r englynwr medrus. Roedd Gwydderig a Thegynys, felly, yn ddau gefnder o waed coch cyfan, ac roedd Angharad Price, hen-fam-gu Waldo, yn fodryb i'r ddau.

Un o frodyr Richard Williams, Cwm-garw, sef tad Angharad Price, oedd Watkin Williams, a laddwyd mewn damwain yn un o lofeydd Brynaman ym 1821. Un o blant Watkin a Catherine Williams (1776–1854) oedd Hezekiah Williams (1811–1882), a briododd ag Ann Williams (1820–1888). Un o blant y briodas hon oedd Watkin Hezekiah Williams, sef Watcyn Wyn. Roedd Hezekiah Williams, tad Watcyn Wyn, felly, yn gefnder i Angharad Price.[65]

Roedd Waldo'n ymwybodol iawn o'r gangen hon o'r teulu yn ardal y Wythïen Fawr ym Mrynaman. Roedd yn ymwybodol hefyd ei fod yn perthyn i feirdd yr ardal, beirdd godre'r Mynydd Du. Ymhen blynyddoedd, ac yntau'n beirniadu cystadleuaeth y Detholiad o Ganeuon Digrif yn Eisteddfod Genedlaethol Bangor ym 1943, cyfeiriodd at dri ohonynt – Watcyn Wyn, Gwydderig a Thegynys – wrth drafod yr egwyddor o gynildeb mewn barddoniaeth ddigri, a dyfynnodd englyn Tegynys i'r meddwyn ungoes yn ei grynswth:

> Yr oedd Watcyn Wyn a Gwydderig ar eu gorau'n ddigrifach na neb o'r oes hon. Ond yr oedd y pennill a hoffent gymaint ... yn fagl i rai na ddeallasant angenrheidrwydd cynildeb hyd yn oed mewn ymollwng digrif ... Pan ganodd Tegynys yr englyn ... i'r dyn a dorrodd ei goes bren wrth feddwi ... deallodd ar unwaith ei fod wedi dweud y cwbl a oedd yn bosibl ei ddweud.[66]

Roedd Waldo yn ymwybodol trwy'i fywyd fod gwahanol rannau o Gymru yn undod ynddo, a bod tri lle a gysylltid â mynyddoedd yn cynrychioli'r gwahanol rannau hynny – Llangernyw yn ymyl Mynydd Hiraethog, Brynaman wrth odre'r Mynydd Du, a'r Preseli, ond y Preseli'n unig a'i cyfannai trwy ddwyn pob cyfran arall ynghyd, a'u hasio'n un:

> Ynof mae Cymru'n un. Y modd nis gwn.
>   Chwiliais drwy gyntedd maith fy mod, a chael
> Deunydd cymdogaeth – o'r Hiraethog hwn
>   A'i lengar liw; a thrwy'r un modd, heb ffael,
> Coleddodd fi ryw hen fugeiliaid gynt
>   Cyn mynd yn dwr dros war y Mynydd Du,
> A thrinwyr daear Dyfed. Uwch fy hynt
>   Deffröwr pob cyfran fy Mhreseli cu.[67]

Ac nid ar ochr mam Angharad yn unig yr oedd y beirdd. Roedd tad-cu Waldo, tad Angharad, hefyd yn medru englyna, ac efallai mai beirdd godre'r Mynydd Du a'i trwythodd yn y grefft. Lluniodd englyn i'w wyres Morvydd ar achlysur ei phen-blwydd yn un oed. Fe'i cyhoeddwyd yn y papur *Gwalia*, ond ni roddodd John Jones ei enw wrth gwt yr englyn, dim ond nodi mai 'Ei Thaid' oedd yr awdur, a'i fod yn byw ym Mhen'rallt Lodge, Bangor:

> Morfydd fach, loniach, eleni – a ddaeth
>   Yn flwydd oed i'n lloni;
>   Un lwys, hardd, angyles yw hi,
>   Yn mwmian ar lin ei mami.[68]

Priodwyd John Jones a Margaret Price ar noswyl Nadolig, 1874.

Cofnodwyd yr achlysur flynyddoedd yn ddiweddarach gan eu merch Mwynlan Mai, gan ddilyn yr hyn a ddywedodd ei rhieni wrthi:

> Very many years ago my father & mother were married on Xmas Eve. My father & his brother kept a school in Brynamman Carmarthenshire and father decided to keep the date of the wedding private. As he & his brother decided that as the school children were mainly the children of miners and miners had very poor pay in those days, they wanted to avoid the children bringing little wedding presents. They, the bridal couple, walked 2 miles or so *through the snow* to the church in Garnant! After the wedding they went to the station, & there they were amazed to see v[ery] many miners loaded with wedding gifts. Somehow the news had leaked out![69]

Gadawodd John a Margaret Jones Rydaman yn fuan iawn ar ôl priodi, ym 1875, ac nid 'some time before' fel y dywedodd Henry Jones. Ganed pum plentyn arall i John a Margaret, ar ôl genedigaeth Angharad: John Elias, a aned ar Fehefin 14, 1878; Azariah Henry, a aned ar Ionawr 14, 1881; Margaret Wilhelmina (Minnie i'r teulu), a aned ar Fedi 28, 1884; William Price, a aned ar Dachwedd 15, 1892; a Mwynlan Mai, y plentyn olaf, a aned ar Fai 11, 1897.[70]

Ganed pedwar plentyn cyntaf John a Margaret Jones mewn gwahanol leoedd yn Lloegr, fel y symudai'r tad o orchwyl i orchwyl ac o gomisiwn i gomisiwn fel pen-garddwr. Angharad yn unig a aned yn Market Drayton. Ganed John Elias yn Broom Hall, Croesoswallt, yn Swydd Amwythig, Azariah Henry yn Gardener's Lodge, Malvern Wells, Swydd Gaerwrangon, a Margaret Wilhelmina yn Haines Hill Gardens, Twyford, Berkshire. Erbyn Cyfrifiad 1891 roedd y teulu wedi ymgartrefu ym Mhen'rallt Lodge ym Mangor, y drws nesaf i Faenor Pen'rallt, lle preswyliai Syr Henry Reichel, Prifathro Coleg y Gogledd, a'i briod. Swydd John Jones bellach oedd gofalu am erddi'r coleg, yn ogystal â chadw trefn ar erddi Maenor Pen'rallt. Ac yn ôl Cyfrifiad 1901 roedd dau blentyn arall wedi cyrraedd aelwyd Pen'rallt Lodge, William Price, 8 oed, a Mwynlan Mai, 3 oed, ac yng Nghaernarfon y ganed y ddau. Roedd Angharad wedi gadael y cartref teuluol erbyn hynny.

Derbyniodd pob un o'r chwech, ac eithrio Mwynlan Mai, addysg brifysgol. I'r Coleg Normal ym Mangor yr aeth Mwynlan, er mai ei huchelgais hithau hefyd oedd cael addysg brifysgol. Drylliwyd ei breuddwydion pan fu farw ei thad ar Fai 17, 1912, a Mwynlan yn 15 oed ar y pryd, ac yna daeth y Rhyfel Mawr i beri rhagor o anawsterau. Cyn marwolaeth John Jones, roedd y rhieni yn benderfynol o roi'r addysg orau i'w plant, fel y tystiai Mwynlan:

> ... when Will was about 17 yrs old he wanted to leave school & join the navy & he said he did *not* want to go to the university. To the family the University was very important & no sacrifice of my parents was too great to achieve this object. My parents said "Go to the University *first* & *then* choose your career." My shrewd father then quietly went to see some sailors who were employed in taking slates from Bangor to Ireland – a business venture. My father said to these sailors – "When you next go to Ireland take my son (Will) with you & let him work – no favouritism! I want him to see what work in the navy can mean!"
>
> This was done & the ship my brother was on got shipwrecked near the Isle of Man! A passing Liverpool big ship rescued all. Will never mentioned going to sea again and went to the University ...[71]

Mwynlan Mai, plentyn olaf John a Margaret Jones, oedd archifwraig y teulu, yn union fel mai Dilys Angharad, plentyn olaf Edwal ac Angharad Williams, oedd archifwraig ei theulu hithau. Arferai'r ddwy ohebu yn rheolaidd â'i gilydd. Bwydai Mwynlan ei nith â hanesion a ffeithiau yn ymwneud â'r teulu.

Rhyddfrydwr digymrodedd oedd John Jones o ran gwleidyddiaeth, a gŵr a chanddo ddogn helaeth o hiwmor a ffraethineb, nid annhebyg i dad-cu Waldo ar ochr ei dad ac i'w ewythr Gwilamus. Credai Mwynlan mai etifeddu hiwmor ei thad a wnaeth Waldo, ond heb anghofio am ei ewythr Gwilamus ychwaith: 'My father was a great philosopher & he had the most wonderful sense of humour which I feel Waldo inherited, not forgetting Waldo's father's brother William who also had a great sense of humour'.[72] Roedd Mwynlan yn hoff iawn o ailadrodd un o sylwadau ffraeth Waldo. Ymfudodd un o frodyr Mwynlan ac Angharad, William Price Jones, i Affrica, a bu'n gweithio yno fel trefnydd-reolwr un o daleithiau'r Arfordir Aur (Ghana). Ac meddai Mwynlan: 'when Uncle Will sent a letter to Angharad when I was staying there in Elm Cottage, Will had cockily written on the envelope "Mrs Wms Oak, Ash or Elm Cottage". Waldo immediately said "Send a letter back, Mam, addressed Capt. Price Jones, Gold, Copper or Ivory Coast Africa!"'[73]

Gwrthodai John Jones ymgrymu i'r mawrion. Gŵr gwreiddiol ei feddwl ac annibynnol ei natur ydoedd yn ôl Mwynlan. Croniclwyd un hanesyn difyr ganddi am ei thad:

> My father who had been teaching became a Landscape Gardener. And his titled employer said to his wife – "We've got a very intelligent head gardener – the only drawback from our point of view, is that he is a Liberal & has a very persuasive tongue! We may lose 80 odd & more votes to the Liberals consequently!["] The titled man's wife said "I'll go & see the gardener." [S]he came to my parents' house & among other things she said "Of course you'll vote like your master, Jones.["] "Yes, my lady,["] answered Dad. My mother a *very strict Christian* said "Dad you *know* you *couldn't* vote for the Tories." Dad's answer was "I never said I'd vote for the Tories. I simply said I'll vote like my master. My master will vote as he personally likes, and so will I! He a Torie [*sic*] Vote – me a Liberal Vote."[74]

Gŵr o dueddiadau sosialaidd oedd John Jones, ac yn hynny o beth, ymdebygai i Edwal ac i Gwilamus. Yn ôl ei ferch eto:

> Dad was the champion of poor sad people & woe betide anyone who was hard to them! I've heard him caustically attack cruel or hypocritical people even when they were seemingly men of wealth and in high worldly positions! He hated class distinction and when he died the very poor, the rich, the educated & the less educated came to his funeral.[75]

Gwraig grefyddol iawn oedd Margaret Jones, mam Angharad, ond nid gwraig sychdduwiol mohoni, er ei bod yn llawer mwy difrifol na'i gŵr. Crefydd fyw, ymarferol oedd ei chrefydd hithau hefyd, nid sioe o grefydd. Mynychai gyfarfodydd Byddin yr Iachawdwriaeth ym Mangor yn unswydd er mwyn helpu trigolion y rhannau tlotaf o'r ddinas. 'She was a saintly woman, unselfish, strong and practical,' meddai Mwynlan amdani.[76] Credai Mwynlan fod y ddwy ochr i'r teulu wedi creu personoliaeth a natur Waldo, nid ochr ei dad yn unig. 'I do wish I had the strength to write of our Penrallt family – so individual a family, full of intellect, full of humour & yet loaded with strain & with your dear father's family produced our beloved Waldo – the giant intellect, and outstanding personality of courage and integrity'.[77]

Yn Hwlffordd y treuliodd J. Edwal Williams a'i briod ddeng mlynedd cyntaf eu priodas, ac yno hefyd y dechreuodd y ddau fagu teulu. Roedd y ddau, Edwal ac Angharad, yn rhan o fywyd crefyddol a chymdeithasol y rhan hon o Hwlffordd o'r cychwyn cyntaf. Addolai'r ddau yng Nghapel y Bedyddwyr Hill Park yn y dref, capel a godwyd ym 1856 yn unswydd ar gyfer cynnal oedfaon Cymraeg ynddo, ond erbyn 1880 roedd y gwasanaeth bron yn uniaith Saesneg.

Symudodd J. Edwal Williams, a'r teulu i'w ganlyn, i Fynachlog-ddu wedi iddo gael ei benodi yn brifathro'r ysgol gynradd yno. Cychwynnodd ar ei waith yn Ysgol Gynradd Mynachlog-ddu ar Awst 28, 1911, ychydig wythnosau cyn pen-blwydd Waldo yn saith oed. Prifathro Ysgol y Bechgyn ym Mhrendergast yn Hwlffordd – ysgol ac iddi ryw 120 o ddisgyblion – oedd J. Edwal Williams cyn iddo symud i Fynachlog-ddu ym 1911, a bu'n brifathro yno oddi ar droad y ganrif. Gadawodd swydd dda ar ei ôl yn Hwlffordd, a swydd yr oedd yn dra llwyddiannus ynddi i ddechrau. Fe'i canmolwyd fel prifathro dro ar ôl tro gan aelodau o Fwrdd Ysgolion Hwlffordd. Canmolwyd Ysgol y Bechgyn, Prendergast, am bresenoldeb uchel gan aelodau'r Bwrdd yn eu cyfarfod misol ym mis Tachwedd 1902, yn enwedig o gofio bod llawer o ddisgyblion yr ysgol yn byw yn y wlad, y tu allan i'r dref. 'This well-disciplined school continues to be very efficiently conducted and taught,' meddai adroddiad am yr ysgol a ddarllenwyd gerbron aelodau'r Bwrdd Ysgolion yn eu cyfarfod misol ym mis Chwefror 1903, gan ychwanegu: 'The work throughout is intelligent and of high quality.'[78] Ac os oedd y gwaith yn ddeallus ac o ansawdd uchel, y rheswm am hynny oedd y ffaith fod y prifathro ei hun yn ŵr hynod o ddeallus ac yn feddyliwr mawr.

Fel prifathro Ysgol y Bechgyn ym Mhrendergast, anelai J. Edwal Williams at y safonau uchaf, ond yn fuan wedi iddo greu'r fath argraff ar aelodau Bwrdd Ysgolion Hwlffordd, dechreuodd pethau ddirywio. Yn ystod misoedd cychwynnol 1904, yr oedd yn cynnal dosbarthiadau i hyfforddi disgyblion-athrawon:

> Rev. O. D. Campbell read a report from Mr J. Edwal Williams, Head Master of the Prendergast Boys School, with regard to the first quarter's work in the Pupil Teachers' King's Scholarship Class. He said the results of the work corresponded with the forecast contained in his last report. Seven teachers attended the class, and as far as he was at present able to judge none of them came up to the average level of those who took the examination last Christmas. The attendance had been

regular and punctual and the work had generally been satisfactorily done. Owing to indisposition he was not able to take the classes for the 21st March until after the Easter holiday.[79]

Ac efallai fod yna awgrym yn y frawddeg olaf o'r anhwylder a fyddai, yn y man, yn gyrru J. Edwal Williams o Hwlffordd. Cafwyd mwy fyth o awgrym o hynny yng nghyfarfod misol Bwrdd Ysgolion Hwlffordd fis yn ddiweddarach:

> With reference to the resignation, by Mr Edwal Williams, of his position as instructor of the Pupil Teacher's Classes for the King's Scholarship Examination a report was read from the sub-committee appointed for the purpose of making further arrangements recommending that Mr. J. S. O. Tombs, the headmaster of the Grammar School, should be asked to undertake the work.[80]

Yn ystod 1905, poenai aelodau Bwrdd Ysgolion Hwlffordd fod gormod o ddisgyblion yn Ysgol y Cyngor ar gyfer Bechgyn ym Mhrendergast, ac efallai fod gorweithio i gadw trefn ar ysgol orlawn wedi bod yn rhannol gyfrifol am ddirywiad iechyd J. Edwal Williams, hynny ynghyd â'i ymdrechion di-ildio i gyrraedd y safonau uchaf ym myd addysg. Perffeithydd a delfrydwr oedd J. Edwal Williams. Mynegwyd pryder ynghylch yr ysgol yng nghyfarfod mis Tachwedd y Bwrdd Ysgolion:

> Rev. D. Akrill Jones referred to the overcrowded condition of Prendergast Boys' School, and said that the headmaster had been obliged to refuse admission to two boys living in Prendergast. He commented on the unfairness of allowing children to attend from the western side of the water, while boys living in the vicinity had to be excluded.[81]

Os oedd mwy na 120 o ddisgyblion yn mynychu ei ysgol, roedd J. Edwal Williams i fod i dderbyn £20 y flwyddyn yn ychwanegol at ei gyflog, ond roedd Pwyllgor Addysg Sir Benfro yn gwrthod rhoi caniatâd i Fwrdd Ysgolion Hwlffordd dalu'r swm ychwanegol hwn iddo, gan fod y Pwyllgor Addysg wedi deddfu na châi mwy na 120 o ddisgyblion fynychu'r ysgol, ac ym 1907 roedd 123 neu 124 o enwau ar gofrestr yr ysgol. Roedd J. Edwal Williams, felly, yn gweithio'n galed am gyflog annigonol.

Yn raddol, dirywiodd y sefyllfa. Erbyn diwedd 1907 roedd J. Edwal Williams yn gorfod ysgwyddo gormod o lawer o faich, a gormod o gyfrifoldeb. Yr ateb call i broblem yr ysgol oedd penodi athro newydd i ysgafnhau rhywfaint ar fyrdwn y prifathro, a dyna oedd argymhelliad y Bwrdd Ysgolion i Bwyllgor Addysg Sir Benfro, ond roedd cryn ymgiprys rhwng y ddau gorff am oruchafiaeth yn y cyfnod hwnnw, yn enwedig wedi i Ddeddf Addysg 1902 ddod i rym, a chryn dipyn o dyndra a gwrthdaro rhyngddynt yn sgil yr ymgiprys:

> On the question of the staffing of Prendergast Boys' School being referred to, the Rev. D. Akrill Jones ... said he thought they as managers ought to avail themselves of that opportunity of expressing their surprise at the fact that the recommendations made by them at the last meeting with regard to the staffing of Prendergast Boys' School had not been adopted by the Education Committee. There was no question whatever that the managers were the best judges of the best methods of carrying on the discipline and instruction of the schools under their control, and if their recommendations were to be ignored in this manner then their position as managers became ridiculous ... As the school at present stood Mr. Williams, the headmaster, had frequently to take the fifth, sixth and seventh standards together in addition to the general supervision of the school. There was no doubt about [the fact that] this school was grossly understaffed, and it was time they protested most strongly against the way the recommendations of managers were treated by the Education Authority.[82]

J. Edwal Williams oedd y dyn yn y canol rhwng dau gorff ystyfnig ac anhyblyg. Ceisiodd y Bwrdd Ysgolion ddatrys y broblem trwy anfon athro o Ysgol y Plant Lleiaf ym Mhrendergast i Ysgol y Bechgyn. Ond erbyn dechrau 1908 roedd Ysgol Prendergast yn dechrau colli tir. Tra oedd nifer y disgyblion yn nosbarthiadau uchaf ysgolion Hwlffordd ar gynnydd, gan fod rhai disgyblion yn aros yn hwy yn yr ysgol i dderbyn rhagor o addysg, y gwrthwyneb a oedd yn wir am ysgol J. Edwal Williams. Hi oedd un o'r rhai gwannaf o safbwynt cadw disgyblion y tu hwnt i'r oedran ymadael.

Ac eto, er gwaethaf yr holl drafferthion hyn, roedd J. Edwal Williams wedi rhoi stamp ei awdurdod ar yr ysgol erbyn mis Medi 1909. Roedd adroddiad yr Arolygydd Ysgolion, J. Bancroft, yn llawn canmoliaeth i'r prifathro a'i ysgol: 'The tone, discipline, and instruction of this school are excellent. A special feature of the work is the teaching of arithmetic, which is thoroughly practical, and possesses many original features devised by the head teacher.'[83]

Ond wrth i 1910 nesáu, roedd Edwal ac Angharad a'u plant ar fin colli eu cartref:

> Prendergast School House.– The Building Sub-Committee of the Education Authority recommend that Miss Nellie Phillips, B.A., the newly-appointed headmistress of Prendergast Girls' School, be allowed to let the schoolhouse to Mr. J. Edwards, of the Haverfordwest N.P. School. The Managers of Lambston School, of which Miss Phillips had been teacher, have asked the Education Authority to make it a condition of appointment that the new head teacher shall reside in the schoolhouse.[84]

Cyn i'r teulu symud o Hwlffordd i Fynachlog-ddu, roedd yn rhaid i J. Edwal Williams lenwi ffurflen Cyfrifiad 1911. Nodwyd bod teulu o saith yn byw yn Nhŷ'r Ysgol ym Mhrendergast, dau riant a phump o blant, ac mai'r rhieni yn unig a fedrai siarad y ddwy iaith, Cymraeg a Saesneg. Uniaith Saesneg oedd y plant, ond roedd tro ar fyd ar fin digwydd.

Ac eithrio ambell wrthdrawiad rhyngddo a Bwrdd Ysgolion Hwlffordd a Phwyllgor Addysg Sir Benfro, neu yn rhannol oherwydd y gwrthdrawiadau hynny, yr oedd rheswm penodol pam y dymunai J. Edwal Williams newid swydd. Cafodd bwl o anhwylder nerfol oherwydd yr holl straen, a thybiai y byddai symud i dawelwch a llonyddwch Mynachlog-ddu – symud yn ôl at ei wreiddiau mewn gwirionedd – yn hybu gwellhad. Roedd yr afiechyd hwnnw yn tarfu ar hapusrwydd y teulu oll, ond ar y plentyn canol, Waldo, yr arllwysai J. Edwal Williams ei lid a'i rwystredigaeth. Ni chafodd Waldo blentyndod hapus trwy'r amser, fel yr eglurodd ef ei hun wrth ei gyfaill E. Llwyd Williams flynyddoedd yn ddiweddarach:

> Pan oeddwn yn bedair[,] yn bump ac yn chwech oed, pryd y mae enaid y plentyn yn dod i berthynas iawn [â]'i rieni, bu fy nhad, fel y dywedai fy mam ar ôl hynny, ar fin gwallgofrwydd gan ddolur nerfau. Ac effeithiodd hyn arnaf fi fel hyn er enghraifft. Un o'r pethau cyntaf yr wyf yn cofio yw cael fy nihuno ganddo ganol nos a'i lygaid gwallgof o fewn troedfedd i'm llygaid i â mi'n dihuno. Tynnodd fi allan o'r gwely i'm crasu am beth digon dibwynt, a gyda hynny bron dyna fy mam i fyny, ac fe aeth yn fatel rhyngddynt, hi'n dweyd os na altrai fy nhad yn ei agwedd ataf, fe'm difethid fi am byth. Mor glir yr wyf yn cofio'r geiriau.[85]

Tostrwydd y tad, a hwnnw'n dad tosturiol, cydwybodol ac egwyddorol, a wnâi iddo ymddwyn yn fygythiol afreolus fel hyn, ond ni allai plentyn ifanc ddeall hynny. Dirgelwch a braw i'r bachgen oedd ymddygiad y tad. Câi'r tad y pyliau hyn pan oedd Waldo rhwng pedair a chwech oed, hynny yw, oddeutu 1908-1910, yn union cyn y symudiad amserol a gwaredigol i Fynachlog-ddu.

Roedd y tad weithiau yn bygwth gadael y teulu, a chreodd hynny ymdeimlad o ansicrwydd ac o euogrwydd yn y plentyn:

Yna dywedodd fy nhad os na ch[â]i ei ffordd ei hunan yn ei dŷ ei hunan, fe âi ymaith. A dywedai hynny yn awr ac yn y man drwy'r blynyddoedd. Yr oedd y posibilrwydd hyn fel rhyw hunllef gennyf oblegid dau beth. 1. euogrwydd a gynhyrchwyd nid gan fy nhrosedd ond gan fy nghrasfa, yn peri i mi deimlo mai fi fyddai'n gyfrifol os âi fy nhad a'm gadael. 2. rhan ohonof am i fy nhad i fynd, a'r rhan fwyaf moesol ohonof yn gwrthod cydnabod hynny wrth [y]r hunan. Cripianwn o'm gwely ganol nos i ddrws ystafell fy nhad a mam i weld a oedd e yno. Dweyd hyn yr wyf, Duw a [ŵ]yr y mae'n ddigon caled imi ei ddweyd, i ddangos mai *methu* osgoi cyfrifoldeb oedd fy nolur. Pan fyddai fy nhad yn cael un o'r brainstorms yma, gyrrid ni blant allan o'r tŷ, ond mi aroswn i i lercian obiti'r t[ŷ] i fynd mewn i amddiffyn fy mam, os byddai raid. Wrth gwrs nid ymosododd ef arni yn ei fyw, ond sut y gwyddwn i na wn[â]i. Cafodd y pethau hyn effaith ar fusnes y grefydd yma, gennyf fi – cystal i ti wybod fel pregethwr. Yn gyntaf pan gâi fy mam gefn ar fy nhad ar ôl un o'r stormydd hyn, tynnai'r Beibl lawr a darllenai bennod i ni'r plant hynaf, ac yna aem ar weddi. Gwn[â]i hynny y ffurf ar grefydd yn atgas gennyf. Ond mwy na hynny, trwy ymddiriedaeth yn ei dad y mae plentyn yn dysgu ymddiriedaeth yn Nuw. Chwalwyd y broses hon i raddau, ac nid trwy rym yr ewyllys y mae e[i] rhoddi'n ôl.[86]

Clwyfwyd personoliaeth Waldo. Drylliwyd ei ymddiriedaeth yn ei dad. Roedd y tad yn bygwth chwalu undod a chlosrwydd y teulu yn ei salwch, a phe bai wedi gweithredu ar ei fygythiad i adael y teulu, byddai Waldo wedi teimlo mai ef a fyddai'n gyfrifol am hynny. Credai mai trwy arweiniad ac esiampl y tad y tywysid y plentyn at Dduw, ond, fel y dywedodd, chwalwyd y llwybr naturiol hwnnw iddo. Y fam oedd yr un a geisiai arwain y plant hynaf at y Beibl ac at Dduw. Am flynyddoedd lawer bu Waldo wrthi'n ymdrechu i ennill yr ymddiriedaeth honno yn Nuw – ac yn ei dad – yn ôl.

Trwy gydol y deng mlynedd y bu J. Edwal Williams a'i deulu yn byw yn Hwlffordd, cadwodd mewn cysylltiad agos â'i frawd Gwilamus, yn enwedig yn ystod y tair blynedd y bu Gwilamus yn olygydd *Y Piwritan Newydd* a chyn hynny. Cylchgrawn crefyddol ar gyfer Bedyddwyr Sir Benfro a Gorllewin Sir Gaerfyrddin oedd hwnnw i fod, ond yr oedd i wleidyddiaeth y dydd le amlwg ynddo. Offeryn gwleidyddol i J. Edwal Williams a'i frawd Gwilamus oedd *Y Piwritan Newydd* i bob pwrpas, ac fe'i defnyddid gan y ddau i wyntyllu ac i ledaenu eu syniadau gwleidyddol radicalaidd a sosialaidd hwy eu hunain. Fel y dywedodd D. Owen Griffiths am Gwilamus, 'Ni ddaeth i'w feddwl erioed i ysgaru'r broblem gymdeithasol a chrefydd oddi wrth ei gilydd fel y gwna llawer o gymdeithaswyr eraill.' Felly hefyd ei frawd Edwal.

Cyfrannai Edwal Williams yn gyson i'r cylchgrawn. Yr oedd yn gyfle iddo daranu yn erbyn anghyfiawnderau a gorthrymderau'r dydd, ac i ymosod yn arbennig ar ryfelgarwch a militariaeth, ar Dorïaeth ac imperialaeth. Gwelsai ddigon o frwdfrydedd ynghylch Ail Ryfel De Affrica yn Hwlffordd ar droad y ganrif, gyda'r dref yn ymfalchïo yn rhan y 'Pembrokeshire Yeomanry' yn yr ymdrech i orchfygu'r Boeriaid yn enw'r Ymerodraeth Brydeinig, i beri iddo gasáu rhyfel am byth.

Cyfuniad neu gymysgedd o ryddfrydiaeth a sosialaeth oedd gwleidyddiaeth y ddau frawd. Gan mai plaid yn ei phlentyndod oedd y Blaid Lafur ar y pryd, cefnogi'r Blaid Ryddfrydol a wnâi'r ddau yn etholiadol, ond sosialwyr oeddynt o ran argyhoeddiad. Ar drothwy Etholiad Cyffredinol 1906, ymosododd Edwal yn hallt ar ran Prydain yn Rhyfel De Affrica. Clymblaid rhwng y Torïaid a'r Undodwyr Rhyddfrydol, dan arweiniad y Prif Weinidog, Robert Gascoyne-Cecil, a yrrodd Brydain i ymladd yn erbyn Boeriaid De Affrica. Olynwyd Robert Gascoyne-Cecil gan ei nai, Arthur Balfour, ym 1902, a Balfour oedd y Prif Weinidog ar drothwy Etholiad Cyffredinol 1906. Balfour oedd yr Ysgrifennydd Tramor dros dro pan oedd ei ewythr yn Brif Weinidog, ac fel ei ewythr, cefnogai ymgyrch Prydain yn erbyn Boeriaid De Affrica. Balfour oedd y cyntaf i sylweddoli bod angen presenoldeb milwrol cryf yn Ne Affrica os oedd unrhyw obaith i Brydain drechu'r Boeriaid.

Balfour oedd prif gocyn hitio Edwal. Ymosododd fwy nag unwaith ar 'Balfour a'i Gwmpeini'. 'Berwasant gawl *South Africa*: rhaid fydd iddynt ei yfed cyn hir. A bydd angeu iddynt yn y crochan,' meddai yn rhifyn

Tachwedd 1905 o'r *Piwritan Newydd*.[87] Gwyddai mai trachwant ac awch am gyfoeth a oedd y tu ôl i Ail Ryfel y Boeriaid, 1899–1902, nid yr awydd i ymestyn ffiniau'r Ymerodraeth Brydeinig. Darganfod aur yn y Transvaal yng Ngweriniaeth De Affrica ym 1886 oedd un o brif achosion Rhyfel y Boeriaid. 'Dim ond agor dôr y Transvaal, a dyna ddydd newydd i'r ffermwr a'r gweithiwr Prydeinig. Llaeth a mêl, ac aur, a phob pryder wedi ei lyncu mewn cyflawnder,' meddai ar drothwy Etholiad Cyffredinol 1906.[88]

Credai Edwal mai rhaib ac ariangarwch dan gochl gwladgarwch oedd y tu ôl i Ryfel De Affrica, ac mai melltith oedd pob rhyfel:

> Am ryfel dywedodd un yn ddiweddar – un sydd a'i enw yn adnabyddus drwy y byd – "Fy nymunniad [*sic*] pennaf yw gweled y plâ hwn wedi ei alltudio o'n byd." Mae y rhyfel-garwyr wedi arfer ymrithio fel gwlad-garwyr, drwy yr oesau maent wedi llwyddo i alw i fyny ddrychiolaeth rhyw fudd cenedlaethol. Tywelltir afonydd o waed, a gwastreffir miliynau o arian ... Ac yna diflanna y 'gwladgarwch'[,] diflanna y 'budd cenedlaethol' fel rhith ac fel drychiolaeth. Diflannant fel mwg y rhyfel. Diflanna'r cwbl bron – ond y *bill*.[89]

Edrychai Edwal ymlaen at Etholiad Cyffredinol 1906 gan obeithio y byddai'r Torïaid yn colli'r dydd. Nid gwleidyddiaeth plaid oedd yn bwysig yn ôl Edwal Williams, ac yn sicr nid llenwi pocedi cyfalafwyr oedd diben gwleidyddiaeth – sef yn union yr hyn ydoedd dan y Torïaid:

> Pan ddaw y dydd gwnaed pob un ei ddyledswydd, nid er mwyn plaid, nid er mwyn hunanelw, ond er mwyn egwyddorion purdeb a chyfiawnder, er mwyn anrhydedd cenedl a dynoliaeth.[90]

Ar ôl buddugoliaeth ysgubol y Blaid Ryddfrydol yn etholiad 1906, yr oedd J. Edwal Williams ar ben ei ddigon:

> Dylai'r etholiad fod yn adgyfnerthiad i'n ffydd yn Nuw a Dynoliaeth, ac yn symbyliad i ni lynu yn fwy egn[ï]ol wrth egwyddorrion [*sic*] gwir Rhyddfrydiaeth er i Judas fradychu a Phedr wadu. Ni fydd yn iawn ar Brydain nes y gwrthodir *Tor[i]aeth* mor llwyr ag y gwrthodwyd *Tor[i]aid* y tro hwn. Ni fydd yn dda arnom nes y cred pob 'crefyddwr' yn ei galon fod *politics* ... yn rhan bwysig o grefydd ymarferol (*applied religion*); ni fydd yn dda arnom nes y dealla pob pleidleisydd mai ei ddyledswydd yw amddiffyn hawliau cyffredin dynoliaeth o flaen hawliau arbenigol.[91]

Wrth ddathlu'r fuddugoliaeth, nodwyd ganddo ddwy egwyddor sylfaenol:

1 Hawl dyn i fyw ar delerau Duw.

2 Crefydd yn fater personol – yn fater na ddylai y Wladwriaeth ymyrraeth ynddi o gwbl ym mhellach nag i wneyd 'rhyddid cydwybod' yn ogydled [â] 'dinasyddiaeth.' Dyma 'dir genedigol' Anghydffurfiaeth. Dyma dir diogel, a chredwn mai hwn yw y tir iawn. Ar y tir yma, ac ar y tir yma yn unig yr hawliwn Ddatgysylltiad. Credai y tadau Ymneillduol mai camwri oedd crefydd Wladwriaethol – yn anibynnol ar "fwyafrif" a "lleiafrif."[92]

Gwnaeth y Pwyllgor Cynrychioliadol Llafur (y Blaid Lafur ar ôl yr etholiad) yn arbennig o dda yn yr etholiad, gan ennill 29 o seddau. Ymfalchïo yn llwyddiant y cynrychiolwyr Llafur hyn a wnaeth J. Edwal Williams. Meddai, ar ôl datgan bod 'yr etholiad wedi creu braw a dychryn ym mhlith bechgyn y Modrwyau Aur yn y *Conservative Clubs* yn Llundain':

Mwy brawychus na hynny yw y ffaith fod cynifer o gynrychiolwyr Llafur wedi cyrraedd Senedd eu gwlad. Ond i ni ymddengys hyn yn destyn gorfoledd a diolch. Credwn mai nid arwydd o ddiwedd y byd mo hono, ond yn hytrach arwydd o wawriad 'goleuach canrif' a goruwchwyliaeth well i *bawb*.[93]

Ac yna dyfynnir llinellau o waith Elfed ganddo:

A ninnau, frodyr *i gyd*,
  I waith ein ganwyd, ein galwyd,
I weithwyr y codwyd y byd,
  I weithwyr y nef a agorwyd.

Gwaith ydyw gwaddol pob dyn,
  A gwaith yw anrhydedd gweithiwr.[94]

Cyn diwedd degawd cyntaf yr ugeinfed ganrif, byddai Edwal yntau hefyd yn ymuno â'r Blaid Lafur newydd.

Yn rhifyn mis Ebrill 1906 o'r *Piwritan Newydd* roedd Edwal Williams yn canu clodydd Morgan John Rhys, 'un o broffwydi addysg, rhyddid cydwybod, a iawnderau cymdeithasol'.[95] Deallai'r gŵr hwn, meddai, 'egwyddorion sylfaenol Ymneillduaeth' yn fwy trylwyr na neb.[96] Edmygai Morgan John Rhys oherwydd bod 'sêl gysegredig Rhyddid yn ei ysu'.[97] Daeth â'i lith i ben â phum dyfyniad o eiddo ei eilun, gan gynnwys 'Sylfaen Babilon Fawr yw crefydd sefydledig'.[98]

Fel ei frawd Gwilamus, roedd gan Edwal feddwl mawr o David Lloyd George, yn enwedig gan fod ei wreiddiau yn Sir Benfro. Yn rhifyn Chwefror 1908 o'r *Piwritan Newydd*, canmolodd Richard Lloyd, brawd Elizabeth George, mam Lloyd George, am gymryd y teulu dan ei adain ar ôl marwolaeth y tad yn 44 oed ym 1864. 'Symbylodd hwynt i ddarllengarwch a meddylgarwch, i ddiwydrwydd ac ymroad ... i orchfygu rhwystrau, i gashau cam, i ymladd dros yr hyn sydd iawn, i ymestyn at yr hyn sydd dda,' meddai.[99] Er mai Saesneg oedd iaith y teulu, yr oedd elfen gref o wladgarwch yn perthyn i J. Edwal Williams. Apeliodd at rieni Cymru i ddefnyddio'u harian i roi addysg uwch i'w plant. 'A ydyw'r swllt yn mynd yn rhwydd at y mwyniannau materol, a chwithau yn cyfrif y dimeuau at godi Cymru?' gofynnodd.[100]

Fel Gwilamus, roedd J. Edwal Williams yn ddarllenwr eang. Bu'n trafod y gyfrol *Barddoniaeth Myfyr Emlyn* (1898), sef casgliad o gerddi o waith Benjamin Thomas, un o feirdd y sir, mewn tri rhifyn o'r *Piwritan Newydd*. 'Creadigaeth mynyddoedd ein sir yw y gyfrol hon,' meddai am *Barddoniaeth Myfyr Emlyn*, gan ddwyn i gof ddatganiad tebyg gan ei fab ymhen rhyw ddeugain mlynedd: 'Dyma'r mynyddoedd. Ni fedr ond un iaith eu codi.'[101] Wrth drafod cyfrol Myfyr Emlyn, llithrai enwau beirdd a llenorion yn rhwydd o'i ysgrifbin – Emily Brontë, Robert Burns, Robert Browning, Ceiriog, Pierre-Jean de Béranger a Tennyson. Cyhoeddodd Edwal ei hun gerdd yn *Y Piwritan Newydd*, a honno'n gerdd *vers libre*, 'Iddo Ef':

> Drwy y gaeaf du oer – yr Oesau Diffydd,
> Nid oedd gennym ond coffa
> Ac adrodd yr hafau a fu!
> Ond wele'r Tragwyddol mewn gwewyr
> Yn esgor ar wanwyn canrifoedd.
>
> Beth os yw y ddeilen grin olaf ar syrthio i'r llawr?
> Na fyddwn drist,
> Mae bywyd yn yr Hen Bren,
> Mae y sudd yn esgyn

Mae y blagur yn torri llinynnau eu bedd,
Mae y byd mewn berw o lâs
A dilyw y llanw yn golchi pob gilfach a glan.

Mae calon Dynoliaeth yn curo,
Mae deffro yn nyffryn yr esgyrn
Mae Adgyfodiad heddyw i Enaid y Byd.

O byrth! dyrchefwch eich pennau,
A Thywysog Bywyd a ddaw i mewn.[102]

Nodweddiadol o'r ddau frawd hyn – a hwythau'n radicalaidd, yn annibynnol ac yn newydd eu syniadau – oedd y ffaith eu bod yn llunio cerddi ar ffurf y wers rydd, ffurf farddonol a oedd yn anffasiynol ac yn annerbyniol hyd yn oed yn Lloegr ar y pryd, ac a gâi, yn wir, ei chondemnio a'i difrïo gan feirniaid llenyddol.

Nid oedd llawer o drefn ar Ysgol Gynradd Mynachlog-ddu cyn i Edwal Williams gymryd yr awenau i'w ddwylo ym mis Awst 1911, ond erbyn mis Chwefror 1913 roedd yr Arolygwr Ysgolion yn canmol gwaith y prifathro i'r entrychion:

This School is admirably conducted and the work of the children has greatly improved in thoroughness and intelligence since the present Master took charge some 18 months ago. Arithmetic in particular deserves special praise and the work in general is carefully arranged to suit the needs of the district.[103]

Byddai'r symudiad i Fynachlog-ddu yn symudiad tyngedfennol i Waldo. Yno y daeth i gysylltiad parhaol â'r Gymraeg. Yn ôl Dilys ei chwaer:

Mae'n debyg y byddai wedi clywed ychydig o Gymraeg cyn i ni symud, gan fy nhad a'm hewythr, Wncwl William, a Gwladys, fy nghyfnither, ac efallai gan weinidog y teulu, y Parch. John Jenkins o Hill Park (capel y Bedyddwyr, Hwlffordd), tad W. J. Jenkins – Hoplas, wedi hynny, – yr heddychwr mawr a'r ymgeisydd Llafur cyntaf dros Sir Benfro. Ond Saesneg oedd iaith yr aelwyd.

   Cymraeg oedd iaith gyntaf fy nhad a'i rieni – a hwythau'n frodorion o'r ardaloedd 'rhwng Taf a Chleddau.' Ond ganed fy mam yn Lloegr ... Un o Langernyw oedd ei thad, a merch o Rydaman oedd ei mam, ac er i 'Nain' a 'Taid' ddechrau siarad Cymraeg â'r plant, ar anogaeth brawd i Nhaid fe droeson i siarad

Saesneg – 'er mwyn i'r plant beidio â bod yn hurt,' yn 'dwp' yw'r gair 'rwy i'n ei gofio – wedi mynd i'r ysgol. Fe ddaeth y teulu nôl i Fangor i fyw, ac fe allai 'mam ddeall a siarad Cymraeg, ond mai Saesneg oedd ei hiaith gyntaf.

Pan ddaethon ni i fyw fel teulu i Fynachlog-ddu, mae'n debyg i 'mam benderfynu y siaradai hi Gymraeg â'r cymdogion, ond am fod un ohonyn nhw wedi tynnu ei choes, a dweud y byddai'n well ganddo siarad Saesneg â hi na gwrando ar y lobsgows o Gymraeg oedd ganddi, rhoes y gorau iddi. Felly y tu allan gan fechgyn Mynachlog-ddu (ac nid ar yr aelwyd nac yn yr ysgol) y dysgodd Waldo siarad Cymraeg.[104]

Ar ôl symud i Fynachlog-ddu, felly, y dechreuodd Waldo ddysgu Cymraeg. Bellach roedd byd newydd wedi ymagor o'i flaen, wrth iddo ddechrau dysgu gwir iaith ei wlad, iaith ei henaid, iaith ei hanes a'i llên, ac iaith ei gorffennol. Enillodd Waldo genedl wrth symud i ardal wledig fechan a diarffordd Mynachlog-ddu. Daeth i sylweddoli ymhen blynyddoedd wir arwyddocâd y digwyddiad mawr hwnnw yn ei fywyd, a cheisiodd ddal naws a rhin, cyffro a llawenydd y cyfnod pryd y daeth i gysylltiad â'r Gymraeg a dechrau ei dysgu mewn cerdd gynnar, 'Yr Iaith a Garaf':

> Pan oeddwn blentyn seithmlwydd oed
>   Dy lais a dorrodd ar fy nghlyw.
> Fe lamaist ataf, ysgafn-droed,
>   Ac wele, deuthum innau'n fyw.
>
> O, ennyd fy llawenydd mawr!
>   Ni buaswn hebddo er pob dim,
> Cans trwy'r blynyddoedd hyd yn awr
>   Ti fuost yn anwylyd im.
>
> Dwysach wyt ti na'r hwyrddydd hir
>   A llonnach nag aderyn cerdd;
> Glanach dy gorff na'r gornant glir,
>   Ystwythach na'r helygen werdd.
>
> 'Does dim trwy'r byd a ddeil dy rin,
>   'Does hafal it ar gread Duw,
> A chlywaf wrth gusanu'th fin
>   Benllanw afiaith popeth byw.[105]

Cerdd serch yw hon, mewn gwirionedd. Delweddau serch a geir ynddi, wrth i Waldo geisio cyfleu'r wefr o syrthio mewn cariad â'i iaith newydd a mynegi angerdd ei gariad ati ar yr un pryd.

Nid mamiaith yng ngwir ystyr y gair, ac nid tadiaith hyd yn oed, oedd y Gymraeg i Waldo. Plant Mynachlog-ddu a'r cylch a ddysgodd y Gymraeg iddo. Cael y Saesneg a darganfod y Gymraeg a wnaeth Waldo, a'r darganfyddiad hwnnw yn un ysgytwol a phellgyrhaeddol, yn drobwynt enfawr o ddigwyddiad. Yr oedd, mewn gwirionedd, yn ddadenedigaeth iddo, a gellid tybio y byddai wedi dymuno ffarwelio â Hwlffordd a'r Sir Benfro Saesneg ei hiaith am byth, ac wedi magu atgasedd at ei dref enedigol hyd yn oed, oherwydd y profiadau brawychus a gafodd yno yn blentyn. Cafodd J. Edwal Williams adferiad iechyd wedi iddo symud i Fynachlog-ddu, a daeth trefn a normalrwydd yn ôl i'r teulu hynod o agos hwn. Ond ni allai Waldo gasáu'r Saesneg gan mai Saesneg oedd iaith yr aelwyd yn ogystal â'r iaith a ddefnyddiai ei dad yn yr ysgol. Nid gweld sir na chenedl hollt a wnaeth Waldo wedi iddo ddarganfod y Gymraeg, ond gweld sir a chenedl unol ac iddynt ddwy iaith. Nid oedd deuoliaeth. Yn ôl Waldo ei hun:

> Cefais i ddwy ardal, nid un, yn fy mhlentyndod, a'r ysgytiad o fynd o ardal hollol ddi-Gymraeg i un hollol ddi-Saesneg, ond yn yr ysgol ac yn ein tŷ ni ni allwn lai na theimlo fod y ddwy iaith, ac felly y ddwy genedl, yn gydradd, ac ymhen blwyddyn neu ddwy yr oeddwn i'n holi paham nad oedd Cymru yn ceisio cael ei llywodraethu ei hun eto.[106]

Ceisiodd fynegi'r un ymdeimlad, y syniad hwn o unoliaeth o fewn amrywiaeth, yn un o'i gerddi cynharaf, 'Dychweledigion (neu air dros Shir Bemro)', gan roi enghraifft gynnar o'r egwyddor o frawdoliaeth yn ei waith ac yn ei fywyd. Yn y gerdd y mae Waldo yn arddel ac yn cofleidio holl hiliogaethau gwreiddiol Sir Benfro – y ddwy ran fel ei gilydd – gan mai pobl sy'n bwysig yn y pen draw, nid iaith na chenedl. Trwy amgylchiadau a digwyddiadau hanesyddol y crëwyd y Sir Benfro Saesneg ei hiaith, ac y mae'r sir yn gyfuniad ac yn blethwaith o wahanol drasau: Iberiaid, Brythoniaid (Cymry), Gwyddelod, Llychlynwyr, Ffleminiaid a Normaniaid. Y mae'r rhain oll yn rhan o wneuthuriad Sir Benfro, yn rhan o'i hanfod, ac felly roedd Waldo yn arddel ac yn mawrygu holl drigolion y sir:

Mae'r hen Jac Sali Parc-y-bryst
Yn caru stŵr y storom fawr.
Gwell ganddo leuad lonydd, drist
Na phisyn tair yn fwy yr awr,
'A gwn yn gywir ar ei ach
Genhedliad yr Iberiad bach.'

Amaethwr da yw Twm Pen-lan,
Carcus a threfnus ar ei dir,
Ond chwedl i'w hadrodd sydd gan Ann,
Mae'n cario cleber hanner sir.
Brython yw Twm. Mae Ann a'i chlonc,
Wrth reswm, yn Wyddeles ronc.

I'r sgweier a'r 'ffeirad, parch yn drwch –
Ond pan fo llong yn nannedd craig,
Rhed bechgyn Angl i lawr i'w cwch
Gan herio'r Werydd, ffyrnig ddraig.
Pryd hynny, fel ers llawer dydd,
Dewrder y Viking fu, a fydd.

Daw 'menyw'r pysgod' heibio i'r drws
Â'i basged lydan ar ei chefn,
A thros ei min rhed geiriau tlws
Tafodiaith Langwm, lithrig, lefn:
'Our luck was in when you set sail
From old-world Flanders, Mrs Kail.'

Mae Morris Derwen-deg mewn ffair
Yn cario'r fargen fel wrth reddf,
Ac mewn Cyfeillach dwed ei air,
Nid dros Drugaredd, ond dros Ddeddf.
Ar dyddyn bychan mae e'n byw.
Pa waeth am hynny? Norman yw.[107]

Gan roi llam i'r dyfodol am eiliad, ceir tystiolaeth arall ynghylch y modd y carai Waldo ei sir yn ei chrynswth ac yn ei holl amrywiaeth hanesyddol a hynafiaethol. Ar Dachwedd 18, 1931, roedd yn traethu ar hanes Sir Benfro yng nghyfarfod diwylliannol – neu Guild – y Gelli, ac yn ôl gohebydd *The Narberth, Whitland and Clynderwen Weekly News*:

In his narrative he described the Normans, Flemings and others, whose memories
in various traits and tendencies are traced through natural descendancy. Prominent,
too, amongst the early dwellers in Pembrokeshire were some of the settlers from
Ireland, who called their new habitations after their new names, as for instance
Loch Meyler, and so forth.[108]

Y mae'n sôn mewn man arall am y gwahaniaethau hyn a oedd, mewn
gwirionedd, yn creu unoliaeth:

Pan oeddwn i'n grwt yn Ysgol Arberth – yr oedd 'Narberth' y pryd hynny yn air
hollol ddieithr i'n Cymraeg – un o'r ymadroddion oedd gan y crwts o'r dre ar ein
cyfer i'n pryfocio, am wn i, os gallent, oedd: 'A man from where you are, man?'
     Caem hwyl o'r ddeutu ar droi geiriau yn gerrig fel petai, a'u lluchio. Ac o bryd
i'w gilydd, chwaraeem gêm o rygbi go answyddogol i gael y cyfrif yn sgwâr.
     Ond gwelaf erbyn hyn y dylasem fod yn llawer tirionach wrth grwts y dre nag
y buom ambell dro, am fod y gofyniad crybwylledig, er cased ei ffurf, yn mynegi
ffaith amdanom ni'r Cymry y dylem ei chael yn felys. Gwelaf yn awr mai taflu afal
inni a wnaent, nid taflu carreg atom. Ac o ran hynny, Cymry oeddent hwythau, er
eu hiaith, a Chymry ydynt o dan y chwarae i gyd.[109]

Ac meddai wrth gloi:

Euthum o frogarwch at frawdgarwch, ac o frawdgarwch deuaf yn ôl at y gêm o
ryger. Digon prin, rwy'n siŵr, oedd ein cyfiawnhad dros wthio'n gwrthwynebwyr,
os gallem trwy nerth ysgwydd, i'r mieri ar fan culaf y cae, yn unig am iddynt
ddannod inni rywbeth sydd mewn gwirionedd yn un o ogoniannau cudd ein
cenedl trwy weiddi, 'A man from where you are, man?'[110]

Esgorodd sirgarwch a brogarwch Waldo, yn naturiol ac yn anochel bron, ar
frawdgarwch – ar ddyngarwch – ac yr oedd a wnelo sefyllfa a safle hanesyddol
a daearyddol Sir Benfro lawer iawn â'r brawdgarwch hwn. Trwy garu
trigolion y ddwy ran o'r sir – a'u cyfrif oll yn Gymry – yr oedd Waldo yn
caru rhai o hiliogaethau eraill y ddaear ar yr un pryd, gan mai cymysgfa o
wahanol hiliogaethau oedd brodorion de Sir Benfro. Yn wahanol, dyweder,
i frogarwch D. J. Williams – gŵr a oedd i ddod yn un o gyfeillion pennaf
Waldo – brogarwch rhyngwladol, nid brogarwch Cymreig, oedd brogarwch
Waldo.

Gadawodd J. Edwal Williams ei swydd fel prifathro'r ysgol gynradd ym Mynachlog-ddu ar Ionawr 29, 1915, a symudodd y teulu i Elm Cottage, Llandysilio-yn-Nyfed, wedi i Edwal Williams gael ei benodi yn brifathro Ysgol Gynradd Brynconin yn y pentref. I Ysgol Gynradd Brynconin yr aeth E. Llwyd Williams yn ddisgybl. Rhyw naw oed oedd Llwyd Williams – a dwy flynedd yn iau na Waldo – pan ddaeth J. Edwal Williams i'r ysgol. Meddai:

> I'r Ysgol hon y daeth John Edwal Williams, tad Waldo, i ofalu amdanom ni
> yn ystod blynyddoedd y Rhyfel Byd Cyntaf. Yr oedd ef yn athro penigamp,
> yn ddisgyblwr llym ac yn heddychwr cadarn, ac ni chofiaf inni ganu na 'Rule
> Britannia' na 'God Save the King' o dan ei gyfarwyddyd ef ... Credaf ei fod o ran
> patrwm ei feddwl yn llinach hen Anghydffurfwyr y fro, ac yn rhyw fath o gyfuniad
> o'r Crynwr a'r Undodwr – yn Forgan Llwyd y cyfrinydd ac yn Robert Owen y
> sosialydd.[111]

Erbyn Chwefror 25, 1915, roedd y pedwar plentyn hynaf yn cychwyn yn ysgol newydd eu tad. Rhyw dair wythnos yn ddiweddarach, ar Fawrth 15, bu farw Morvydd, ar drothwy ei thair ar ddeg oed. Morvydd oedd plentyn hynaf Edwal ac Angharad Williams, a bu ei marwolaeth yn ergyd ddofn i'r ddau. Merch ifanc hynod o dalentog a bywiog oedd Morvydd Moneg, fel y prawf y cofnod hwn a ymddangosodd yn yr *Haverfordwest and Milford Haven Telegraph* ym mis Awst 1914:

> We very heartily congratulate Mr Edwal Williams, late master of Prendergast
> School, in the success of his little daughter, Morfydd, who heads the list in the
> Entrance Examination for Scholarships in this county with 525 marks out of a
> possible 600, thus breaking the record of all previous years.[112]

Ond ni chafodd gyfle i ddatblygu ei thalentau nac i feithrin ei gallu. Cyn pen llai na blwyddyn ymddangosodd cofnod arall yn yr un papur, a'r dathlu, erbyn hynny, wedi troi'n alaru:

> The greatest sympathy will be felt by his many friends in Haverfordwest with Mr
> Edwal Williams, Brynconin, and late of Prendergast Boys' School, on the death
> of his eldest child Morfydd, a few days ago, at the age of thirteen. Mr Williams
> only removed to Brynconin three weeks ago, and chiefly for his daughter's sake,
> in order that she might more easily attend Narberth County School. Almost

immediately the little girl contracted typhoid fever and past [*sic*] away as stated above. At the last scholarship examination of the Education Authority in June, Morfydd took first place in the whole county.[113]

Cafodd ei marwolaeth effaith ddirdynnol ar Waldo, gan mor agos at ei gilydd oedd y ddau. Ceir awgrym nad oedd iechyd Morvydd gystal ag y gallai fod mewn llythyr a anfonodd Mwynlan at ei nith Dilys. Arferai Morvydd a Waldo aros yn awr ac yn y man gyda 'Nainie' a 'Taidie' ym Mhen'rallt Lodge, a chofiai Mwynlan am y ddau yn treulio peth amser gyda'i rhieni, ond ar achlysuron gwahanol:

> Then came 2 oases of great happiness in my life! *Radiant* & lovely Morfydd came to stay at Penrallt for 6 months (the doctor said her heart wasn't too strong & she wd benefit by going to quiet Penrallt). And your Nainie ... all ways [*sic*] a perfect nurse & Morfydd was treated like a tender plant & lay a lot on a garden seat on cushions. I *adored* her & felt really *broken hearted* when she was taken back to Pembs by Angharad.
>
> Then came your *glorious* brother Waldo for some months to Penrallt really to strengthen him after the cruel calamity of the death of his sister Morfydd. And those 2 times in my life were a never forgotten priviledge ... Both Morfydd and Waldo were '*out of this world*' in *intelligence* & fine *personality*.[114]

Ar wahân i deimlo'r golled i'r byw, clwyfwyd Waldo ymhellach pan ddarllenodd y gweinidog y geiriau 'Canys y neb y mae yr Arglwydd yn ei garu, y mae yn ei geryddu' (Hebreaid 12:6) yn yr angladd. Digiodd Waldo wrtho, a dechreuodd fwrw amheuaeth ar grefydd gyfundrefnol yn syth.[115]

Roedd Waldo a Morvydd yn barddoni gyda'i gilydd ar yr aelwyd yn Hwlffordd ac ym Mynachlog-ddu, a hynny yn Saesneg. Tuag wyth oed oedd Waldo yn dechrau barddoni, ac anwylai'r atgof am y dyddiau hynny:

> Ro'n i wedi dod i Fynachlog-ddu ond heb gael digon o hyder pryd hynny i farddoni yn Gymraeg. Ro'n ni'n sgrifennu'r rhain wedyn ar lyfyr, ac wedyn ar ôl i ni gael llond llyfyr roeddem ni'n cynnal rhyw fath o gyngerdd yn y tŷ ac yn eu cyhoeddi nhw fan 'na. Roedd ewythr i fi, brawd 'nhad, Wncwl William, roedd e'n dipyn o fardd hefyd ac roedd e wedi câl gafael yn y llyfyr yma ac roedd e'n treial dweud wrthym ni mai dwyn o lyfrau eraill oedd y rhain! Ac roeddem ni'n ymateb yn ddig iawn i hynny ac yn tystio mai ein gwaith ni oedd e. 'If you made these poems yourselves, make me a verse about the basin on the table over there,'

a phan oeddwn i'n meddwl fod hyn wedi'r cyfan yn brawf go lym arnom ni, dyma Morvydd yn dweud yn fuan iawn

> The basin stands on the table
> And beneath it lies the cloth.
> And well is the basin able
> To hold a basinful of broth.[116]

Cof plentyn a oedd gan Dilys o'i chwaer hynaf:

Ychydig iawn a gofiaf i amdani – cof amdani'n dod nôl o Arberth wedi tynnu ei dant – a llond bag o losin i ni a finnau'n rhyfeddu ei bod hi – a hithau'n methu bwyta losin [–] yn prynu rhai i fi! Yn ôl popeth a glywais amdani 'roedd hi'n ferch ddisglair, ac yn un addfwyn iawn ... Fe fyddai Waldo a hi'n barddoni gyda'i gilydd – yn Saesneg – ac 'rwy'n cofio i Waldo ddweud wrthyf, i Morf[y]dd ddweud wrtho fe: "Your poetry won't be any good until you get rid of your adjectives!"[117]

Cofiai Waldo am gerdd a luniodd pan oedd yn un ar ddeg oed i afon Rhydybedne (Rhydybennau), sef yr afon a geir ar y ffin rhwng Sir Benfro a Sir Gaerfyrddin yng nghymdogaeth Llandysilio-yn-Nyfed:

> 'Dwy' ddim yn cofio'r gân i'r afon
>   A wnes pan own i'n un ar ddeg,
> Ond O! rwy'n cofio'r ias a gefais
>   Â'r geiriau'n rholio yn fy ngheg.
>
> 'Does neb yn cofio'r gân i'r afon,
>   Na, nid adroddais hi wrth un.
> Byd unig, maith yw hoffter plentyn –
>   Mae'n rhaid cael clod wrth fynd yn hŷn.
>
> 'Does neb yn ... wn i ydi'r afon
>   Yn cofio ambell bennill iach?
> Wy' fel 'swn i'n ei chlywed yn canu
>   Wrth fynd o dan y bompren fach.[118]

Ceir mwy nag awgrym mewn cerdd arall, cerdd a alwyd yn 'Byd Mawr Plentyn Bach' yn wreiddiol, mai plentyn chwilfrydig, aflonydd ei feddwl oedd Waldo, plentyn a chanddo feddwl mathemategol cywrain:

Naw bachyn geid pan own i'n grwt
　Yn sgwâr ar nen ein cegin,
A chefais bleser lawer awr
　Â'm meddwl yn ei egin.

Chwaraewn bob rhyw drics â hwy,
　Fe'u rhannwn hwy yn drioedd,
A chawn fod naw'n wyth rhes o dri,
　A syndod mawr i fi oedd

Bob amser cinio wrth y ford
　Â'm golwg tua'r nod,
Nes gwedai Mam: 'Cer 'mla'n â'th gawl
　A gad i'r bache fod.'

Pe dysgwn Fathemateg mwy
　Trwy 'mywyd i'r pen draw,
Ni ddelai swyn y bachau mwyn
　Yn ôl. Ble mae y naw?[119]

Sylweddolai Waldo fod naw bachyn mewn tair rhes yn creu sgwâr, a bod wyth rhes o dri yn y sgwâr hwn o drioedd: tair rhes o dri ar draws, tair rhes arall o dri i lawr, un rhes o'r gornel dde uchaf i'r gornel chwith isaf, ac un rhes o'r gornel chwith uchaf i'r gornel dde isaf. O dynnu un bachyn allan o'r canol, ceid sgwâr perffaith. Chwarae â'r syniadau hyn a wneir yn y gerdd.

Nid aelwyd gyffredin oedd aelwyd Edwal ac Angharad Williams. Roedd yn aelwyd lengar a darllengar. Roedd dau o'r plant yn ymhél â barddoniaeth. Hyd yn oed os oedd yr aelwyd yn Hwlffordd yn dymhestlog ar adegau, gostegodd y storm wedi i'r teulu symud i Fynachlog-ddu ac wedyn i Landysilio. Roedd ewythr Waldo, Gwilamus, yn ymwelydd cyson â chartref ei frawd a'i chwaer-yng-nghyfraith. Trafodai'r oedolion faterion gwleidyddol y dydd; trafodent awduron a llyfrau; gwyntyllent syniadau. Pa faint o'r syniadau hynny a oedd wedi dylanwadu ar y Waldo ifanc, a pha nodweddion o eiddo'i linach a etifeddasai?

O ran nodweddion teuluol, y mae'n bosibl fod Waldo wedi etifeddu sawl elfen. Dywedwyd bod ei dad-cu, Dafi Williams, yn gymeriad cryf a chadarn; roedd yn ŵr penderfynol, annibynnol ei farn, a'i ymlyniad wrth ei egwyddorion yn ddigyfaddawd; ac ar ben popeth, roedd yn ŵr rhyfeddol o ffraeth a chellweirus. Yn ôl y Parchedig D. J. Michael, roedd Gwilamus hefyd yn meddu ar feddwl cryf ac annibynnol. Daeth Waldo i feddu ar bob un o'r nodweddion a'r elfennau hyn.

O safbwynt daliadau crefyddol Dafi Williams, dywedodd T. R. Williams mai '[s]yniad trylwyr *ddynol* oedd gan ein brawd o'r bywyd crefyddol ... rhywbeth byw, ymarferol, agos!' Hynny yw, crefydd weithredol a roddai bwys ar bethau'r byd hwn ydoedd, a chrefydd ddynol yn yr ystyr mai nod a diben dynion ar y ddaear yw rhoi help ymarferol i'w gilydd, rhinweddau'r gymdogaeth dda, mewn gwirionedd, a sail brawdgarwch. Roedd sosialaeth a chrefydd Gwilamus yn un hefyd, gan mai diben Cristnogaeth iddo yntau oedd ysgafnhau baich ei gyd-ddyn. Crefydd a roddai bwyslais ar yr elfen ddaearol, ddynol, wleidyddol oedd crefydd y ddau. Lles a hawliau'r unigolyn a hawliai'r flaenoriaeth.

Yr un yr oedd Waldo debycaf iddo oedd Wncwl Gwilym. Roedd Gwilamus yn berson dwys, ac eto, fel ei dad o'i flaen a'i nai ar ei ôl, roedd yn ddyn ysmala a doniol. Roedd hefyd yn un arall o fewn y teulu ac iddo annibyniaeth barn. 'Yr oedd annibyniaeth meddwl yn nodweddiadol iawn o hono,' yn ôl D. O. Griffiths, a '[b]eiddiodd gymryd ei ffordd ei hunan, ac nid y ffordd fawr oedd honno fel rheol'. Dynoliaeth oedd yr unig beth a haeddai edmygedd a pharch yn ôl Gwilamus. Roedd bywyd dyn yn urddasol ac yn gysegredig yn ei olwg. Ffurfiai ei farn ei hun; parchai argyhoeddiad. Casbeth ganddo oedd crefyddoldeb, ac nid oedd ganddo fawr i'w ddweud am 'ddefodau'r dydd', crefydd yr 'allanolwyr'. Nid mewn templau o waith llaw, nid rhwng unrhyw bedair wal yn unig y gellid ymgymuno â Duw nac ymarweddu fel gwir Gristion, fel brawdgarwr a dyngarwr. Yn y galon a thrwy weithredoedd da yn unig y gellid bod yn wir Gristion ac yn wir ddyngarwr. Roedd hefyd yn sosialydd pybyr. Rhaid cofio, yn ogystal, rhag ofn i linach Waldo yn Sir Benfro yn unig hawlio'r haul i gyd, fod ei deulu ar ochr ei fam yn Ymneilltuwyr o argyhoeddiad ac yn bobl annibynnol eu barn. Ac er bod Gwilamus yn barddoni, ar ochr mam Angharad yr oedd y beirdd yn y teulu.

Brawdgarwch ac nid crefyddgarwch a bleidiai J. Edwal Williams hefyd. Anfonodd lythyr at ei fab ar ôl i Waldo benderfynu ymaelodi â'r eglwys trwy fedydd, ac y mae'r llythyr hwnnw yn crisialu nid yn unig safbwyntiau a daliadau crefyddol personol J. Edwal Williams, ond argyhoeddiadau cyffredinol y teulu yn ogystal:

Dear Waldo,

I have heard of the step you have decided to take. Joining a church is considered a momentous thing. I feel I must write a few words. This step helps many to develop their High Life. On the contrary, in some cases it seems to quench the sacred flame in the soul. Some are in bondage to externals and seem dominated by a delusion that the form and the name will serve as a refuge or insurance or passport in a low and unworthy sense. They have misunderstood religion taking it to be a thing of a day and a place, a hollow zeal for a denomination or a narrow esprit de corps or observance, a routine observance of rites and ceremonies. They take the sign for the real thing. These petty notions and narrow material aims have lowered the ideals of the Church and crippled its effectiveness for good.

The Highest Religion I have had glimpses of is that which makes man a brother, Life a Sanctuary and the common deeds of life sacred by purity of motive. It makes a man sensible to the claims of justice upon himself and to all noble impulses: it also makes him lenient at heart to the feelings of his neighbour through weakness.

I fully believe that you are already of that invisible Church: whose each member is priest – composed of souls who love the light and turn to it, know the face of justice, honour, conscience and endeavour to make reason and will of God prevail and who make their hearts the home of human feelings and causes. Of this church I trust you will remain as long as life lasts and of the other in as far as it helps to the Supreme End.

Endeavour continually to realise afresh and vividly the Good Character that lies behind the Four Gospels. You will derive inspiration and help by this. Remember that the Heavenly Jerusalem is all around us in all directions. Keep all the windows of soul and body open, let the vivifying winds have access.

I feel how weak and imperfect these words are. But I must write. I may perhaps have an opportunity to supplement these. My boy, you are very dear to me. I have done what I could to help you. You have worked well and done much. We are glad and proud of you. I trust that nothing will come between us all our days. Above all your achievements [in this] world, your mother and myself rejoice in the thought that all your life you would continue to be imbued with the spirit of reasonableness. Live simply and straightforwardly endeavour to see the Best and follow the best you see. Keep a brave heart in the darkest night.

Our hopes and wishes and love go with you,

Dad.[120]

Condemnio'r elfennau allanol – yr 'allanolion' – mewn crefydd a wneir, yn un peth, yn y llythyr: 'Some are in bondage to externals and seem dominated by a delusion that the form and the name will serve as a refuge or insurance or passport in a low and unworthy sense.' Yr 'eglwys anweledig', 'that invisible Church', fel 'y tŷ anweledig a diamser' yn un o gerddi Waldo yn y dyfodol, oedd y wir eglwys.[121] A cheir hefyd awgrym o edifeirwch, o ymddiheuriad ac o ble am gydymddiriedaeth yn y llythyr: 'I trust that nothing will come between us all our days.'

Oddi wrth ei dad a'i ewythr, i raddau helaeth, yr etifeddodd Waldo yr egwyddor o frawdoliaeth yn ogystal â'i gred yn naioni a sancteiddrwydd sylfaenol bywyd, a bod y daioni hwnnw, a sancteiddrwydd y 'Jeriwsalem Nefol', o'n cwmpas ymhobman. Fel Waldo yn ddiweddarach, credai J. Edwal Williams yng ngrym sylfaenol a pharhaol bywyd. Hyd yn oed os yw'r dail yn marw, mae'r pren yn fyw, ac yn drech na marwolaeth:

> Beth os yw y ddeilen grin olaf ar syrthio i'r llawr?
> Na fyddwn drist,
> Mae bywyd yn yr Hen Bren,
> Mae y sudd yn esgyn
> Mae y blagur yn torri llinynnau eu bedd,
> Mae y byd mewn berw o lâs
> A dilyw y llanw yn golchi pob gilfach a glan.

Rhyw fath o ail-greu cerdd ei dad, ond yn llawer mwy celfydd, a wnaeth Waldo ymhen blynyddoedd. Dyma bennill cyntaf y gerdd o ddau bennill na roddwyd iddi deitl gan y bardd:

> Nid oes yng ngwreiddyn Bod un wywedigaeth,
> Yno mae'n rhuddin yn parhau,
> Yno mae'r dewrder sy'n dynerwch
> Bywyd pob bywyd brau.[122]

Un o'r prif ddylanwadau ar J. Edwal Williams – a'r dylanwad pennaf oll, o bosibl – oedd Edward Carpenter (1844–1929), sosialydd, bardd, athronydd, proffwyd cymdeithasol ac anarchydd. Un o'r rhai a adwaenai'r teulu yn dda oedd David Williams (yr Athro David Williams, Aberystwyth, wedyn), brodor o Rydwilym a chyfaill i Waldo. Meddai David Williams am dad ei gyfaill:

Yn ei flynyddoedd olaf yr oedd yn bur feudwyaidd. Er ei fod yn Fedyddiwr ac er bod achos gan y Bedyddwyr bron am y ffordd â'i dŷ, nid oedd yn cymryd nemor ran ynddo. Pan âi i'r capel, fe âi'n gynnar a chymryd sedd yn y cefn. Yn wir, yr oedd yn gymeriad anghyffredin yng nghefn gwlad Cymru yn y cyfnod hwn, yn radical o'r rheng flaenaf ac yn sosialydd o'r un garfan â William Morris. Ei arwr, neu o'r hyn lleiaf, un o'i arwyr, ydoedd Edward Carpenter.[123]

Cafwyd tystiolaeth gyffelyb gan un o ddisgyblion J. Edwal Williams:

> He was a great soul. He read widely and thought much and could have written much of value had he had the selfconfidence of those who do exercise their pens in literary endeavour. Always a student, he was somewhat of a recluse. Edward Carpenter was one of the influential forces of his life, and to Carpenter was due most largely his tendency towards socialism in politics.[124]

Edward Carpenter oedd y grym dylanwadol a deallusol mwyaf ym mywyd J. Edwal Williams. Fel sosialydd, roedd Carpenter yn un o brif sefydlwyr y Blaid Lafur Annibynnol, ac roedd yn gyfaill agos i Walt Whitman ac Olive Schreiner. Roedd Carpenter yn wrywgydiwr hollol agored, ac roedd yn byw mewn cymuned hoyw yn ymyl Sheffield. Hyrwyddai ryddid rhywiol ac roedd yn gryf o blaid hawliau menywod a gwelliannau diwydiannol. Gŵr eithafol o radicalaidd oedd Carpenter, a dylanwadodd ar lenorion fel D. H. Lawrence ac E. M. Forster. Ac, yn wir, yn Sheffield, pan oedd yn athro ifanc yno, y cyfarfu J. Edwal Williams ag Edward Carpenter. Pan enwyd John Gibson, golygydd a pherchennog *The Cambrian News*, fel un o'r rhai a oedd i dderbyn urdd marchog yn rhestr Anrhydeddau'r Flwyddyn Newydd ym 1915, gofynnwyd i nifer o bobl am eu hymateb i'r anrhydedd. Un o'r rhain oedd J. Edwal Williams, ac meddai, gan gyfarch John Gibson yn uniongyrchol:

> More than twenty years ago – about the time when Olive Schreiner made a stay of some months in England [–] it was my privilege to have an interview with Edward Carpenter of Holmesfield, and he then referred to you as one who had rendered great service to the cause of the people and of progress. 'Gibson of Aberystwyth' was the only Welshman about whom he spontaneously made enquiries. Since then Carpenter has been described by Tolstoy as a great teacher – the successor of Carlyle and Ruskin.[125]

Sosialydd oedd Edward Carpenter. Pan oedd J. Edwal Williams yn byw yn Hwlffordd, arferai ef ac Angharad addoli yng Nghapel y Bedyddwyr Hill Park yn y dref. Y gweinidog oedd y Parchedig John Jenkins, sosialydd pybyr o ran argyhoeddiad, fel tad Waldo yntau, ac roedd John Jenkins ac Edwal Williams yn gyfeillion agos. Roedd y ddau yn aelodau o'r Blaid Lafur Annibynnol, a thraddododd Edwal araith o blaid Keir Hardie un tro, pan oedd yn athro yn Lloegr.

Magwyd Waldo, felly, ar aelwyd anghyffredin iawn. Nid Edwal a Gwilamus yn unig a drafodai wleidyddiaeth a llenyddiaeth a materion crefyddol yn Nhŷ'r Ysgol ym Mynachlog-ddu nac yn Elm Cottage yn Llandysilio. Ymunai Angharad hefyd yn y trin a'r trafod a glywid yn y cartref. 'Nid oedd ganddi hi fawr diddordeb yng ngwaith y tŷ, ond cyfranogai yn niddordebau deallol ei gŵr, ac yr oedd y trafodaethau ar yr aelwyd yn agoriad llygad i'r bechgyn ifainc a wahoddid i'r cartref,' meddai David Williams amdani.[126] Ac ar ben popeth, o fis Mawrth 1915 ymlaen, roedd y Waldo ifanc yn byw mewn tŷ a rwygwyd gan alar ac mewn byd a chwilfriwid gan ryfel.

Ceir cip ar fywyd y cartref gan Waldo ei hun mewn ysgrif a luniodd ar farddoniaeth T. E. Nicholas, y bardd comiwnyddol. Cofiai Waldo am y flwyddyn 1916, pan oedd y Rhyfel Mawr yn ei anterth:

Blwyddyn ryfedd ac ofnadwy oedd y flwyddyn mil, naw cant, un deg a chwech. Yr oedd llywodraethau Ewrop wedi ystyfnigo yn eu gorffwylledd. Roedd eu deiliaid, gydag eithriadau prin, yn ymateb yn llwyr i'w hysgogiadau, dan haenau trwchus o'r un hunangyfiawnder a hunan-dwyll a rhagrith. Roedd y llenni i lawr ar ryddid. Roedd gwareiddiad yn suddo i'r llaid. I laid y Somme. Roedd y llywodraethau yn gyrru eu meibion yno i ymladd â'i gilydd ac i farw o heintiau yn y llaca ac ar y waeren bigog, hyd at dri chwarter miliwn ohonynt pan fyddai'r cyfrif yn llawn. Yr oedd rhinwedd i'w ryfeddu yn yr 'Hill 60' yr oedd y papurau'n sôn amdano. Yr oedd hwn yn fan strategol. Ped enillid hwn byddai buddugoliaeth yn y golwg. Yr oedd y gwleidyddwyr a'r cadfridogion yr un mor bendant. Ni fyddai un aberth yn ormod er mwyn ennill y bryn hwn. Mae strategwyr heddiw o'r unfarn mai twyll oedd y cwbl. Dim ond ton fawr o hysteria, a breuddwyd gwrach, yn ôl ei hewyllys. Ni allasai ennill 'Hill 60' fod ag unrhyw effaith o gwbl ar gwrs y rhyfel. Yr oedd twyll tebyg i bob cyfeiriad.[127]

Ym 1916 y cyhoeddwyd cerdd Whitmanaidd T. E. Nicholas, 'Gweriniaeth a Rhyfel', cerdd hir a oedd yn collfarnu'r rhyfel yn llwyr. Cynhyrfwyd teulu Elm Cottage i'r byw ganddi:

> Rwy'n cofio fy nhad yn ei ddarllen i'm mam allan o'r *Geninen*. Ac fe'm gwefreiddiwyd ganddi yn y blynyddoedd ieuainc pan oedd teimladau'n rhedeg yn rhwydd. Ond fe'i darllenais hi eto echnos ymhen mwy na hanner canrif, ac fe'm gwefreiddiwyd eto, lawn cymaint.[128]

Ond roedd 1916 hefyd yn drobwynt o flwyddyn yn hanes Waldo:

> Ro'n i wedi cael fy nhanio gan y Gwrthryfel yn Iwerddon a dyna'r gân gyntaf Gymraeg a sgrifennais i – i Iwerddon, 'Pasg 1916'. Yn rhyfedd iawn, ro'n i'n go araf yn sgrifennu rhyddiaith Gymraeg. Yr oedd y treigliade yn fy mlino i – yr ansicrwydd yma gyda fi ynglŷn â rhyddiaith, a doedd hyn ddim yn bod pan o'n i'n sgrifennu barddoniaeth.[129]

Nid ar yr aelwyd yn unig y cafodd y Waldo ifanc gipolwg ar y math o fyd a oedd yn bosibl pe bai brawdgarwch yn teyrnasu, yn hytrach na chasineb a diawlineb rhyfel. Cymuned glòs, gymdogol, gydweithredol a geid yn ardal y Preseli, gyda phawb yn helpu ei gilydd adeg cynhaeaf ac adeg cneifio, a'r bychanfyd perffaith a delfrydol hwnnw yn darlunio'r hyn a allai fod ar raddfa fyd-eang, sef y ddynoliaeth yn un frawdoliaeth drwy'r byd cyfan. Soniodd Waldo am y gymdeithas berffaith honno a geid yng ngogledd Sir Benfro, ac yn y Sir Benfro Gymraeg ei hiaith at hynny, wrth T. Llew Jones:

> Credai hefyd – fel y dywedodd wrthyf droeon – ei fod wedi darganfod y *gymdeithas ddelfrydol* ymysg ffermwyr Sir Benfro – lle'r oedd cyd-weithio a chyd-lawenhau, heb sôn am gyd-ddioddef, wedi ei gwneud yn gymdeithas glòs, lawen a chydweithredol. Fe'i clywais yn dweud, pe gellid lledaenu'r gymdeithas honno drwy'r byd, y byddai'r byd i gyd yn well lle i fyw ynddo.[130]

Blynyddoedd y Rhyfel Mawr oedd y blynyddoedd ffurfiannol ym mywyd Waldo. Daeth nifer o elfennau ynghyd i greu ei fydolwg yn ddiweddarach yn ei fywyd, i lunio ei weledigaeth fel bardd, i ffurfio holl graidd ei fodolaeth. Pan dorrodd y Rhyfel Byd Cyntaf, roedd Waldo ar fin dathlu ei ben-blwydd yn ddeg oed. Erbyn i'r rhyfel ddirwyn i ben, roedd yn bedair ar ddeg. Roedd felly mewn oedran a oedd yn agored i argraffiadau a dylanwadau pan oedd y cenhedloedd yng ngyddfau'i gilydd, ac yn benderfynol o ddifa'i gilydd.

Roedd ei rieni yn casáu rhyfel, a derbyniai Waldo werthoedd a daliadau ei deulu bron yn ddiamod. Roedd casineb at ryfel a chariad at gyd-ddyn ymhlith y gwerthoedd pwysicaf a mwyaf sylfaenol gan y teulu. Ac yma eto mae Edward Carpenter yn bresenoldeb amlwg iawn. Ym 1915, cyhoeddodd Carpenter ei lyfr *The Healing of Nations and the Hidden Sources of their Strife*, llyfr a oedd yn collfarnu'r rhyfel ac yn ymosod ar filwriaeth a chyfalafiaeth. Ceir yr ymadrodd 'i iacháu y cenhedloedd' yn Llyfr y Datguddiad (22:2), a chaiff yr adnod berthnasol ei dyfynnu'n rhannol ar ddechrau llyfr Carpenter: 'a dail y pren oedd i iacháu y cenhedloedd'. Arhosodd yr ymadrodd gyda Waldo drwy'i holl fywyd, gan roi iddo, yn y pen draw (ynghyd â sylw gan John Keats), y teitl i'w unig gasgliad o gerddi, *Dail Pren*. Gobeithiai Waldo hefyd y gallai ei farddoniaeth fod yn fodd i iacháu ei genedl, yn rhannol o leiaf, os nad yn llwyr.

Yn sicr, fe adleisir syniadau Carpenter yn nhraethodau ac erthyglau gwleidyddol J. Edwal Williams, ac fe fabwysiadwyd llawer o'r syniadau hyn yn y man gan Waldo, un ai'n ymwybodol neu'n isymwybodol. Credai Carpenter, fel llawer o sosialwyr eraill, mai un o brif achosion y rhyfel oedd 'the rise of the great German commercial class' a'r modd yr oedd y dosbarth hwnnw wedi ysglyfaethu ar 'the political ignorance of the German people'.[131] Y dosbarth masnachol hwn a lywiai gwrs y rhyfel. Roedd yn rhyfel a grëwyd ac a gâi ei ymladd er mwyn elw yn unig. Yn ôl Carpenter: 'It is the financial and commercial classes in the modern States who have the sway; and unless these classes desire it the military cliques may plot for war in vain.'[132] Ni allai dim byd atal cyfalafiaeth yr Almaen, ac nid oedd gan y gyfalafiaeth honno na moesau nac egwyddorion. Mewn gwirionedd, canlyniad cydweithredu rhwng dau ddosbarth oedd y rhyfel:

> ... the blame of the war rests with the military class, by adding a second factor, namely, the rise and influence of the commercial class. These two classes, acting and reacting on each other, and pushing – though for different reasons – in the same direction, are answerable, as far as Germany is concerned, for dragging Europe into this trouble; and they must share the blame.[133]

Gair allweddol ym marddoniaeth Waldo yw 'elw', sef awch dyn am gyfoeth a golud bydol, a'r awch hwnnw yn rym dinistriol yn ei hanfod. Y mae'r gair 'elw' yn ei farddoniaeth yn cael ei osod ochr yn ochr â'r gair 'awen' yn aml, mewn ffordd wrthgyferbyniol, ac ystyr 'awen' yma yw'r grym ysbrydoledig sy'n ieuo dynion ynghyd, yn wahanol i 'elw', sydd wastad yn creu llanastr ac anhrefn, ac yn gyrru dynion ar wahân.

Awdurdod a wnâi ryfel yn bosibl. Trwy ymarfer awdurdod y gwthiai'r lleiafrif a oedd mewn grym ei ewyllys ar y mwyafrif diamddiffyn. Camwedd oedd gorfodi i'r unigolyn ddwyn arfau yn groes i'w ewyllys a'i natur. 'A voluntary citizen army may be all right,' meddai Carpenter, 'but to *compel* a man to fight, whether he will or not – in violation, perhaps, of his conscience, of his instinct, of his temperament – is an inexcusable outrage on his rights as a human being.'[134]

Mae Carpenter yn *The Healing of Nations and the Hidden Sources of their Strife* yn pregethu brawdoliaeth fel cyfrwng i achub y ddynoliaeth, ac y mae'n collfarnu rhyfelgwn am ddiraddio a chamddefnyddio'r ffydd Gristnogol:

> The leaders and high priests of the world have used the name of Christianity to bless their own nefarious works with, till the soul is sick at the very sound of the word; but surely the time has come when the peoples themselves out of their own heart will proclaim the advent of the Son of Man – conscious of it, indeed, as a great light of brotherhood shining within them, even amid the clouds of race-enmity and ignorance, and will deny once [and] for all the gospel of world-empire and conquest which has so long been foisted on them for insidiously selfish ends.[135]

Y wir ymerodraeth yn ôl Carpenter yw ymerodraeth brawdoliaeth, nid ymerodraethau militaraidd a chyfalafol y byd:

> An empire based on brotherhood – a holy *human* empire of the World, including all races and colours in a common unity and equality – yes! But these shoddy empires based on militarism and commercialism, and built up in order to secure the unclean ascendancy of two outworn and effete classes over the rest of mankind – a thousand times no![136]

Byddai syniadau o'r fath yn cael eu derbyn a'u mabwysiadu gan J. Edwal Williams a'i frawd Gwilamus gyda brwdfrydedd, a byddai'r syniad o 'oleuni mawr brawdoliaeth' yn datblygu i fod y thema fwyaf ym marddoniaeth Waldo, yn union fel y byddai'r ddelwedd o oleuni yn datblygu i fod yn un o ddelweddau grymusaf ei gerddi.

Delwedd gref, gyson arall ym marddoniaeth Waldo yw delwedd y goeden, Pren y Bywyd yn Llyfr y Datguddiad a Phren Brawdoliaeth. Un gwreiddyn sydd i'r pren hwn – brawdgarwch, daioni sylfaenol a chynhenid dyn – ond mae ganddo nifer o ganghennau: amryfal genhedloedd y byd, teulu dyn. Fel y dywedai yn ei gerdd 'Pa Beth yw Dyn?':

> Beth yw byw? Cael neuadd fawr
> Rhwng cyfyng furiau.
> Beth yw adnabod? Cael un gwraidd
> Dan y canghennau.[137]

Yn ôl Carpenter yn *The Healing of Nations and the Hidden Sources of their Strife*, dim ond Pren y Bywyd, gyda'i wreiddiau dwfn, a all achub dyn o ddifri a chreu byd gwirioneddol unol a gwirioneddol heddychlon:

> If (it will be said) the origin of wars is in the diseased condition of the nations, what prospect is there of their ever ceasing? And one sees at once that the prospect is not immediate. One sees at once that Peace Societies and Nobel Prizes and Hague Tribunals and reforms of the Diplomatic Service and democratic control of Foreign Secretaries and Quaker and Tolstoyan preachments – though all these things may be good in their way – will never bring us swiftly to the realisation of peace. The roots of the Tree of Life lie deeper.[138]

Eto ym marn Carpenter, mae Pren y Bywyd yn gorchuddio'r holl ddaear â'i ganghennau, ac yng ngwraidd neu 'galon fawr' y Pren y ceir y gyfrinach i achubiaeth. Mae'r syniad hwn, wrth gwrs, wrth wraidd barddoniaeth Waldo:

> Have we nothing to do but to prepare engines of death and of slaughter against all these peoples? Is our main idea of relation to them one of domination and profit? Have we no use for them but to gain their riches, and in exchange to lose our own souls? Or shall we, like the Prussians, seek to "impose" our own standards of so-called culture on them, and trim their infinite variety and grace to one sorry pattern? These are all in their diverse glory and beauty as leaves of the one

great Tree whose branches spread over the earth. Whoever understands this, and
penetrating to the great heart beneath, recognizes the same original life in them all,
will possess the secret of salvation; whatever nation first casts aside the filthy rags of
its own self-righteousness and the defiling and sordid garment of mercenary gain,
and accepts the others frankly as its brother and sister nations, all of one family
– that nation will become the Healer and Redeemer of the World health.[139]

Byddai Waldo hefyd, yn y dyfodol, yn defnyddio'r gyfeiriadaeth
Feiblaidd 'the filthy rags of its own self-righteousness' ('Eithr yr ydym ni oll
megis peth aflan, ac megis bratiau budron yw ein holl gyfiawnderau', Eseia
64:6) yn un o'i gerddi:

> Gall crafangwyr am haearn ac oel
> Lyfu'r dinasoedd â thân
> Ond ofer eu celwydd a'u coel
> I'n cadw ni'n hir ar wahân.
> Ni saif eu canolfur pwdr
> I rannu'r hen ddaear yn ddwy,
> Ac ni phery bratiau budr
> Eu holl gyfiawnderau hwy.
> O! ni phery eu bratiau budr
> Rhag y gwynt sy'n chwythu lle myn.[140]

Dim ond ar ôl i ddynion ymroi i gydweithio er lles pob dyn, er mwyn yr
holl genedl, ac er daioni i'r holl ddynoliaeth, y gellid adfer heddwch, cytgord
a daioni yn y pen draw:

The health of a people consists in that people's real *unity*, the organic life by
which each section contributes freely and generously to the welfare of the whole,
identifies itself with that welfare, and holds it a dishonour to snatch for itself the
life which should belong to all. A nation which realised *that* kind of life would
be powerful and healthy beyond words; it would not only be splendidly glad and
prosperous and unassailable in itself, but it would inevitably infect all other nations
with whom it had dealings with the same principle. Having the Tree of Life well
rooted within its own garden, its leaves and fruit and all its acts and expressions
would be for the healing of the peoples around.[141]

Gair hollbwysig arall ym marddoniaeth Waldo yw 'adnabod'. Ystyr 'adnabod' yn ei waith yw adnabod rhywun yn drwyadl, yn llwyr, sef y math o adnabod dwfn sy'n creu brawdgarwch a chariad. Mae rhyfel yn bosibl oherwydd nad yw pobl yn adnabod ei gilydd. Y diffyg adnabod hwn, yr ynysu neu'r ymddieithrio yma rhwng pobl, sy'n creu atgasedd ac yn peri bod dyn yn elyn i'w gyd-ddyn. Dyna'r hyn y mae Carpenter yn ei alw yn 'recognition and understanding' yn y darn canlynol:

> For a century now commercial rivalry and competition, the perfectionment of the engines of war, and the science of destruction have sufficiently occupied the nations – with results only of disaster and distress and ruin to all concerned. To-day surely another epoch opens before us – an epoch of intelligent helpfulness and fraternity, an epoch even of the simplest common sense. We have rejoiced to tread and trample the other peoples underfoot, to malign and traduce them, to single out and magnify their defects, to boast ourselves over them. And acting thus we have but made the more enemies. Now surely comes an era of recognition and understanding, and with it the glad assurance that we have friends in all the ends of the earth.[142]

Llyfr arall gan Carpenter a oedd yn eiddo i J. Edwal Williams o Nadolig 1917 ymlaen oedd *Towards Industrial Freedom*, a gyhoeddwyd y flwyddyn honno. Unwaith yn rhagor, beiai Carpenter yr elwgarwyr a'r cyfalafwyr am y rhyfel: 'Whatever side-issues there may be in the present catastrophe, we cannot doubt that financial greed and profit-mongering, made all the more possible by the domination of the profit-mongering classes, have been at the bottom of the trouble.'[143] Ni allai masnach greu cydymddiriedaeth na brawdoliaeth rhwng dynion: 'out of a Trade and a Commerce founded on greed and self-seeking, and chicanery, and the law of devil-take-the-hindmost, you cannot get, and you cannot expect to get, a society of brotherhood and trust and mutual help'.[144]

Diben llafur yw bodloni angenrheidiau sylfaenol dyn. Llafur sy'n cynnal bywyd; gwaith sy'n cynnal cymdeithas. Yn ôl Carpenter, pan droir yr hyn sydd o ddefnydd i gymdeithas yn rhywbeth sydd o fudd i'r unigolyn yn unig, pan droir yr hyn sy'n angenrheidiol yn rhywbeth proffidiol, daw cwymp a daw trychineb. Nid pwrpas gwaith yw gwneud elw. Pwrpas gwaith yw bwydo a chynnal, creu cartrefi, creu cymdeithas, creu cymuned. Rhywbeth sydd o fudd i'r unigolyn yn unig yw elw; rhywbeth sydd o les i'r holl gymdeithas yw llafur cydweithredol. Dyma'r math o waith a llafur sy'n creu cymdeithas: llafur cydweithredol a chyd-ddibynnol sy'n tynnu pobl at ei gilydd, ac yn creu brawdoliaeth yn y pen draw. Yn *Towards Industrial Freedom*, mae Carpenter yn sôn am lyfr Herman Melville, *Typee*, sy'n disgrifio bywyd ynyswyr Marquesas, grŵp o ynysoedd yn y Môr Tawel:

> ... the whole book is a eulogy of the social arrangements he met with, and with almost a fervour of romance in its tone; and yet, like all his descriptions of the natives of the Pacific Islands, undoubtedly accurate, and well corroborated by the travellers of the period. An easy communism prevailed. When a good haul of fish was made, those who took part in it did not keep the booty to themselves, but parcelled it out, and sent it throughout the tribe, retaining only their proportionate share. When one family required a new cabin, the others would come and help to build it.[145]

Ac mae Carpenter yn sôn am gymdeithas debyg ar un o ynysoedd Heledd, yr Alban:

> Similar communistic habits prevail, of course, through a vast number of savage tribes, and indeed almost anywhere that the distinctively commercial civilisation has not set its mark. They may be found close at home, as in the little primitive island of St. Kilda, in the Hebrides, where exactly the same customs of sharing the hauls of fish or the labours of housebuilding exist to-day, which Melville describes in *Typee*; and they may be found all along the edges of our civilization in the harvesting and house-warming "bees" of the backwoods and outlying farm-populations.[146]

Roedd y syniad mai cymdeithasau heddychlon a chydweithredol oedd cymdeithasau cyntefig yn thema gyson yng ngweithiau Edward Carpenter. Yn ei lyfr *Civilisation: its Cause and Cure and Other Essays* (1889), er enghraifft, mae ganddo hyn i'w ddweud am gymdeithasau a diwylliannau cyntefig yn gyffredinol:

> ... when we come to consider the social life of the wilder races – however rudimentary and undeveloped it may be – the almost universal testimony of students and travellers is that within its limits it is more harmonious and compact than that of the civilised nations. The members of the tribe are not organically

at warfare with each other; society is not divided into classes which prey upon each other; nor is it consumed by parasites. There is more true social unity, less of disease. Though the customs of each tribe are rigid, absurd, and often frightfully cruel, and though all outsiders are liable to be regarded as enemies, yet *within those limits* the members live peacefully together – their pursuits, their work, are undertaken in common, thieving and violence are rare, social feeling and community of interest are strong.[147]

Ac yn *Civilisation: its Cause and Cure*, dyfynnir ganddo, fel atodiad i'r llyfr, dystiolaeth nifer o anturiaethwyr a theithwyr a welodd â'u llygaid eu hunain y modd yr oedd llawer o gymdeithasau cyntefig yn byw mewn cytgord a heddwch â'i gilydd.

Cymdeithas gyd-ddibynnol, gydweithredol a chymdogol o'r fath a geid yn ardal y Preseli. A byddai Waldo, yn sicr, yn cytuno â delfryd Edward Carpenter:

> If anyone will only think for a minute of his own inner nature he will see that the only society which would ever really satisfy him would be one in which he was perfectly free, and yet bound by ties of deepest trust to the other members; and if he will think for another minute he will see that the only conditions on which he could be perfectly free (to do as he liked) would be that he *should* trust and care for his neighbour as well as himself. The conditions are perfectly simple; and since they have been more or less realized by countless primitive tribes of animals and men, it is surely not impossible for civilized man to realize them.[148]

Rhywbeth tebyg i 'adnabod' ym marddoniaeth Waldo yw'r 'deepest trust' hwn y sonia Carpenter amdano. Nid bod Waldo, wrth gwrs, yn efelychu Carpenter na neb arall yn slafaidd. Sylfaen yn unig i'w athroniaeth ynghylch bywyd oedd y llyfrau a berthynai i'w dad a'r trafodaethau a glywai ar yr aelwyd. Adeiladu ar y sylfaen honno a wnaeth.

Roedd o leiaf ddau lyfr arall o waith Carpenter yn perthyn i J. Edwal Williams – gan gofio bod llawer o'i lyfrau wedi mynd ar goll erbyn hyn – sef *England's Ideal* (1887) a'i hunangofiant, *My Days and Dreams* (1916). Marciodd rai darnau yn *England's Ideal*, fel y paragraff canlynol, sy'n trafod yr angen am gyd-ddibyniaeth rhwng pobl, a'r angen i roi yn ogystal â derbyn, yn hytrach na gadael i rai fanteisio ar lafur a haelioni eraill er eu lles hwy eu hunain:

Let a man pause just for once in this horrid scramble of modern life, and ask himself what he really consumes day by day of other people's labor – what in the way of food, of clothing, of washing, scrubbing, and the attentions of domestics, or even of his own wife and children – what money he spends in drink, dress, books, pictures, at the theatre, in travel. Let him sternly, and as well as he may, reckon up the sum total by which he has thus made himself indebted to his fellows, and then let him consider what he creates for their benefit in return. Let him strike the balance. Is he a benefactor of society – is it quits between him and his countrymen and women? – or is he dependent upon them, a vacuum and a minus quantity? – a beggar, alms-receiver, or thief?[149]

Ac eto, y mae'n amhosibl dweud pa lyfrau neu ba awduron a ddylanwadodd ar y Waldo ifanc. Arwyr llenyddol Gwilamus oedd Thomas Carlyle, Walt Whitman ac Olive Schreiner, ac arwyr llenyddol Edwal oedd William Morris ac Edward Carpenter, ond yr oedd hefyd, fel ei frawd, yn hoff o waith Thomas Carlyle, yr hanesydd a'r athronydd a fu'n ddylanwad mawr ar Syr Henry Jones, ewythr Angharad, yn ogystal. Roedd gan Edwal rai o lyfrau Carlyle yn ei feddiant, fel *On Heroes, Hero-Worship, and the Heroic in History* (1841) – llyfr a fu'n eiddo i'w frawd Lewis ar un adeg – a *Past and Present* (1843). Daeth y llyfrau hyn yn eiddo i Waldo ar ôl dyddiau J. Edwal Williams. Yn *On Heroes, Hero-Worship, and the Heroic in History* y dywedodd Carlyle hyn am berthynas dyn â'i grefydd:

It is well said, in every sense, that a man's religion is the chief fact with regard to him. A man's, or a nation of men's. By religion I do not mean here the church-creed which he professes, the articles of faith which he will sign and, in words or otherwise, assert; not this wholly, in many cases not this at all. We see men of all kinds of professed creeds attain to almost all degrees of worth or worthlessness under each or any of them. This is not what I call religion, this profession and assertion; which is often only a profession and assertion from the outworks of the man, from the mere argumentative region of him, if even so deep as that. But the thing a man does practically believe (and this is often enough *without* asserting it even to himself, much less to others); the thing a man does practically lay to heart, and know for certain, concerning his vital relations to this mysterious Universe, and his duty and destiny there, that is in all cases the primary thing for him, and creatively determines all the rest. That is his *religion*; or, it may be, his mere scepticism and *no-religion*: the manner it is in which he feels himself to be spiritually related to the Unseen World or No-World; and I say, if you tell me what that is, you tell me to a very great extent what the man is, what the kind of things he will do is.[150]

A dyna'n union yr hyn y credai Gwilamus a J. Edwal Williams ynddo, sef mai dibwys oedd 'allanolion' crefydd – y 'professed creeds' – o'u cymharu â gwir grefydd bersonol dyn: ei berthynas ysbrydol â'r bydysawd neu â'r 'anwel fyd': 'Golud Duw yw'r anwel fyd' fel y dywedai Waldo ymhen rhai blynyddoedd wrth fyfyrio ar rinweddau ei rieni.[151]

Fel y dywedodd David Williams, cyfranogai Angharad yn niddordebau deallusol ei gŵr. Mewn gwirionedd, roedd Angharad yr un mor ddiwylliedig a deallus â'i gŵr, a darllenai hithau hefyd lyfrau Thomas Carlyle ac athronwyr eraill. Cafodd *Sartor Resartus* Carlyle yn rhodd Nadolig gan rywun ym 1896. Ei henw hi a geir ar y llyfr, ac roedd Waldo wedi ei ddarllen hefyd ar ryw bwynt yn ei fywyd.[152] Mae llyfr lloffion Angharad wedi goroesi, ac mae'n ddadlennol iawn. Toriadau o bapurau a chylchgronau a gadwai yn y llyfr hwnnw, yn gerddi, adolygiadau a lluniau o enwogion y dydd ym myd crefydd, llenyddiaeth a gwleidyddiaeth. Cerddi yw'r rhan fwyaf helaeth o'r toriadau hyn, yn Gymraeg ac yn Saesneg, ac y mae llawer ohonynt yn gerddi o blaid heddwch ac yn erbyn rhyfel. Ymhlith y cerddi Cymraeg ceir 'Rhyfel' Hedd Wyn, a cherddi gan feirdd fel Crwys a Wil Ifan. Cadwodd hefyd gerddi Saesneg o waith beirdd fel Thomas Hardy ac Edmund Blunden, ond cerddi gan fân feirdd Saesneg, beirdd o Sir Benfro yn bennaf, yw'r mwyafrif o'r toriadau hyn, ac yn eu plith ceir dwy gerdd ddiddorol iawn. Rhaid, felly, fod Angharad yn darllen y cerddi hyn i'w phlant ac i'w gŵr, neu efallai y byddai Waldo yn hoffi pori yn llyfr lloffion ei fam, yn union fel yr hoffai durio trwy lyfrau ei dad.

Gan fwrw trem i'r dyfodol eto, y mae'n bosibl fod rhai o'r cerddi a gadwodd y fam wedi aros yn isymwybod Waldo ac wedi rhoi iddo seiliau neu syniadau ar gyfer cerddi y byddai'n eu llunio flynyddoedd yn ddiweddarach; er enghraifft, y gerdd ddi-deitl sy'n cychwyn 'Nid oes yng ngwreiddyn Bod un wywedigaeth'.[153] Eglurodd Waldo mai coeden onnen oedd bodolaeth yn chwedloniaeth Sgandinafia a bod gwiwer yn dringo i fyny iddi yn yr haf ac yn dod i lawr yn y gaeaf. Cyfeirio yr oedd at y wiwer Ratatoskr ym mytholeg Hen Norwyeg. Mae'r wiwer hon yn rhedeg i fyny ac i lawr y goeden onnen Yggdrasil, sy'n sefyll yng nghanol y byd, gyda'i brig yn ymestyn tua'r nefoedd a'i gwreiddiau yn cyrraedd yr isfyd. Y goeden onnen hon yw pren y bywyd ym mytholeg Hen Norwyeg. Mae Ratatoskr yn cludo negeseuon rhwng yr eryr sy'n clwydo ar frig yr onnen a'r ddraig neu'r neidr sy'n byw yn y ddaear dan wreiddiau'r goeden, gan gnoi ar y gwreiddiau hynny, ond heb eu difa. 'Daeth y pren hwn,' meddai Waldo, 'yn rhan o batrwm fy ysgrifennu.'[154]

Mae un o'r cerddi a gadwodd Angharad yn mydryddu'r chwedl Sgandinafaidd hon, 'The A B C of Magic: Y is for Yggdrasil', gan fardd a oedd yn arddel y ffugenw 'Tomfool'. Cadwodd Angharad nifer o'i gerddi. A dyma'r gerdd:

> Have you seen Yggdrasil, the Sacred Tree?
> Its leaves are in the sky – its roots are three –
> It binds with roots and trunk and branches green
> Heaven and Hades and the World Between.
>
> Under its root a Serpent coils and clings,
> High in its crest an Eagle spreads his wings,
> 'Twixt root and crest, among the branches green
> A little running Squirrel may be seen.
>
> Below the ground a wondrous fountain shoots,
> Feeding with magic water the three roots
> Of Yggdrasil – and from its branches green
> Honeydew drops upon the world between.
>
> Have you seen Yggdrasil, the Sacred Tree?
> The eye of man the whole can never see,
> By One Eye only Yggdrasil is seen,
> With its three roots, high crest, and branches green,
> Heaven and Hades and the World Between.[155]

Cyfeirir at Onnen Bodolaeth yn chwedloniaeth Hen Norwyeg yn *On Heroes, Hero-Worship, and the Heroic in History* yn ogystal:

I like, too, that representation they have of the Tree Igdrasil. All Life is figured
by them as a Tree. Igdrasil, the Ash-tree of Existence, has its roots deep down
in the kingdoms of Hela or Death; its trunk reaches up heaven-high, spreads its
boughs over the whole Universe: it is the Tree of Existence. At the foot of it, in
the Death-kingdom, sit Three *Nornas*, Fates, – the Past, Present, Future; watering
its roots from the Sacred Well. Its 'boughs,' with their buddings and disleafings,
– events, things suffered, things done, catastrophes, – stretch through all lands
and times. Is not every leaf of it a biography, every fibre there an act or word? Its
boughs are Histories of Nations. The rustle of it is the noise of Human Existence,
onwards from of old. It grows there, the breath of Human Passion rustling through
it; – or stormtost, the stormwind howling through it like the voice of all the gods.
It is Igdrasil, the Tree of Existence. It is the past, the present, and the future; what
was done, what is doing, what will be done; 'the infinite conjugation of the verb
– *To do*.'[156]

Y frawddeg allweddol yma yw: 'Its boughs are Histories of Nations.'

Efallai mai cyfuniad o ddylanwadau, clywed y gerdd gan ei fam a darllen
y darn am Yggdrasil yn *On Heroes, Hero-Worship, and the Heroic in History* a
roddodd y syniad am onnen bodolaeth a 'gwiwer gwynfyd' i Waldo, ond
mae'n fwy tebygol mai cerdd 'Tomfool' oedd y prif ddylanwad yma – y
prif ddylanwad ond nid yr unig ddylanwad. Roedd rhai o gerddi Thomas
Carlyle, yn sicr, wedi dylanwadu ar Waldo. Fel y byddai'n cydnabod yn *Dail
Pren*, dilyn 'Thomas Carlyle yn ei gân hau', sef 'The Sower's Song', a wnaeth
Waldo yn y gerdd 'Rhodia, Wynt'.[157] Cerdd arall gan Carlyle, 'Cui Bono',
o bosibl a roddodd iddo'r patrwm ar gyfer un o'i gerddi mwyaf adnabyddus,
'Pa Beth yw Dyn?':

> What is Hope? A smiling rainbow
>   Children follow through the wet;
> 'Tis not here, still yonder, yonder:
>   Never Urchin found it yet.
>
> What is Life? A thawing iceboard
>   On a sea with sunny shore;
> Gay we sail; it melts beneath us;
>   We are sunk, and seen no more.

What is Man? A foolish baby,
  Vainly strives, and fights, and frets;
Demanding all, deserving nothing;
  One small grave is what he gets.

Cerdd ddiddorol arall yn llyfr lloffion Angharad yw 'Immortalia' gan 'y Pte. G. Peredur Jones'. Y pennill cyntaf yw'r un arwyddocaol:

Empires may be sundered as a garment old and worn,
  And Kingdoms crash to fragments as a window's coloured glass;
Ancient institutions by tempests may be torn,
  And drop as windfall apples in the grass;
But the hills, in strength and silence, by the rain and whirlwind worn,
  And the majesty of mountains, never pass.[158]

Dyma'r Tŵr a'r Graig yng nghanu Waldo: y sefydliadau dynol bregus, yr ymerodraethau a'r breniniaethau di-barhad, o'u cymharu â'r bryniau a'r mynyddoedd di-syfl – y Graig – sy'n gwrthsefyll pob storm. Yn ôl un o'i gerddi yn y dyfodol:

A leda'r hwyrnos drosom?
Gyr glaw ar y garreg lom,
Eithr erys byth ar ros bell.
Gostwng a fydd ar gastell,
A daw cwymp ciwdodau caeth,
A hydref ymerodraeth.[159]

Ar ôl iddo symud i gylch Mynachlog-ddu pan oedd yn saith oed, yn raddol daeth Waldo yn aelod o'r gymuned glòs, hunangynhaliol honno a oedd yn bodoli yn ardal y Preseli ar y pryd. Ardal ddiarffordd oedd hi, ac ardal noethlwm gyda'i thirlun ysgithrog a'i thywydd gaeafol garw. Profiad cymunedol, cymdeithasol oedd cywain y cynhaeaf, ac felly hefyd gneifio'r defaid. Ras yn erbyn amser oedd cynaeafu yn aml, neu, yn hytrach, yn erbyn y tywydd, a châi'r cynhaeaf ei gywain ynghyd fesul fferm. Nid rhyfedd felly fod barddoniaeth Waldo yn llawn o ddelweddau sy'n ymwneud â'r tywydd. Roedd y tywydd yn peri i bobl glosio at ei gilydd, adeg cynhaeaf ac adeg cneifio, ac roedd y tywydd o'r herwydd yn rym a oedd yn ieuo pobl ynghyd. Roedd y tywydd yn aml yn rheoli bywydau'r bobl hyn, a dyna pam y galwodd Waldo ei gyd-ardalwyr yn 'Hil y gwynt a'r glaw a'r niwl' yn un o'i gerddi aeddfed.[160] Hefyd, mae brawdoliaeth yn dŷ sy'n gwrthsefyll pob math o dywydd yn ei farddoniaeth.

Tystiodd eraill i'r gymdogaeth dda a geid ar lethrau'r Preseli. Yn ôl E. Llwyd Williams:

> Egwyddor Amaethu Cydweithredol a welid adeg aredig a hau, cywain gwair ac [ŷ]d, cneifio a dyrnu, a hyd yn oed wrth osod a thynnu tato. Yr oedd gan y teulu tlotaf rych o dato ar gae ffarm gyfagos, ac nid oedd nemor was heb fod ganddo ddafad yn cydbori â phraidd ei feistr.[161]

Un arall o blant y Preseli, a gŵr arall a oedd i ddod yn un o gyfeillion pennaf Waldo, oedd W. R. Evans. Ganed W. R. Evans yn Nan-garn, Mynachlog-ddu, ym 1910, ond wedi iddo golli ei fam pan oedd yn ddwyflwydd oed aeth i fyw at ei dad-cu a'i fam-gu ar fferm o'r enw Glynseithmaen wrth odre Moel Cwm Cerwyn ar lethrau'r Preseli. Ardal 'agos-gymdogol' oedd yr ardal y magwyd W. R. Evans ynddi, a chroniclodd yr elfen gydymddiriedol a chydweithredol a geid ym mro ei febyd mewn awdl o'i eiddo:

> A oedd wair i ddyn oedd wair i ddynion.
> Rhoed mwy i'r llwm na degwm cymdogion ...
>
> Un hwb i'w gilydd oedd eu bugeilio,
> Yn cario adref eu defaid crwydro;
> Rhannu braich a rhannu bro yn grynswth,
> O fwth Carnabwth i ffald Pen Nebo.[162]

Mater o glymu deupen y llinyn ynghyd, mater o oroesiad a pharhad, oedd ffermio yn y fath amgylchfyd garw. Brawdoliaeth naturiol oedd y frawdoliaeth hon, a thynnai gwaith bobl ynghyd. Nid ffordd i wneud elw oedd ffermio ond ffordd o fyw.

Nid yw'n anodd dychmygu effaith yr holl ddylanwadau amrywiol a chymhleth hyn ar Waldo fel plentyn ac fel llanc ifanc, ystyriaethau fel radicaliaeth a heddychiaeth ei rieni, radicaliaeth a sosialaeth ei ewythr

William, dylanwad Carpenter ac awduron eraill, gwallgofrwydd ac ynfydrwydd y Rhyfel Mawr, dod i gysylltiad â'r Gymraeg am y tro cyntaf a'i dysgu'n raddol, marwolaeth Morvydd – mae'n rhaid bod yr holl bethau hyn wedi cael effaith ddofn ar bersonoliaeth a oedd yn ei hanfod yn un hynod o sensitif, ac ar feddwl hynod o ddeallus. Yr oedd yna hefyd ystyriaeth arall. Gellid honni bod yna draddodiad o brofi gweledigaethau ysbrydol neu oruwchnaturiol yn y teulu. Cafodd ewythr Waldo, Gwilamus, weledigaeth ryfedd pan oedd yn blentyn, a gadawodd y profiad hwnnw ei ôl arno am byth, trwy amharu ar ei leferydd. Cafodd Waldo brofiad tebyg, fel yr esboniodd ef ei hun ymhen blynyddoedd wrth drafod un o'i gerddi mwyaf, 'Mewn Dau Gae', y cyfeirir ynddi at Weun Parc y Blawd a Pharc y Blawd:

> Dau gae ar dir cyfaill a hen gymydog i mi, John Beynon, Y Cross, Clunderwen, yw Weun Parc y Blawd a Parc y Blawd. Yn y bwlch rhwng y ddau gae tua deugain mlynedd yn ôl sylweddolais yn sydyn, ac yn fyw iawn, mewn amgylchiad personol tra phendant, fod dynion, yn gyntaf dim, yn frodyr i'w gilydd.[163]

Ysgrifennwyd y geiriau hyn ym 1958, ac os profodd Waldo yr eiliad ddadlennol hon pan oedd yn bedair ar ddeg oed ('tua deugain mlynedd yn ôl'), yna cafodd y profiad hwn ym 1918, ym mlwyddyn olaf y Rhyfel Mawr. Hefyd, ym 1916 y digwyddodd Gwrthryfel y Pasg yn Iwerddon, ac fe gyffrowyd Waldo gan y digwyddiad hwnnw yn ogystal, a'i ysbrydoli i lunio'i gerdd Gymraeg gyntaf un. Ymhen blynyddoedd, byddai Waldo yn ymweld ag Iwerddon yn fynych.

Daeth dyddiau plentyndod Waldo i ben ym 1917, pan aeth o ysgol ei dad i Ysgol Ramadeg Arberth. Roedd Waldo, yn hŷn, yn anwylo'r cof am y dyddiau hynny pan oedd tri phlentyn hynaf Tŷ'r Ysgol, Mynachlog-ddu, yn chwarae yng nghysgod mynyddoedd y Preseli:

> Pen Carn Gowrw, Pen Carn Gowrw,
> Yno, llawer Sadwrn gynt,
> Fry uwchben y byd a'i dwrw
> Yng nghynefin haul a gwynt,

Tri yn un yn nwyd plentyndod
  Yn ymrolio ar y llawr,
Yna'n sefyll yn ein syndod
  At yr eangderau mawr.

Miri bore oes a dderfydd;
  Erys cof o'r dyddiau gwell –
Llygaid duon dyfnion Morvydd
  Yn ysgubo'r gorwel pell.

Yn yr un gerdd, 'Cysegrleoedd', cofiai am ei Wncwl William:

Mae'n rhaid clirio Parc yr Eithin!
  Bydd fy nghalon yn tristáu
Wrth weld diffodd lliw amheuthun
  A gweld cyfnod aur yn cau.

Mae'n rhaid clirio Parc yr Eithin!
  Ni bydd blodau, ni bydd gwawn
Na chudynnau had yn saethu'n
  Agor dan yr haul prynhawn.

Carnau'n curo yn garlamus,
  Genau'n pori yn ddi-flin
Lle 'doedd dim ond traed Gwilamus
  Yn clindarddu'r eithin crin.[164]

Roedd Waldo ar fin cyrraedd ei ben-blwydd yn 16 oed pan fu farw ei ewythr Gwilamus ar Orffennaf 2, 1920. Bu farw ar ôl cystudd byr, a bu ei nith Gwladys yn gofalu amdano'n dyner yn ei waeledd olaf. Hwy'n unig a fu'n trigo yn Rhosaeron ar ôl marwolaeth rhieni Gwilamus, er i Gwladys letya am rai blynyddoedd yn Arberth pan oedd yn ddisgybl yn yr ysgol ganolraddol yno. Cafodd Waldo lawer o gwmni ei ewythr wedi i'r teulu symud i Fynachlog-ddu ym 1911, ac ar ôl y symudiad i Landysilio yn enwedig. Yn ystod blynyddoedd y Rhyfel Mawr, âi Waldo i Rosaeron bob dydd i gynnau tân i'w ewythr, ac âi Gwilamus i Elm Cottage bob nos Sul i gael swper gyda'i frawd a'i chwaer-yng-nghyfraith. Dysgodd Waldo lawer wrth wrando ar ei rieni a Gwilamus yn trafod y byd a'i bethau o gylch y bwrdd yn Elm Cottage.

Bron i flwyddyn ar ôl iddi golli ei brawd-yng-nghyfraith, collodd Angharad ei chwaer Margaret Wilhelmina. Priododd Minnie ŵr o'r enw Edward Thomas Edmunds, ac ymfudodd y ddau i'r Wladfa ym Mhatagonia. Athrawon oedd y ddau, a dysgent yn yr un ysgol, Ysgol y Gaiman yn Chubut. E. T. Edmunds oedd prifathro'r ysgol. Bu farw Wilhelmina o lid yr ysgyfaint ar Fehefin 5, 1921, yn 36 oed.

Nid oedd Waldo yn adnabod ei fodryb Wilhelmina, ond roedd yn agos iawn at Morvydd a Gwilamus. Collodd y ddau yn ystod un o'r degawdau mwyaf cythryblus a mwyaf trychinebus yn holl hanes y ddynoliaeth. Roedd 'cyfnod aur' wedi cau, ond yn ystod blynyddoedd ei blentyndod yr oedd Waldo wedi casglu cyfoeth o brofiadau a dylanwadau, a syniadau a daliadau, ar gyfer y dyfodol. Teulu o ddeallusion oedd teulu Waldo wedi'r cyfan; teulu egwyddorol, dyngarol, gwaraidd. Nid oedd plentyndod Waldo yn blentyndod hapus i gyd. Collodd warchodaeth a gofal ei dad dros dro, collodd ei chwaer Morvydd am byth. Ond teulu clòs yn ei hanfod oedd teulu Waldo, teulu unol ymhob profedigaeth, teulu ac iddo werthoedd cadarn mewn byd digon anwar ac ansefydlog ar brydiau. Y ddau beth a ddylanwadodd fwyaf ar y Waldo ifanc oedd agosrwydd teulu a chlosrwydd cymdogaeth.

Pennod 2

'Lle rhyfedd iawn yw coleg'
Blynyddoedd Addysgiaeth
1917–1927

Lle rhyfedd iawn yw coleg,
  Lle diflas iawn i'r sawl
Sy'n cysgu, dysgu, cysgu,
  A dysgu fel y diawl ...
                    'Myfyriwr yn Cael Gras a Gwirionedd'

Ym 1917 safodd Waldo ddau arholiad ysgoloriaeth, y naill yn Sir Benfro ar gyfer cael mynediad i Ysgol Arberth a'r llall yn Sir Gaerfyrddin ar gyfer cael mynediad i Ysgol Hendy-gwyn ar Daf. Enillodd farciau uchaf y ddwy sir yn y ddau arholiad – 425 o farciau allan o 450 yn arholiad Sir Gaerfyrddin a 545 allan o 600 yn arholiad Sir Benfro. Sicrhaodd iddo'i hun, felly, fynediad i'r naill ysgol neu'r llall, a dewisodd, nid yn annisgwyl, Ysgol Arberth. Roedd tri o'r pum plentyn gorau yn Sir Benfro wedi derbyn eu haddysg yn Ysgol Brynconin, clod nid bychan i J. Edwal Williams, y prifathro. Ac ar ben hynny, efelychodd Waldo lwyddiant ysgubol ei chwaer Morvydd yn ei harholiadau hithau dair blynedd ynghynt, cyn i'w marwolaeth annhymig ei hamddifadu o ddyfodol disglair.

Ysgol gymharol ifanc oedd Ysgol Ganolraddol Arberth. Fe'i sefydlwyd ym 1895. Er mai tref ar y ffin rhwng y Sir Benfro Gymraeg a'r Sir Benfro ddi-Gymraeg oedd Arberth, roedd y plant a siaradai Gymraeg yn y lleiafrif yn yr ysgol – rhyw chwarter y disgyblion – a lletyent yn y dref. Saesneg oedd unig iaith plant y dref ei hun, ac israddol oedd y Cymry Cymraeg o ogledd y sir yn eu golwg. Digwyddai aml i sgarmes rhwng y Cymry Cymraeg yn yr ysgol a'r Cymry di-Gymraeg. Cofiai Waldo am sgarmesoedd o'r fath pan soniodd mai 'un o'r ymadroddion oedd gan y crwts o'r dre ar ein cyfer i'n pryfocio, am wn i, os gallent, oedd: "A man from where you are, man?"' Teimlai rhai o'r disgyblion Cymraeg eu hiaith fod ambell athro hyd yn oed yn edrych arnynt gyda dirmyg.

Os oedd Ysgol Arberth yn ysgol anghymreig yr oedd hefyd yn ysgol wrth-Gymreig, o safbwynt Bwrdd Llywodraethwyr yr ysgol o leiaf. Pan ofynnodd Adran Gymraeg y Bwrdd Addysg ym 1911 pam na châi'r Gymraeg ei dyledus barch yn yr ysgol, ateb Clerc y Llywodraethwyr oedd:

> In regard to the teaching of Welsh in this school I beg to state that the Head-master sometime ago conferred with the Governors in the matter and they considered that as the great majority of the scholars are from the English speaking part of the District there was no occasion for introducing the language of Welsh as a subject to be taught in the school to Forms above Form I, which would practically mean the exclusion of the subjects of Latin and French.[1]

Prifathro Ysgol Ganolraddol Arberth oddi ar ei sefydlu ym 1895 oedd John Morgan, a aned yn Arberth ym 1862. Cymeriad unigryw oedd John Morgan. Bu farw ei rieni yn ifanc, ac fe'i magwyd gan fodryb iddo yn Sir Gaerfyrddin, i ddechrau, ac wedyn gan fodryb arall yn Sir Benfro. Addysgwyd John Morgan mewn ysgolion preifat yn Arberth a San Clêr, ac aeth ymlaen wedyn i Goleg Presbyteraidd Caerfyrddin i astudio ar gyfer y weinidogaeth. Aeth o Gaerfyrddin i Gaergrawnt a graddio mewn Diwinyddiaeth yno. Ar ôl treulio cyfnod byr yn Awstralia, yn bennaf er mwyn ei iechyd, dychwelodd i Gymru ac agorodd ysgol breifat yn Arberth ym 1888. Caewyd yr ysgol ym 1895 ar achlysur ei benodi yn brifathro Ysgol Ganolraddol Arberth.

Cofnodwyd hanes John Morgan mewn cofiant iddo gan is-brifathro'r ysgol ar un adeg, Abel J. Jones. Cyfrannodd Waldo sawl stori am ei hen brifathro i'r cofiant hwnnw, *John Morgan, M.A. First Headmaster of Narberth County School: "A Man Elect of Men"*. Roedd John Morgan yn gwbl ymroddedig i'w alwedigaeth. Roedd yn medru'r Gymraeg ond mewn llenyddiaeth Saesneg yr oedd ei wir ddiddordeb, barddoniaeth Wordsworth yn enwedig. O ran natur, edrychai ar ochr orau pawb. Yn ôl ei gofiannydd, geiriau un o weinidogion

Arberth amdano oedd 'he did the work of earth in the spirit of heaven'.[2] Gallai disgyblion John Morgan fod yn hynod o afreolus ar brydiau, fel y tystiai'r ymladdfeydd rhwng bechgyn y wlad a bechgyn y dref ar fuarth yr ysgol, ond gadawai'r dasg o gosbi disgyblion drygionus i'w gyd-athrawon.

Chwaraeai'r plant bob math o driciau ar eu prifathro. Mae'r straeon a roddodd Waldo i Abel J. Jones yn rhoi cip inni ar y disgybl ysgol direidus o Landysilio yn ogystal â chyflwyno darlun inni o brifathro diniwed a hoffus. Dyma un o straeon Waldo am John Morgan:

> Mr. Morgan frequently put his hat on the table in front of him. One day a pupil managed to push a live blackbird under the hat. After a while the hat began to glide over the surface of the table. When John Morgan was confronted with a phenomenon such as this, his reaction was to gaze at it in bewilderment, little caring to probe its mystery. On this occasion it had, in fact, to be suggested to him after a while that the hat might be lifted in order to see if there was any ascertainable reason for its strange behaviour.[3]

Weithiau, byddai'r disgyblion yn camymddwyn yn fwriadol er mwyn gorfodi'r prifathro i weinyddu cosb, yn groes i'w reddf – a hynny er mwyn cael hwyl am ei ben:

> During the war years John Morgan kept his cane locked up in his desk. During dinner hour a boy named Eric (afterwards called "Eric, or Little by little!" for his pains) would fish out the cane bit by bit through the ink-well hole. Then that afternoon the boys who would be with Mr. Morgan for the first lesson would elect one of their number to make himself a nuisance in class (there were always plenty of candidates for this honour). The rest of the class would act like angels, till at last Mr. Morgan was compelled to call the 'elect' out for the cane. He would unlock his desk, then his face would show first amazement, then confusion, then annoyance and at last resignation. He would tell the boy to go back and behave himself; this the 'elect' would generally do.[4]

Roedd John Morgan yn hoff iawn o olrhain tarddiad geiriau ac o gymharu geiriau â'i gilydd mewn pedair iaith: Lladin, Ffrangeg, Saesneg a Chymraeg. Yr oedd hefyd yn hoff iawn o actio hanes. Waldo eto a eglurodd ddull John Morgan o beri i hanes ddod yn fyw o flaen llygaid y disgyblion:

His History lessons often took the form of dramatics. He would strike a pose and ask the class "Who am I?" and the class would answer in the first instance "John Morgan". He then would say "I hope I am aware of that, but who am I pretending to be," whereupon the correct answer would be given.

He would "sign the Magna Charta", gnashing his teeth, and glaring at the barons (his class). The class would have to tell whom he was impersonating. As Cromwell he ordered them to "take away that bauble." As Charles I, he persecuted Hampden and Pym, as Charles the Second he would say (his voice resembling a dying man) "I am an unconscionable time a-dying," as Mary Tudor (with his hand on his heart) "When I die Calais will be written on my heart".[5]

Dysgai hanes Cymru yn ogystal, fel y tystiai Waldo:

His Welsh History was almost exclusively the history of the religious movement. His accounts of his visits to the birthplaces of the worthies were regarded by the pupils as an integral part of the lesson so that when he asked "What do you know of John Penry?" the pupils would answer: "You had to wade through the ford when you went to see his birthplace at Cefnbrith". Or "What do you know about William Salesbury?" "You saw a copy of his New Testament at Rhosaeron."[6]

Mae'r cyfeiriad at Rosaeron yn awgrymu bod y ddau brifathro, J. Edwal Williams a John Morgan, yn adnabod ei gilydd yn dda. O ran gwleidyddiaeth, Rhyddfrydwyr oedd y ddau, ond gyda thueddiad hefyd at y sosialaeth newydd.

Dylanwadodd John Morgan yn drwm ar Waldo. Byddai'n sôn llawer amdano ymhen blynyddoedd. Y mae'n sicr fod sawl agwedd ar bersonoliaeth John Morgan wedi apelio ato. Roedd ganddo'i hoff ddywediadau a dyfyniadau, fel 'There is some soul of goodness in things evil' ac 'You cannot indict a whole nation', hynny yw, gwyddai'n iawn nad oedd y fath beth yn bod â chenedl dda a chenedl ddrwg.[7] Roedd John Morgan yn debyg iawn i deulu Rhosaeron mewn sawl peth. 'Naturally of a pious disposition, he did not worry about details of doctrine,' meddai ei gofiannydd amdano.[8] Ac eto: 'He believed in the fundamental goodness of human nature, and would certainly never agree to the doctrine of original sin, despite the frequent evidence he received of the mischievousness of his pupils.'[9] Roedd John Morgan hefyd yn credu mewn brawdgarwch, ac un o'i hoff adnodau oedd 'I will eat no flesh while the world standeth, lest I make my brother to offend' – 'os yw bwyd yn rhwystro fy mrawd, ni fwytâf fi gig fyth, rhag i mi rwystro fy mrawd' (I Corinthiaid: 8:13).[10]

Arferai Waldo ddifyrru cyfeillion â'i ddynwarediadau o John Morgan. Un o'r rhai a gofiai amdano yn dynwared ei hen brifathro oedd Cassie Davies. Penodwyd Cassie Davies yn Arolygydd Ysgolion dan y Bwrdd Addysg ym 1938, a hi oedd yn gyfrifol am drefnu cyrsiau'r Weinyddiaeth Addysg i ddisgyblion y chweched dosbarth a gynhelid yn hen blas y Cilgwyn yng Nghastellnewydd Emlyn. Gwahoddai Waldo i ddarlithio yn y cyrsiau hyn yn gyson. Meddai Cassie Davies:

> Fe gawn gwmni Waldo yn gyson hefyd yng nghyrsiau'r Weinyddiaeth Addysg. Dyna'r enw a fyddai gyntaf ar fy rhestr i o wahoddedigion bob amser a hynny'n bennaf am fod ganddo'r bersonoliaeth oedd yn denu pobl o'i gwmpas bob min nos mewn seiadau gwlithog o atgofion a straeon. Ar adegau felly y clywsom droeon lawer am John Morgan, Prifathro Ysgol Uwchradd Arberth a'i ddull o actio cymeriadau hanes ger bron ei ddosbarth. "*Who am I,*" meddai, a'r disgyblion yn ceisio dyfalu. Yna, amdano yn trin yr elfen Ladin yn y Gymraeg. "*Siccus*" gives "*sych*" meddai. "*Can you think of any other Welsh word from that root?*" "*Sucan, sir,*" mynte un bachgen. "*Hardly, my boy, you see 'siccus' is 'sych'.*" "*But, Sir,*" medde'r bachgen, "*Sucan was sych before it was wet.*" Dro arall, trafod y gair Lladin 'manus' a John Morgan yn dweud nad oedd enghraifft o hwn yn y Gymraeg. Cafodd Waldo fflach o weledigaeth, "*What about 'maneg', Sir?*" Syllodd y Prifathro arno'n hir fel dyn yn gweld rhyfeddod prin a phan ddaeth nifer o Arolygwyr i'r ysgol yn ddiweddarach, fe alwodd eu sylw arbennig at Waldo fel, "*the boy who thought of 'maneg'.*"[11]

Un arall a gofiai am Waldo yn dynwared John Morgan oedd D. Tecwyn Lloyd, a hynny mewn caffe yn Stratford-upon-Avon o bob man, gyda D. Tecwyn Lloyd ei hun, ei briod a Rhys Dafis Williams – un arall o gyfeillion Waldo – yn dystion i'r perfformiad. Dynwared John Morgan yn actio un o gymeriadau *Yr Aeneid*, Fyrsil, yr oedd Waldo y tro hwnnw:

> Wrth drin yr Aeneid – ac yn y fan hyn y cododd Waldo ar ei draed – roedd John Morgan yn crymu o dan ryw faich llethol ar ei ysgwyddau ac yn codi ei freichiau uwchlaw ei ben fel petai'n gafael yn y baich i'w gadw'n stedi. Yna, honciai gerdded ôl a blaen, ei gefn a'i goesau'n camu o dan y pwysau. "Now, tell me,"

meddai yn y man, "what character in Virgil's Aeneid am I acting now?" Ac oni cheid ateb sydyn, gwaeddai "Aeneas carrying Anchises his father on his shoulders. That's pietas!" Hyd yn oed ar lawr ysgol Arberth mae'n rhaid fod hon yn olygfa i'w chofio. Ond ar lawr caffe yn Stratford, roedd gweld Waldo yn hercian o dan bwysau'r Anchises anweledig, yn glana chwerthin ac yn hician esbonio'r holl ddrama yn Gymraeg yr un pryd – i weddill cwsmeriaid sydêt y lle mae'n rhaid fod y cyfan fel petai tafell o oes Shakespeare ei hun wedi dod 'nôl yn ddirybudd.[12]

Mae'r stori am y faneg yn awgrymu bod Waldo yn ddisgybl eithriadol o alluog, a gwir hynny. Enillodd Wobr James yng nghyfarfod gwobrwyo'r ysgol ym 1920 am ei lwyddiant eithriadol yn Arholiad y Dystysgrif Iau. Enillodd yr un wobr eto ym 1922, wedi iddo gael ei osod yn un o gant ac un yn y dosbarth cyntaf o blith tair mil o ymgeiswyr yn Arholiad *Matriculation* Prifysgol Llundain. Nid Gwobr James yn unig a enillodd ym 1922. Dyfarnwyd ei gerdd 'Horeb, Mynydd Duw' yn fuddugol yn Eisteddfod Horeb, Maenclochog, Llungwyn 1922. Cyhoeddwyd y gerdd yn *Seren Cymru*, Gorffennaf 14, 1922. Roedd yn 17 oed ar y pryd. 'Horeb, Mynydd Duw' oedd y gerdd gyntaf o'i waith i ymddangos mewn print. Yn ystod y cyfnod hwn, dechrau'r 1920au, roedd Waldo, mae'n amlwg, o ddifri ynglŷn â chrefydd. Ym 1921 y bedyddiwyd ef a'i dderbyn yn gyflawn aelod yng Nghapel Blaenconin, sef yr union ddigwyddiad a symbylodd J. Edwal Williams i lunio'r llythyr hwnnw i roi arweiniad ysbrydol i'w fab ac i amlinellu gwerthoedd uchaf bywyd. Ym 1921 hefyd y penodwyd Waldo yn Ysgrifennydd Cof-lyfr Ysgol Sul Blaenconin, sef cofrestrydd yr Ysgol Sul. Cymerai, felly, ran flaenllaw yng ngweithgareddau'r capel, yn wahanol i'w dad, a fynychai oedfaon ond gan geisio bod mor anamlwg ag y gallai yng nghefn y capel.

Nid trwy gyfrwng llythyrau personol yn unig y rhôi J. Edwal Williams arweiniad ysbrydol i'w fab, neu i unrhyw un arall a fynnai wrando ar ei genadwri. Cyhoeddwyd erthygl faith ganddo yn *The Pembrokeshire Telegraph* ym mis Awst 1922, pan oedd cyfnod Waldo yn Ysgol Arberth ar fin dirwyn i ben. Trafodaeth ar lyfr yr athronydd a'r gwyddonydd G. Lowes Dickinson, *Causes of International War*, a gyhoeddwyd ym 1920, yw'r erthygl. Cytunai J. Edwal Williams â Lowes Dickinson nad oedd modd achub gwareiddiad nes y byddai cenhedloedd mwyaf datblygedig y byd yn newid cyfeiriad yn llwyr. 'So far,' meddai, 'Mars has proved mightier than Christ, and militarists have

in the past and down to 1922 outwitted the men of peace and goodwill.'[13]
Lluniodd J. Edwal Williams ei erthygl pan oedd y Rhyfel Mawr yn graith
agored o hyd ym mywydau pobl. Yn yr erthygl condemniai'r camddefnydd
a wneid o'r gair 'gwladgarwch'. '[P]atriotism was – and probably might still
be to many – a transforming, expanding, purifying and elevating power,'
meddai.[14] Peth naturiol oedd i ddyn garu ei wlad ei hun, ond bellach yr oedd
y syniad o wladgarwch yn gyfystyr â chasineb at wledydd eraill. Yr oedd
gwledydd y byd yn gyd-ddibynnol ar ei gilydd yn ôl J. Edwal Williams, ac
nid yn elynion i'w gilydd. Nid ar fechgyn ifainc cyffredin yr Almaen yr oedd
y bai am y rhyfel, ond ar y rhai a geisiai eu dad-ddynoli a'u troi'n beiriannau
lladd. Manteisiwyd ar wladgarwch syml, ond diffuant, yr Almaenwr ifanc i'w
ddarbwyllo i ymladd dros ei wlad, ac nid oedd dim gwahaniaeth, yn y bôn,
rhwng gwladgarwch Almaenig a gwladgarwch Prydeinig yn eu ffurf symlaf a
mwyaf naturiol:

> ... he was fed for years on patriotic lies, paid for by the people of the Herr Krupp
> type. He was conscripted and during his most precious years was being perfected
> into a fighting machine. It was a dehumanising process, and he was not altogether
> dehumanised. He was a German patriot proud of his "Vaterland" with a more
> or less intelligent pride. Had it been his good fortune to have been born in this
> country he would have fought with at least equal enthusiasm on our side, and
> with equal fluency he would at times have poured the phials of his indignation and
> contempt upon the Huns.[15]

Yr oedd yn ddyletswydd ar bob heddychwr a brawdgarwr i ymladd
yn erbyn celwyddau a phropaganda'r bobl hynny a oedd yn hyrwyddo
rhyfel. Celwydd oedd arf pwysicaf y rhyfelgarwyr. Amgenach oedd arfau'r
heddychwyr. 'Truth and Justice and Light and Love are the most powerful
high explosives yet discovered,' meddai J. Edwal Williams.[16] Tangnefeddwr,
yn wir, oedd tad Waldo. Ac anochel, bron, yw'r cyfeiriad sydd ganddo at
Edward Carpenter yn yr erthygl: 'Edward Carpenter remarked a few years
ago that out of the almost countless number of living English "stylists" he
knew of none whose style was so lucid that it remained undiscovered and
even unsuspected by the average reader except Lowes Dickinson.'[17]

Ym 1923 safodd Waldo ei Arholiad Uwch mewn Saesneg, Hanes a

Mathemateg Bur, a llwyddodd i ennill clod arbennig mewn dau o'i bynciau, Saesneg (Iaith a Llenyddiaeth) a Hanes. A'r flwyddyn honno, wedi iddo lwyddo yn ei Arholiad Uwch, aeth i Goleg y Brifysgol yn Aberystwyth, i astudio Saesneg a Hanes fel ei brif bynciau. Bellach roedd byd arall ar fin ymagor o'i flaen.

Cyrhaeddodd Waldo Aberystwyth ar adeg o newidiadau mawr yn hanes y coleg. Ym 1920, yr oedd nifer y myfyrwyr yn Aberystwyth nid yn unig wedi cyrraedd y mil am y tro cyntaf erioed yn hanes y coleg, ond wedi hen fynd heibio'r rhif hwnnw. Cofrestrwyd bron i 1,100 o fyfyrwyr y flwyddyn honno. Ym 1913, ar drothwy'r Rhyfel Mawr, roedd 429 o fyfyrwyr yn Aberystwyth. Flwyddyn ar ôl y rhyfel roedd y nifer wedi mwy na dyblu, gyda 971 o fyfyrwyr ar gofrestr y coleg. Roedd rheswm penodol am hynny. Torrodd y Rhyfel Mawr ar addysg uwch llawer iawn o fechgyn ifainc; gwysiwyd eraill i faes y gad cyn iddynt gael cyfle i fynd i goleg. Ar ôl y rhyfel dychwelodd y rhain yn lluoedd o feysydd y gyflafan fawr, un ai i gwblhau eu haddysg brifysgol neu i gychwyn arni o'r newydd. O ymrestru i gofrestru, ac o ladd at radd.

Ymhlith y cyn-filwyr a aeth i'r coleg yn Aberystwyth yr oedd T. Hughes Jones, brodor o ardal Blaenafon, Ceredigion, un o lenorion Cymraeg y dyfodol, awdur *Sgweier Hafila* ac *Amser i Ryfel*, nofel a seiliwyd ar ei brofiadau yn y Rhyfel Mawr. Cyn-filwr arall oedd Hywel (Howell) Davies o Nantgaredig, Sir Gaerfyrddin, y gŵr a gyfieithodd bryddest fuddugol E. Prosser Rhys yn Eisteddfod Genedlaethol Pont-y-pŵl ym 1924, 'Atgof', i'r Saesneg dan y teitl *Memory*, ac un arall o awduron y dyfodol, dan y ffugenw Andrew Marvell. Un arall a aeth i Aberystwyth wedi'r rhyfel oedd D. J. Jones o'r Allt-wen, Pontardawe, ond cyn-garcharor, nid cyn-filwr, oedd y gŵr ifanc hwn. Fe'i carcharwyd am ddwy flynedd yn ystod cyfnod y rhyfel ac wedi hynny oherwydd iddo ddatgan ei wrthwynebiad i'r rhyfel ar sail cydwybod. Byddai Cymru yn dod i adnabod D. J. Jones yn y dyfodol fel Gwenallt, y bardd a'r ysgolhaig. Ac aeth Gwenallt o gaethiwed y carchar i gaethiwed y coleg.

Gwnaed llawer o benodiadau newydd yn y coleg hefyd. Ym 1919, penodwyd A. E. Zimmern yn Athro Gwleidyddiaeth Ryngwladol. Yn yr un flwyddyn penodwyd Sydney Herbert yn ddarlithydd yn ei adran, cyn iddo ymuno â'r Adran Hanes yn ddiweddarach. Ym 1919 hefyd y penodwyd H. J. Rose, gŵr o Ganada a addysgwyd yn Rhydychen, yn Athro Lladin, pwnc yr oedd yn rhaid i'r rhan fwyaf o fyfyrwyr y celfyddydau ei ddilyn yn Aberystwyth.

Er nad oedd Waldo yn astudio'r Gymraeg yn Aberystwyth, roedd yn yr Adran Gymraeg dri darlithydd y byddai'n canu amdanynt, mewn rhyw ffordd neu'i gilydd, yn y dyfodol. Roedd un o'r darlithwyr hyn yn arwr llenyddol iddo ar y pryd, sef T. Gwynn Jones. Credai Waldo mai T. Gwynn Jones oedd 'bardd mwyaf y ganrif hon ac un o feirdd mwyaf ein cenedl', ond gan nad oedd y Gymraeg yn un o bynciau'r Dystysgrif Gyffredin yn Arberth, ni châi Waldo astudio'r Gymraeg fel pwnc gradd.[18] Ni ddaeth i adnabod T. Gwynn Jones hyd ei flwyddyn olaf yn y coleg. Pan aeth i'r coleg gofynnodd i'w gyfaill Idwal Jones ymhle y gallai weld Gwynn Jones yn mynd heibio. Dywedodd Idwal wrtho yn union ymhle y gallai weld T. Gwynn Jones yn cerdded heibio ar ei ffordd i'w ystafell, ac ar ôl sawl ymdrech cafodd Waldo gip arno yn y diwedd.

Adran ac ynddi lawer iawn o chwerwedd oedd Adran Gymraeg y coleg. Ym 1913, rhoddodd Syr Edward Anwyl y gorau i'w swydd fel Athro'r Gymraeg i dderbyn swydd arall. Aeth y si ar led mai W. J. Gruffydd, darlithydd yn yr Adran Gelteg yng Nghaerdydd ar y pryd, a benodid i'r swydd; cafwyd achlust hefyd fod y coleg yn ceisio denu'r Athro John Morris-Jones o Fangor. Ond roedd tri aelod o'r Adran Gymraeg yn Aberystwyth hefyd â'u llygaid ar y swydd – T. Gwynn Jones, Timothy Lewis a T. H. Parry-Williams, sef dewis Syr Edward Anwyl ei hun. Gohiriwyd y penderfyniad i benodi olynydd i Edward Anwyl am flynyddoedd, gan greu llawer o ddrwgdeimlad. Yn y diwedd, penderfynwyd sefydlu dwy swydd Athro yn yr Adran Gymraeg. Penodwyd T. Gwynn Jones yn Athro Llenyddiaeth Gymraeg Aberystwyth ym 1919, a T. H. Parry-Williams yn Athro'r Gymraeg ym 1920. Penodwyd Prifathro newydd i'r Coleg hefyd ym 1919, sef J. H. Davies, eto yng nghanol llawer o anniddigrwydd a drwgdeimlad.

At ei gilydd, hynod o siomedig oedd safon yr addysg a geid yn Aberystwyth yn ôl sawl myfyriwr. Un o'r rhai a aeth i'r coleg yn union wedi'r rhyfel oedd Cassie Davies, i astudio Saesneg. Oeraidd ac anysbrydoledig oedd y darlithwyr yn ôl Cassie Davies, a di-fudd oedd y cwrs: 'Wnaeth dim byd gyffwrdd â'm dychymyg na'm calon ynddo, a down i fymryn nes at adnabod y darlithwyr ar ei ddiwedd nag ar ei ddechrau.'[19] Gwrando ar y darlithwyr yn traethu a wnâi'r

WALDO: COFIANT WALDO WILLIAMS

myfyrwyr, a chyflwyno cynnwys eu darlithoedd yn ôl iddynt yn yr arholiadau gradd, fel parotiaid. Wedi iddi raddio yn Saesneg, aeth Cassie Davies ati i ennill gradd arall, y tro hwn yn y Gymraeg, a chafodd ei chyfareddu gan ddarlithoedd T. H. Parry-Williams ar ieitheg Geltaidd a darlithoedd T. Gwynn Jones ar hanes llenyddiaeth Gymraeg, ond eithriadau oedd y rhain.

Os oedd safon yr addysg yn Aberystwyth yn siom i'r myfyrwyr, roedd y cyfyngiadau ar hawliau'r myfyrwyr yn fwy fyth o siom. Roedd rheolau'r coleg yn hynod o gaethiwus a llym. 'Anodd credu heddiw ein bod ni'n gorfod arwyddo llyfr os byddem am fynd allan ar ôl saith o'r gloch ac nad oeddem i siarad â bechgyn ar ôl yr amser hwnnw y tu allan i furiau'r Coleg,' meddai Cassie Davies.[20] 'Pan euthum i yno yn 1918,' meddai Iorwerth C. Peate, un arall a fu'n fyfyriwr yn y coleg yn Aberystwyth yn union ar ôl y Rhyfel Mawr, 'ni allai mab a merch o fyfyrwyr gyd-gerdded â'i gilydd ar y promenâd nac ar strydoedd y dref a cheid yn aml yr olygfa ddigrif o eneth yn cerdded ar y prom a llanc yn dilyn rhyw ddwylath neu dair y tu ôl iddi gan gynnal sgwrs megis o bell.'[21]

Y cyn-filwyr o blith y myfyrwyr a fu'n gyfrifol am orfodi awdurdodau'r coleg i ddiddymu rhai o'r rheolau caeth a llacio gwaharddiadau eraill. Roedd rhai o'r rhain wedi bod trwy uffern y ffosydd, a rhai ohonynt wedi eu hanafu'n bur ddrwg. Aethant i'r rhyfel yn y cyfnod Sioraidd a daethant yn ôl i'r Oes Fictoraidd; aethant i'r gad yn ddynion ac aethant i'r coleg i gael eu trin fel plant, plant anaeddfed ac anghyfrifol, gan awdurdodau'r coleg. 'We look back upon the time when men students were forbidden to watch women students playing hockey and, indeed, to fall in love with them except at certain times, with the absorbed smile of people who would not believe a thing were it not exquisitely ridiculous and worth accepting on account of its quaintness,' meddai Gwilym James, brodor o Griffithstown, Sir Fynwy, ac un o gyfeillion pennaf Waldo yn y coleg yn Aberystwyth, gan ddiolch i'r drefn fod y cyn-filwyr wedi gweddnewid y sefyllfa.[22]

O blith yr holl fyfyrwyr a oedd yn y coleg yn Aberystwyth yn union wedi'r rhyfel, safai un myfyriwr ben ac ysgwydd uwchlaw pob myfyriwr arall − nid o ran cyraeddiadau academig ond o ran perfformiadau comig. Enw'r myfyriwr hwnnw oedd Richard Idwal Mervyn Jones o Lanbedr Pont Steffan. Aeth Idwal Jones yn gymeriad mytholegol bron; tyfodd rhamant a chwedloniaeth o'i amgylch. Cyrhaeddodd y coleg ym mis Ebrill 1919, wedi iddo fod yn y fyddin am bedair blynedd, yn nwyrain Affrica yn bennaf, ac ar ôl iddo fod mewn tua phymtheg o ysbytai wedi iddo gael ei daro gan wahanol afiechydon.

Soniodd Cassie Davies am y 'gwahaniaeth a wnaeth i fywyd Cymraeg y Coleg yn fy nghyfnod i'.[23] Idwal oedd yr un a fywiogodd y Gymdeithas Geltaidd. Ac meddai amdano:

> Ar ôl ei unigrwydd a'i afiechyd a'i hiraeth yn Affrica bell, roedd hi'n nefoedd i Idwal gael bod nôl ynghanol criw o Gymry oedd yn awchus am hwyl. Ond beth oedd gan y Cymry hyn fel stwff difyrrwch cymdeithasol? Roedd gan y lleill eu *Students' Song Book* a stôr o ganeuon a chytgan i'w morio hi mewn *soiree* a *smoker*, ond roedd hi'n fain ar y Gymraeg mewn cyfnod pan nad oedd y canu gwerin a llofft stabal, y baledi a'r delyn a'r ddawns wedi dod nôl i'w teyrnas. A dyna'r sialens i Idwal. Cyn pen fawr o dro roedd e' wedi casglu cwpwl o "adar" o'i gwmpas ac fe'u gwelech nhw yn dwr bach yn cerdded y prom, Idwal yn y canol, yn cynllunio a chreu a chwerthin.[24]

Oherwydd Idwal, daeth y Gymdeithas Geltaidd, 'a fuasai'n ddigon fflat a diramant yn ystod y rhyfel, yn fendigedig fyw', ac roedd cymaint o hwyl a miri yn y Gymdeithas 'nes meddiannu'r Coleg â'i llawenydd Cymraeg, a pheri i ni deimlo nad oedd neb arall yn cyfri'.[25] 'Yr oedd ei ddigrifwch chwim a'i allu parodïol yn cydweithio i greu'r union fath o ddefnydd chwerthin a fynn [*sic*] myfyriwr pob oes,' meddai Iorwerth Peate amdano.[26]

Nid dod â chwerthin a llawenydd i fywydau undonog y myfyrwyr oedd unig gymwynas Idwal Jones. Defnyddiodd ei hiwmor a'i ddoniolwch i herio rheolau'r coleg. Ymosododd ar reolau caethiwus hosteli'r merched yn ei gomedi-gerdd ddychanol, ddoniol *Yr Eosiaid*, a lwyfannwyd dan nawdd y Gymdeithas Geltaidd ym mis Chwefror 1923. Dro arall, ymwisgodd fel merch a chafodd ganiatâd gan warden Neuadd Carpenter, un o hosteli'r merched, i esgyn i ystafell un o'r merched ar lawr uchaf yr hostel, trwy honni bod yn asiant ar ran 'Spirella Corsets'.

Un arall o gyfoedion Idwal yn Aberystwyth oedd Gwenallt, ei gofiannydd. Rhoddodd Gwenallt ar gof a chadw sawl un o 'fabolgampau' Idwal. Ei duedd, meddai Gwenallt, oedd mynd dros ben llestri, a cheir sawl enghraifft o hynny, gan gynnwys yr enghraifft amlycaf o'i herfeiddiwch:

Y tro beiddgaraf oedd gwyngalchu delw Tywysog Cymru o flaen y Coleg, ac nid Idwal Jones oedd yr unig un wrthi, ond mintai, ac efe yn arweinydd arni. Noson cyn y dadorchuddio aeth ef a'i fintai berfedd nos at y ddelw; tynnu'r llen oddi arni a'i gwyngalchu; rhoi crafet goch am wddf y Tywysog, pib yn ei ben a doli rhwng ei freichiau; a gosod y llen yn ôl arni. Aeth un myfyriwr bychan, â gweddill ei wyngalch yn ei fwced, trwy dywyllwch y Promenâd draw i Neuadd Alecsandra, Neuadd y Merched, a gwyngalchu drws y ffrynt. Mawr oedd y disgwyl am y dadorchuddio brynhawn Sadwrn, a mawrion y Deyrnas yno, ond yn ffodus neu'n anffodus tynnodd y porthor y bore hwn y llen amdani, a gweled y grafet, y bib a'r ddoli; a dadwyngalchodd y ddelw. Bu'r plismyn yn chwilio am y troseddwyr, a gellir heddiw adrodd yr hanes am fod arweinydd y fintai ac eraill y tu hwnt i gyrraedd pob plismon.[27]

A daeth y gŵr ifanc direidus ac anghonfensiynol hwn yn un o gyfeillion agosaf Waldo. Ac yntau wedi ei eni ym 1895, roedd Idwal Jones bron ddeng mlynedd yn hŷn na Waldo, ac fel Waldo, Saesneg oedd ei bwnc gradd yn y coleg. Fel lletywr yn 58 Stryd Cambrian yn Aberystwyth y daeth Waldo i adnabod Idwal Jones. Un o'r rhai a gofiai'r ddau yn y coleg ac a wyddai pa mor agos oedd y cyfeillgarwch rhwng Idwal a Waldo oedd J. Tysul Jones, un arall o gyfeillion Waldo yn Aberystwyth, ac ymhell wedi hynny:

> Tua chanol mis Hydref 1923, ar ddechrau ei flwyddyn gyntaf yng Ngholeg Aberystwyth, y cyfarfûm â Waldo gyntaf. Yr oedd Idwal Jones, Llambed a'i gefnder J. Lloyd Jones, un o hen ddisgyblion Ysgol Arberth, yn lletya yn Cambrian St. y flwyddyn gynt, a phan ymadawodd Idwal ar ddiwedd tymor 1922–23 â'r Coleg i fod yn Brifathro Ysgol Gynradd Pont-ar-fynach, daeth Waldo i letya gyda John Lloyd Jones – dau o Ysgol Arberth dan yr un to. Agosed oedd Pont-ar-fynach i Aberystwyth fel na ellid cadw Idwal rhag dod i lawr i'w hen lety i fwrw'r Sul yn weddol gyson ac i fwynhau bywyd cymdeithasol y Coleg yr oedd ef wedi cyfrannu cymaint drwy ei dalentau a'i ddoniau i'w gyfoethogi, i'w boblogeiddio a'i Gymreigio. Bu'r gymdeithas rhwng Idwal a Waldo yn un agos iawn yn ystod cyfnod Waldo yn y Coleg, a dengys llythyr a dderbyniais oddi wrtho yn 1939 ... lwyred a dyfned oedd ei adnabyddiaeth o Idwal ac mor dreiddgar ei sylwadau arno. Dyma gyfnod pwysig yn hanes y naill a'r llall ohonynt yr atgofir ni ohono yng ngeiriau cyflwyniad Idwal i'w gyfrol *Cerddi Digri* a phethau o'r fath "I Waldo Goronwy Williams am fy nghadw ar ddihun y nos yn cyfansoddi limrigau, lawer tro pan ddylaswn fod yn cysgu; onibai am ddynion o'i fath ef, achubid Cymru rhag rhywbeth fel hyn."[28]

Un o effeithiau mwyaf andwyol y cynnydd yn nifer y myfyrwyr oedd colli'r hen glosrwydd ac agosatrwydd gynt, yr ymdeimlad fod pawb yn adnabod ei gilydd, er i'r nifer ostwng cryn dipyn ym 1923 a 1924, wedi i'r cyn-filwyr adael y coleg. Bellach câi myfyrwyr grwydro hyd at dair milltir y tu allan i dref Aberystwyth, a chaent ddefnyddio adeiladau a rhannau o'r coleg a oedd gynt yn gyfyngedig i weithgarwch academig yn unig i ddibenion cymdeithasol. Canlyniad yr ehangu daearyddol a'r rhyddid cymdeithasol newydd oedd gwasgar y myfyrwyr ar hyd ac ar led, a chwalu'r hen glosrwydd. 'We are altogether less concentrated and more rambling, less interested and, so to speak, cohesive, more blasé and detached,' meddai Gwilym James.[29]

Er hynny, fe geid yn Aberystwyth yn ystod cyfnod Waldo yn y coleg ochr gymdeithasol fywiog a phrysur. Roedd dawnsfeydd y coleg yn achlysuron o bwys. Ceid yn ogystal nifer o gymdeithasau yn y coleg, a thynnai'r rhain y myfyrwyr oll ynghyd. 'O blith y llu cymdeithasau a geid yn y Coleg y pryd hwnnw, yn ddiau'r pwysicaf i fyfyriwr o Gymro oedd y Gymdeithas Geltaidd a'r "Lit. and Deb.", sef y Gymdeithas Ddadleuon,' meddai Iorwerth Peate.[30] Gwahoddid Cymry blaenllaw i draddodi ambell ddarlith yng nghyfarfodydd y Gymdeithas Geltaidd. Bu E. Tegla Davies yn darlithio ar y testun 'Traddodiadau Cymru' gerbron aelodau'r Gymdeithas ym 1924, ac efallai mai ym 1925, pan draddododd ddarlith ar 'Egwyddorion Cenedligrwydd' yn un o gyfarfodydd y Geltaidd, y cafodd Waldo gip ar Saunders Lewis am y tro cyntaf. Yn ôl ysgrif John Hughes yn *The College by the Sea*, roedd Waldo yn un o'r rhai mwyaf amlwg yng ngweithgareddau'r gymdeithas am y tymor 1925–1926, a gwir hynny.

Cododd cymdeithas bwysig arall yn y coleg o ganlyniad i'r Rhyfel Mawr, sef yr Undeb Gwleidyddol, 'Political Union' y coleg. Sefydlwyd y gymdeithas hon yn y coleg yn ystod tymor 1923–1924. Yr oedd gwleidyddiaeth ryngwladol bellach yn ennyn diddordeb y myfyrwyr. Roedd yr Undeb Gwleidyddol yn llawer mwy difrifol na'r Gymdeithas Ddadleuon, a oedd, at ei gilydd, yn gymdeithas hwyliog a difyr. Yr oedd hefyd yn fwy ffurfiol na'r 'Lit. and Deb.'. Cymerai Waldo ran yn nadleuon yr Undeb Gwleidyddol, fel aelod o Glwb Llafur yr Undeb, clwb y bu'n ysgrifennydd iddo yn ystod tymor 1924–1925. Ym mis Hydref 1925, Waldo oedd yr un a eiliodd y gwrthwynebiad i'r cynnig 'that the doctrine of class war is detrimental to the best interest of the community'.

Eto o ganlyniad i'r Rhyfel Mawr, ffurfiwyd cangen o Gynghrair y Cenhedloedd yng Ngholeg y Brifysgol yn Aberystwyth yn ystod tymor Gŵyl Fihangel 1922–1923. Llywydd y gangen hon am y flwyddyn 1926–1927 oedd Brinley Thomas, un arall o gyfeillion pennaf Waldo yn y coleg, a myfyriwr disglair a enillodd radd Dosbarth Cyntaf mewn Economeg ym 1926. Daeth heddychiaeth a heddwch byd-eang yn bynciau trafod mawr yn y coleg, ac yn achos llawer dadl rhwng Waldo a'i gyfaill Idwal Jones. Yn ôl Waldo:

Yr oedd gwleidyddiaeth yn anathema i Idwal. Âi'n wyllt iawn â mi weithiau am fy mod yn boddran â phwyllgor y Blaid Lafur yn y coleg ... Dywedai bethau eithafol iawn weithiau pan âi ar fy mhen i am foddran â pholitics. 'Dynion o'r nawfed radd sy'n ymwneud â hi.' A thro arall, 'Dwy'n ffaelu deall beth sy arnat ti a rhai eraill yn y coleg 'ma a'r holl ffys sy gyda chi am heddwch. Mi 'weda i'r gwir wrthot ti. Hales i erioed amser mwy hapus nag yn yr armi.' 'Doedd dim dadlau ag ef yn y cywair hwn.[31]

Gwyddai Gwenallt am y dadleuon hyn rhwng Idwal a Waldo:

Pwnc llosg yn y Coleg yn y cyfnod hwn oedd heddychiaeth, a bu Waldo Williams ac Idwal Jones yn dadlau yn y llety fwy nag unwaith arno, ac weithiau yn ffyrnig. Dadleuai Idwal gydag argyhoeddiad yn erbyn heddychiaeth, y mudiad heddwch a Chynghrair y Cenhedloedd, gan ddal mai dyletswydd dyn oedd amddiffyn ei Frenin a'i wlad yn erbyn eu gelynion, ond yn y ddadl cyfaddefai nad y rhyfela ei hun a apeliai ato, ond y gwmnïaeth yn y Fyddin. 'Bachan,' meddai Idwal wrth Waldo, 'yn y Fyddin y treulies i rai o flynydde hapusa' fy mywyd.' 'Eitha gwir,' atebodd Waldo, 'ond fe allet gael y gwmnïaeth heb y Fyddin. Wedi'r cwbwl 'dwyt ti ddim yn filwr wrth natur.' 'Pa hawl sydd gyda ti [i] ddweud y fath beth?' gofynnodd Idwal. 'Not amenable to discipline' oedd yr ateb.[32]

Cafodd Waldo, felly, fywyd cymdeithasol a deallusol a oedd wrth fodd ei galon a'i ymennydd yn Aberystwyth, ac nid rhyfedd iddo ymgymryd â'r dasg o olygu cylchgrawn y coleg, *The Dragon*, am y flwyddyn 1926–1927, wedi iddo fod yn aelod o fwrdd golygyddol y cylchgrawn yn ystod y flwyddyn flaenorol. Ac eto, roedd y cymdeithasau gwleidyddol a llenyddol hyn wedi dechrau dirywio fel yr oedd cyfnod Waldo yn y coleg yn dechrau dirwyn i ben, ac o ganlyniad i hynny ffurfiwyd cymdeithas newydd. Yn ôl Gwilym James:

The third year of P.U.'s [Political Union's] existence saw a slump; and the general apathy became alarming. Singularly enough, it was generally agreed by the President and Committee of the last year of Lit. and Deb.'s existence that apathy was usually the main trouble afflicting Lit. and Deb. It was agreed at the end of last session that, in view of past experience, it would be an advantage to set up what is now called the Debates Union. Having had a year's experience of the Debates Union we perhaps more fully realise the risk which was involved in the decision to set it up; for its history, past and (if it is to have one) future is, and will be of general interest, viewing it, as it was recently viewed in a *Dragon* editorial, as an attempt to recover what we feel has been lost of the intense unity of Coll. life.[33]

Waldo a luniodd yr erthygl olygyddol y cyfeiriwyd ati gan Gwilym James, yn rhifyn Tymor Gŵyl Fihangel 1926 o *The Dragon*. Meddai:

Looking around us, we are easily convinced that all is not well with Aberystwyth. When we are brought together by a College function we find that we have not evolved a communal oversoul strong enough to enable us to raise a decently concerted yell; when we are left alone we have not a sufficient sense of our individuality to create a passable lyric for the pages of this magazine. When these things are mentioned, one points to the number and diversity of student activities and, shooing the scapegoat into the Wilderness, leaves it at that. One may view the Debates Union in this light as an attempt to enforce a unity upon our corporate life from the outside.[34]

Waldo arall, Ralph Waldo Emerson, biau'r ymadrodd 'Over-soul', gŵr yr oedd Waldo, yn ogystal â'i dad, yn gyfarwydd â'i waith. Ymddangosodd yr ymadrodd yn nawfed traethawd Emerson yn ei lyfr *Essays: First Series* (1841). Yn sicr, byddai apêl arbennig i Waldo yn yr ystyr a roddai Emerson i 'Over-soul', sef y syniad fod pob unigolyn wedi'i gysylltu â phob peth byw yn y bydysawd, a bod pob enaid unigol yn rhan o un Enaid Mawr, sef y Meddwl Dwyfol, ond bod pob enaid unigol, er hynny, yn cadw'i hunaniaeth a'i annibyniaeth.[35]

Roedd Waldo yn aelod o bwyllgor y gymdeithas newydd-anedig hon, yr Undeb Dadleuon, sef yr hen Gymdeithas 'Lit. and Deb.' ar ei newydd wedd, yn ystod sesiwn 1926–1927, blwyddyn gyntaf bodolaeth yr undeb.[36] Yn ei erthygl olygyddol yn rhifyn Tymor Gŵyl Fihangel 1926 o *The Dragon*, cwyno yr oedd Waldo, ymhlith pethau eraill, fod gagendor enfawr rhwng bywyd academaidd a bywyd cymdeithasol y coleg. Roedd angen cau'r bwlch rywfaint rhwng y ddwy ochr i fywyd colegol, ac roedd angen llawer mwy o gyfathrachu rhwng darlithwyr a myfyrwyr. 'A deliberate attempt should be made to introduce the spirit of the refectory into the classroom and the matter of the classroom into the refectory,' meddai.[37] Dyma enghraifft gynnar o athroniaeth 'adnabod' Waldo, ac o'i weledigaeth ynglŷn â chymdeithas gytûn ac unol.

Fel eraill o'i flaen, ymosododd Waldo, yn ei erthygl olygyddol yn rhifyn Tymor Gŵyl Fihangel 1926 o *The Dragon*, ar y gyfundrefn ddarlithio yn y coleg:

> Lectures are useful only in so far as they provide for personal contact between teacher and learner. When this contact is withheld, the lecture becomes worthless. All the rest may be read in books. Often, all that we mean by a lecture could be put into a book, and into a book which might have been published a very long time ago. Why do not professors and lecturers publish such lectures and spend the mornings of the sessions in getting to know their students in a congenial social atmosphere? Lectures are unreal. The writer found that hardly until his Honours year was any attempt made to relate his academic studies to the general life of humanity, or even to his own inward life as an individual.[38]

Y diffyg adnabod hwn rhwng myfyriwr a darlithydd a boenai Waldo. Cyfundrefn afreal oedd y gyfundrefn ddarlithio, a myfyriwr dadrithiedig oedd Waldo, fel sawl un o'i gyd-fyfyrwyr, ac eraill o'u blaen. Cerdd sy'n mynegi dadrith enfawr Waldo ynglŷn â'r modd yr addysgid myfyrwyr yn y coleg yw 'Myfyriwr yn Cael Gras a Gwirionedd'. Ynddi y mae'n mynegi'r syniad fod bywyd coleg yn fywyd ffug sy'n bodoli ar wahân i fywyd naturiol ac i fyd natur. Byd ar wahân yw byd y darlithwyr a'r athrawon prifysgol yn y gerdd, byd sych, diflas, digyffro, heb iddo unrhyw wir gysylltiad â bywyd go iawn:

> Lle rhyfedd iawn yw coleg,
>   Lle diflas iawn i'r sawl
> Sy'n cysgu, dysgu, cysgu,
>   A dysgu fel y diawl:
> Gan hynny, wedi blino
>   Ar y 'Celfyddydau Cain',

Mi es am dro trwy'r caeau,
  Ac yr oedd blodau ar y drain.

Mae lleng o ddamcaniaethau
  Gan holl athrawon col. –
Am farddas neu feirniadaeth
  Baldorddant lond y bol.
Mae'r lle yn llawn o'u llyfrau,
  Cyfrolau tew (ond main),
Ond os ewch ma's i'r caeau,
  Wel, mae blodau ar y drain.

Mi fetha' i'r arholiadau –
  Rwy'n ffaelu'n deg â dweud
Pwy ydoedd hwn ac arall
  A beth amcanent wneud.
A beth wnaf innau wedyn?
  Beth wnaf i wedyn? *Djain,*
Mae drain o dan y blodau
  Ond bod blodau ar y drain.[39]

Roedd rhamantiaeth Wordsworth yn sicr wedi dylanwadu ar y myfyriwr ifanc. Un o themâu Wordsworth oedd yr angen ysbrydol i ddyn ymgymuno â natur, a bod byd natur yn fwy o atynfa ac yn well athrofa nag unrhyw ddoethineb a geid mewn llyfrau. Cerdd debyg i 'The Tables Turned' gan Wordsworth yw 'Myfyriwr yn Cael Gras a Gwirionedd', er enghraifft:

Books! 'tis a dull and endless strife:
Come, hear the woodland linnet,
How sweet his music! on my life,
There's more of wisdom in it.

And hark! how blithe the throstle sings!
He, too, is no mean preacher:
Come forth into the light of things,
Let Nature be your teacher ...

One impulse from a vernal wood
May teach you more of man,
Of moral evil and of good,
Than all the sages can.

> Sweet is the lore which Nature brings;
> Our meddling intellect
> Mis-shapes the beauteous forms of things:
> We murder to dissect.
>
> Enough of Science and of Art;
> Close up those barren leaves;
> Come forth, and bring with you a heart
> That watches and receives.

Roedd Idwal Jones hefyd wedi ymosod ar ddulliau'r coleg o addysgu myfyrwyr, a hynny mewn print. Credai Idwal, fel eraill, mai un o ddibenion addysg brifysgol oedd meithrin a datblygu'r bersonoliaeth unigol a hybu gwreiddioldeb ac annibyniaeth barn, ond nid trwy bwnio gwybodaeth i bennau myfyrwyr na'u gorfodi i sefyll arholiadau di-fudd y gellid cyrraedd y nod. Meddai yn ei ysgrif 'The Examination System in Wales' yn rhifyn mis Gorffennaf 1924 o *The Welsh Outlook*:

> A criticism of the system is usually met by the observation: "It is quite easy to be destructive. Give us something constructive," which may be taken to mean that no adequate weighing-scale for the professions has yet been found, other than the examination. Granting this for the sake of argument, it hardly justifies a national system of education based on the interpretation of the term "to educate" as meaning "to stuff." Neither does it justify the inane, unoriginal type of questions which are yearly placed before a thousand students of the University of Wales; nor the lecture system, whereby lectures are delivered of which the lecturers themselves have ceased to have any opinion, except for their sentimental value.[40]

Yn ôl Idwal, y wedd gymdeithasol, ac nid yr ochr academaidd, a greai unigoliaeth a chryfder personoliaeth: 'It is the social activity, effervescing humour, and thorough good-fellowship of the students themselves in school and college which provide expression for individuality and character.'[41]

Graddiodd Waldo gydag anrhydedd Ail Ddosbarth mewn Saesneg ym 1926, a threuliodd flwyddyn wedyn yn Adran Addysg y coleg, i'w hyfforddi ar gyfer gyrfa fel athro. Roedd ei gyfnod yn y coleg yn gyfnod hynod o brysur. Ymdaflodd â brwdfrydedd i ganol bwrlwm bywyd cymdeithasol y coleg, a bu'n aelod gweithredol o sawl pwyllgor. Roedd yn aelod o Bwyllgor

Llawlyfr y Coleg, sef y pwyllgor a gynhyrchodd *The College by the Sea (a Record and a Review)* dan olygyddiaeth Iwan Morgan ym 1928. Cyfrannodd ysgrif ddoniol, 'Digs', i'r gyfrol honno. Roedd yn aelod o Gyngor Cynrychioliadol y Myfyrwyr yn ystod sesiynau 1925–1926 a 1926–1927, ac eto ym 1925–1926 yr oedd yn is-lywydd y Gymdeithas Geltaidd a'r Clwb Llafur o fewn yr Undeb Gwleidyddol, gan gofio hefyd iddo fod yn is-olygydd ac yn olygydd *The Dragon* yn yr un cyfnod.

Y peth pwysicaf i ddigwydd i Waldo yn ystod ei ddyddiau coleg oedd mai dyma'r adeg y dechreuodd farddoni o ddifri. Gwir iddo ennill gwobr am draethawd yn Eisteddfod Blaenconin ar ddydd San Steffan, 1921, yn ogystal ag ennill gwobr am gystadleuaeth lai yn yr eisteddfod honno, ac ennill mân wobrau mewn eisteddfodau lleol eraill yn ogystal, gan gynnwys y wobr gyntaf a gafodd am 'Horeb, Mynydd Duw' yn Eisteddfod Horeb, Maenclochog, ym 1922, ond yn Aberystwyth y dechreuodd lenydda a barddoni gyda nod a nwyd.[42] Y mae'r farddoniaeth a luniodd yn ystod y cyfnod hwn yn ymrannu'n ddau fath: y dwys a'r doniol. Ffrwyth y cyfeillgarwch mawr rhyngddo ac Idwal Jones oedd llawer o'i waith creadigol yn ystod y cyfnod hwnnw, cynnyrch y bardd newydd 'Idwaldo', yn enwedig y cerddi ysgafn. Weithiau roedd Waldo yn llefaru ac Idwal yn porthi; dro arall, cydweithient ar gerddi. Cyhoeddwyd cerdd gellweirus – ac eto, nid mor gellweirus, gan fod ynddi ymosodiad arall ar grefydd gyfundrefnol – 'gan Waldo Goronwy Williams Coleg y Brifysgol Aberystwyth' yn rhifyn Chwefror 4, 1926, o'r *Faner*. Teitl y gerdd oedd 'Y Nefoedd'. Herio'r syniad traddodiadol am y nefoedd a wneir yn y gerdd, gyda chryn dipyn o hwyl ac afiaith; tynnu coes er mwyn tynnu'n groes i un o gredoau mwyaf sylfaenol y ffydd Gristnogol:

> Syniad go ryfedd yw y Nefoedd
> Yn ôl dychymyg y canrifoedd –
> Rhyw wlad o fythol eistedd lawr
> 'Rôl bod yn crwydro'r anial mawr:
> Gwlad nad oes newid ar ei phryd,
> Lle nad oes dim ond haf o hyd;
> Lle nad oes oerfel noeth y gaea'
> Nac aeddfed olud y cynhaeaf;
> Lle byth ni syrth cysgodion nos
> I leddfu harddwch gwaun a rhos ...

Lle nad oes cysgu, caru, siarad,
Na chywain gwair na dilyn arad,
Na thwmpian yn freuddwydiol iawn
Pan ddelo'r hwyr wrth dân o fawn,
Ond canu, canu di-ben-draw
Ar delyn aur. ('Dwy' fawr o law
Ar delyn aur. Rwy'n siwr o hyn
Se'n well gen i gal whisl dinn.)

A chanu clodydd yr Efengyl
A byw o hyd yn engyl sengyl.
Os dyna'n Nefoedd Wen, a'n gwobor
Am fyw yn dda – wel, diawl, mae'n sobor.[43]

Yn ôl y disgwyl, cododd y gerdd sawl gwrychyn wedi iddi ymddangos yn *Y Faner*, ac efallai mai rhan o fwriad Waldo oedd ysgogi ymateb chwyrn. Ar ddechrau Mawrth, anfonodd 'T.O.' lythyr i'r *Faner* ar ei ran ef ei hun a '[g]werinwr deallus, ond heb gael addysg Prifysgol fel a geir heddyw'; roedd y ddau mewn penbleth oherwydd 'methu gwybod amcan y rhai sy'n canu ac yn ysgrifennu yn y dull hwn, os oes amcan ganddynt'.[44] Ni allai ddeall pam yr oedd Waldo 'yn edrych yn ysgafn a dibwys' ar ymdrech y werin i 'weled y goleu'.[45] Ar gais y 'gwerinwr mwyn' nad oedd yn fodlon bwrw anfri ar nefoedd ei hynafiaid, yr oedd 'T.O.' wedi llunio gwrthateb mydryddol i gerdd Waldo:

Peth rhyfedd ydi'r nefoedd
Yn syniad y canrifoedd, –
A buchedd y Cristnogion
Yn syniad Prifysgolion ...
Tu [ô]l i'r niwl a'r cymyl
Mae'r glesni'n gartref engyl,
Yn briod ac yn sengyl –
Yn gryfion ac yn wechyl ...
Os bydd telynau yno'n brin
Dof i Aberystwyth i n[ô]l whisl din
Ac os na chaf ragorach gwobor
Na rhyw rigwm fel John Gogor
Wedi'r addysc,– 'Wel diaw mae'n sobor.'[46]

Yng ngholofn 'Led-led Cymru' yn *Y Faner* y cyhoeddwyd llythyr a cherdd 'T.O.', a chafwyd ymateb Waldo iddo yn yr un golofn bythefnos yn ddiweddarach:

> Teimlaf fod ymddiheuriad yn ddyledus i T.O. a'i gyfaill y "gwerinwr deallus ond heb gael addysg Prifysgol fel a geir heddyw". Fel y dywedodd ef, nid ysgrifennais fy ngh[â]n i'r Nefoedd er mwyn "cynorthwyo y werin i weld y goleu." Cyfaddefaf nad oedd gennyf amcan o gwbl, ac ymddiheuraf am ganu o'r frest ac heb wybod paham y canwn – arferiad yn ffynnu ymhlith eosau ac adar iselwael eraill.
>
> Yr unig beth a fynnwn i oedd mynegi tipyn o ddiflastod wrth feddwl am wynebu tragwyddoldeb o ganu'r delyn aur; a datgan fy hoffter o offeryn bychan arall, mwy syml a gwerinaidd, nas cenir o gwbl gan gerddorion y Brifysgol sydd yn pwyso mor drwm ar fynwes dyner y "gwerinwr deallus (ond heb etc)."
>
> Gydag ymddiheuriad dwys i T.O. (ai "Twp Ofnadw"?).
>
> Yr eiddoch yn gywir,
>
> Waldo Williams[47]

Dan y pennawd 'Mr Idwal Jones yn Traethu Ymhellach', cyhoeddwyd llythyr gan Idwal Jones, o dan lythyr Waldo, yn yr un golofn ac yn yr un rhifyn o'r *Faner*. Esboniodd mai ef a anfonodd 'Y Nefoedd' i'r *Faner*:

> A mi yn gyfrifol am anfon "Y Nefoedd" i'r *Faner* (peth ymron mor ddifrifol, mi welaf, ag anfon y *Faner* i'r Nefoedd), tybiaf bod gair yn ddyledus oddi wrthyf innau. Hoffwn o leiaf awgrymu bod yna wedd mwy sobr i awen fy nghyfaill Waldo Williams. Fel praw o hynny wele farwnad i hen wraig barchus a chymeradwy yn ei hardal, ac yr wyf yn sicr y cytuna T.O. a'i gyfaill y G.D. [Gwerinwr Deallus] etc, bod hon, beth bynnag, wedi ei hysgrifennu yn y dull traddodiadol ac mewn modd digon prudd i'w hongian ar y mur mewn ffrâm drwsiadus.[48]

Teitl y ffug-farwnad oedd 'Deigryn yr Awen', ond y pennill cyntaf yn unig, o dri, oedd yn eiddo i Waldo.

Ffrwyth cydweithio rhwng Waldo ac Idwal Jones hefyd oedd y ffug-adolygiad ar gyfrol o'r enw *Gyda'r Hwyr* gan y bardd dychmygol Gwilym Deudrwyn a gyhoeddwyd yn *The Narberth, Whitland and Clynderwen Weekly News* ym mis Mawrth 1926, dan y teitl 'A Pembrokeshire Poet', er mai Waldo oedd yr awdur mewn gwirionedd. Annog Waldo i gwblhau'r adolygiad a wnaeth Idwal, ac ychwanegu rhywfaint ato. Dyma baragraff agoriadol yr adolygiad:

> One wonders how many residents of mid-Pembrokeshire and lovers of chaste verse have ever realised that the almost forgotten dreamer of lowly life and pursuer of the fleeting ideal, Gwilym Deudrwyn, was a native of Mynachlogddu. Not widely known even to lovers of Welsh poetry, he yet possesses a philosophy peculiarly his own – Wordsworthian in its intense love of nature, reminiscent of Browning in its unfettered eccentricity of metre, but at times descending almost to crudity in its naïve realism. Despite its rather conventional title, the volume *Gyda'r Hwyr* challenges criticism. It is here that we find that pathetically simple lyric of his youth, 'Penderfyniad Bardd' ('The Bard's Resolution')
>
> > Af maes â channwyll yn y nos
> > I syllu ar y lleuad dlos.
>
> Did he ever see this ideal of his youth, this Moon of the Celtic vision? We are not told.[49]

Roedd Waldo yn aelod o fwrdd golygyddol *The Dragon*, cylchgrawn myfyrwyr Aberystwyth, o 1925 hyd 1926, a'r flwyddyn ganlynol ef oedd golygydd y cylchgrawn. Cyhoeddodd nifer o gerddi yn y cylchgrawn, rhai dan ei enw ei hun, rhai yn ddienw. Roedd ei gefndir a'i ddaliadau personol ef ei hun yn treiddio trwy rai o'r cerddi, fel y gerdd fechan 'Y Saboth yng Nghymru', a gyhoeddwyd yn rhifyn Tymor Gŵyl Fihangel 1926 o *The Dragon*. Cerdd ddychan yw hon sy'n amlygu daliadau sosialaidd Waldo yn ogystal â'i ddrwgdybiaeth o grefydd gyfundrefnol. Hawdd y gall yr offeiriad sôn am 'gyfaill plant', sef Crist, a hawdd y gall selogion cefnog ddiolch am foethusrwydd a sicrwydd eu byd yn yr oedfa, ond gwelw a rhynllyd gan ddiffyg bwyd, gwres a gofal yw plant bach y trefi a'r dinasoedd. Nid yw'r offeiriad na'r cyfoethogion duwiolfrydig a gweddigar yn malio dim am y plant. Y tu ôl i'r gerdd, wrth gwrs, y mae geiriau Crist, 'Yn wir meddaf i chwi, Yn gymaint ag nas gwnaethoch i'r un o'r rhai lleiaf hyn, nis gwnaethoch i minnau,' yn ôl Mathew 25:45:

> Plant bach yn breuddwydio trwy'r hirnos
> Am awyr las a choed,
> A dawnsio gyda'r Tylwyth Teg
> Yn ysgafn, ysgafn-droed.

Plant bach yn dihuno ben bore
Yn welw iawn eu grudd,
A sythu hyd y strydoedd cul
Nes delo'r nos [â]'u dydd.

Offeiriaid yn eu gwenwisg
Yn s[ô]n am gyfaill plant,
A goludogion duwiol
Â diolch ar eu mant.[50]

Cerddi cellweirus a luniai Waldo dan ddylanwad Idwal Jones. Nid oedd gan Idwal ddim diddordeb o gwbl mewn gwleidyddiaeth, ond yr oedd i Waldo ogwydd gwleidyddol amlwg. Yn ystod ei ddyddiau coleg y dechreuodd lunio cerddi gwleidyddol eu cywair a'u cefndir, ac roedd sawl rheswm am hynny. Ysgogwyd y cerddi hyn yn rhannol gan ddiddordeb Waldo yn amryfal gymdeithasau gwleidyddol a chymdeithasol y coleg, ond, yn bwysicach na hynny, mudiadau gwleidyddol y cyfnod, a'r unigolion a oedd ynghlwm wrth y mudiadau hynny, a dywysodd ei awen ifanc i gyfeiriad gwleidyddiaeth.

Un o'r unigolion hynny oedd y bardd a'r newyddiadurwr ifanc E. Prosser Rhys. Symudodd Prosser Rhys o Gaernarfon, lle bu'n gweithio ar *Yr Herald Cymraeg*, i Aberystwyth ym 1921, i weithio ar y *Cambrian News*. Symudwyd *Y Faner* o Ddinbych i Aberystwyth ym 1922, ac ym 1923 penodwyd Prosser yn olygydd y papur. Cymysgai â'r myfyrwyr, a daeth Waldo ac yntau i adnabod ei gilydd yn dda. Prosser Rhys oedd un o edmygwyr cynharaf Waldo, ac un o'r rhai cyntaf i ddarganfod ei athrylith. Trwy anogaeth Prosser Rhys y dechreuodd Waldo gyhoeddi ei waith yn *Y Faner*.

Un o gyfeillion mwyaf Waldo yn ei ieuenctid oedd William James Jenkins, mab y Parchedig John Jenkins, gweinidog a chyfaill J. Edwal Williams yng nghapel Hill Park yn Hwlffordd gynt. Roedd Willie Jenkins, yn ôl Waldo, yn meddu ar yr hyn a alwodd y Parchedig a'r Prifardd D. J. Davies, Capel Als, Llanelli, yn 'dinc Taf a Chleddau' pan glywodd E. Llwyd Williams yn pregethu, sef, yn ôl Waldo, 'pwyslais ar agwedd ymarferol a chymdeithasol Cristionogaeth, sêl dros Deyrnas Dduw ar y ddaear'.[51] 'Pan godai ef i'w anterth ar y wedd ysbrydol yr oeddech yn clywed breichiau pob brawddeg yn codi'r ddaear i'r goleuni ac o'ch mewn hefyd ryw ias o'r tu hwnt i'r ddaear hon,' meddai Waldo am ei gyfaill.[52] Sosialydd a heddychwr mawr oedd Willie Jenkins, ac fe'i carcharwyd yn ystod y Rhyfel Byd Cyntaf fel gwrthwynebydd cydwybodol. Mewn gwirionedd, roedd heddychiaeth a gwleidyddiaeth Willie Jenkins yn un. Roedd yn bresennol yn y Cyngor Heddwch ym 1909, ac yn un o gyd-sefydlwyr Plaid Heddwch De Cymru yn yr un flwyddyn. Bu Waldo yn ymgyrchu o'i blaid mewn tri etholiad cyffredinol yn y 1920au a'r 1930au.

Willie Jenkins oedd ail ymgeisydd seneddol Llafur Sir Benfro a bu'n cynrychioli ei blaid fel ymgeisydd mewn sawl etholiad cyffredinol – ym 1922, 1923, 1924, 1929 a 1935 – ond roedd y ffaith iddo fod yn wrthwynebydd cydwybodol adeg y Rhyfel Byd Cyntaf yn cyfrif yn ei erbyn, ac aflwyddiannus fu pob ymgyrch etholiadol o'i eiddo.

Roedd Waldo, mewn gwirionedd, yn pendilio rhwng dwy blaid wleidyddol o ganol y 1920au ymlaen. Fel cenedlaetholwr sosialaidd – nid annhebyg i un o'i arwyr, y gwrthryfelwr Gwyddelig James Connolly – gallai gefnogi'r Blaid Lafur yn llwyr a gallai fod yr un mor deyrngar i'r blaid newydd, Plaid Genedlaethol Cymru, a sefydlwyd ym Mhwllheli ym mis Awst 1925, adeg yr Eisteddfod Genedlaethol yno. Un arall o gyfeillion pennaf Waldo wedi iddo adael y coleg yn Aberystwyth oedd D. J. Williams, athro Saesneg ac Ymarfer Corff yn Ysgol Ramadeg Abergwaun oddi ar 1919. Sosialydd ac aelod o'r Blaid Lafur oedd D. J. Williams cyn ffurfio Plaid Genedlaethol Cymru, a rhwng 1922 a 1924 bu'n ymgyrchu ar ran Willie Jenkins, ymgeisydd seneddol y Blaid Lafur yn Sir Benfro. Dyma'r adeg y daeth Waldo a D. J. Williams yn gyfeillion. Gadawodd D. J. Williams y Blaid Lafur pan sefydlwyd Plaid Genedlaethol Cymru ym 1925, oherwydd iddo gael ei siomi ym mholisïau'r Blaid Lafur ynglŷn â Chymru. Ym 1926, dechreuodd y blaid wleidyddol newydd gyhoeddi ei chylchgrawn ei hun, *Y Ddraig Goch*, ac erbyn wythfed rhifyn y cylchgrawn yr oedd gan Waldo gerdd ynddo, 'Gweddi Cymro'. Gan gyfeirio at linellau Shelley yn 'Ode to Naples', 'Great Spirit, deepest love/Which rulest and dost move/All things which live and are …', yn nwy linell agoriadol y gerdd, ymosodol-ddychanol yw'r gerdd drwyddi draw. Ymosodir ar yr Ymerodraeth Brydeinig i ddechrau:

> O, Ysbryd Mawr y Dwthwn Hwn,
> Reolwr bywyd cread crwn,
> Arglwydd dy ddetholedig rai,
> A fflangell pob meidrolach llai,

Plygaf yn isel ger dy fron
 diolch lond y galon hon
Gan gofio nawdd d'adenydd llydain
Dros wychder Ymerodraeth Prydain.

Rhoi mynegiant i egwyddorion sosialaidd a gwrthgyfalafol Waldo a wneir yn y gerdd:

O, derbyn fi yn ufudd was
Er mor annheilwng yw fy nhras:
Adyn o Gymro oedd fy nhad
Heb ganddo hawl i'w iaith na'i wlad;
Erys fy mrodyr yn y cnawd
Hyd heddiw yn werinwyr tlawd
Heb fodd i dreulio'r bywyd salaf
Ond trwy ryfeddol ras Cyfalaf.

Ond nid wyf fi, â'm henaid gwyn,
Megis y pechaduriaid hyn.
Diolchaf, Arglwydd, mai fy mraint
Yw cael fy rhestru 'mhlith dy saint.
Ni'm gwelir i fel dynion is
Yn nwylo cyflawn dy Bolîs.
'Rwy'n selio'm ffydd yn nerthoedd masnach,
Ac O! 'rwy'n laru plesio'r Sasnach.
O, derbyn fi yn ufudd was
Er mor annheilwng yw fy nhras.

Melltithir Prydain Fawr am greu'r fath anhrefn a distryw yn Iwerddon, gan amlygu edmygedd Waldo o wrthryfelwyr Pasg 1916 ar yr un pryd:

Diolchaf am dy weithrediadau
Dros Ymerodraeth Fawr fy Nhadau.
Y mae'th gyfiawnder yn ddi-ffael –
Llosgaist gartrefi'r werin wael
Yn [Ballyseedy] a Tralee;
Saethaist Con[n]olly drosom ni.
Lladd eto bob dihiryn erch
Wrthodo blygu it, a'i serch.

'Ballyshanty' a geir yn y gwreiddiol, lle nad yw'n bodoli, ond camgymeriad am Ballyseedy ydyw, Baile Uí Shíoda yn yr Wyddeleg, tref fechan yn ne-orllewin Iwerddon, rhyw ddwy filltir o bellter o Tralee. Digwyddodd anfadwaith yno ym mis Mawrth 1923, adeg Rhyfel Cartref Iwerddon, dair blynedd cyn i'r gerdd ymddangos yn *Y Ddraig Goch*. Lladdwyd pump o filwyr y Wladwriaeth Rydd gan fom a osodwyd gan aelodau o Fyddin Weriniaethol Iwerddon mewn cuddle yn Knocknagoshel (Cnoc na gCaiseal), swydd Kerry, ar Fawrth 6, 1923. Y noson honno cymerwyd naw aelod o'r Fyddin Weriniaethol a oedd yn garcharorion yn Tralee at groesffordd Ballyseedy. Fe'u clymwyd wrth ffrwydron tir, a'u tanio. Lladdwyd rhai gan y ffrwydradau, a saethwyd y rhai y methwyd eu lladd â'r ffrwydron. Hyrddiwyd un o'r naw i ddiogelwch gan rym y ffrwydrad, dihangodd a chafodd loches mewn tŷ cyfagos. Roedd y Gwladwriaethwyr wedi paratoi naw arch ar eu cyfer, ond wyth yn unig a ddefnyddiwyd.

Cyflawnwyd erchyllterau yn Tralee, Trá Lí yn yr Wyddeleg, hefyd yn ystod Rhyfel Cartref Iwerddon. Ym mis Tachwedd 1920, bu'r dref dan warchae am wythnos gan y 'Black and Tans', y gwirfoddolwyr Prydeinig a weithiai ar y cyd â heddlu Iwerddon yn erbyn y Gweriniaethwyr. Caewyd busnesau a llosgwyd tai gan y 'Black and Tans', a lladdwyd tri o drigolion y dref. Condemniwyd yr anfadwaith ar raddfa ryngwladol. Ym mis Awst 1922 bu'r Gwladwriaethwyr a'r Gweriniaethwyr yn ymladd yn y dref. Lladdwyd naw Gwladwriaethwr a thri Gweriniaethwr yn yr ymrafael. Ac wrth gwrs, fe gyflawnwyd anfadwaith arall gan Brydain Fawr pan ddienyddiwyd James Connolly, y cenedlaetholwr Gwyddelig a'r gweriniaethwr-sosialydd, am y rhan flaenllaw a gymerodd yng Ngwrthryfel y Pasg, 1916.

Wedyn y mae Waldo yn symud at un arall o'i arwyr mawr, Mahatma ('Eneidfawr') Gandhi, sef Mohandas Karamchand Gandhi, yr arweinydd gwleidyddol dewr a digyfaddawd o'r India a fynnai ryddhau ei wlad o afael yr Ymerodraeth Brydeinig trwy ddulliau di-drais yn unig. Condemnir Prydain hefyd am fod mor barod i brynu nwyddau a gynhyrchid mewn ffatrïoedd aflan a chyfyng yn Tsieina, lle gorfodid plant i weithio shifftiau o ddeuddeg awr ar y tro:

Ar freuddwyd cudd yn nwfn ei galon
O cynnal ni trwy'n holl dreialon.
Diolchaf it am garchar handi
At hen gyfrinydd ff[ô]l fel Gandhi –
Barbariad, croenddu, digywilydd
Yn dweud na ddylem ladd ein gilydd.
A diolch it am fod yn darian
I fonedd byd, a'u haur a'u harian;
Am fod plant bach yn China rydd
Yn chwysu deuddeng awr y dydd
Heb weled cwsg nes torro'r wawr –
Er chwyddo golud Prydain Fawr.
O, Famon, derbyn ddiolch sant
Am dy drugaredd at dy blant.

Eironig yw teitl y gerdd, 'Gweddi Cymro', gan mai Cymro Prydeinllyd, un sydd yn 'ufudd was' i'r Ymerodraeth Brydeinig, yw'r Cymro hwn:

Rho di dy fendith ar fy masnach
Gwna fi yn debig iawn i'r Sasnach.
Anghofia di fy anwar dras
A derbyn fi yn ufudd was.
Eiddot yw'r gallu yn oes oesau.
Amen. (*Fe gwyd oddi ar ei goesau.*)
Wel, cofia fod yn barod, Gwenno,
I ginio'r Cymrodorion heno.[53]

Er mai 'Gweddi Cymro' yw teitl y gerdd, ac er mai yn *Y Ddraig Goch* y cyhoeddwyd hi, cerdd gan sosialydd o argyhoeddiad yw hi mewn gwirionedd, nid cerdd gan genedlaetholwr a bryderai am ddyfodol ei genedl a'i iaith. Y mae sawl un o themâu Waldo yn y dyfodol yn ymhlyg yn y gerdd: ei gasineb tuag at ecsbloetwyr cyfalafol, ei edmygedd o wrthryfelwyr Pasg 1916 yn Iwerddon ac o Gandhi yn yr India, ei dosturi tuag at blant ac at bobl sathredig yn gyffredinol, ac, yn anad dim, ei wrthwynebiad i ymerodraethau a gwladwriaethau totalitaraidd.

Ni chyflawnodd disgybl eithriadol ddisglair Ysgol Arberth ei wir addewid yn y coleg yn Aberystwyth. Os disgybl ysgol brwdfrydig a aeth i Aberystwyth, myfyriwr dadrithiedig a siomedig a ddaeth oddi yno, hyd yn oed os oedd, bellach, yn meddu ar dystysgrif athro. Er mor anhapus oedd Waldo ynglŷn â safon yr addysg a dderbyniasai yn Aberystwyth, roedd ganddo ddigon o allu a digon o gefndir i sefydlu gyrfa lewyrchus iddo'i hun a chyrraedd y brig ym myd addysg. Ond nid person materol nac uchelgeisiol mohono.

Ac eto, er bod y gyfundrefn ddarlithio wedi ei ddadrithio ac er bod y system arholiadau yn tueddu i fygu pob disgleirdeb a gwreiddioldeb, gŵr ifanc annibynnol ei farn a'i feddwl oedd Waldo yn ôl un o'i ddarlithwyr, Edward Edwards, Athro yn yr Adran Hanes a Dirprwy Brifathro'r coleg. Cadwodd Angharad adroddiad Edward Edwards ar gynnydd Waldo yn y coleg yn ei llyfr lloffion, gyda chryn falchder, fe ellid tybied:

> I have much pleasure in stating that Mr W. G. Williams was a very satisfactory student during the whole of his under graduate career at the Univ College of Wales from 1923–1927. He graduated with honours in English in 1926 & was awarded the Certificate in Education 1927 at the close of his residence with us after attending the Professional Training Course. No better evidence of his conscious application to his studies is needed than the fact that he passed each of his various sessional Examinations on his first attempt.
>
> He took the Ordinary Course in History during his First [Y]ear and passed the Final at the close of his Second Year. He has many good points for which a mere examination is no test. [H]e has a distinctly independent thought & is by nature reflective & studious. He played a very important part in the Literary side of College life & possessed the esteem of his fellow students in a high degree.[54]

'Pe gallwn ganu cerddi fy mreuddwydion'
Blynyddoedd Prentisiaeth
1927–1934

Cân Berffaith fy Mod ... ie, damwain ei chwalu
Ar drawiad dwrn Amser trwy'r cread i gyd.
Swyn, nerth ei chyfander ... pa ddyn all ddyfalu
O glywed mân nodau wrth hir ymbalfalu
Yn nyfnder ei enaid, ym meithder ei fyd?

'Prolog gan Gerddor y Bod'

Ar ôl iddo ennill tystysgrif athro yn Aberystwyth, dychwelodd Waldo i'w sir enedigol, a bu'n gweithio fel athro llanw mewn sawl ysgol gynradd yn Sir Benfro o ddiwedd y 1920au ymlaen, neu, fel y dywedodd ef ei hun, bu'n 'dipyn o sgwlyn cylchdeithiol, fan hyn a fan draw ar fy nhro'. Rhwng Ionawr a Hydref 1928 bu'n dysgu yn Ysgol Dinas. Aeth oddi yno i Solfach, ar Dachwedd 1, 1928, ac yno y bu tan Fawrth 31, 1930. Trwy gydol y 1930au, bu'n gweithio fel athro llanw parhaol mewn nifer o ysgolion cynradd yn Sir Benfro, gan gynnwys ysgolion Camros, Dale, Creseli, Caeriw, Redberth, Abergwaun, Bridell, Treddafydd, Mynachlog-ddu a Rudbaxton. Byr fu ei arhosiad yn rhai o'r ysgolion hyn. Yn aml iawn, gelwid ar Waldo i lenwi bwlch rhwng penodiadau. Cwta fis a dreuliodd yn Ysgol Bridell, er enghraifft, rhwng diwedd mis Mehefin a diwedd mis Gorffennaf 1935, rhwng ymadawiad un prifathro a dyfodiad prifathro arall. Oddeutu'r un adeg, 1934–1935, bu'n brifathro dros dro ar Ysgol Treddafydd, Scleddau, ar gyrion Abergwaun. Galwyd ar Waldo i ofalu am yr ysgol ar ôl i'r prifathro, Mark Hale, farw'n sydyn ac yn gymharol ifanc. Un o'r rhai a gofiai Waldo yn Ysgol Treddafydd yw Mair Garnon James. Roedd Mark Hale yn briod â modryb Mair Garnon James, ac roedd y fodryb hithau yn athrawes yn yr un ysgol â'i gŵr. Pan âi ei mam i weld ei chwaer, câi Mair Garnon gyfle i fod yng nghwmni Waldo ar yr un pryd:

> Ro'n i'n cael mynd i mewn i'r ysgol, ac er mai croten fach oeddwn, roedd dawn Waldo i siarad â phlant wedi cydio ynof a chafodd effaith amlwg iawn yn fy mhrifiant cynnar. Fe gyfe[i]riai at enwau blodau gwyllt y cloddiau a'r meysydd a byd natur yn gyffredinol a byddai ganddo storïau difyr di-ri am enwau a geirfa Sir Benfro.[1]

Ac yn ôl Mair Garnon James:

> Fel plentyn, do'n i ddim wedi sylweddoli mawredd Waldo, ond yr oedd yn ddyn digon gwahanol yn fy ngolwg i ac yn medru tynnu ar wrandawyr i rannu ac ymateb i'w stor[ï]au difyr. Roedd rhyw ffresni yn perthyn iddo ac roedd ei wên, ei ymadroddion a'i wybodaeth eang yn apelio'n fawr at feddyliau ifanc chwilfrydig. Ddwedwn i ddim fod hynodrwydd yn perthyn iddo, yn hytrach cynhesrwydd ac arbenigrwydd.[2]

O fis Chwefror 1933 ymlaen hyd at fis Medi 1940, ymddengys iddo gael nifer o gyfnodau di-waith, a hynny, yn rhannol os nad yn bennaf, oherwydd ei fod yn dioddef yn ysbeidiol o afiechyd nerfol, afiechyd tebyg i'r un a fu'n plagio'i dad bob hyn a hyn, mae'n bosibl, a'r afiechyd a'i gyrrodd o Hwlffordd i Fynachlog-ddu ym 1911 i gael adferiad yn heddwch y wlad. Roedd y ddau yn dioddef o iselder ysbryd, ac un rheswm am hynny oedd y ffaith fod y byd a'i bethau, ar brydiau, yn pwyso'n drwm arnynt.

Parhaodd Waldo i anfon cerddi i'r *Faner* wedi iddo adael y coleg. Cyhoeddwyd cerdd ddwys, feddylgar o'i waith yn rhifyn Medi 13, 1927 o'r papur, 'Galw'r Iet (Ar ffordd fowr yn Shir Bemro)'. Cerdd dafodieithol yw 'Galw'r Iet', a phle a geir ynddi inni i gyd sylwi ar harddwch byd natur o'n cwmpas, a pheidio â rhuthro trwy fywyd yn ein cyrch a'n cais am olud bydol a buddiannau materol. Y mae trafaeliwr yn cyrraedd cynefin y bardd yn ei gar modur. Fe'i hanogir gan y traethydd yn y gerdd i arafu ychydig, i anghofio'i ruthr yn ei awydd i ymgyfoethogi er mwyn ei orfodi i sylwi ar brydferthwch natur o'i amgylch. Mewn gwirionedd, un o themâu ei ewythr Gwilamus a geir yma, sef thema 'Mêl Gwyllt' ac 'Eangach Gorwel', wrth iddo yntau hefyd annog dyn i ddod allan o'i gragen fach gul i ymhyfrydu yn y byd o'i amgylch, ac i wibio i'r Gerwyn 'I gael golwg ar ysblander/Ac eangder m[ô]r a thir'. Tynnir sylw'r trafaeliwr at amryw byd o bethau a allai roi boddhad a phleser iddo, ac enwir dau o hen gymeriadau Llandysilio yn y gerdd, sef Heni'r Cobler a Hoffi'r Saer:

Arhosed damed bach, Drafeilwr;
 Sugned i wala fan hyn.
Ma'r weninen yn crwydro fel ysbeilwr
 Dros flode'r camil gwyn.

Cered lawr trw'r feidir pentigily,
 Driched trw'r bwlch yn claw;
Bydd e'n dewyll os na welith e'r Nefoedd
 Yn ochor Parc Draw.

Ma rhaid i fi weyd bod amser jogel
 Ddar buodd ddyn [d]ierth co;
Ond bydd Heni damed gwath o achos hinny
 Ma greso i bawb sy'n rhoi tro.

Ma'r percy yn drichyd mor ifanc
 [Â] we nhw slawer dy,
Serch bod mwy o ragwts yn tiddi co heddi
 Na p[h]an we Hoffi da ni.

Ond ma bowyd wedi'r cwbwl yn y ragwts a'r isgall
 A ma bowyd ar y cloddie yn llon.
Arhosed damed bach, Drafeilwr,
 A sugned lond i fron.

Trw'r dy yn y cwed yn y gweilod
 Ma'r adar a'u llaish dros y lle
(A da'r nos ma'r gw-di-hw yn treial canu,
 Ond sdim pŵer o glem dag e).

Ma'r Fwel yn codi yn y pellter
 Ac yn gwilied dros y wlad yn i grym;
Arhosed, Drafeilwr. Trafeilwr, shwrne to – Hei, Trafeilwr!
 So'r Trafeilwr yn silwi dim.

Yma, y mae'r llinell hir, 'Arhosed, Drafeilwr. Trafeilwr, shwrne to – Hei, Trafeilwr!' yn cyfleu i'r dim banic y traethydd wrth iddo geisio rhwystro'r trafaeliwr rhag rhuthro ymaith. Nid yw'r trafaeliwr yn sylwi dim oherwydd bod materoliaeth wedi ei ddallu rhag canfod harddwch y cread:

> Mae'r Trafeilwr yn i garr yn ddyn o fusnes –
> Ffortiwn; moethe mawr; plesere pell.
> A chlywith e ddim byth o'r iet yn galw ...
> A gwelith e ddim byth o'r golud gwell.
>
> Ond yn hongian ma'r hen iet joglyd
> Dan gisgod yr onnen ar ben claw,
> A'r pyst yn mynd bob dy yn fwy mwsoglyd
> Yn yr haul, a'r gwynt, a'r glaw.[3]

Cynnyrch diwydiant, cyfalafiaeth a materoliaeth yw'r trafaeliwr. Awgrymir mai perthyn i fyd marw y mae, yn hytrach nag i gymdeithas fyw. Y mae bywyd hyd yn oed yn y chwyn, y 'ragwts', ac er bod pyst yr hen iet yn mynd yn fwy a mwy mwsoglyd o flwyddyn i flwyddyn, y mae hynny oherwydd ei bod yn agored, fel trigolion y fro, i'r 'haul, a'r gwynt, a'r glaw'. 'Hil y gwynt a'r glaw a'r niwl a'r gelaets a'r grug', yn ôl un o gerddi aeddfetaf y bardd yn y dyfodol, oedd trigolion y cynefin hwn y dethlir ei brydferthwch yn y gerdd.[4] 'Y mae'r awen wir gan Waldo, a buasai'n drueni iddo adael i'w ddeheulaw anghofio canu,' meddai Prosser Rhys, golygydd Y Faner, o dan y gerdd yn y golofn 'Led-led Cymru'.[5]

Dan ddylanwad ei ddau gyfaill, Willie Jenkins a D. J. Williams, mynychai Waldo gyfarfodydd gwleidyddol y Blaid Lafur a'r Blaid Genedlaethol ar ddiwedd y 1920au. Yr oedd yn bresennol mewn cyfarfod a drefnwyd gan Blaid Genedlaethol Cymru yn Hendy-gwyn ar Daf ym mis Mehefin 1928. Aeth i'r cyfarfod hwnnw gyda D. J. Williams, y cenedlaetholwr digymrodedd, a D.J. a gofnododd yr achlysur gan roi ar gof a chadw, ar yr un pryd, un o englynion byrfyfyr mwyaf adnabyddus Waldo:

> Golygfa yn ystod yr etholiad hwn yn Sir Gaerfyrddin:
> Ysgoldy Gwag, mewn tref lawn lle y cyhoeddesid siaradwr ar ran y Blaid ar awr
> neilltuol.

Y siaradwr yn cyrraedd, yng nghwmni dau gyfaill, – un ohonynt yn fardd.
Ebr [y] bardd yn hollol ddifyfyr, wedi dod drwy'r drws

'I mewn, heb sôn am enaid – i glywed
Y glewion wroniaid;
O Dduw, Tydi a ddywaid
Ai hyn ydi y blydi Blaid!'

Y bardd oedd Waldo Williams, y lle – Hen dy Gwyn-ar-Daf.
Amser – 7.30 nos Sadwrn diwethaf. Cyhoeddwr y cwrdd, heb gani[a]tâd y siaradwr
– Huw Roberts. Siaradwr – dyn a elwir yn neb. Ei gyfaill – Neb arall.[6]

Cymerodd Waldo ran yn ymgyrch etholiadol Willie Jenkins ym 1929. Ar
Fai 21, er enghraifft, cynhaliwyd cyfarfod yn enw'r Blaid Lafur yn Ysgoldy'r
Cyngor, Arberth, ac un o'r rhai a fu'n siarad o blaid yr ymgeisydd Llafur
oedd Waldo:

Mr. Waldo Williams, in his opening address said that on the occasion of the present
election they had had no mass sensations similar to that which characterised the
state election in 1918. Neither had there been anything approaching a scare such
as the Zenanieff letter in 1924. The atmosphere was cool and fairly calm and he
hoped it would continue because this was the atmosphere in which fair play and
common sense would flourish and in this the ultimate success of the Labour Party
was assured ... He was a socialist and as a socialist he believed that the best good
could not be made out of the national life unless his fellow countrymen were
socialists. To him there were only two parties in the country today, the socialist
party and the anti-socialist party, and he proceeded to explain the policies of the
two in a lucid manner.[7]

Ym 1928 yr oedd Waldo wedi rhoi ei fryd ar lunio pryddest ar gyfer
cystadleuaeth y Goron yn Eisteddfod Genedlaethol Lerpwl ym 1929.
Y testun oedd 'Y Gân ni Chanwyd'. Dechreuodd weithio arni cyn iddo
gyrraedd Ysgol Solfach o Ysgol Dinas. Anfonodd lythyr o Hamilton House,
Solfach, at D. J. Williams a'i briod Siân ar Dachwedd 30 y flwyddyn honno,
ryw fis ar ôl iddo gyrraedd y pentref, yn sôn am ei ymdrechion i ymdoddi
i'w amgylchedd newydd, gan gynnwys prynu copi o *Caniadau Mafonwy*, T.
Mafonwy Davies, Solfach, a gyhoeddwyd ym 1924:

... yr wyf yn setlo i lawr i'r amgylchedd newydd yn raddol. Yr wyf eisoes wedi
prynu copi o Ganiadau Mafonwy, er enghraifft. Tybiais ei bod hi'n well plygu ar
unwaith i'r anorfod hyn, ond pe gwybuaswn cyn ei brynu fod yr hyglod aelod o
Orsedd y Beirdd wedi camsillafu Clynderwen, yn Glynderwen (neu a ddylwn i
weyd yn Lynderwen?) credaf y brwydraswn dipyn yn rhagor cyn gildio. Yr wyf
mor eiddugeddus [*sic*] o hawliau'r gair Clynderwen [â] phe bai'n rhan o'm heiddo
personol. Ran hynny y mae. Cofiaf iddi fynd yn ffrwgwd unwaith ar blatform yr
orsaf ryngof a hynafgwr o bedwar ugain am iddo awgrymu mai Glyn y derwen
a ddylai'r enw fod. Fy ngwrthwynebwr oedd awdurdod (hunan-honedig) y
gymdogaeth parthed materion ieithegol, ac yn hysbysu'r ffaith trwy fynd i mewn i'r
booking office, a gofyn am "docyn i Alarchfôr" a stranciau tebig.[8]

Pentref pur ddigyffro oedd Solfach. Yno roedd amser wedi sefyll yn
llonydd, meddai:

> 'Rwy'n si[ŵ]r eich bod chi'n dechreu gweld trwy fy nghynllwyn bach erbyn hyn
> – syrthio'n [ô]l ar y gorffennol yn niffyg dim i weyd am y presennol[,] "covering
> his lack of incident with much allusion" chwedl y dramatic critic. Ond yn wir
> i chi mae'n orfod imi syrthio'n [ô]l ar y gorffennol mewn bywyd yn ogystal [â]
> llythyr. Er enghraifft mi dreuliais awr heno yn y Club yma yn darllen beirniadaeth
> faith yn Blackwood's Magazine 1896 ar Sentimental Tommy, "the latest book by
> Mr. J. M. Barrie". Hyd y gwelais i dau rifyn o "Punch" yw'r unig ddarnau o
> lenyddiaeth sy'n cynrychioli'r ugeinfed ganrif. Ond o gyfiawnder â'r pentrefwyr
> dylwn weyd eu bod nhw'n edrych ar y Blackwoods fel crair yn hytrach na
> chyfnodolyn. O leiaf mae nhw'n eu cadw dan wydr a dim byth yn eu darllen.[9]

Roedd wedi rhoi'r ffidil yn y to ynglŷn â chystadlu yn Eisteddfod
Genedlaethol Lerpwl:

> Ond y mae'r clwb er hynny yn gaffaeliad mawr i'r pentref ac yr wyf yn caru
> mynd yno erbyn nos am awr fach i blith y pedwarau sy'n chwarau chwist. (Drwg
> gennyf na allaf feddwl am linell arall i roi wrthi). O, gyda'r gynghanedd yna dyma
> fi, trwy lwc wedi taro ar draws gwythïen a all fod yn help imi chwyddo'r llythyr
> yma ryw ychydig. Nid am fy mod wedi bod yn barddoni'n ddiweddar – hynny
> yw o ddifrif. Y mae'r "Gân Ni Chanwyd" yn dal i fyw i fyny [â]'i henw a chredaf
> wedi'r cwbl mai ei thynged hi fydd syrthio ar ei phen i'r un categori [â] ch[â]n
> Abt Vogler, slawer dydd! Mi ddechreuais sgrifennu cywydd i Solfach, ond er hir
> chwilio, yr unig gyfatebiaeth gynghaneddol a allwn gael i'r gair oedd Sylvestr, ac ni

allwn gyfiawnhau bodolaeth y gair hwn yn y cywydd, ond trwy anfon y cywydd fel llythyr at fy nghyfaill Sylvestre Breeze – a chan ei fod ef heb ateb fy nau lythyr diwethaf, penderfynais beidio mynd ymhellach yn y mater hwn! Gyda llaw, mae'n flin iawn gennyf yn awr fy mod wedi dinoethi springs a cogwheels yr ysbrydiaeth awenyddol o flaen eich llygaid fel hyn.[10]

Anfonodd bedwar limrig at ei gyfeillion yn Abergwaun, wedi i Idwal Jones anfon limrig ato a'i ysgogi i greu rhagor. Yn eu plith cafwyd limrig a ddaeth yn adnabyddus:

> Ffarmwr yn byw yng Nghwm Cych
> Nid oedd fel ymgomiwr yn wych
>   Ond sawl gwaith y clywwyd
>   Athroniaeth ei fywyd –
> "Mae'n oer, ond mae'n neis cael hi'n sych."[11]

Treuliodd Waldo gryn dipyn o amser gyda Willie Jenkins yn ei gartref yn Hoplas, Rhoscrowther, ar ddiwedd y 1920au a dechrau'r 1930au. Yno y dechreuodd feddwl am gasglu ei waith ynghyd a chyhoeddi cyfrol o'i farddoniaeth. Llanwodd lyfr-copi â cherddi, a'r bwriad gwreiddiol oedd cyhoeddi casgliad o'i waith ef a gwaith Idwal Jones ar y cyd, dan y teitl 'Odlau Idwaldo'. Ond newidiodd ei feddwl, a phenderfynodd gyhoeddi cyfrol o'i waith ef ei hun yn unig. Dileodd bob un o'r ychydig gerddi o waith Idwal neu o waith y ddau ar y cyd yn y casgliad. Ar dudalen olaf ond un y llyfr-copi ceir teitl newydd i'r casgliad, 'Canu trwy'r Cwlwm gan Waldo Williams', casgliad ac iddo chwe adran: 1) Y Pum Bys ar y Delyn; 2) Y Gân ni Chanwyd; 3) Cerddi Gwrthryfel; 4) Sir Benfro a'i Phobl a'i Phethau; 5) Ffurfiau Llenyddol; 6) Caneuon Diwinyddol ac Athronyddol. Ni wnaeth unrhyw ymdrech i roi'r cerddi yn eu priod adrannau.[12]

Ni ddaeth dim o'r bwriad i gyhoeddi'r casgliad, ond mae'r holl gerddi cynnar a phrentisaidd hyn yn bwysig o safbwynt olrhain twf a datblygiad Waldo fel bardd. Er na lwyddodd i gwblhau 'Y Gân ni Chanwyd', y mae tua 400 o linellau o'r gerdd wedi goroesi, ac mae'r llinellau hyn yn taflu cryn dipyn o oleuni ar deithi meddwl y Waldo ifanc. Ceir ambell gerdd ar ffurf mydr ac odl yn y bryddest, ond y mae'r rhan fwyaf o'r gwaith ar ffurf y mesur moel, sef llinellau decsill di-odl. Ar lawer ystyr, mae'n gerdd ddigon rhyfedd, a gwelir yn y rhannau sydd wedi goroesi fardd cymharol ifanc yn ymbalfalu am fynegiant ac yn ymdrechu i ddod o hyd i'w lais ei hun. Y Waldo difrifddwys sydd wrth ei waith yn 'Y Gân ni Chanwyd', nid y Waldo ysgafnfryd. Y mae hefyd yn ymlafnio i roi mynegiant i'w ddaliadau moesol a gwleidyddol, ac i sefydlu ei brif themâu fel bardd.

Mae'r gerdd wedi ei lleoli rywbryd yn y dyfodol, mewn byd dychmygol sydd wedi ei rannu'n ddau, Unbennaeth neu Ddictatoriaeth Ewrob-Amerig a'r Weriniaeth Ddwyreiniol. Rheolir y Ddictatoriaeth gan y Rwsiad Kawski, a dywedir bod safon byw'r unben hwn 'yn uchel a'i system addysg yn helaeth ac yn fanwl'.[13] Er mwyn creu un wladwriaeth enfawr, gorfodir pob gwlad o fewn y Ddictatoriaeth i siarad Esperanto, yn ogystal â'u priod ieithoedd eu hunain. Mae Kawski wedi llenwi'r awyr ag awyrennau, hyd at dagfa, a'r awyrennau hynny 'ar yr haen uchaf yn teithio tua'r gorllewin ac ar yr haen isaf tua'r dwyrain'.[14]

Prif Weinidog ac nid unben sy'n rheoli'r Weriniaeth Ddwyreiniol, sef Shang, 'Chinëad o gnawd ac o galon'.[15] Mae Shang 'wedi ei lwyr drochi yn y don feddyliol a lifodd allan o India wedi ei rhyddhad', sylw proffwydol iawn ym 1928–29 ac enghraifft arall o ddiddordeb cynnar Waldo ym mrwydr annibyniaeth yr India ac o'i edmygedd o arweinydd y mudiad rhyddid, Gandhi.[16]

Ar y llaw arall, rebel o dde-orllewin Cymru a glöwr o ran ei alwedigaeth yw Arthur. Dywedir iddo dderbyn ei addysg yn ysgolion elfennol y Ddictatoriaeth, yn ogystal ag ar yr aelwyd gartref. Manteisiodd ar yr un flwyddyn o ŵyl mewn saith a ganiateid iddo yn ôl y gyfraith i deithio'r byd, ac yn ystod ei flwyddyn rydd daeth i gysylltiad â rhai o gyfrinwyr y Dwyrain yn ogystal ag ambell wyddonydd.

Ceir prolog ac epilog i'r gerdd. 'Cerddor y Bod' sy'n llefaru'r prolog. Annelwig yw'r mynegiant braidd, ac adleisiol o bryddestau diwinyddol ac athronyddol dau ddegawd cyntaf yr ugeinfed ganrif mewn eisteddfodau mawr a mân ledled Cymru. Defnyddiwyd hefyd un o hoff fesurau'r canu eisteddfodol hwn. Yn ôl y pennill cyntaf, roedd Cerddor y Bod wedi cyfansoddi'r gân berffaith, ond chwalodd amser y gân lawn yn fân nodau drwy'r cread i gyd. Yn y dechreuad yn unig, wedi i Dduw greu'r byd a'r bydysawd, y cafwyd

y Gân Berffaith: 'Pan gydganodd sêr y bore, ac y gorfoleddodd holl feibion
Duw' (Job 38:7). Dim ond y mân nodau a glywir bellach; aeth y gân gyfan
ar goll:

> Cân Berffaith fy Mod ... ie, damwain ei chwalu
> Ar drawiad dwrn Amser trwy'r cread i gyd.
> Swyn, nerth ei chyfander ... pa ddyn all ddyfalu
> O glywed mân nodau wrth hir ymbalfalu
> Yn nyfnder ei enaid, ym meithder ei fyd?[17]

Yn ei ymchwil am y Gân Berffaith, 'Pererin Tragwyddol yn cerddded y tir'
yw dyn:

> A fy Ngrym yn ei yrru ymlaen yn ddiwyro
> Nes dyfod dyhead fy Nelfryd i'w hudo
> I'r awel fo'n dyner, i'r wybren fo'n glir.[18]

Crwydryn yw pererin. Nid yw byth yn sefydlog, hyd nes y cyrhaedda'i
gyrchfan. Rheolir dynion gan Gerddor y Bod – rhywbeth tebyg i 'the
immanent will' yn *The Dynasts* Thomas Hardy. Y mae gan Gerddor y Bod
ddau beth i reoli dynion, ac i reoli bywyd, sef Grym, y Grym sy'n gyrru dyn
a bywyd ymlaen, a Delfryd, sy'n hudo dyn. Y Grym sy'n gyrru bywyd yn ei
flaen trwy ganrifoedd amser, fel ffenomen fiolegol. Y Grym hwn sy'n gyfrifol
am esblygiad:

> Ba hyd yr ymdreiglai ar lan y môr lleidiog
> Nes codi fy Ngrym ef i'r sychdir yn llwyr
> A chynnau yn fflam ddall gariad ei famog
> A roddai'n rhad erddo ei henaid cynffonnog
> Heb wybod paham – mi yn unig a'i gŵyr.[19]

Y Grym hwn, Grym natur a Grym bywyd, a gododd y ffurfiau syml cynharaf
o fywyd o'r llaid cyntefig ac o'r môr, a gadael i'r ffurfiau hynny esblygu'n
raddol ar y sychdir. Y mae 'sychdir' yn dwyn i gof bennod gyntaf Genesis,
lle ceir hanes y creu: 'Duw hefyd a ddywedodd, Casgler y dyfroedd oddi
tan y nefoedd i'r un lle, ac ymddangosed y sychdir ... A'r sychdir a alwodd

Duw yn Ddaear' (Genesis 1:9–10). Yn y pen draw, crëwyd cariad hyd
yn oed, fel cariad ffyrnig mamog – y mwyaf ofnus o anifeiliaid – wrth
amddiffyn ei hoen. Heb y cariad amddiffynnol hwn, ni ellid clymu'r
ddynoliaeth ynghyd.

Yng nghyflawnder yr amser crëwyd dyn, dyn yr heliwr cyntefig, ond
y mae'r heliwr hwnnw yn oedi un diwrnod ac yn sefyll i wylio'r haul yn
machlud. Hynny yw, y mae'n dechrau myfyrio ar ddirgelwch bywyd. Heb
ddelfryd, heb nod mewn bywyd i ymgyrraedd ato, byddai dyn wedi aros yn
heliwr cyntefig, ond yn harddwch a thawelwch oriau'r machlud y mae'n
clywed Delfryd Cerddor y Bod yn galw arno, a chlyw rith neu adlais o'r Gân
Berffaith. Trowyd yr heliwr cyntefig yn Ddyn gan y profiad:

> Ond safodd wrth ddychwel o'r helfa wyllt arw
> Ryw dro, ym mhen oesoedd fy Naear ond un.
> Fe welodd yr haul ar y gorwel yn marw,
> Fe glywodd fy Nelfryd yn galw, yn galw ...
> Fel rhith cân ni chanwyd ... Aeth adref yn Ddyn.[20]

Yn y darn meithaf o'r gerdd sydd wedi goroesi, darn y rhoddwyd iddo'r
pennawd 'Y Methiant', y tri phrif gymeriad yw'r tri phrif lefarwr. Arthur sy'n
llefaru gyntaf, gan siarad yn Gymraeg â'i wraig. Dywed wrthi fod torf wedi
ymgynnull ers tro yn 'Fifth Avenue' – Fifth Avenue Efrog Newydd, fe ellid
tybied. Ymddengys mai disgwyl i Shang gyrraedd i'w hannerch y mae'r dorf,
a'i fod yn dod i gyhoeddi chwyldro:

> Pa le mae Shang, fy nghymrawd mwyn o China?
> A ddaeth ef eto i gyhoeddi uno
> O'r Werin Fawr Ddwyreiniol gyda ni?[21]

Felly, bwriad Arthur yw ymgynghreirio â Shang i ddymchwel Dictatoriaeth
dotalitaraidd Kawski, a chreu gwell byd ar gyfer y dyfodol:

> Ac weithiau, rhyngom ni ein dau fe bontiwn
> Agendor fawr y ddaear a chaiff plant
> Y cenedlaethau ddawnsio ar yr enfys.[22]

Yna, mae'r ffôn ('ffônz' yn iaith y bryddest) yn canu, a chlywir llais Shang yn llefaru mewn 'Esperanto coeth'.[23]

Mae problem gan Shang. Mae Arthur yn 'gyfaill mynwes mwyn' iddo, ac mae'n 'weledydd' i'w bobl, ond mae hefyd yn wyllt:

> Mae rhith rhyw hen, hen stori yn ei 'fennydd
> O hyd yn ei gyffroi. Y mae ei ddelfryd
> Yn berwi ei waed, ac nid fel delfryd gwŷr
> Fy henwlad i, yn dwyn tangnefedd pur.[24]

Hynny yw, mae Arthur yn credu mewn dwyn arfau i ennill ei nod. Gwyddai am ryw 'hen, hen stori', sef y chwedl amdano yn cysgu mewn ogof ynghyd â'i farchogion, hyd nes y canai cloch i'w ddeffro o'u trwmgwsg i godi drachefn i achub eu gwlad. Ond trwy drais a thywallt gwaed y gwneid hynny. Dulliau heddychlon, di-drais o ymgyrraedd at y nod a arddelir gan Shang a'i bobl. 'Mae Arthur yn weledydd ond nid yw'n/Gyfrinydd eto' meddai Shang amdano.[25] Y mae Shang yn cytuno ag amcanion Arthur, ond nid â'i ddulliau:

> Ond beth fynnwch chi?
> Fynnwch chi'r nwy angheuol hyd yr wybr
> A'r pelydr coch yn ysu trwy bob dim?[26]

'Parod wyf/I farw gydag Arthur tros y byd' gwaedda llais o'r dorf, a byddai Shang hefyd yn fodlon marw er mwyn achub y byd, ond ni fyddai'n fodlon mabwysiadu dulliau trais i gyrraedd y nod hwnnw.[27] Cyfrinydd yw Shang, ac fel pob un sy'n arddel y grefydd Hindŵaidd, y mae'n credu bod enaid gan bopeth byw, a bod pob enaid yn chwilio am Nirfana, sef y cyflwr tangnefeddus o fod yn un â Brahman, y Goruwch-fod. Trwy ddulliau heddychlon, trwy barchu pob enaid a thrwy fawrygu sancteiddrwydd bywyd yn unig y gellir cyrraedd Nirfana:

> Ond credwn i
> Fod pob rhyw ddyn a phob anifail briwt,
> Ie, a phob mân laswelltyn ar y tir,
> Yn enaid sydd yn dringo, dringo i'r lan,
> I'r bell Nirfana draw.[28]

Trwy'r bryddest ceir y syniad mai pererin trwy'i fywyd yw dyn, a bod ei bererindod ar y ddaear, yn gyffredinol, yn bererindod tragwyddol. Cyrraedd Nirfana, cyrraedd paradwys a chyrraedd Duw yw nod pob pererin yn y pen draw, ond ni ellir cyrraedd unrhyw fath o wynfyd na bodlonrwydd trwy ddulliau trais, a dyna gamgymeriad mawr gwledydd y Gorllewin, yn ôl Shang:

> Bydd pelydr coch
> A nwy a mellt yn rhwystro'r gweinion hyn
> A'u taflu'n ôl ar eu tragwyddol daith.
> Yn araf try y rhod, ie'n araf iawn:
> Rhowch iddi hwb, hi dry yn ôl cyn hir.
> Fe welsom hyn yn eich Gorllewin maith
> Ar lawer awr adfydus, a nyni
> Yn gwylio'n llonydd yn yr Asia draw.
> Fe welwch chi elynion leng o'ch cylch
> Ac ymhob cyfnod gelyn newydd yw,
> Ond gwelwn ni y Rhwystrwr oddi mewn
> Yn lluddias y pererin ar ei hynt,
> A rhwng pob gŵr a'i hun i'w goncro ef.[29]

Y 'Rhwystrwr' oddi mewn, y llais mewnol neu'r goleuni mewnol, y gydwybod unigol hyd yn oed, yn unig a all ddod â phererindod dyn i ben y daith, trwy ei alluogi i gyrraedd ei gyrchfan. Y goleuni hwn neu'r gydwybod hon sy'n atal dynion rhag defnyddio trais, ac mae trais, yn ddieithriad, yn esgor ar drais. 'O goncro Kawski, gelyn arall gyfyd' meddai Shang.[30] Buddugoliaeth dros dro yw'r fuddugoliaeth a sicrheir trwy drais a grym milwrol, ac ar ôl gorchfygu un gelyn daw gelyn arall i gymryd ei le, gan dindroi o fewn yr un rhigol o genhedlaeth i genhedlaeth. Y mae'r dewis yn un syml yn y pen draw:

> Brahma neu Shiva, dyma'm dewis i:
> Shiva yw'r pelydr coch a'r nwy angheuol,
> Shiva yw'ch ergyd mellt i rwygo tref
> Swyddogion Kawski, a'i robotiaid ef,
> I gwympo uchder aruthr eich hundai chwi.
> Ie, Shiva ydyw'r nwydau gwyllt o'ch mewn

Yn gweiddi Dial ac yn gweiddi Gwaed
Dan enw Rhyddid. Rhyddid byth ni ddaw
Wrth alwad Shiva – Brahma ddaw ag ef,
Brahma yng nghalon wirion plentyn bach,
Brahma yng nghalon gwŷr a merched glân.[31]

Brahma yw Duw'r creu yn ôl y grefydd Hindŵaidd, a'r aelod cyntaf o'r Driwriaeth; yr ail aelod yw Vishnu, sy'n cynnal ac yn cadw'r greadigaeth, a'r trydydd aelod yw Shiva, sydd â'i fryd ar ddistrywio'r greadigaeth er mwyn ei hail-greu. 'Yn araf try y rhod' meddai Shang ddwywaith, gan bwysleisio nad gweithred undydd unnos yw newid y byd a dymchwel yr hen drefn.[32] Er hynny, y mae'n darogan y daw unbennaeth Kawski a'i holl gyfundrefn ddieflig i ben:

Ni phery Kawski'n hir. Fe syrth
Ei holl gyfundrefn maes o law yn bydredd.
Mae'n cracio eisoes.[33]

Ond, heb gynnig unrhyw fath o esboniad, mae gwrthryfel Arthur wedi methu, ac mae ei wraig yn ei annog i ddianc i Silon, ymhell o afael Kawski a'i filwyr, fe ellid tybied. Nid yw Arthur, fodd bynnag, yn barod i ildio. 'O fethu concro af yn aberth waed' meddai wrth ei wraig, gan fynnu mai trwy drais yn unig y gellir achub y dydd.[34] Mae Arthur wedyn yn defnyddio delweddau o fyd gwyddoniaeth i ddangos sut y bydd ei wrthryfel yn lledu drwy'r byd hyd nes y trechir Kawski. I ddechrau, cyfeiria at ddamcaniaeth Albert Einstein, y 'gŵr o Iddew', ynghylch Gofod-amser, *spacetime*, damcaniaeth a ffurfiwyd ganddo gyda chymorth y mathemategydd Hermann Minkowski.[35] Yn ôl y ddamcaniaeth honno, y mae amser yn y gofod yn ymledu ar ffurf côn wrth ymestyn tuag at y dyfodol. Cyfeiria hefyd at ddamcaniaethau 'Iddew arall', sef Sigmund Freud, ynghylch yr isymwybod ('ogof dwfn fy enaid i'), lle mae holl nwydau a dyheadau greddfol dyn yn llechu, gan gofio hefyd fod i 'ogof' gynodiadau rhywiol yng ngwaith Freud.[36] Cysylltir ogof yr isymwybod yma â'r ogof chwedlonol lle mae Arthur a'i farchogion yn cysgu. Efallai mai yn ei isymwybod y clywodd Arthur y gloch yn tincial, ond clywed sŵn y gloch yn canu a'i cyffrôdd i weithredu. Gobaith Arthur yw y bydd i'w wrthryfel ledaenu drwy'r byd, fel y mae Gofod-amser yn ymledu ar ffurf côn:

Pryd daw fy awr?

Dywedodd gŵr o Iddew oes a fu
Fod eiliad yn ein gofod ni fel pe ...
Fel pe'n ymledu trwy y Gwagle'n gôn
Hafal i'r golau o'r goleudy uchel
Sy'n sgubo dros Dir Dewi gyda'r nos
Gan euro'r ewyn hyd ei greigiog draeth.
I lawr yn ogof dwfn fy enaid i
(Ys dwedodd Iddew arall o'r un oes)
Lle cwsg fy nwydau megis milwyr cad
Yn barod i'w cyffroi, mi glywais dincial
Pan oeddwn ugain oed. Ai'r gloch oedd honno,
Nis gwn. Ond gwn os safaf yma'n ddewr
Yn wyneb Kawski, p'un ai byw ai marw
A fydd fy rhan, fe gân fy nghloch yn sicr,
Ac ar un eiliad trwy'r cyfanfyd crwn
Clywir y donc haearnaidd. Nid fy awr
Fydd honno chwaith ond ymwasgara'n gôn
A'i ymyl cylchog yn ymledu o hyd
Nes cynnwys calon lon pob mam a merch,
A chynnwys mynwes gynnes pob rhyw fam,
A gwên pob plentyn bach, pa un ai gwyn
Ai du, ai brown, ai coch, ai melyn fydd.[37]

Nid yw methiant Arthur yn ei rwystro rhag bwrw ymlaen â'r chwyldro. Mae'n cyhoeddi'r gwrthryfel, a hynny yn Esperanto:

Coeliwn y medrwn godi'r Ddaear Newydd
Trwy ganu cerdd i mewn i galon dynion,
Trwy dywys breuddwyd hyd y fynwes gêl
Fel lleidr yn y nos.[38]

Ymddengys fod Arthur bellach yn sylweddoli nad trwy ddulliau trais y dymchwelir cyfundrefn unbenaethol, dotalitaraidd Kawski, ond trwy ganu barddoniaeth i mewn i galon dynion, a rhoi breuddwydion a delfrydau am fywyd gwell a mwy rhydd yn eu mynwes. Ond nid yw Kawski yn credu bod gan yr unigolyn hawliau na rhyddid. Nid oes lle yn ei gyfundrefn i'r enaid unigol, gan mai'r enaid unigol neu'r bersonoliaeth unigol, rydd yn unig a all ddymchwel ei gyfundrefn, y bersonoliaeth sy'n gwrthod plygu i'r drefn yn ufudd ddof:

> Ond dywed Kawski
> Na bydded lle yn ei gyfundrefn ef
> I enaid unig. Dywed fod y byd
> Yn sistem cawraidd yn y gwagle mawr;
> Dywed mai tynged rhai yw bod yn 'fennydd,
> A thynged eraill fod yn ddwylo a thraed
> I'r Corff aruthrol hwn.[39]

Mae cyfundrefn dotalitaraidd Kawski yn ddibynnol ar ddau beth cyferbyniol i'w gilydd: yr ymenyddol a'r ymarferol. Ymennydd y 'Corff aruthrol' yw'r gwyddonwyr a'r dyfeiswyr; gweithwyr ffatri yw'r dwylo a milwyr yw'r traed. Y gwyddonydd sy'n dyfeisio arfau, awyrennau, tanciau, ffrwydron a nwyon angheuol; gweithwyr mewn ffatrïoedd sy'n rhoi'r pethau hyn ynghyd, a milwyr, awyrenwyr a morwyr sy'n cludo'r pethau dinistriol hyn i bedwar ban byd – i anafu, i ladd, i falurio ac i ddinistrio. Byddai Waldo yn rhoi mynegiant i'r un syniad yn union mewn cerdd o'r enw 'Cân Bom' y byddai'n ei llunio ar ôl i un Corff aruthrol, America, ollwng y bomiau mwyaf dinistriol a grëwyd erioed gan ymennydd dyn ar ddwy ddinas a berthynai i Gorff aruthrol arall, Siapan:

> Cynllunia fi, ymennydd noeth.
> Gwnewch fi, dim-ond dwylo
> Dim-ond ystwythder ifanc
> Caria fi yno.[40]

Yr ymennydd sy'n cynllunio'r bom mewn labordai, dwylo mewn ffatrïoedd sy'n rhoi'r bom ynghyd, awyrenwyr sy'n cario'r bom i'w ollwng ar dargedau penodedig. Cydweithio perffaith rhwng y tri hyn – gwyddonwyr, gweithwyr, gweithredwyr – dan awdurdod yr arweinwyr neu'r rheolwyr sy'n creu Gwladwriaeth.

Ond anghytuno â Kawski a wna Arthur. Trwy barchu'r unigolyn, trwy ganiatáu i'r unigolyn fod yn berchen ar ei enaid a'i gydwybod ef ei hun, trwy fawrygu yn hytrach na mygu'r bersonoliaeth unigol, y mae pob gŵr a phob gwraig yn gyflawn. Os bydd pob gŵr a phob gwraig yn gyflawn, yna bydd yr holl ddynoliaeth yn gyflawn, ac ni all yr un Kawski reoli pobl na'u troi'n gaethweision o fewn ei gyfundrefn unffurf:

Dywedaf i
Bod gŵr yn gyflawn ŵr, ie, a phob gwraig
Yn gyflawn wraig, ac o'u cyflawnder hwy
Y tyf cyflawnder Daear maes o law.[41]

Efallai nad oes gennym hawl ar y sêr na'r lleuad, meddai Arthur (gan gyfeirio at gerdd Hedd Wyn, 'Y Blotyn Du'), ond ni biau'r hawl ar ein heneidiau ni ein hunain. Y mae dyn yn gorfod brwydro'n galed i gadw ei enaid rhag cael ei feddiannu gan eraill. Trwy gydol y canrifoedd, bu treiswyr wrthi'n ceisio amddifadu dyn o'i enaid, er mwyn ei droi'n gaethwas i'r gyfundrefn – ymerodraethau, breniniaethau, llywodraethau, gan gynnwys rhai crefyddau hyd yn oed, fel y grefydd Gatholig â'i Phab a'i mân babau (gan gyfeirio, y tro hwn, at gwpled gan T. Gwynn Jones: 'Onid gwell un Pab bellach/Na degau o babau bach', o'r gyfres o gwpledi epigramatig 'Bywyd'):

'Nid oes gennym hawl
I'r sêr nac ar y lleuad chwaith'. Ond gwn
Fod gennyf hawl i'r enaid hwn. A gwn
I res o dreiswyr hyd bob oes a fu
Ymgiprys cipio'r hawl oddi ar fy mron:
Y Llwyth, Yr Ymerodraeth Gynt, y Pab,
'Y degau Babau Bach' a ddaeth i'w ganlyn,
Y Brenin Sant, a'r Senedd 'heb un bai'.[42]

Yna y mae Arthur yn troi i'r Gymraeg, ac mae rhan o'i araith yn pwysleisio hollbwysigrwydd yr enaid:

Un peth a saif trwy'r bydoedd: enaid dyn;
Un chwedl a adroddir wrth bob tân;
Un gân ddi-dranc sy'n crynu ymhob gwddf;
Un ddrama a chwaraeir ar bob llwyfan.
Un peth rydd werth ar bopeth: enaid dyn.[43]

Wedyn mae'n troi'n ôl at Esperanto ac yn rhybuddio'i gyd-ddynion a'i gymrodyr rhag Kawski. Fel corryn, y mae Kawski yn nyddu gwe, gwe o haearn, ac yn dal dynion fel pryfed ynddi. Ceir tri pheth yng ngwneuthuriad y we: 'Masnach Arfog', sef darparu arfau er mwyn eu gwerthu, a thrwy hynny wneud rhyfel yn bosibl; cyfalafiaeth; a chrefydd gyfundrefnol. Nid y cyfeiriad at y Pab a'i ddegau o babau bach yw'r unig enghraifft o ymosod ar grefydd gyfundrefnol yn 'Y Gân ni Chanwyd':

> Ond gesyd Kawski ei linynnau harn
> O'i gapitol yn Nijui hyd bob cwr.
> Llinynnau Masnach Arfog a chronfeydd
> Ariannol ac yn anad un hen gabl,
> Cred Sefydledig. Ac fel cor o deyrn
> Pan ddalier deiliad yn eu rhwydwaith hwy
> Rhed allan yn ei drachwant am y gwaed,
> Sugna eu heinioes a gwenwyna eu bryd.[44]

'Rhaid dryllio rhwyd y cor' meddai Arthur.[45] Ond mae Kawski yn ei amddiffyn ei hun rhag cyhuddiadau Arthur. 'Beth wnaf â'r Arthur hwn?' gofynna, gan fygwth ei alltudio 'i ynys unig bell'.[46] Nid rhoi rhyddid i luoedd Daear oedd bwriad Kawski, ond rhoi heddwch a thangnefedd iddynt trwy ddileu delfrydau pobl, ac o wneud hynny, fe allai, yn ôl y llais a glyw o dan ei fron, 'ladd y poenau/Sy'n gwau trwy enaid dyn', sef gwewyr meddwl dyn yn ei fethiant i wireddu ei ddelfryd.[47] Yn ôl y llais a glyw dan ei fron, cysurwr ac achubydd yw Kawski:

> Ond tybiaist wedi gwayw'r cyfwng hwn
> Y deuai i ddyn, nid rhyddid, onid hedd;
> Fe roiset iddo lu mwyniannau oriog
> A phob esmwythder a moethusrwydd teg.[48]

Ond ni allai Arthur dderbyn mai cymwynaswr a gwaredwr oedd Kawski:

> Eithr yn y cyfwng hwn fe gododd Arthur
> Fel Prometheus yr oesoedd pell a Christ
> Yn gwrthod plygu i awdurdod byd.[49]

Uniaethir Prometheus â Christ gan Shelley yn *Prometheus Unbound*, a da y gwyddai Waldo hynny. Disgrifir Prometheus fel 'a youth/With patient looks nailed to a crucifix' yn *Promethus Unbound*. Uniaethir y tri – Prometheus, Crist, Arthur – gan Hedd Wyn yn ei awdl 'Yr Arwr' ac mewn sawl cerdd arall. Ceir y llinell 'Anorthrech reddf Arthur a Christ' ganddo yn ei awdl 'Eryri'. Gwrthryfelwyr yn erbyn y drefn yw pob un o'r tri hyn. Cysylltir y tri â'i gilydd drachefn yn yr 'Epilog' i 'Y Gân ni Chanwyd':

> Ing Prometheus, hoelion Crist;
> Alltudiaeth Arthur Cymru lân:
> I blant y byd, dair stori drist;
> I mi, dri nodyn yn y gân.[50]

Rhwng mân benillion unigol yma a thraw, ceir dwy gerdd gyflawn yn y bryddest, 'Pe Gallwn' (sef 'Cerdd Gyntaf Arthur'), a 'Cerdd Olaf Arthur ag Ef yn Alltud yn Awstralia'. Yn 'Pe Gallwn', mynegir y gobaith neu'r dyhead y gallai barddoniaeth feddu ar y grym i ddiwygio cymdeithas ac ysgubo pob drygioni a llygredd ymaith. Pe bai barddoniaeth yn meddu ar rym o'r fath, byddai Arthur yn defnyddio cerddi i wella'r byd. Y mae pedwar peth yr hoffai Arthur eu diwygio – ac fe geir yn y gerdd hon nifer o'r themâu, y pynciau a'r syniadau y byddai Waldo yn eu trin yn y dyfodol. Yn y pennill cyntaf, safle israddol a chyflwr truenus y gweithiwr sydd dan sylw, ac yma mae'r Waldo ifanc yn dwyfoli ac yn sancteiddio'r gweithiwr cyffredin, 'ei dduwdod cudd' – hynny yw, y gred fod pob dyn yn meddu ar ddaioni sylfaenol, cynhenid. Cydymdeimlir â'r gweithiwr yma, wrth i Arthur fygwth herio â cherdd bob meistr a fyddai'n trethu adnoddau corfforol ei weithwyr ac yn peri iddynt weithio hyd at flinder. Dyma'r cyfnod pryd yr oedd Waldo yn treulio llawer iawn o amser yng nghwmni Willie Jenkins yn Hoplas, ac y mae sosialaeth y ddau yn amlwg yn y pennill cyntaf:

> Pe gallwn ganu cân i werin Cymru,
> I'r gweithwyr ar y meysydd, ac i'r gwŷr
> Yn nadwrdd y peiriannau; yn y trymru
> Sy'n trwyo ceyrydd hyll y gormes dur,
> Ni safai rhag fy ngherdd yr un anrheithiwr;
> Heriwn â cherdd bob nerth a fyddai'n lludd;

Sibrydwn eiriau erch yng nghlust y gweithiwr,
Cyfodwn ynddo rym ei dduwdod cudd.
 Mi ganwn, mi ganwn,
Heb dewi'r dydd na thewi'r nos mi ganwn
 Nes delai Cymru'n rhydd.

Yn yr ail bennill, ple arall ar ran plant Cymru a geir, a thlodi a budreddi strydoedd trefi a dinasoedd Cymru yw'r pryder y tro hwn, yn enwedig o safbwynt y plant. Mewn gwirionedd, atodiad i'r gerdd 'Y Saboth yng Nghymru' a geir yma:

Pe gallwn ganu cerddi fy mreuddwydion
Ni welid strydoedd tlodion Cymru mwy;
Ni byddai cysgod eu trigfannau llwydion
Ar ruddiau plant fy ngwlad. Fe'u chwalwn hwy,
Ac ar fagwyrydd moelion y dilead
Cyfodwn deg ddinasoedd breuddwyd bardd,
A thaenwn bob hyfrydwch dros fy nghread
Nes chwarddai blodau'r genedl yn ei gardd.
 Mi ganwn, mi ganwn,
Heb dewi'r dydd na thewi'r nos mi ganwn
 Nes delai Cymru'n hardd.

Yr hyn y mae Arthur yn ei wneud, wrth gwrs, yw ceisio creu Daear Newydd trwy 'ganu cerdd i mewn i galon dynion' a thrwy 'dywys breuddwyd hyd y fynwes gêl'. Methodd gwrthryfel Arthur yn y gerdd oherwydd bod grym milwrol Kawski yn rhy gryf iddo, ac mae Arthur yn troi at rym geiriau wrth chwilio am ffordd i greu byd newydd unol.

Yn y trydydd pennill, y mae Arthur yn annog dynion i agor eu meddyliau ac astudio crefyddau ac athrawiaethau Dwyreiniol. Unwaith yn rhagor, athroniaeth ei ewythr Gwilamus a welir yma, yr anogaeth i ddyn ddod allan o'i 'gragen fach gul', ac i gofio gwers y mynydd – 'Fod ein byd yn fwy na phlwy.' Rhaid rhwygo'r waliau sy'n cau amdanom ac yn ein crebachu'n feddyliol, a chodi ein golygon uwchlaw bychander ein byd:

Pe gallwn ganu cân fy oriau gwynion,
Ysgubai megis nerthol wynt o'r nef

Trwy ddorau preswylfeydd meddyliau dynion,
A'r afiaith sydd o fawredd yn ei lef.
Dymchwelai wael barwydydd y bychander
Sy'n cau, sydd yn crebachu. Gyda'r wawr,
Agorai byrth y Dwyrain i ysblander
Dychymyg dynol-ryw holl oesau'r llawr.
 Mi ganwn, mi ganwn,
Heb dewi'r dydd na thewi'r nos mi ganwn
 Nes delai Cymru'n fawr.

Yn y pennill olaf, dyheu am i'r gân beri i ddynion arddel bonedd ac addfwynder Crist a wneir, fel y gallai dynion dynnu 'yn agos at ei gilydd', fel y gwnaethent yn y weledigaeth o frawdoliaeth a ddaeth i ran Waldo mewn bwlch rhwng dau gae ryw ddeng mlynedd ynghynt:

Pe gallwn ganu cân a'i hafradlonedd
Yn gwasgar rhinion gyda'r pedwar gwynt,
Cyfodai deyrn a gwreng ynghyd i fonedd
Gwerinwr addfwyn Galilea gynt.
Tynnai bob dyn yn agos at ei gilydd
I ddwyn eu beichiau fel ei faich ei hun;
Ni byddai mwy na dirmyg na chywilydd,
Gorchwyl na thras yn gwyro enaid dyn.
 Mi ganwn, mi ganwn,
Heb dewi'r dydd na thewi'r nos mi ganwn
 Nes delai Cymru'n un.[51]

Yn ôl 'Cerdd Olaf Arthur ag Ef yn Alltud yn Awstralia', methiant fu'r chwyldro, ac ni lwyddwyd i wireddu dyheadau'r Gân Gyntaf. Meddai Arthur:

Plentyn bychan ydwyf heno,
 Dan y lleuad felen, lawn;
Peidiodd cynnwrf fy mlynyddoedd,
 Aeth fy mryd yn dawel iawn.

Ailadroddir y ddwy linell gyntaf yn nhri phennill cyntaf y gerdd. Cenir y Gân ni Chanwyd pan ddaw 'perffeithrwydd Daear', pan ysgubir pob gormes ac anghyfiawnder ymaith, gan greu byd heddychlon a dyngarol, ac ar y nodyn gobeithlon hwnnw y diweddir y gerdd:

> Ond pan ddaw perffeithrwydd Daear,
> Pan ddaw plant y byd i'w hiawn,
> Sylla er fy mwyn, fel heno,
> Arnynt hwythau, leuad lawn.
>
> Yna, ar yr awr lonyddaf,
> Heb un cyffro ym mrig y cawn,
> Clywir odlau cân ni chanwyd
> Yn dy lewyrch, leuad lawn.[52]

Ni lwyddodd Waldo i orffen y gerdd i'w hanfon i gystadleuaeth y Goron yn Eisteddfod Genedlaethol 1929. Roedd ganddo lawer i'w ddweud, hyd yn oed yn y cyfnod cynnar hwn yn ei yrfa, ond nid oedd ganddo na'r feistrolaeth na'r arddull na'r eirfa a fyddai'n rhoi'r mynegiant grymusaf posibl i'r deunydd. Mewn rhai mannau roedd yn rhy delynegol; mewn mannau eraill yn rhy rethregol. Ac fe wyddai Waldo hynny. Mewn sgwrs â Bobi Jones flynyddoedd yn ddiweddarach, cyfaddefodd mai methiant oedd y gerdd. Oddeutu 1926, meddai:

> ... gwelais rai o'r mannau hacraf yn yr ardaloedd diwydiannol ... Daeth chwant arnaf pan welais y testun 'Y Gân ni Chanwyd' i ganu i dranc *Étatisme* ... y gân ni chanwyd, eto. Aeth hon yn bryddest faith anorffenedig. Yr oedd y testunau hyn yn ddigon modern, ond nid oedd gennyf yr ieithwedd na'r arddull at y gwaith. Yr oedd fy nelweddau'n rhy draddodiadol-farddonol i gydio'n iawn yn y mater gerbron. Roedd mwy o duedd gwneud barddoniaeth 'am' y peth.[53]

Prif arwyddocâd 'Y Gân ni Chanwyd' erbyn hyn yw ei mater, yn hytrach na'i modd. Mae rhai o themâu mawr Waldo yn amlwg iawn yn y gerdd: tosturi at blant, ei ddaliadau sosialaidd, ei genedlaetholdeb, ei awydd angerddol i ddiwygio'r byd ac i sefydlu brawdoliaeth fyd-eang trwy'r holl ddaear, ei gariad at heddwch a'i gasineb at ryfel, ac, yn anad dim, ei ymgyrch ddigymrodedd yn erbyn gwledydd unbenaethol a gwladwriaethau totalitaraidd y byd, sef *étatisme*, *statism*, yr egwyddor mai'r wladwriaeth ddylai bennu a gweithredu polisïau cymdeithasol ac economaidd unrhyw wlad neu ymerodraeth.

Un arall o gerddi 'Canu trwy'r Cwlwm' yw 'Môr o Gân', hon hefyd
wedi'i hysgogi wedi i Waldo weld plant yn chwarae ar strydoedd afiach rhai
o'r mannau hyllaf yn yr ardaloedd diwydiannol. Cyhoeddwyd y gerdd yn
Y Faner ddiwedd 1927. Cerdd wladgarol, ddyngarol sy'n cyflwyno pedwar
darlun o Gymru yw 'Môr o Gân'. Cymru plentyndod y traethydd a geir yn
y pennill cyntaf, Cymru ddedwydd, rosynnog a welir drwy lygaid hiraeth ac
atgof. 'Môr o gân' oedd ei Gymru gyntaf:

> Chwarddai'r awelon rhwng rhedyn y moelydd,
> Dawnsiai'r byrlymau dros gerrig y rhyd;
> Fry ar ei aden fe gathlai'r ehedydd
> A chanai fy nghalon yn ôl ar fy myd.

Yr oedd yr ehedydd i ddod yn symbol canolog a phwysig yn ei farddoniaeth yn
y dyfodol. Wedi iddo gyflwyno ail ddarlun y gerdd, sef 'Cymru fy mreuddwyd'
– Cymru ddelfrydol ei blentyndod a oedd yn sail i'w weledigaeth ynghylch
brawdoliaeth dyn – daw at y Gymru hagr bresennol, y Gymru ddiwydiannol
sydd wedi hagru'r tir a gormesu'r gweithwyr:

> Môr – nid o gân – yw fy Nghymru heddiw:
> Darfu fy mreuddwyd a gwelaf yn glir
> Ormes a thrais yn dygyfor yn ddilyw
> A'u hagrwch yn tonni dros wyneb y tir.
> Dan lif anghyfiawnder y gorwedd ei chymoedd,
> A chwmwl anobaith yn hulio'r nen;
> Fflangellir prydferthwch ar hyd eu hystrydoedd.
> Hyfrydwch ni ŵyr ble i bwyso ei ben.

Dyna'r trydydd darlun. Diweddglo gobeithiol, optimistaidd sydd i'r gerdd
hon hefyd, wrth i Waldo gyflwyno ei bedwerydd darlun o Gymru. Un dydd,
bydd y werin yn codi yn erbyn ei meistri ac yn creu paradwys ddaearol:

> Ond, môr o gân yw Cymru fy ngobaith ...
> Clywaf ei lanw yn codi, draw.
> Beth yw digofaint y werin wrth ymdaith
> Onid gorfoledd paradwys a ddaw?

Deffro, ogleddwynt, a thyred, ddeheuwynt;
Cyfoded y ddrycin a chryned y byd!
Heulwen a ddaw yng nghyflawnder y cerrynt,
A môr o gân fydd Cymru i gyd.[54]

Ym 1928 yr oedd Waldo yn gweithio ar 'Y Gân ni Chanwyd'. Yn yr un flwyddyn lluniodd ysgrif alegorïol yn dwyn y teitl 'Dameg Arall at y Lleill', a'i chyhoeddi yn rhifyn Chwefror 1928 o'r cylchgrawn *Yr Efrydydd*. Ysgrif yw hon am ŵr a drigai yng Nghymru unwaith, 'a chanddo ei enaid ar lun afallen'.[55] Nid y gŵr hwn a blannodd yr afallen na chreu'r ardd lle tyfai. Ni wyddai neb pa bryd y plannwyd yr afallen ychwaith, ond y gŵr hwn bellach a oedd yn gyfrifol am y pren. Bob mis Medi byddai canghennau'r afallen yn gwegian dan gnwd braf o afalau, a byddai perchennog y pren yn tynnu'r afalau â'i ddwylo ei hun, yn cadw rhai i'w deulu ac yn rhannu'r gweddill rhwng ei gymdogion, gan adael ambell afal i'r aderyn du 'a bigai wrthynt drwy gydol yr haf'.[56] Roedd y gŵr hwn, felly, yn arddel cyfrifoldeb am yr afallen.

Ond, yn y cyfnod hwnnw, yn ôl yr ysgrif:

... yr oedd gan ddynion ffordd gyfleus iawn o ofalu am eu cyrff: ymddiriedent hwy i gwmnïoedd at y swydd. Os byddai eisiau ar ddyn fyned i rywle, ni chymerai mo'r byd am fyned yno ar ei draed ei hun ond benthycai draed am y tro gan y Cwmni Rheilffyrdd neu Gwmni Cerbydau'r Ffyrdd. Felly hefyd, er bod llawer yn hoffi bwyta uwd a sucan yn fawr, ni freuddwydient am hau ohonynt y ceirch, a'i fedi, a'i ddyrnu, a'i falu'n flawd (yn wir, nis gallent am nad oedd ganddynt dir), ond aent i'r siop a chaent yno ddwybwys o flawd ceirch wedi ei bacio'n barod gan y Cwmni Gwneuthur Blawd Ceirch. Weithiau hefyd, benthycent gegin a cheg a hyd yn oed bola gan ryw gwmni bwyd neu'i gilydd.[57]

Ac felly ymlaen. 'Gorweddai cyrff dynion, felly, yn nwylo'r cwmnïoedd masnach,' meddir.[58] Un o ganlyniadau'r ddibyniaeth ormodol hon ar eraill oedd peri i ddynion ddiogi a rhoi eu hannibyniaeth yn nwylo eraill. A dyna sy'n digwydd i berchennog yr afallen. Y mae'n torri ymaith ganghennau'r afallen fesul un, ac yn eu rhoi i gyrff neu sefydliadau eraill. Mae'n rhoi 'Cainc ei Haelioni' i'r Gymdeithas Elusengar, a phan ddaw cardotyn at ei ddrws, y mae'n gollwng ei gi arno ac yn ei yrru ymaith i storws y Gymdeithas Elusengar. Yn raddol mae'n colli ei bersonoliaeth ef ei hun drwy drosglwyddo'i gyfrifoldebau i eraill, a gadael i'r cyrff eraill hyn ysgwyddo'r baich ar ei ran.

Llifia ymaith gainc arall o'r pren, sef 'Cainc ei Frawdgarwch', ond gan mor llawn o frigau yw'r gangen hon, mae'n tynnu'r brigau ac yn rhoi'r gainc i Eglwys Bethania a'r mân frigau i Gymdeithas y Genhadaeth Dramor. Ac felly: 'Pan glywai am ormes a thrais ar ei gyd-ddynion, pan ddarllenai ar ei bapur erbyn nos am drueni a dioddefaint y tlodion, ni phryderai ragor yn eu cylch.'[59] Wedyn y mae'n torri 'Cainc ei Wladgarwch' ac yn ei rhoi i'r Cymmrodorion. Ac wedi iddo gyflawni'r weithred honno, 'os teimlai'r gŵr ei bod hytrach yn anghyfleus iddo siarad Cymraeg, wel, fe siaradai Saesneg yn ei lle'.[60] Y mae hefyd yn torri 'Cainc ei Gariad at Blant' ac yn ei rhoi i ysgolfeistr y pentref fel nad oes angen iddo adrodd hen chwedlau na chanu hen ganeuon wrth ei blant ei hun. Mae'n rhannu 'Cainc ei Diriondeb' rhwng nifer o gymdeithasau haeddiannol, i'w rwystro rhag teimlo pangfeydd o euogrwydd neu byliau o dosturi 'pan âi am dro ar hyd y ffordd ar noswaith olau leuad a chlywed y tu hwnt i'r clawdd y cwningod bach yn gwichial yn y trapiau a ddodasai iddynt yn y bore'.[61] Yn olaf, mae'n rhoi 'Cainc ei Hoffter o Greu Pethau Hardd' i nifer o unigolion, ac ni fynnai naddu llwy na lletwad na nyddu cywydd wedi hynny.

Erbyn iddo gael gwared â phob cangen, dim ond bonyn llwm yr afallen sydd ar ôl, ond mae'r gŵr yn gysurus ei fyd. Nid oes ganddo yr un cyfrifoldeb. Yna, daw garddwr heibio a gofyn iddo am gael gweld yr afallen. Caiff y garddwr ei ddychryn gan yr anfadwaith a'r ynfydwaith a wnaed, ac mae'n gorchymyn i'w was gasglu'r holl ganghennau yn ôl, ond erbyn iddo wneud hynny, gwelir eu bod wedi gwywo i gyd. Mae perchennog yr afallen yn llefain â llef uchel, yn llawn edifeirwch am iddo gyflawni'r fath weithred ysgeler, ond mae'r garddwr yn ei gysuro:

> 'Nac wyla, fab,' meddai, 'wele, y mae'r bonyn gennyt ar ôl. Nid tydi a'i plannodd. Y mae ei wreiddiau yn ddwfn iawn yn y tir ac ni ŵyr neb yn y fro pa bryd y plannwyd ef. Gan hynny, llawenha a chymer obaith. Fe flagura'r afallen drachefn, ac ymhen blynyddoedd, os byddi'n gall, fe fydd iddi geinciau lawer eto, a phob cainc yn y gwanwyn yn fôr o flodau gwynion, persawr, a phob cainc ar derfyn yr haf yn crymu o dan ei llwyth.[62]

Hynny yw, gwreiddyn bod, nad oes iddo un wywedigaeth, yw'r bonyn noethlwm. Yr hyn a awgrymir yn 'Dameg Arall at y Lleill' yw mai gwywo a wna enaid dyn os rhoir yr enaid hwnnw yn nwylo eraill. Rhaid i ddyn arddel cyfrifoldeb am yr hyn sy'n werthfawr ac yn dda yn ei fywyd drosto'i hun, yn hytrach na throsglwyddo'r cyfrifoldeb hwnnw i gyrff neu sefydliadau eraill. Trwy ganiatáu i wladwriaethau a llywodraethau feddiannu'r enaid unigol, y gwladwriaethau hyn sydd wedyn yn rheoli'r enaid hwnnw, a gallant wneud fel y mynnant ag ef. Rhaid i ddyn fod yn gyfrifol am yr hyn y mae'n ei gredu, a gweithredu yr hyn y mae'n ei gredu. Os yw dyn yn heddychwr, ei briod ddyletswydd yw bod yn gyfrifol am Gainc ei Heddychiaeth, nid rhoi'r gainc honno i'r awdurdodau, neu i bwy bynnag sydd mewn grym ar y pryd. Awgrymir yn ogystal fod dyn yn meddu ar ddaioni cynhenid. Bonyn yr afallen yw'r daioni cynhenid hwn. Efallai y gall sefydliadau neu fudiadau, neu wladwriaethau neu ymerodraethau, ladd y daioni hwnnw dros dro, ond tra bo'r bonyn ar ôl gall y pren ymganghennu eto. Mae'r pren hwnnw wedi ei wreiddio yn rhy ddwfn yn y tir i wywo a marw.

Ceir llawer o gerddi diddorol eraill yn 'Canu trwy'r Cwlwm', ar wahân i 'Y Gân ni Chanwyd'. Cerdd sy'n amlygu daliadau crefyddol Waldo a'i deulu yw 'Llofft y Capel'. Dywedwyd am Dafi Williams, tad-cu Waldo, mai '[s]yniad trylwyr *ddynol* oedd gan ein brawd o'r bywyd crefyddol', ac nad 'rhywbeth arall-fydol ond rhywbeth byw, ymarferol, agos' oedd ei grefydd. Ar yr elfen ymarferol ym myd crefydd y rhoir y pwyslais yn 'Llofft y Capel'. Y wir grefydd yw'r grefydd honno sy'n clymu dynion ynghyd mewn cymdeithas wâr, gydweithredol, nid y grefydd sy'n trafod athrawiaethau a phynciau diwinyddol byth a beunydd. Allanolion crefydd yw pethau o'r fath:

> Sonie'n tade am athrawieth
> Armin, Calfin, bob yn ail:
> Cyfiawnhad trwy Ffydd neu Weithred
> Oedd yn siglo'u byd i'w sail.
> Hen ddadleuon diwinyddol
> Rwyge'r enwad 'slawer dy'.
> Beth am lofft y capel newy'?
> Dyna'r broblem fowr 'da ni.

Rhywbeth teimladol yw crefydd yn ei hanfod, nid rhywbeth ymenyddol, rhywbeth i'r galon ac nid rhywbeth i'r pen:

A phwy werth yw boddran, boddran
Ar faterion cifrin, cudd?
Bywyd llawn sy'n mynd â'r goron,
Teimlad byw sy'n cario'r dydd.
Hed athrawieth, ffy athrawieth,
Cyfyd fel y tarth i ffwrdd,
Ond bydd hynny 'da ni'n sicir
Os bydd gra'n ar lofft tŷ cwrdd.[63]

Cerdd debyg yw 'Gwrando'r Bregeth'. Nid yn y capel wrth wrando ar y pregethwr yn traddodi ei bregeth y daw'r llefarwr yn y gerdd i wir gymundeb â gras ac aberth Crist, ond trwy edrych ar fyd natur drwy'r ffenest:

Trwy ffenest fach y capel
 Rwy'n gweld Ei Ras ar daen;
Rwy'n gweled Coron Cariad
 Yng ngwynder blodau'r draen,
A Duw yn hongian ar y pren
 Dan gangau'r onnen Sbaen.[64]

Cerddi sy'n collfarnu crefydd gyfundrefnol yw'r rhain, ac fel yr oedd y ddarlithfa yn cyfyngu ar ddychymyg myfyrwyr yn Aberystwyth gynt, yn ôl 'Myfyriwr yn Cael Gras a Gwirionedd', y mae'r capel yn cyfyngu ar ddychymyg yn 'Gwrando'r Bregeth'. Mae pregeth a darlith yn lladd y peth byw.

Ceir hefyd gerddi tyner a dwys am blant a byd plant yn 'Canu trwy'r Cwlwm'. Soniodd Waldo am 'Gainc ei Gariad at Blant' yn 'Dameg Arall at y Lleill', a cheir dwy gerdd sydd nid yn unig yn dangos hoffter yr athro ifanc o blant ond sydd ar yr un pryd yn cyfleu ei dosturi tuag atynt wrth feddwl y bydd yn rhaid iddynt ffarwelio â phlentyndod a throi'n oedolion un dydd. Ac unwaith y trônt yn oedolion, yn ôl y gyntaf o'r ddwy gerdd, 'Chware Plant', bydd '[c]ydio a thynnu' naturiol eu chwarae yn troi'n gydio a thynnu mwy bygythiol o lawer:

Euthum allan pwy fore i'w gweled
 Yn chwarae trwy'r hanner-dydd-bach,
Crwts a rhocesi Doleled
 Yn chwerthin a champo yn iach.

Yr oedd Ffwtid a Phêl-a-chapanau
 A Chip wedi cwympo o'u bri,
A'r un peth ar ôl a'u diddanai
 Oedd Cwt-cwt-wrth-fy-nghwt-i.

Mae Tomi ac Enid Awelfa
 Yn codi eu breichiau'n fwâu,
A'r olaf o'r gwt yn y ddalfa
 Yn dewis 'pwy afal' o'r ddau.

'P'un sy ore, ci bach neu wên swci?'
 ('Wel, pwy ochor s'da Tomi Tŷ-rhos?')
'A'r hen Ladi Wen, 'te, neu'r Bwci
 Sy waethaf i'w gwrdd erbyn nos?'

'Ar ôl i ti dyfu' – fel hynny
 Daw pwnc ar ôl pwnc yn ddi-ball,
A'u setlo wrth gydio a thynnu,
 Nes cario'r naill blaid ar y llall.[65]

Dilëwyd yr ail gerdd o'r ddwy gan Waldo, ac ni roddwyd teitl iddi
ychwaith. Bellach, rhaid adfer y gerdd honno, oherwydd y mae'n un o gerddi
tyneraf a dwysaf 'Canu trwy'r Cwlwm':

Do, do, buom ninnau yn tynnu,
 A'n ffwdan 'run ffunud mor ffôl.
Faint gwell wyf i nawr na phryd hynny,
 Dros hanner can mlynedd yn ôl?

Mae lliwiau y wawr wedi pylu
 A'i gwlith wedi'i ddifa o fod;
Mae'r wybyr oedd las yn cymylu,
 Mae'n duo – mae'r storom yn dod.

Mae'r niwl yn crynhoi ac rwy'n methu
 Â gweld yr hen lwybyr yn glir;
Mae'r Llaw fu'n fy nal yn fy llethu;
 Rwy'n barod i gyrraedd Pen Tir.

Ond O! mae eu miri wrth dynnu'n
 Dwyn ias na ddaeth drosof yrhawg.
Tonc eto! cyn torri y llinyn,
 Llwnc eto! cyn torri y cawg.

Mi glywaf eu lleisiau ymchwyddol
 Yn datsain fel utgorn trwy 'mryd.
Ailunaf ym mrwydyr dragwyddol
 Y Plant yn erbyn y Byd.[66]

Cerdd drist a hiraethus yw'r gerdd ddi-deitl hon, ond nid hiraeth am blentyndod yn unig a geir ynddi, ond hiraeth am blentyn yn ogystal, ac yn bennaf, efallai. Y mae'r traethydd yn y gerdd bellach yn dechrau tynnu ymlaen, ac mae'n dwyn i gof ddyddiau ei blentyndod wrth weld plant yn chwarae. Ond mae bywyd wedi colli ei ias a'i flas iddo. Mae lliwiau'r wawr wedi pylu, y gwlith wedi diflannu, yr wybren las wedi cymylu a duo. Cyfleu y mae Waldo yma yr hiraeth a deimlai am ei chwaer Morvydd wedi iddi farw ym mis Mawrth 1915. Mae'r llinell 'Mae'r wybyr oedd las yn cymylu' yn dwyn i gof linellau y byddai Waldo yn eu llunio yn y dyfodol, wrth iddo sôn am eneth ifanc arall (fel y tybiai ef ar y pryd), 'Dyfnach yno oedd yr wybren eang,/Glasach ei glas oherwydd hon', ond gan fynegi eto, yn guddiedig, ei hiraeth am Morvydd.[67] Yn yr un modd, mae'r ddwy linell 'Mae'r niwl yn crynhoi ac rwy'n methu/Â gweld yr hen lwybyr yn glir' eto yn rhagfynegi ymdeimlad y byddai'n ei gyfleu mewn cerdd arall yn y dyfodol, 'Cwmwl Haf', cerdd am blentyn yn colli pob sicrwydd a diogelwch a oedd ganddo wrth i'r niwl ddileu pob golygfa gyfarwydd iddo a chuddio'r ffordd yn ôl i'w gartref. Mynegiant cynharach i'r ymdeimlad o ofn ac ansicrwydd a geir yn 'Cwmwl Haf' sydd yn y gerdd ddi-deitl. Er bod y llefarydd yn y gerdd yn ddi-hid o'i blentyndod bellach, mae clywed swˆn plant yn chwarae yn dod â chyffro ei blentyndod yntau yn ôl am eiliad, cyn torri'r llinyn a chyn torri'r cawg, hynny yw, cyn i fywyd ddod i ben ('Cyn torri y llinyn arian, a chyn torri y cawg aur ...', Ecclesiastes 12:6). Efallai mai dileu'r gerdd a wnaeth Waldo oherwydd ei bod yn rhy bersonol o drist.

Ac, wrth gwrs, mae llawer o gerddi ysgafn, doniol a dychanol yn 'Canu trwy'r Cwlwm'. Un o'r rheini yw 'Y Darten Fale', cerdd hwyliog, yn sicr, ond cerdd sydd hefyd yn dychanu diwinyddion sydd wastad yn athrawiaethu ac yn athronyddu am bynciau fel y Pechod Gwreiddiol a Chwymp dyn yng Ngardd Eden. Â'i dafod yn ei foch, diolch a wna Waldo fod y fath beth ag afal wedi cael ei greu – Cwymp neu beidio – i wneud tarten afalau:

Mae rhai yn beio'r hen Fenyw,
 Mae rhai yn beio'r hen Foi,
Am fod rhaid i ddyn weithio a gweithio
 Heb fowr o ŵyl na hoi.
Trwy chwys y bwytâf fy mara,
 Ond cofiaf, pan fyddaf mewn stwmp,
Na buase dim tarten fale
 Oni bai am y Cw'mp.

Pregethed y cenhadon
 Nes eu bod nhw'n ddu ac yn las,
A cheisied y diwinyddion
 I droi'r tu mewn tu ma's.
Os sonnir am Bechod Gwreiddiol
 Yr wyf innau yn gofyn yn blwmp:
'Beth am y darten fale
 Oni bai am y Cw'mp?'

Mae'r diwygwyr cymdeithasol
 Yn gweld bod y cyfan mewn cawl:
Mae rhai yn beio cyfalaf,
 Mae rhai yn beio'r Diawl.
Os bydd rhywun yn beio'r hen Arddwr,
 Dywedaf inne: 'Ynghrwmp!
Cofia'r hen darten fale,
 Paid beio'r Cw'mp.'

Ond mae amser gwell i ddyfod –
 Fe ddaw'r cenhedloedd i gyd
I fyw mewn tangnefedd am oesau
 Heb y ffwdan o baratoi ffid.
Ni bydd neb yn bwyta o gwbl
 'Rôl clywed llef y trwmp.
Gwell 'da fi'r darten fale,
 A'r Cw'mp.[68]

Nid y cerddi llawysgrif hyn, cerddi 'Canu trwy'r Cwlwm' neu 'Odlau Idwaldo', yw'r unig gasgliad o gerddi cynnar Waldo i oroesi. Cadwodd ei chwaer, Dilys, lyfryn bach arall sy'n llawn o gerddi gan Waldo yn ei lawysgrifen ei hun, ac ysgrifennodd 'Canu Cynnar Waldo' yn fras ar gefn y llyfr. Ceir yn y llyfr gyfres o dair soned â'r teitl 'Hiraeth', yna ceir pedair cerdd ar yr un mesur, 'Yr Hen Le', 'Efe', 'Ei Hiraeth Ef' ac 'Er ei Fwyn', ond mae'n amlwg mai pedair cerdd sy'n rhan o un cyfanwaith, o un gerdd hir, yw'r rhain. Ac i gloi, ceir cerdd arall ar fesur gwahanol, 'Y Duw Unig', a oedd ar un adeg yn rhan o bryddest neu gerdd hir o'r enw 'Unigrwydd'.

Sonedau yn y cywair rhamantaidd yw'r tair soned. Dyma'r ddwy gyntaf:

> Harddwch, tydi oedd cariad cynta'r byd.
> Un waith am byth cusenaist ef – a gw[ê]l,
> Byth nid â dros ei gof dy gusan m[ê]l,
> A byth ni ddeffry'n llwyr o'r llewyg hud.
> Trwy'r dydd a'r hwyr a'r nos a'r borau glas
> Rhed hen feddylia[u]'r ddaear ar dy [ô]l,
> A ch[â]n aderyn du o goed y dd[ô]l
> Ac wyneb merch a ddywed am dy ras.
> Ond, Harddwch, pa le'r aethost ti dy hun?
> O tyrd yn [ô]l, yn nes, fel na bo raid
> I'r boen sy'n chwyddo'r galon yn ddibaid
> A'r gwynfyd gwyllt sy'n llosgi llygaid dyn.
> O plyg dy ben i lawr i'n byd o'th nef –
> Na, na, un waith am byth cusenaist ef.

> Unwaith am byth ... ac eto cwyd gobeithion
> I donni trwy galonnau yn ddibaid
> Pan ddeffry hiraeth cenedlaethau meithion
> Sy'n gwasgu at eu rhyddid dan eu rhaid.
> Bu iddynt ardd, a'i ffrwyth a'i gyrrodd gynt
> Allan ohoni, ond er crwydro'n ff[ô]l
> Daw siffrwd y canghennau hyd y gwynt,
> Daw arogl y blodau ar eu h[ô]l.
> Harddwch a fydd. Harddwch erioed a fu
> Cyn codi'n hyf lumanau'r da a'r drwg,
> Harddwch a saif un llywydd ar un llu
> Pan dawo'r megnyl a phan ddarffo'r mwg.

Hiraeth yw harddwch wedi mynd ymhell.
Ddaw hiraeth eto'n [ô]l i'r harddwch gwell?[69]

Cerdd storïol o bedair cerdd unigol yw'r gerdd hir, ac y mae'n adrodd hanes Cymro ifanc sy'n gadael ei gartref a'i gynefin, yn ymuno â'r fyddin ac yn croesi'r môr i ymladd ar ran Prydain yn Ail Ryfel De Affrica, neu Ryfel y Boeriaid. Roedd tad Waldo wedi taranu yn erbyn rhan Prydain yn Rhyfel y Boeriaid yn *Y Piwritan Newydd*, a rhaid bod Edwal, Gwilamus ac Angharad wedi trafod llawer ar y rhyfel hwnnw ar aelwyd Elm Cottage, a Waldo'n gwrando. Ac, yn sicr, y mae dylanwad rhai o gerddi Thomas Hardy am Ryfel De Affrica ar y gerdd, 'Drummer Hodge' yn enwedig.

Yn y gerdd gyntaf, 'Yr Hen Le', y mae'r traethydd yn myfyrio ar hen dŷ sydd bellach yn adfail. Mae'r tŷ hwn wedi cydio yn ei ddychymyg a chodi hiraeth arno am y bywyd a fu unwaith ynddo, er na welodd mo'r tŷ hwn erioed cyn iddo droi'n furddun:

Mi wn am le a ddeil bob lle trwy 'myd,
Mi wn am lwyn na syrth ei ddail o'm co'.
Mi wn am bethau nad adnabu'r byd
Ar daen trwy'r llwyn, a than fy mron dan glo.
Bydd lonydd, hiraeth dwys, bydd dawel dro;
Yn dy dawelwch cynnal fi tra canaf
A lledrith lle a llwyn yn tonni'n llawn amdanaf.[70]

Mae'r ardd hefyd yn anialwch, gan fod y rhai a fu unwaith yn ei thrin wedi hen ymadael:

Fe syrthia'r haf i'r adfail fel perlewyg
Ym mreichiau tyner diflanedig oes.
Peidiodd yr ardd [â] disgwyl amgen diwyg
Na'r galon waedlyd ronc. Fe ddarfu'r loes,
Ac ni wna mwy ond cofio'r rhai a roes
Brydferthwch eu calonnau yn y pamau
A chan mor bell eu dydd, mae weithiau'n hanner amau.[71]

Bellach mae natur wedi hawlio'r tŷ a'r ardd:

Daw yno yn ei dro aeddfedrwydd Hydref
Pan fyddo'r dail mieri'n waetrudd lu
A distaw lais yn galw: 'Adref, adref,
Harddwch a fynn [*sic*] bob harddwch ar a fu';
Pan fyddo'r mwsogl ar feini'r t[ŷ]
Yn wlyb, yn berlog dan y manlaw mwyn
A'i ddagrau araf, mawr o dan ganghennau'r llwyn.[72]

Mae'r bardd fel pe bai'n cofio'r hen le, y tŷ a'r ardd, trwy ei ddychymyg, trwy ymuniaethu â'r lle, trwy ymglywed â'r gorffennol:

Hen le, ni'th welais yn y dyddiau gwell
Ond cyfyd ynof ddychweledig gof
Am hen diriondeb dy flynyddoedd pell.[73]

Ac yn y gerdd hon ceir y syniad o adar fel 'chwibanwyr', fel y 'chwibanwyr gloywbib'[74] a 'cynefin chwibanwyr'[75] mewn cerddi y byddai'n eu llunio yn y dyfodol:

Cenwch nes daw'r chwibanwyr uwch y gweunydd
I weiddi 'Rhyddid' i galonnau'r byd;
A'r colomennod mwyn i'w hateb beunydd
Gan drydar 'Heddwch' o'r cysgodlwyn clyd.
'Heddwch' a 'Rhyddid' – clywch, o hyd ... o hyd,
A'u hymdrech yn dirdynnu calon dyn
Nes delo'r ddau i ganu 'Hiraeth' yn gyt[û]n.[76]

'Efe' yw'r ail gerdd, a'r 'efe' hwn yw'r arwr, y prif gymeriad. Eir yn ôl at 'y dyddiau gwell' yn y gerdd hon:

Ac yma yn y dyddiau gwell fe'i ganed
A'r bwthyn bach yn glyd o dan ei do,
A'i furiau clom yn llathru gan eu glaned
Dan galchiad mynych crefftwr gorau'r fro.
Yma o hyd yr oedd ei gyntaf co'
Dan geinciau'r hen afallen fawr fwsoglyd
A grymai dan ei llwyth gan wegian yn ddioglyd.[77]

Y mae perthynas gyfrin rhyngddo a'i fro, cwlwm tyn o adnabyddiaeth rhwng dyn a'i gynefin:

> Ac yma yn yr haul a'r gwynt a'r glaw
> Trwy hen flynyddoedd eang ieuanc oed
> Y tyfodd ef, gan wrando ar bob llaw
> Gyfrinach brig y brwyn a'r ceinciau coed.
> Clindarddai'r eithin crin o dan ei droed,
> Chwibanu'r dyfrgwn gyda'r hwyr a glybu,
> Cynhefin cadno coch ac eog las a wybu.[78]

Un hwyr o Sul clyw swˆn emyn yn nofio tuag ato, gan ei atgoffa mai pererin yw dyn ar y ddaear, ond ni fyn yr 'efe' adael y ddaear hon, yr 'anial dir'. Ei gynefin ar y ddaear yw ei gartref, nid unrhyw nefoedd yn y byd a ddaw, a bu'n rhan o'r cynefin hwnnw oddi ar y dechreuad:

> Yma un hwyr o Saboth hir i'w gofio
> Torrodd penllanw'r lle i'w galon ir ...
> 'Roedd atsain canu'r oedfa trwyddo'n nofio
> Am 'bererinion yn yr anial dir' ...
> Dros noethni'r waun goleuai'r lleuad glir.
> I'r grugog lawr ymdaflodd ar ei hyd
> 'Na! dyma nghartref i,' eb ef, 'ers cyn creu'r byd'.[79]

Pan oedd yn ifanc, ni lwyddodd byd y glöwr i'w ddenu, ond, yn hytrach, 'dysgodd grefft yr arddwr, fedr y towr/Osgo'r medelwr ar y fferm gerllaw'.[80] Yna, mae'n ymserchu mewn merch leol, ond cyn iddo gael siawns i'w phriodi y mae'n clywed swˆn cyffro ac antur yn y gwynt, a geilw mewn tafarn ar ei ffordd o'r ffair un prynhawn:

> Cyn dychwel adref ar brynhawn o ffair
> Cwrddodd [â] thynged yn nhafarndy'r dre.
> Dengared oedd ei wedd. Mor deg ei air,
> Agored oedd ei law i bawb trwy'r lle.
> 'Yf eto ... iechyd' ... Haeled ydoedd e
> Rhwng s[ô]n am foroedd glas a thiroedd llydain
> Lle chwifiai'r lluman balch uwch antur milwyr Prydain.[81]

Yn y drydedd gerdd, 'Ei Hiraeth Ef', mae'r llanc yn gwisgo lifrai'r Frenhines ac mae wedi croesi tir a môr i gyrraedd De Affrica. Bellach mae'n hiraethu am ei gartref, ac ef ei hun sy'n llefaru:

> Mae blodau'r eithin heddiw hyd y feidir
> Ac anadl y gwanwyn ydyw'r gwynt;
> Daw'r gog a'r wennol adref o'u deheudir
> Yn rhydd dan hen gaethiwed oesol hynt.
> Minnau yn gaeth i'r rhyddid geisiais gynt.
> Cenwch, ehedwch adar hyd fy mro,
> Mewn cawell anwel wyf ac Amser piau'r clo.[82]

Ceir yn y gerdd gynnar hon un pennill sy'n rhagfynegi llawer iawn o gerddi'r dyfodol, yn ogystal â theitl ei unig gyfrol gyhoeddedig o farddoniaeth. Roedd Waldo wedi ffurfio ei athroniaeth ynghylch brawdoliaeth dyn yn gynnar iawn yn ei fywyd:

> Mae gwanwyn yn y gwynt, a dyna'r dail
> Yn mentro'n [ôl] eu trefn yn ddi[-]wahardd
> I'r ysgaw mân yn gyntaf, ac yn ail
> I berth y ddraenen wen o gylch yr ardd.
> A maes o law hyd frig yr onnen hardd.
> Dail i iacháu cenhedloedd dynol[-]ryw!
> Ond mi ni ddeiliaf mwy – rhy hir fy ngaeaf gwyw.[83]

Yn ei alltudiaeth mae'n meddwl am ei rieni yn trin yr ardd ac yn cyd-heneiddio, ac yntau, eu mab, ymhell bell dros donnau'r môr:

> Mae gwanwyn yn y gwynt, ond yn eu clonnau
> Pan gofiont am eu mab mae gaeaf mwy
> Tra gwynno'r ddau ben annwyl – plant y tonnau –
> Dynerwch, bydd yn dyner wrthynt hwy;
> A dyro iddynt falm a leddfa'r clwy.
> Na chaem ryw hafan dawel yn gyt[û]n
> Pan dawdd fy hiraeth i a'u hiraeth hwy yn un.[84]

A hiraeth sy'n gyrru popeth ymlaen:

O f[ô]r, O fyd, O s[ê]r aneiri'r nos
Sy'n troi yn nhragwyddoldeb eu gwagleoedd!
Ai'r fraich a'm taflodd o'm cynhefin ros
A'u ceidw hwythau'n union yn eu lleoedd?
Tynged ... hen luniwr ein hanorfod weoedd ...
Ai hiraeth am a fu cyn codi o'r tir
A'th geidw i wthio, fôr, ar hyd ei lannau hir?

Chwi'r s[ê]r, ai hiraeth piau eich cyflymdra,
Ai adlais a'ch caethiwodd ar eich hynt
Pan ddaethoch yn eich amlder o'r diddymdra
A phan gydganodd s[ê]r y borau gynt?
Ai ysbryd hiraeth ydwyt tithau, wynt,
Yn chwilio'r eangderau hyd ei blaned
Am rywbeth aeth ar goll am byth y dydd y'i ganed?[85]

'Er ei Fwyn' yw'r gerdd olaf o'r pedair. Bellach mae'r milwr ifanc o Gymro wedi ei ladd, ac ni chaiff ddychwelyd i'w gartref byth. Fe'i claddwyd mewn lle estron:

Mwyach nid yw. Fe'i hawliodd y deheufyd
A chwsg yr arddwr lle ni fentrodd swch,
Lleuad fawr felen y Karôo a gyfyd
I wylio'r unigeddau sydd [â]'i lwch
A thrwy'r iselbrysg pigog drosto'n drwch
Fe g[â]n y gwynt afradlon ddydd a nos
Megis rhwng eithin m[â]n ei enedigol ros.[86]

Amlwg yw'r ddyled i 'Drummer Hodge', Hardy:

Young Hodge the drummer never knew –
Fresh from his Wessex home –
The meaning of the broad Karoo,
The Bush, the dusty loam,
And why uprose to nightly view
Strange stars amid the gloam.

Prometheus yw'r duw yn y gerdd 'Y Duw Unig', a'r tro hwn, *Prometheus*

Unbound Shelley yw'r prif ddylanwad. Ysbryd rhyddid a chyfiawnder yw Prometheus yng ngherdd Waldo, a heriwr pob awdurdod. Nid yw Prometheus mwyach ar ei ben ei hun. Y mae eraill sy'n barod i ymuno ag ef yn ei frwydr yn erbyn gorthrymder ac anghyfiawnder:

> Mae gwresoedd difancoll yr wybyr
> Yn cynneu fel fflam yn ein gwaed,
> Mae'r s[ê]r wrth arafu ar eu llwybyr
> Yn cyflymu, cyflymu ein traed,
> A gw[ae]ddwn Promethiws, Promethiws
> Paid ildio i Dreisiwr y Rhod –
> Caethiwed yn marw Promethiws –
> Rhyddid yn dod,
>
> Dros gyrff ymerhodron ein tadau
> Gan lamu adfeilion eu trefn,
> Gan rwygo baneri'u croesgadau
> A'u taflu i'r gwynt dros ein cefn,
> Gan gwympo dros wisg eu systemau
> Ag ystlys a morddwyd dan staen –
> Gan ddiosg y porffor a'r gemau,
> A cherdded ymlaen.[87]

Wrth i'r 1930au anghenus a gwleidyddol-gythryblus wawrio, roedd Waldo yn parhau i ganu yn y cywair ysgafn. Cadwodd gysylltiad â chylchgrawn myfyrwyr Coleg Prifysgol Cymru, Aberystwyth, trwy gyfrannu parodi ar awdl enwog T. Gwynn Jones, 'Ymadawiad Arthur', iddo. Cyhoeddwyd 'Ymadawiad Cwrcath' yn rhifyn Gŵyl Fihangel 1930 o *The Dragon*. Yna, ym mis Tachwedd 1930 ymddangosodd cylchgrawn newydd sbon yn y Gymraeg, *Y Ford Gron*, dan olygyddiaeth J. T. Jones (John Eilian). Nod y golygydd oedd cyhoeddi cylchgrawn eang ei apêl yn y Gymraeg, ac er nad cylchgrawn llenyddol mohono mewn unrhyw ffordd, roedd lle ynddo i straeon byrion, ysgrifau ar lenyddiaeth a cherddi ysgafn, ac nid ysgafn yn unig ychwaith.

Dechreuodd Waldo gyfrannu cerddi ysgafn i'r cylchgrawn newydd ar unwaith. Cyfrannodd bedair cerdd ysgafn i'r rhifyn cyntaf. Am y tair blynedd i ddod, byddai'n un o gyfranwyr mwyaf cyson *Y Ford Gron*, hyd at 1933, rhyw ddwy flynedd a hanner cyn i'r cylchgrawn ddod i ben. Cerdd fer ffraeth a oedd yn chwarae ar eiriau oedd un o'r cerddi a gyhoeddwyd yn y rhifyn cyntaf o'r cylchgrawn, 'Wrth Helpu i Gario Piano':

> 'Rwyf yma o dan bwys piano,
> Offeryn cerdd yw'r gair amdano,
> A byddai byw yn llai o glefyd
> Pe bai'n offeryn cerdded hefyd.[88]

Un arall o gerddi'r rhifyn cyntaf hwnnw o'r *Ford Gron* oedd cerdd fechan yn dwyn y teitl 'Mowth-organ':

> Rho donc ar yr hen fowth-organ –
> 'Bugeilio'r Gwenith Gwyn',
> 'Harlech', neu 'Gapten Morgan',
> Neu'r 'Bwthyn ar y Bryn'.
>
> 'Dwy'-i ddim yn gerddor o gwbwl,
> Ond carwn dy weld yn awr,
> Dy ddwylo yn cwato'r rhes ddwbwl,
> A'th sawdl yn curo'r llawr.
>
> A'r nodau'n distewi yn araf,
> Neu'n dilyn ei gilydd yn sionc –
> Rhyw hen dôn syml a garaf;
> Mae'r nos yn dawel. Rho donc.[89]

Mewn gwirionedd, cerdd i'w gyfaill W. R. Evans oedd 'Mowth-organ'. Roedd W. R. Evans yn gryn feistr ar yr offeryn hwnnw. Er ei fod yn iau na Waldo o ryw chwe blynedd, erbyn diwedd y 1920au roedd y ddau yn gyfeillion agos iawn. Roedd gan W. R. Evans gof byw am y cyfnod hwnnw:

> Cyn i mi ddechrau'r ysgol ym Mynachlog-ddu, yr oedd y teulu wedi symud
> i Frynconin, Llandysilio. Aeth Waldo i Ysgol Ramadeg Arberth yn ei dro ...
> Euthum innau, yn fy nhro, i Ysgol Ramadeg Aberteifi ('roedd yna ddewis rhwng
> Arberth ac Aberteifi i blant Mynachlog-ddu) ac ni chefais lawer o gyfathrach â
> Waldo na'i deulu nes imi gyrraedd oed coleg. Yna yr oedd rhyw drindod ohonom
> yn ymddiddori mewn barddoni ac eisteddfota, sef Waldo, y diweddar Llwyd

Williams a minnau. Arferem ddarllen ein pryddestau i'n gilydd cyn eu danfon i'r Eisteddfod, a chael hwyl anghyffredin ar wrando ar y feirniadaeth, heb unrhyw fath o genfigen at ein gilydd; colli, gan amlaf, a llunio rhyw rigymau mentrus iawn wrth gyfarch y bardd buddugol. Rywbryd yn ystod y cyfnod hwn fe ddaeth 'Elm Cottage' yn Llandysilio, sef cartref Waldo, yn ganolfan i ni. Ar waetha'i enw Saesneg, fe ddylai 'Elm Cottage' gael lle amlwg yn hanes Waldo. Yno y cyfarfûm i â'i dad a'i fam, 'tangnefeddwyr, plant i Dduw'. Cartre tawel, cynnes, a diffwdan oedd 'Elm Cottage'. Yr oedd Llandysilio braidd yn bell i mi ar gefn fy meic, ond yn ffodus iawn yr oedd gan Llwyd gar-tair-olwyn o'r enw Morgan a ddaeth â'r tri ohonom at ein gilydd yn amlach.[90]

Tua'r flwyddyn 1928, felly, y dechreuodd W. R. Evans gyfeillachu'n amlach â Waldo a'i deulu, a cheir fersiwn o'r gerdd 'Mowth-organ', dan y teitl 'Rondo', yn 'Canu trwy'r Cwlwm'. Gan mai ym 1929, mwy na thebyg, a 1930 fan bellaf, y casglwyd cerddi 'Canu trwy'r Cwlwm' ynghyd, lluniwyd 'Mowth-organ' felly ym 1928 neu 1929.

Yn ystod y cyfnod hwn o gydfarddoni rhwng y tri y lluniodd Waldo un o'i gerddi mwyaf poblogaidd, 'Cofio'. Dyma gerdd orau ei gyfnod cynharaf fel bardd, sef cyfnod y cerddi rhydd ysgafn a'r cerddi telynegol mwy dwys. Ffrwyth anuniongyrchol y cydgystadlu hwn rhwng y tri chyfaill oedd 'Cofio', fel y dywedodd Waldo ei hun mewn sgwrs â T. Llew Jones:

'A fo ben bid bont' oedd y testun am y gader yn Eisteddfod Clunderwen un flwyddyn. Ac mi holodd Wil – W.R., Wil Glynsaithmaen, neu Llwyd, 'wy ddim yn cofio p'un o nhw nawr – ofynnon nhw i fi gystadlu oblegid hwy ill dau oedd yr unig rai oedd wedi cyrraedd yr ysgrifennydd. Beth bynnag, ychydig o ddiwrnodau oedd gyda fi cyn amser cau. Fues ar 'y ngore yn sgrifennu, a beth 'nes i oedd rhoi stori Branwen ar y mesur tri-thrawiad, ond erbyn gorffen, down i ddim yn teimlo 'mod i wedi dweud popeth ro'n i am 'i ddweud. Roedd y felin yn mynd 'mlân i falu beth bynnag, a dim byd 'da fi i roi mewn. Ac mi ddaeth y gân hon yn sydyn iawn. Ro'n i i lawr ar ffarm fy nghyfaill Wili Jenkins, Hoplas, ac roedd yr haul yn mynd i lawr yn y gorllewin, neu yn agos i fynd i lawr; cofio mai torri erfin ro'n i – fan 'ny ddechreues i. 'Wnes i'r pennill cynta a mynd i swper, ac mi ddâth y gweddill yn gyflym iawn.[91]

Cyhoeddwyd 'Cofio' yn rhifyn mis Medi 1931 o'r *Ford Gron*:

Un funud fwyn cyn elo'r haul o'r wybren,
 Un funud fach cyn delo'r hwyr i'w hynt,
I gofio am y pethau anghofiedig
 Ar goll yn awr yn llwch yr amser gynt.

Fel ewyn ton a dyr ar draethell unig,
 Fel cân y gwynt lle nid oes glust a glyw,
Mi wn eu bod yn galw'n ofer arnom –
 Hen bethau anghofiedig dynol-ryw.

Camp a chelfyddyd y cenhedloedd cynnar,
 Anheddau bychain a neuaddau mawr,
Y chwedlau cain a chwalwyd ers canrifoedd,
 Y duwiau na ŵyr neb amdanyn nawr.

A geiriau bach hen ieithoedd diflanedig,
 Hoyw yng ngenau dynion oeddyn hwy,
A thlws i'r glust ym mharabl plant bychain,
 Ond tafod neb ni eilw arnyn mwy.

O, genedlaethau dirifedi daear,
 A'u breuddwyd dwyfol a'u dwyfoldeb brau,
A erys ond tawelwch i'r calonnau
 Fu gynt yn llawenychu a thristáu?

Mynych ym mrig yr hwyr, a mi yn unig,
 Daw hiraeth am eich nabod chi bob un;
A oes a'ch deil o hyd mewn Cof a Chalon,
 Hen bethau anghofiedig teulu dyn?[92]

Er mai cerdd delynegol yw 'Cofio', nid cerdd Sioraidd o delynegol yw hi, fel y rhan fwyaf helaeth o delynegion Cymraeg y cyfnod. Mae 'Cofio' yn ddyfnach na hynny. Ceir yn y gerdd gip cynnar iawn ar ganu 'anthropolegol' Waldo, sef y canu sy'n ymwneud â gwareiddiadau cynnar, cyntefig, llwythau a oedd yn hunangynhaliol ac yn gyd-ddibynnol, ac oherwydd eu bod yn gyd-ddibynnol ac yn trin y ddaear gyda'i gilydd heb unrhyw ymyrraeth o du neb arall, roedd y cymdeithasau cyntefig hyn yn gymdeithasau heddychlon yn ogystal yn nhyb Waldo. Daeth 'Cofio' yn gerdd boblogaidd o'r eiliad y cyhoeddwyd hi. Yr oedd iddi rin arbennig, yn sicr, yr oedd iddi naws ac awyrgylch hiraethus-ddwys, a gwir bryder am ddyfodol y Gymraeg. Ar ddiwylliant ac ar yr elfen greadigol ym mywydau'r bobloedd cyntefig hyn y mae'r pwyslais: 'Camp a chelfyddyd', chwedlau a geiriau. Pan dderfydd iaith, derfydd gwareiddiad. Gan i'r cenhedloedd diflanedig hyn adael bwlch ar eu hôl ar y ddaear, crëwyd unigrwydd a gwacter. Mae llawer i beth 'ar goll' yn y cread. Mae'r ymdeimlad hwn o unigrwydd yn cyniwair drwy'r gerdd: 'Fel ewyn ton a dyr ar draethell unig,/ Fel cân y gwynt lle nid oes glust a glyw'; 'a mi yn unig'.

Ym 1931, yn ogystal â chyhoeddi 'Cofio' yn *Y Ford Gron*, cyhoeddodd Waldo nifer o gerddi eraill hefyd, a sawl ysgrif a stori yn ogystal. Ym mis Ionawr, cyhoeddwyd cerdd arall a oedd i ddod yn hynod o boblogaidd, 'Menywod'. Yn yr un rhifyn ac ar yr un dudalen, cyhoeddwyd ei ysgrif 'Hiwmor yr Ysgol Sul'. Yn wir, blwyddyn hynod o greadigol oedd 1931 i Waldo. Ymddangosodd ysgrif arall ganddo yn rhifyn mis Chwefror o'r *Ford Gron*, 'Bargen i Bawb o Bobl y Byd', sef ysgrif ddoniol am ei ymdrechion ofer i geisio gwerthu ei feic modur. Y mae sosialaeth a sirgarwch Waldo yn treiddio trwy'r darn. 'Gwn na allwn wneud cyfiawnder ag ef ond ar dudalen cyntaf y *Daily Mail*, a phan ystyriaf y gost o adferteisio yn y fan honno, cofiaf fy mod yn sosialist, ac na ddylwn, ar egwyddor, ymwneud dim â'r *Daily Mail*,' meddai.[93] Roedd Waldo wedi dod i adnabod y bardd telynegol Wil Ifan, brawd Siân, priod ei gyfaill D. J. Williams, erbyn hyn. Er ei fod am ei werthu, roedd Waldo yn hoff o'i feic, oherwydd bod llaid o Sir Benfro arno. 'Mae'n cydfynd â'i gefndir,' meddai, ac oherwydd bod 'cymaint o laid ar y ddau fwd-gard', gallai ddychmygu Wil Ifan yn dweud wrtho'i hun: 'This is a bit of Pembrokeshire,/Let me buy it as soon as I can.'[94] Yn yr un rhifyn o'r *Ford Gron*, cyhoeddwyd llythyr gan Idwal Jones ac ynddo 'Ragor o Chwerthin yr Ysgol Sul'.

Wil Ifan oedd cyfieithydd cyntaf Waldo. Yn rhifyn mis Mawrth 1931 o'r *Ford Gron*, ymddangosodd cerdd arall gan Waldo, 'Soned i Bedlar':

> Fe'i collais ef o'r ffordd, a chlywais wedyn
> Fod Ifan wedi cyrraedd pen y daith
> Fel arfer, – heb ddim ffwdan anghyffredin,
> 'Rôl brwydro storom fawr a'i grys yn llaith.

Ydy' e'n hwtran perlau ar angylion
 Ac yn eistedd yn y dafarn yn ddi-glwy
Wedi galw chwart o gwrw'r anfarwolion,
 Cyn troi i mewn i'r "ysguboriau mwy"?

Wel, 'wn-i ddim. Nid oedd yn neb yn Seion;
 Ymddiried ffôl oedd ynddo'n fwy na'r Ffydd;
A chlyw-wyd ef yn gweud yn y Red Leion,
 "'Run lliw â'r lleill yw gwawr y Seithfed Dydd";
A hefyd, 'doedd dim dal ar ei gareion
 Ac 'roedd ei stwds yn si[ŵ]r o ddod yn rhydd.[95]

Roedd Waldo bellach yn dechrau dod yn enw adnabyddus yn y Gymru Gymraeg. Cyfieithodd Wil Ifan 'Soned i Bedlar' i'r Saesneg, ac fe'i cyhoeddwyd yn rhifyn Mai 1932 o *The Welsh Outlook*. Fel hyn y cyflwynwyd Waldo i ddarllenwyr y cylchgrawn gan Wil Ifan:

Waldo is a new name in Welsh verse. We have already had two Waldo divines, both mighty pulpiteers; but this new Waldo does not preach. He is a young graduate who finds that farm labouring and wandering about the lanes of Abergwaun is much more congenial than handing on his book-knowledge to an un-eager generation. We who sit round "Y Ford Gron" have seen that he can tell a good story steeped in stuff not of this earth, and yet as remote as possible from the sound fairy tale that children are supposed to revel in. His solemn inside finds relief in concocting impossible limericks and parodies. The Abergwaun Waldo is himself more Waldos than one, but we feel that most of them meet together in this sonnet to the Pedlar.[96]

A dyma'i gyfieithiad o 'Soned i Bedlar', 'Ifan, The Pedlar':

I lost him from the road and now 'tis rumoured
 That Ifan's rounds are done: his sun is set;
He reached the end untended and unhumoured,
 Fighting the tempest with his old shirt wet.
Is he now hawking pearls at angels' portals,
 And sitting at the inn he could not miss,
Calling a quart brewed for the white immortals,
 Then turning in at night to barns of bliss?

Well, I don't know. He did not count in Zion;
  A foolish trust was all that he professed;
And he was heard to say in the Red Lion –
  "The seventh day's dawn is coloured like the rest."
Further, his laces no man could rely on,
  And never a stud he sold could stand the test.[97]

Cyhoeddwyd tair stori o eiddo Waldo yn ystod 1931. Ffrwyth cystadleuaeth yn *Y Ford Gron* ei hun oedd un o'r straeon hynny, 'Toili Parcmelyn'. Dyfarnwyd y stori yn fuddugol yn y gystadleuaeth honno, a hynny yn erbyn sawl cystadleuydd gan gynnwys y John Gwilym Jones ifanc ac Elizabeth Watkin-Jones. 'Hyfrydwch i ni ydyw bod cystadleuaeth stori fer Y FORD GRON wedi dwyn cystal ffrwyth â stori "Toili Parcmelyn," o waith Mr. Waldo Williams ... a theimlwn yn sicr nad edmygir y stori hon yn fwy gan neb na chan y cystadleuwyr eraill,' meddai'r cylchgrawn, gan ychwanegu mai fel 'ysgrifennwr digrif y mae Mr. Waldo Williams yn adnabyddus i ddarllenwyr Y FORD GRON hyd yn hyn, ac y mae "Toili Parcmelyn" yn brawf newydd o'r gwirionedd mai'r rhai sy'n medru bod ddigrifaf sy ddwysaf'.[98]

Stori ysbryd yw 'Toili Parcmelyn'. Ar ddechrau'r stori, mae gwraig o'r enw Marged Wallter yn cerdded adref drwy wyll y cyfnos ar ôl iddi dreulio diwrnod yn y dref yn siopa. Wrth iddi gyrraedd bwthyn o'r enw Parcmelyn ar ei ffordd adref, gwêl fod yr 'iet fach a drws y bwthyn ar agor led y pen' a bod 'y ffordd o'i blaen yn ddu gan bobl'.[99] Buan y daw Marged i sylweddoli ei bod yn gweld 'toili', sef argoel y bydd i rywun farw. Wedi iddi weld yr orymdaith yn cychwyn yn araf i lawr trwy ffordd y cwm, a hithau'n gweld 'amlinelliad yr elor yn ddyrchafedig yn erbyn glas hwyrol yr wybren', y mae hi'n penderfynu mynd i weld yr hen wraig sy'n byw ym Mharcmelyn.[100] Syndod i Hanna Parcmelyn yw'r ymweliad hwn gan fod Marged wedi cadw'i phellter ers tro byd. Mae Marged yn ei holi ynghylch ei hwyliau. Er bod yr hen wraig yn ddigon iach ar un wedd, y mae henaint erbyn hyn yn ei blino – 'Bwdlan trwy'r bore a hepian trwy'r prynhawn. Mynd yn Hen. Blino byw.'[101] Awgrymir yn gryf, felly, mai toili Hanna Parcmelyn a welodd Marged Wallter. Ond newidir y cywair ar unwaith. Mae'r hen wraig, er ei bod mewn gwth o oedran, yn llawn bywyd ac yn llawn cyffro, oherwydd mae wedi derbyn gair gan ei mab o forwr, Ifan, i ddweud ei fod ar y ffordd adref. Y diwrnod canlynol, ar ôl noson anesmwyth, mae Marged yn mynd i weld yr hen wraig am yr eildro, gyda'r bwriad o ddweud wrthi am yr hyn a welsai: 'Ei hawl hi yw gwybod a'm lle innau yw gweud.'[102] Ond mae Marged yn methu'n lân â chael cyfle i ddweud wrthi am y toili. Ar ôl iddi ddarllen y bennod olaf o ail epistol Paul at Timotheus i'r hen wraig, a gwrando arni yn hel atgofion, yn sydyn, tra bo Hanna yn cysgu, mae Marged yn dechrau teimlo'n rhyfedd, ac yna mae'n marw. Stori ac iddi dro yn y gynffon yw hon. Ei thoili hi ei hun a welodd Marged, nid toili Hanna. Gan iddi fod mor dda wrth Hanna, a chan mai person unig ydoedd, mae Hanna yn penderfynu gwneud y gymwynas olaf â Marged, sef gadael i'w hangladd gychwyn o'i bwthyn hi: 'Ac felly o Barcmelyn y claddwyd Marged, ac fe'i ducpwyd hi i'r daith olaf ar hyd y ffordd lle y gwelsai hi'r toili'n ymdaith rai diwrnodau cynt.'[103] Ac ar y nodyn eironig yna y daw'r stori i ben.

Stori iasoer yw 'Llety Fforddolion' yn ogystal, ond yn rhifyn Tymor yr Haf o *The Dragon* y cyhoeddwyd hi. Tŷ yng nghanolbarth Dyfed a godwyd ar dir a fu'n wersyllfan i sipsiwn ar un adeg yw Llety Fforddolion. Gadawodd y sipsiwn eu hôl ar y lle – 'rhyw reibiaeth ryfedd, rhyw hud a lledrith annaearol nas ceir lle tramwyo traed dynion cyffredin liw'r dydd'.[104] Adrodd am rywbeth a ddigwyddodd ddwy flynedd ynghynt a wna'r traethydd yn y stori. Gofynnodd teulu Llety Fforddolion iddo a fyddai'n fodlon aros yn y tŷ, cynnau'r tân a chysgu yn y gwlâu tra byddent hwythau oddi cartref ar wythnos o wyliau rhwng y Nadolig a'r Calan.

Ar ei ffordd i aros yn y tŷ, mae'r traethydd yn galw heibio i siop y crydd i gael sgwrs a chlonc. Yna daw Twmi'r Waun, un o ddoethion yr ardal, i'r siop, ac mae'n cyflwyno 'thiori diwetha'r gwyddonwyr' i'r lleill:

'Fel hyn y mae,' meddai gan godi o'r fainc a sefyll i fyny i'n hannerch. 'Mae llif amser yn arafu wrth fyned yn ei flaen ... Yn arafu, arafu o hyd. Hyd nes daw adeg pan beidia amser â llifo o gwbl. Ac wedi sefyll, nid amser a fydd mwyach ond – *dim*.'[105]

Mae Twmi'r Waun hefyd yn cyflwyno'r ddamcaniaeth fod 'mater-sylwedd y bydysawd yn raddol yn ei ddileu ei hun trwy droi yn *cosmic radiation*, ac yn y diwedd nid erys ar ôl ddim o'r ddaear na'r haul na'r planedau na'r sêr'.[106] Mae'r sgyrsiau hyn am ddiwedd y byd yn codi braw ar y traethydd, ac wrth iddo ymlwybro tuag at Lety Fforddolion daw profiad rhyfedd, arswydus i'w ran:

> Crogai'r lleuad yn yr wybren o'm blaen; yr oedd fel yr angau o wyn, ac fel y cerddwn dros y ffordd galed, clywn hi yn siarad â mi yng nghuriadau gwaddnau fy nhraed: 'Aeth fy mywyd i yn – *ddim*. Aeth fy mywyd i yn – *ddim*.' Teimlwn fy hun yn oeri. Yn y fan, tebygwn glywed cyfanfor yr anfod mawr yn golchi o'm cylch. Yr oeddwn yn suddo ynddo. Yn boddi. Mae ei oerni angerddol yn dwyn fy anadl oddi arnaf. Mae ei lefel yn codi hyd at fy ngwddf. Yr wyf ymron tagu. Torrais i redeg nerth fy nhraed. Sefais. Rhaid i mi wneud rhywbeth. Tynnais fy nghyllell allan o'm poced ac yng ngolau'r lleuad chwiliais am gropyn eithin crin i'w gario i'r tŷ i ddechrau'r tân yno. Yn y gwaith hwn anghofiais fy mraw. Cyrhaeddais y tŷ. Euthum i mewn.[107]

Cyrhaeddodd ddiogelwch o'r diwedd. Mewn sawl ffordd, y stori hon yw sail un o gerddi mawr Waldo yn y dyfodol, 'Cwmwl Haf', ac anodd osgoi'r argraff fod y stori yn lled-groniclo profiad brawychus a gafodd rywbryd yn ei blentyndod. Y syniad o ddiddymdra, neu o '[g]yfanfor yr anfod mawr', sy'n ei amgylchynu yn 'Llety Fforddolion'. Mae'r diddymdra hwn yn golchi o'i gylch, ac y mae yntau yn suddo ac yn boddi ynddo, ac yn cael ei dagu gan ei oerni. Mae ar goll yn llwyr, yn union fel yr oedd y plentyn yn y gerdd 'Cwmwl Haf' ar goll yn niwl y mynydd, ac yn methu dod o hyd i'r ffordd adref. Mae'r traethydd yn Llety Fforddolion yn cydio mewn rhywbeth diriaethol, sypyn o eithin crin, yn union fel y mae'r plentyn yn '[s]wmpo'r post iet' yn 'Cwmwl Haf'. Adleisir y syniad fod 'llif amser yn arafu wrth fyned yn ei flaen ... Yn arafu, arafu o hyd' yn nhrydedd linell 'Cwmwl Haf': 'Enw'r hen le a tharddle araf amser.'[108]

Ar ôl darllen llyfr ysgafn, â'r traethydd i'r gwely a breuddwydia ei fod 'wedi cyflawni rhyw weithred aruthr ac arswydus', ond ni all gofio beth oedd y weithred.[109] Yna, mae'n clywed sŵn estyll y llawr yn crecian yn y parlwr oddi tano, ac y mae'n synhwyro bod y lle yn llawn o ysbrydion. Ymhlith y llestri ar silffoedd y tŷ gwêl wydryn-berwi-wyau, ac wrth archwilio'r teclyn yn fanylach, y mae'n gweld y tywod yn llifo'n esmwyth o ran uchaf y gwydryn drwy'r gwddf main i'r rhan isaf, a hynny'n peri i wallt ei ben 'sefyll yn wrychyn'.[110] Ar ôl i'r tywod i gyd gyrraedd y rhan isaf, mae'n gweld llaw rhywun yn ei ymyl yn cydio yn y gwydryn ac yn ei droi ben i waered eto, nes bod y tywod yn dechrau llifo drachefn o'r rhan uchaf i'r rhan isaf. Yna, sylweddola mai ei law ef a drodd y gwydryn â'i ben i lawr. Yn sydyn daw popeth yn berffaith glir iddo:

> Codi a cherdded yn fy nghwsg a wnaethwn, a myned i lawr dros y grisiau i'r parlwr a chyflawni ar y teclyn bach hwn yr un wyrth ag a ddymunwn i Dduw ei chyflawni ar y bydysawd wedi iddo redeg i lawr i ddim, sef ei droi wyneb i waered a'i roddi eilwaith ar ben y ffordd.[111]

Ac ar ôl cael y fath brofiadau brawychus a goruwchnaturiol, daw rhyddhad, rhyddhad o weld a chlywed hen bethau cyfarwydd:

> Agorais y ffenestr i gael tipyn o awyr iach i mewn, a phwysais allan dros y ffrâm. Clywais y pistyll yn cwympo i'r ffos yn ochr y ffordd. Clywais wifrau'r teligraff uwchben yn canu yn yr awel. Ehedodd gwyfyn gwyn allan o'r tywyllwch heibio'r ffenestr ac yn ôl i'r tywyllwch drachefn. Yn y cae tu draw i'r ffordd, clywn ddau geffyl yn byr-bori gyda bôn y clawdd. Ydoedd, yr oedd yr hen ddaear yn parhau trwy'r cwbl yn sylweddol iawn.[112]

Stori fwy ysgafn yw'r drydedd stori, 'Ffôn' ('Pan aethpwyd â theleffôn i blwy pell Cileithin, bu digwyddiadau rhyfedd'), a gyhoeddwyd yn rhifyn mis Medi o'r *Ford Gron*. Mae'r stori yn traethu am gyndynrwydd rhai o bobl wledig plwyf Cileithin i dderbyn y teclyn newydd hwn i'w bywydau. Ond er mor gyndyn yw rhai o'r plwyfolion i groesawu'r ffôn, mae'r bostfeistres, Martha, wedi gwirioni ar y ddyfais. Er mawr ofid i'w gŵr Lewis, mae Martha ar y ffôn gyda rhywun neu'i gilydd byth a beunydd. Ac yntau wedi syrffedu ar obsesiwn ei wraig gyda'r teclyn newydd, mae Lewis yn gofyn i draethydd y stori ddringo i fyny postyn telegraff a thorri'r weiren â chyllell. Gwneir hynny, ond wedi i'r ddau ddychwelyd i'r swyddfa bost, dywed Martha wrthynt fod Arolygwr y Post wedi galw gyda hi i ddweud wrthi fod y Swyddfa Bost yn bwriadu diddymu'r gwasanaeth ffôn i'r ardal, gan nad oedd y gwasanaeth hwnnw yn talu. 'Roedd e'n bygwth cau'r cwbl a chodi'r polion,' meddai Martha.[113] Roedd Arolygydd y Post wedi ceisio ffonio i ddweud na fyddai'r gwasanaeth yn parhau, ond gan fod y weiren wedi'i thorri, methodd gysylltu â'r bostfeistres. Roedd yn rhaid iddo felly alw i weld Martha yn bersonol, i'w hysbysu ynghylch y penderfyniad. Mae Martha yn rhoi te a thipyn o deisen riwbob i'r Arolygydd, ac yn dwyn perswâd arno i beidio â diddymu'r gwasanaeth. Mae'r Arolygydd yn ildio i gais Martha ac yn dweud y caiff pobl Cileithin gadw eu ffôn. 'Ond wnaethai e ddim, rwy'n siŵr, oni bai iddo ddod yn bersonol, a chael te gyda fi, a thipyn o bastai riwbob,' meddai Martha.[114] 'Dyna lwc,' meddai, 'i'r weiren yna dorri.'[115] Ceir yn y stori hon bortread hoffus ac annwyl o wladwyr cynefin Waldo, ac y mae pob un o'r tair stori yn deyrnged i bobl ardal y Preseli, sef y bobl yr oedd eu cydgwmnïa a'u cydgyfeillachu yn creu rhyw fath o gwlwm brawdoliaeth. Cyhoeddwyd hefyd yn rhifyn mis Mehefin 1931 o'r *Ford Gron* ysgrif ddoniol yn dwyn y teitl 'Ffrwyth Ymchwil', sef 'Waldo yn dweud ei hanes ef a'i gyd-ysgolhaig Twm Pensticil, yn ymchwilio i darddiad a hanes y pennill limrig.' Dengys y gweithiau hyn fod gan Waldo gryn afael a meistrolaeth ar ryddiaith Gymraeg.

Ym 1931, hefyd, y cyhoeddwyd rhai o'r cerddi y byddai'r bardd yn eu harddel yn y dyfodol. Yn rhifyn mis Gorffennaf o'r *Ford Gron*, cyhoeddwyd ei gerdd 'Yr Hen Allt', cerdd a ysgogwyd, yn ôl E. Llwyd Williams, gan y weithred o dorri coed yr allt y tu cefn i dŷ-cwrdd Bedyddwyr y Gelli, Llanhuadain, gan garcharorion rhyfel yr Almaen tua 1916. Torrwyd coed yr allt er mwyn cael tanwydd rhatach na glo i helpu gyda'r ymdrech ryfel:

> Wele, mae'r hen allt yn tyfu eto,
>   A'i bywyd yn gorlifo ar bob tu
> Serch ei thorri i lawr i borthi uffern
>   Yn ffosydd Ffrainc trwy'r pedair blynedd ddu.
>
> Pedair blynedd hyll mewn gwaed a llaca,
>   Pedair blynedd erch 'mysg dur a phlwm –
> Hen flynyddoedd torri calon Marged,
>   A blynyddoedd crino enaid Twm.

Ond mae'r hen allt wedi tyfu o'r newydd, er bod gweision y gwladwriaethau totalitaraidd wrthi'n paratoi ar gyfer lladdfa arall – y llywodraethwyr, y dyfeiswyr, sef yr Ymennydd yn yr holl gyfundrefn, a'r milwyr, fel Twm, yn ddwylo a thraed i'r cyrff unbenaethol, gwladwriaethol hyn. Mae'r hen allt yn aildyfu, gan fod ganddi ffydd yn y ddynol-ryw; hynny yw, nid beio dynion am greu rhyfel a wneir yma, ond beio systemau a gwladwriaethau. Er bod y gwladwriaethau a'u dyfeiswyr yn llunio arfau ar gyfer damnedigaeth fwy – ac fe wnaed hynny yng nghyflawnder amser – roedd yr hen allt yn ffyddiog mai Meibion Duw, gwir Gristnogion, heddychwyr a dyngarwyr a fyddai'n ennill yn y pen draw. Mae hi'n tyfu ei choed yn llawn ffydd a gobaith na chânt eu torri fyth eto i borthi rhyfel:

> Ond wele, mae'r hen allt yn tyfu eto
> A'i chraith yn codi'n lân oddi ar ei chlwy ...
> A llywodraethwyr dynion a'u dyfeiswyr
> Yn llunio arfau damnedigaeth fwy.
>
> O, 'r hen allt fwyn, fe allwn wylo dagrau,
> Mor hyfryd-ffôl dy ffydd yn nynol ryw,
> A'th holl awyddfryd, er pob gwae, yn disgwyl,
> Yn disgwyl awr datguddiad Meibion Duw.[116]

Cerdd arall y byddai Waldo yn ei harddel yn y dyfodol oedd 'Cwm Berllan', a gyhoeddwyd yn rhifyn Hydref 1931 o'r *Ford Gron*. Ysbrydolwyd y gerdd gan arwyddbost bychan y tu allan i bentref bychan y Rhos yn ymyl Dinas yn Sir Benfro. Thema'r gerdd yw'r ffin rhwng realaeth a dychymyg, rhwng delfryd a dadrith, rhwng gobaith a siom:

> "Cwm Berllan, Un Filltir" yw geiriau testun
> Yr hen gennad mudan ar fin y ffordd fawr;
> Ac yno mae'r feidir fach gul yn ymestyn
> Rhwng cloddiau mieri i lawr ac i lawr.
> A allwn i fentro ei dilyn mewn *Austin*?
> Mor droellog, mor arw, mor serth ydyw hi;
> "Cwm Berllan, un filltir" sy lan ar y postyn –
> A beth sydd i lawr yng Nghwm Berllan, 'wn i?
>
> Mae yno afalau na wybu'r un seidir
> Yn llys Cantre'r Gwaelod felysed eu sudd,
> A phan ddelo'r adar yn ôl o'u deheudir
> Mae lliwiau Paradwys ar gangau y gwŷdd.
> Mae'r mwyeilch yn canu. Ac yno fel neidir
> Mae'r afon yn llithro yn fas ac yn ddofn,
> Mae pob rhyw hyfrydwch i lawr yng Nghwm Berllan,
> Mae hendre fy nghalon ar waelod y feidir –
> Na, gwell imi beidio mynd yno, rhag ofn.[117]

Canlyniad y ffrwydrad hwn o egni creadigol, mewn rhyddiaith a barddoniaeth, oedd dod â Waldo i flaen y llwyfan. Roedd yn un o sêr mwyaf *Y Ford Gron*. 'Y mae caniadau Waldo Williams yn fy ngoglais yn arw, ac yr wyf yn si[ŵ]r bod pawb arall yn ei fwynhau. Pwy ydyw Waldo? Rhowch ei lun inni rywbryd, da chwi,' meddai 'Hymyr' yn rhifyn Ionawr 1931 o'r cylchgrawn.[118] 'Ystyriaf ef ac Idwal Jones yn ddau hiwmorist y gall gwasg unrhyw wlad ymffrostio ynddynt,' meddai J. Ellis Williams, Blaenau Ffestiniog, yn rhifyn Chwefror 1931 o'r cylchgrawn, gan nodi ei fod yn mwynhau eu hysgrifau hwy yn llawer mwy nag eiddo'r awduron hynny a glodforid gymaint yn y papurau Saesneg.[119] 'Y mae gwreiddyn y mater ynddynt – llygad i weled yr hiwmor cudd ym mhethau cyffredin bywyd,' meddai am y ddau.[120] Un arall o edmygwyr Waldo oedd 'Caius Noviios', un o'i gyfoeswyr yn y coleg yn Aberystwyth. Canmolodd ysgrif Waldo ar 'Hiwmor yr Ysgol Sul'. 'Fe'i cofiaf pan oedd yn un o "geiliogod y Colegau," a'r un sentiment ag a geid yn ei erthyglau y pryd hwnnw – pwy na chofia odidoced y *Dragon* pan oedd ei law ef y tu ôl iddo? – a geir ynddynt heddiw,' meddai.[121]

Ac ar ôl bwrlwm creadigol 1931, dechreuodd y ffynnon redeg yn sych ym 1932. Blwyddyn anodd fu honno i Waldo. Ar y diwrnod olaf o Fai, bu farw Angharad, ei fam, yn 56 oed. Anfonodd Waldo bwt o lythyr at D. J. Williams a Siân o Elm Cottage ar Fai 30:

> Annwyl Ffrindiau,
>
> Newydd trist sydd gennyf. Bu farw Mam y boreu yma. Welodd hi monoch chi erioed, ond yr oedd yn eich nabod yn dda trwof i. Hyd yn hyn 'rwy['] n methu sylweddoli'n iawn ei bod hi wedi mynd.
>
> Dyna fraint oedd cael bod gyda hi fel hyn yn feunyddiol trwy gydol ei misoedd olaf.
>
> Cleddir hi am 2.30 prynhawn dydd Iau.[122]

Cafodd Waldo brofiad rhyfedd – cyfriniol bron – wrth ofalu am ei fam, ac wrth Bobi Jones y soniodd am y profiad hwnnw:

> Yr oedd Waldo wedi bod yn gofalu am ei fam yn ystod wythnosau hir ei salwch olaf. Ac un tro yr oedd yn eistedd yn flinedig wrth erchwyn ei gwely, ac fe hepiodd ef am ychydig o funudau.
>
> Yn ei freuddwyd fe'i teimlodd ei hun yn esgyn yn gyflym, a'i fam wrth ei

ochr, i fyny ac i fyny ac i fyny. Yn sydyn dyma'i fam yn stopio ac yn troi ato gan ddweud: 'You'd better go back now, Waldo. You can't come any further.'[123]

'Her intellectual attainments and ready expression were well known, and reflected nobly in her life; but it was in qualities of the heart that her supreme excellence shone,' meddai'r *Weekly News* amdani.[124] Priodas berffaith oedd y briodas rhwng Edwal ac Angharad yn ôl y papur, cytgord llwyr rhwng dau:

> He – a man of books and dreams with a genius for schoolmastering, conscientious and painstaking, making it almost a burden of anxiety for his pupils' attainments, and succeeding in an extraordinary way in communicating his own enthusiasm for scholarship. She – of equally strong personality and full of womanly grace and charm. There never was a friendlier soul. Like her father, and like her paternal uncle of fame – the late Sir Henry Jones, Professor of Philosophy at Glasgow University, she possessed a certain kindliness of disposition which went forth in ready helpfulness to others. Her goodness and her sympathy were contagious. She was like a gleam of sunshine on a winter's day, bright and cheery and glowing. She diffused the warmth of her own glad nature; the fragrance of her character was in the whole atmosphere of her home and of her social contacts like the fragrance of sweet smelling roses.[125]

Nodwyd mai yng Ngholeg y Brifysgol ym Mangor y cyfarfu Edwal ac Angharad, a bod uniad y ddau yn anochel: 'Both of idealistic temperament: both with literary interests, both gifted, and drawn to each other by that innate mystic something which melts lives into perfect harmony.'[126]

Canodd Waldo gywydd tyner er cof amdani, ac y mae'r cywydd hwnnw yn ategu llawer o'r hyn a ddywedwyd amdani yn y *Weekly News*. Cofiodd am garedigrwydd ei fam, ei thosturi wrth eraill, ei phryder dros yr anghenus a'r truenus, ei gallu i ymuniaethu â phawb a ddôi i gysylltiad â hi, y modd y medrai gyfranogi o lawenydd a galar eraill, ar lan y bedd neu wrth ford y wledd. Crefydd ymarferol, crefydd o weithredoedd, oedd ei chrefydd hithau hefyd:

> Dros lawer y pryderai
> Liw nos, a chydlawenhâi,
> Synhwyro'r loes, uno â'r wledd,
> Yn eigion calon coledd.

I'w phyrth deuai'r trafferthus
A gwyddai'r llesg ddôr ei llys.
Gŵn sgarlad Angharad oedd
Hyd ei thraed, o weithredoedd.[127]

Cyhoeddodd ddwy ysgrif yn unig ym 1932. Ymddangosodd ei ysgrif 'Geiriau' yn rhifyn mis Gorffennaf o'r *Ford Gron*. Yn yr ysgrif hon adleisir rhannau o'r gerdd 'Cofio':

Daw pang o hiraeth dros ddyn weithiau wrth gofio llu mawr geiriau anghofiedig y byd – geiriau coll yr ieithoedd byw, a holl eiriau'r hen ieithoedd diflanedig. Buont yn eu dydd yn hoyw yng ngenau dynion, a da oedd gan hen wragedd crychlyd glywed plant bach yn eu parablu. Ond erbyn hyn, ni eilw tafod arnynt ac ni ŵyr Cof amdanynt, cans geiriau newydd a aeth i mewn i'w hystyron hwy.

Dychmygaf am lawer ohonynt, hen eiriau prydferth fel 'clŷn' a 'chelli' a 'chlegyr', yn ein plith ni heddiw, wedi eu hymlid o gyd-ymddiddan dynion, yn llochesu dros dro mewn enwau ffermdai a phentrefi hyd nes darfod amdanynt yn deg, ie, hyd nes darfod yn grwn o'r diwedd am yr iaith y perthynent iddi.

Dychmygaf weld dynion mwyn, meddylgar a theimladwy yn ymladd yn gyndyn i'w cadw rhag eu tranc anorfod. Ond yn ofer. Pa beth, wedi'r cyfan, yw hyn? Beth a dâl cynildeb dyn yn erbyn afradlonedd Natur pryd y bo'n well ganddi godi'r newydd na chadw'r hen?[128]

Gwerthfawrogiad o waith Ceiriog, 'Y Blas Sydd o Hyd ar Geiriog', a gyhoeddwyd yn rhifyn mis Hydref o'r *Ford Gron*, oedd yr ysgrif arall.

Roedd 1933 yn fwy diffrwyth fyth iddo. Cyhoeddwyd un gerdd yn unig o'i waith yn *Y Ford Gron*, 'Y Cloc', ac nid cerdd ysgafn mohoni ond myfyrdod delweddol ar amser, bywyd ac angau:

Dilyn ei gwrs o ric i ric
 Heb frys yw camp y cloc;
Fe ddaw â bywyd bob yn dic,
 Fe ddaw ag Angau toc.

Sbïwr yng ngwlad y Gelyn Mawr,
 Fe ddaw â gair o'r drin
Pa sut yr â o awr i awr
 Ei ymgyrch ar y ffin.

Plisman yn llywio llif ein stryd
  Yn y Dragwyddol Dre –
  A Bwch Dihangol dyn o hyd
  Wrth ddod yn hwyr i'w le.[129]

Cafodd Waldo golled fawr arall ar ddechrau 1934. Ym mis Chwefror bu farw J. Edwal Williams, saith mlynedd wedi iddo ymddeol ym 1927. Cyhoeddwyd teyrngedau iddo yn y papurau lleol. Yn ôl y marw-goffâd a ymddangosodd yn y *Western Telegraph and Cymric Times*: 'The death of his wife in 1932 was a sad shock to him and he had been in ailing health since that time, but on Sunday, February 11, he had a seizure and passed away in a few days.'[130] Talwyd teyrnged aruchel iddo fel athro:

His sterling character and his conscientiousness as a teacher [ea]rned him the highest respect of the localities which he so successfully served and in which his influence was felt despite his retiring disposition.

  Indeed he was an ideal schoolmaster and was dearly loved by all pupils who passed through the school. His whole life was devoted to the teaching of the young people and he never lost touch with them after they went out into the world, continuing to write them beautiful letters of encouragement and sound advice.[131]

Cafwyd teyrnged gan gyn-ddisgybl iddo yn *The Narberth, Whitland and Clynderwen Weekly News*:

He had the reputation of a diligent student and a thoughtful man. Shyness was his characteristic fault, and with that reserve, he lacked selfconfidence. He had the gift, but his ideal was so high that it hindered rather than helped him. He was far more efficient than he would ever admit, and, if I may so put it – excessively conscientious. So much so, indeed, that his work was more or less a constant burden of anxiety to him.[132]

A cheir awgrym yn y frawddeg olaf honno mai gorgydwybodolrwydd ynglŷn â'i waith oedd un o brif achosion ei salwch.

  Roedd 1934 yn flwyddyn fwy creadigol o lawer na 1932 a 1933 i Waldo. Yn wir, yn fuan iawn ar ôl marwolaeth ei dad, daeth rhyw ychydig o'r hen asbri yn ôl iddo. Yn ôl W. R. Evans, treuliodd Waldo gryn dipyn o'i amser yn Elm Cottage ar ôl iddo golli'i dad a'i fam, ac yno yr arferai'r tri chyfaill – Waldo, W.R. a Llwyd – gyfarfod â'i gilydd i farddoni, i drafod barddoniaeth ac i gystadlu mewn eisteddfodau lleol.

Codwyd un eisteddfod leol i fyd chwedloniaeth. Ar Ebrill 6, cynhaliwyd eisteddfod yn Molleston ger Arberth. Adroddwyd hanes yr eisteddfod honno droeon gan W. R. Evans, a hynny am reswm penodol:

> Am ryw reswm neu'i gilydd mae fy atgofion am Waldo yn y tridegau yn fyw iawn, o gymharu â rhai cyfnodau eraill. Bryd hynny yr oeddem yn llawn asbri a diawlineb diniwed. Cofio am eisteddfod yng nghapel Saesneg Molleston, ychydig i'r De o Arberth. Roedd un eitem ar y rhaglen yn darllen fel hyn, 'Solo on any orchestral instrument'. Rown i yn y dyddiau hynny yn cystadlu ar ganu'r mowth-organ, yr organ geg, o gwmpas y wlad. Mi es i'r Eisteddfod, ond 'roedd y geiriau 'orchestral instrument' wedi fy nychryn rhag cystadlu, nes imi weld rhyw foi yn mynd i'r llwyfan gan gario mowth-organ yn ei law. Er bod yna nifer o ffidils a thrwmpedi, etc., yn cymryd rhan, dyma fynd at y boi a gofyn am fenthyg ei fowth-organ, a mentro arni. Trwy ryw ryfedd wyrth enillais y wobr, a dyma ddechrau helynt anghyffredin yn y papurau lleol.
>
> Yn yr ohebiaeth ffyrnig honno y cwestiwn mawr oedd 'IS THE MOUTH ORGAN AN ORCHESTRAL INSTRUMENT?' Bu tri ohonom yn ateb y llythyron, yn llawn direidi, yn y gwahanol bapurau, a phrofodd un o'm ffrindiau fod yna fowth-organ yng ngherddorfa-ddawns Henry Hall. (Goruchafiaeth fawr oedd y ffaith honno!) Aeth y peth ymlaen yn ffyrnig am chwe wythnos, nes cyrraedd y geiriau tyngedfennol ... 'This correspondence is now closed'. Yn gopsi ar y cwbwl, ac i wneud pethau yn waeth byth, dyma Waldo yn danfon cyfres hir o englynion i'r papur lleol, yn condemnio pob offeryn yn y gerddorfa *ond* y mowth-organ, ac aeth yn ei flaen i wneud hwnnw yn offeryn y nefoedd! Mi rown rywbeth am gael gafael yn yr englynion hynny ...[133]

Gan W. R. Evans ei hun yr oedd yr englynion hynny drwy'r amser, ac nid oes unrhyw dystiolaeth iddynt gael eu cyhoeddi mewn unrhyw bapur. Rhoddodd Waldo deitl i'r chwe englyn a luniodd i dynnu coes ei gyfaill, sef '"Dinistr yr Offerynnau". "I Mr William Evans, Ysgolfeistr Bwlch y Groes Penfro, arweinydd y Cwmni enwog 'Bois y Frenni[']', am enill [*sic*], a'i 'fouthorgan', unawd ar unrhyw offeryn 'orcestraol' beth amser yn [ô]l."'" Dyma'r tri englyn cyntaf:

Awel 'Haf' yw Wil Ifan, – a'i fympwy
 Yw fampo yn fwynlan:
 Math o hirgeg, mowth-organ,
 A bachan, diawch, bochau'n dân.

I'r baswn ba swn y sydd? – Wylofain
 Wil Ifan a orfydd.
 Dyna'r obo dan rybudd;
 I'r trombôn trom bo'n y bydd.

Rhoes drwmp ar ben y trwmpet, – a *challenge*
 I'r *cello* a'r clarinet;
 Sangodd ar gorn y cornet,
 A'r hyn oll ar yr un het.[134]

Roedd Waldo, felly, wedi iddo adael y coleg yn Aberystwyth, yn ennill ei fywoliaeth fel athro ifanc yn ei sir enedigol ac yn mwynhau cystadlu yn erbyn ei ddau gyfaill agosaf mewn eisteddfodau lleol. Yr oedd hefyd yn mynychu'r cyfarfodydd diwylliannol hynny gan enwad y Bedyddwyr ar gyfer pobl ifainc, y 'Guilds', a gynhelid yma a thraw yn Sir Benfro. Cymerai ran flaenllaw yn rhai o'r cyfarfodydd hyn; er enghraifft, ddiwedd mis Tachwedd 1927, roedd yn cadeirio cyfarfod o Guild Blaenconin, ac, ymhen wythnos, yn traddodi darlith ar 'Yr Athro T. Gwynn Jones, Aberystwyth'. Ym mis Ionawr 1929 roedd Waldo yn ymateb yn negyddol i'r cwestiwn 'A yw'r Eglwys Gristnogol heddiw yn cyflawni ei chenhadaeth?' mewn cyfarfod arall o'r Guild ym Mlaenconin. Ym mis Tachwedd 1931, darllenodd gerddi o'i waith ef ei hun mewn cyfarfod o Gymdeithas y Bobl Ifanc, Blaenconin, ac eto ym mis Tachwedd 1935 darllenodd rai o'i gerddi i aelodau'r Guild, sef, yn ôl cyfieithiad gohebydd *The Narberth, Whitland and Clynderwen Weekly News*, 'Memories of Youth', 'The Jackdaw' a 'Process of Ploughing'. Bu hefyd yn arwain eisteddfodau yn ogystal â chystadlu ynddynt, ac nid y cystadlaethau barddoniaeth yn unig a âi â'i fryd. Enillodd gystadleuaeth y stori fer yn Eisteddfod y Tabernacl, Clunderwen, ym mis Mai 1931, â'i stori 'Ffair Ceffylau Bach'.[135]

Parhau, ond prinhau, yr oedd cyfraniadau Waldo i'r *Ford Gron* ym 1934. Cyhoeddwyd soned ddiddorol o'i waith yn rhifyn mis Mehefin o'r cylchgrawn, sef 'Sequoya (1760–1843)':

Indiad o waed, yng ngodidowgrwydd pluf
 A nwyd rhyfelgar; oni chafodd glwy
A throi o'r hela a'r rhyfela hyf
 A methu rhwyfo a marchogaeth mwy.
"Darfu," medd pobl ei lwyth, "ei ddydd a'i waith."
 Ond gwelodd ddalen fach o lwyth dyn gwyn
A synnodd at y wyrth – trosglwyddo iaith
 O enau byw i'r nodau bychain hyn.
Ymroddodd trwy'r blynyddoedd yn ddi-flin
 A'i addysg ym mhob methiant yn crynhoi.
Heb lusern ymbalfalodd am y rhin
 A chreodd A B C yr Iroquois –
A'r Aifft, a Babilon, a Groeg ynghyd,
Mewn hanner einioes gŵr, a roes i'w fyd.[136]

Aelod o lwyth y Cherokee oedd Sequoya, George Guess neu Gist yn Saesneg. Iaith llwyth y Cherokee oedd yr Iroquois, a champ a chymwynas Sequoya oedd dyfeisio gwyddor ar gyfer seiniau ei bobl, a throi iaith a oedd yn hanfodol lafar yn iaith y gellid ei darllen a'i hysgrifennu. Er bod Waldo yn nodi mai ym 1760 y ganed Sequoya, tybir mai tua 1770 y cafodd ei eni, 1776 yn ôl eraill. Roedd yn gloff ers dyddiau ei ieuenctid, oherwydd iddo gael anaf, un ai wrth hela neu ryfela. Mae'r soned yn ddiddorol am sawl rheswm. Yn un peth, y mae'n enghraifft arall o ddiddordeb Waldo mewn anthropoleg ac mewn hen eiriau a hen wareiddiadau. Mae'n enghraifft hefyd o'i ddyngarwch ac o'i ddyhead angerddol am gael uno a chlymu holl bobl yr holl ddaear yn un, ac fe gysylltir gwareiddiad y Cherokee yma â phob gwareiddiad arall a fynnai ddyfeisio gwyddor fel y gellid darllen ac ysgrifennu iaith, yn hytrach na'i defnyddio ar lafar yn unig – 'A'r Aifft, a Babilon, a Groeg ynghyd.'

Cyfraniadau olaf Waldo i'r *Ford Gron* oedd dau englyn digon cyffredin a gyhoeddwyd yn rhifyn mis Medi 1934 o'r cylchgrawn. Daeth *Y Ford Gron* i ben ym mis Hydref 1935. Yn ystod blynyddoedd ei fodolaeth roedd wedi dod â Waldo i amlygrwydd. Roedd darllenwyr *Y Ford Gron* wedi dotio at ei waith, ac nid y darnau ysgafn yn unig a apeliai atynt. Roedd 'Cofio' a 'Menywod' yn sicr wedi creu argraff fawr ar ddarllenwyr y cylchgrawn. Yn rhifyn mis Mai 1934 o'r cylchgrawn, gallai Rhys Puw, colofnydd 'Byd y Ddrama' yn *Y Ford Gron*, ofyn nifer o gwestiynau, fel hyn:

> Pa bryd y cawn ddramâu teilwng? Pan fydd ysgrifennwr sy'n medru ei waith yn teimlo fel y teimlodd Mr. Waldo Williams yn ei gân "Menywod":
>
> > Pe meddwn grefft dramâydd mawr
> > I dorri cymeriadau byw,
> > A rhoi i'r byd ar lwyfan awr
> > Ymdrech ddihenydd dynol ryw,
> > 'Sgrifennwn ddrama Sali'r Crydd
> > Yn lladd ellyllion [*sic*] ffawd â'i ffydd.
>
> Pwy sydd wedi gweld rhyw Sali'r Crydd? Pwy sydd wedi ei gweld yn lladd ellyllon ffawd â'i ffydd, a'i gweld hi'n ddarlun o ymdrech ddihenydd dynol ryw?[137]

Byddai'n dair blynedd gron cyn y byddai Waldo yn cyfrannu unrhyw beth i gylchgrawn Cymraeg eto. Cyfnod profedigaethus oedd dechrau'r 1930au iddo. Collodd ei dad a'i fam. Roedd y syniad o deulu yn hollbwysig iddo, yn hanfodol ac yn anhepgor i'w holl athroniaeth ac i'w holl weledigaeth o fywyd. Roedd closrwydd y teulu yn sail i glosrwydd y gymuned, closrwydd y gymuned yn sail i glosrwydd gwlad, a chlosrwydd gwlad yn sylfaen i fyd unol. Ergyd fawr i Waldo oedd colli ei rieni, yn union fel yr oedd colli ei chwaer hynaf wedi bod yn ergyd ddidostur iddo. Ac wedi iddo golli ei rieni, a gorfod wynebu'r gwacter a adawyd ar eu hôl, y daeth ysbrydion o'r gorffennol i aflonyddu arno.

Pennod 4

'Daw'r wennol yn ôl i'w nyth'
Blynyddoedd Gwrthdystiaeth
1935–1939

Pwy blannai ddur traeturiaeth
Ym mron y fam a ran faeth? ...
     'Y Tŵr a'r Graig'

Roedd Eisteddfod Genedlaethol 1936 i'w chynnal yn Abergwaun. Cyhoeddwyd rhai o'r prif destunau llenyddol yn rhifyn mis Ebrill 1935 o'r *Ford Gron*, cyn Gŵyl y Cyhoeddi, mewn ysgrif gan J. T. Job, Llywydd y Pwyllgor Llên. 'Beth,' gofynnodd J. T. Job, 'yn fwy priodol na Thŷ Ddewi yn destun awdl y gadair – onid oes ynddo gyfle i'r awdlwr celfydd?'[1] Gan fod y testun mor agos at ei galon, a chan mai yn ei sir enedigol y cynhelid Eisteddfod Genedlaethol 1936, penderfynodd Waldo gystadlu. Cyn 1935, nid oedd yn ddigon o feistr ar y cynganeddion i lunio awdl a allai gystadlu â'r goreuon yng nghystadleuaeth y Gadair yn y Brifwyl. Digon prentisaidd ac amrwd – ac anghywir yn aml – oedd llawer o'r cerddi caeth a gynhwyswyd ganddo yn 'Canu trwy'r Cwlwm'. A fyddai ansawdd ei gynganeddu ym 1935 yn ddigon da i'w alluogi i ennill Cadair yr Eisteddfod Genedlaethol?

Aeth Waldo ati'n gynnar i lunio'i awdl, ymhell bell cyn y dyddiad cau. Yn ôl ei gyfaill D. J. Williams, dim ond dau benwythnos, yn gynnar ym mis Mai 1935, flwyddyn gyfan cyn y dyddiad cau, a gymerodd i lunio'r awdl. 'Yn y cyfamser fe'i cymerwyd yn sâl, a disgynnodd y cyfrifoldeb o anfon tri chopi teip ohoni i'r ysgrifennydd arnaf i,' meddai D. J. Williams.[2] Ategir y dystiolaeth hon gan Wil Ifan, brawd-yng-nghyfraith D. J. Williams, yn ei golofn yn y *Western Mail* ar ddydd Gwener Eisteddfod Abergwaun, Awst 7, 1936:

> Fe ysgrifennodd ei awdl ar garlam gwyllt o fewn deng niwrnod a gwrthododd wneud dim ymhellach â hi. Ond yn ffodus i'r genedl fe'i cop[i]wyd gan gyfaill iddo o Abergwaun allan o'r llawysgrif carlamus ac fe'i danfonwyd i'r gystadleuaeth er waethaf yr awdur. Dyma imi ramant yr wythnos. A oes gennym fwy athrylith na Waldo? Gobeithio na pherswadia neb ef i'w gymryd ei hunan yn ddifrifol.[3]

Dywedodd W. R. Evans ei fod yn cofio am un nos Wener arbennig ym 1936. ''Roedd Waldo,' meddai, 'wedi bod i lawr drwy'r nos yn cyfansoddi awdl ar "Dŷ Ddewi" ar gyfer Eisteddfod Abergwaun, ac fe'i darllenodd i mi o'r dechrau i'r diwedd', ond mae'n rhaid mai ym 1935 y digwyddodd hyn. Yn ôl W. R. Evans, cipiodd D. J. Williams yr awdl oddi ar Waldo, 'ac ar ôl cywiro rhai gwallau brysiog (ac fe ges innau'r fraint o fwrw golwg dros y cynganeddion), fe'i danfonwyd i'r gystadleuaeth'.[4] Yn anffodus i Waldo, ni chipiwyd y copi iawn oddi arno. Fersiwn cynharach o'r awdl a aeth i ddwylo D. J. Williams. Roedd gan Waldo gopi arall o'r awdl, copi glanach, mwy caboledig a gorffenedig, ac nid oedd dim byd yn garlamus yn y llawysgrifen.[5]

Ar ôl iddo lunio'r awdl, llethwyd Waldo gan iselder ysbryd. Byddai llythyr at E. Llwyd Williams o Elm Cottage ryw bedair blynedd yn ddiweddarach yn datgelu rhai o achosion anhwylder Waldo. Yr oedd, meddai wrth Llwyd Williams, am lefaru'n groyw ddiamwys ar un pwnc. Bu D. J. Williams yn ceisio rhoi cyngor iddo ynglŷn â'r union fater hwnnw, 'ond heb fod mor llednais â thi yn gwneyd, ac mi gollais fy natur ato ac yr wyf yn ofni bod ein cyfeillgarwch ar ben am beth amser'.[6] Gwyddai na fyddai anghydfod o'r fath yn codi rhyngddo a'i gyfaill Llwyd. Nid oes modd gwybod beth yn union oedd cyngor D.J. iddo, ond roedd a wnelo'r cyngor â salwch Waldo, mewn rhyw fodd neu'i gilydd, er nad oedd wedi dadlennu union achos ei dostrwydd i'w gyfaill ar y pryd. Ymhen blynyddoedd y gwnaeth hynny, oherwydd, yn ôl cofnod yn nyddiadur D. J. Williams ar gyfer Ionawr 23–24, 1958:

> ... Waldo yma ... Sôn am ei dad mewn cyfnod amhwylledd ar un adeg yn sôn am adael ei deulu pan oedd Waldo tuag 8 oed. Effeithiodd hyn gymaint arno fel y

methodd â darllen *Taith y Pererin* sy'n disgrifio Cristion yn gadael ei wraig a'i blant, – a hyn pan oedd Waldo yn 25 oed. Ni chlywsom ef yn cyfeirio at hyn o'r blaen. Mae'r cyfan hyn yn rhan o brofiad a phersonoliaeth Waldo, a rhaid cofio pethau fel hyn yn wastad wrth geisio ei ddeall ef a'i waith.[7]

Y cyngor a gafodd gan E. Llwyd Williams oedd gwahoddiad i ddod ato i Rydaman, ond gwrthod y cyngor a wnaeth Waldo:

Cyngor fel yna a gefais gan feddygon llai, ond pan euthum i weld y specialist i'r gwrthwyneb yn hollol y dywedodd ef. Yn gyntaf, peidio â cheisio fy ngwneyd fy hunan yn ddewr – yr oeddwn wedi bod llawn cyn ddewred trwy mywyd ag ydoedd yn bosibl imi fod ... Yn ail, yr un peth mewn gwirionedd – peidio ymdrechu – wedi ymdrechu gormod yr oeddwn; ac yn drydedd peidio treio "credu", wedi bod yn fy ngyrru fy hunan ormod i "gredu" yr oeddwn – agwedd arall ar yr un peth. A gwir y dywedodd. Trwy ffydd yr ydym yn gadwedig a thrwy ras, ac nid ohonom ein hunain[:] rhodd Duw ydyw.[8]

Rhwng mis Mawrth 1937 a mis Ionawr 1938 bu Waldo yn derbyn triniaeth yn Ysbyty'r Eglwys Newydd fel claf allanol. Yn ôl yr arbenigwr, bu Waldo yn ei wthio'i hun yn ormodol. Bu'n ceisio'i orfodi ei hun i fod yn ddewr – sef byrdwn rhannau o'i awdl 'Tŷ Ddewi' – a bu'n ymdrechu'n ormodol. Gwyddai y byddai'n rhaid iddo, yn hwyr neu'n hwyrach, sefyll yn gadarn o blaid ei egwyddorion, ac roedd angen iddo fagu dewrder ar gyfer hynny. Gŵr mwyn, difalais oedd Waldo, ac ni fynnai ymgecru â neb. Dewrder o dan dynerwch oedd ei ddewrder, gwroldeb dan anwyldeb a glewder dan addfwynder. Ceisiodd hefyd ei orfodi ei hun i gredu, cyn iddo sylweddoli a deall mai rhodd gan Dduw yw credu, nid rhywbeth y gall yr unigolyn ei benderfynu ohono'i hun. 'Lle dywedai doctoriaid llai "I am not going to give you any sympathy" ni soniai hwn am sympathy, ond dywedodd mai uffern dân oedd yr unig enw ar rannau o'm mywyd [*sic*], ac yr oedd ei lygaid yn ddagrau wrth ddweyd,' meddai am yr arbenigwr.[9] Ni fynnai sôn am y pethau hyn 'wrth bump yn y byd', meddai wrth E. Llwyd Williams, ond roedd yn barod i agor ei galon iddo ef, rhag ofn iddo golli ei gyfeillgarwch.[10] Dywedodd yr arbenigwr wrth Waldo ei fod yn dioddef o *anxiety neurosis*, ac mai ef oedd 'y cês mwyaf eithafol yn y wlad'.[11] Os felly, roedd Waldo mewn cyflwr meddyliol difrifol.

Roedd ei anhwylder nerfol yn deillio o'i blentyndod, pan oedd ei dad, yn ei dostrwydd meddyliol yntau, yn bygwth rhoi crasfa i'w fab a gadael y teulu. Ni lwyddodd, meddai wrth Llwyd, i ddarllen *Taith y Pererin* erioed, gan fod hwnnw yn dechrau 'trwy i'r Cristion redeg o'i gartref, a'i wraig a'i blant yn galw arno'n ôl, ag ef yn rhoi ei fysedd yn ei glustiau rhag eu clywed'.[12] Ni allai ddarllen y tamaid hwnnw 'heb i'm calon gyflymu ac i chwys ddod allan ar fy nhalcen'.[13] Dyna'r effaith a gâi'r llyfr arno pan oedd yn ugain ac yn ddeg ar hugain oed, ond bellach gallai ei ddarllen. Gyda chymorth yr arbenigwr yn Ysbyty'r Eglwys Newydd, dysgodd Waldo nad trwy ymdrech y gallai wella ond trwy roi cyfle i'r clwyfau wella ohonynt eu hunain, a byddai hynny wedi digwydd, meddai, 'oni bae am yr hen pneuomania [*sic*] a gefais'.[14] Roedd ei salwch corfforol wedi dwysáu ei wewyr meddyliol a'i gymhlethdodau seicolegol. Ond rhaid bod yr hen glwyfau hyn wedi eu gwella bellach, oherwydd yr oedd Waldo wedi mawr ofni am bymtheng mlynedd 'mai mynd yn ynfyd a wnawn yn y diwedd'; roedd yr ofn hwnnw yn awr 'wedi ei fwrw allan yn llwyr'.[15]

Gwyddai cyfeillion Waldo ei fod yn dueddol o ddioddef o iselder ysbryd. Soniodd W. R. Evans fel y daeth Elm Cottage yn ganolfan i'r tri bardd, Waldo, E. Llwyd Williams a W. R. Evans ei hun, yn y 1930au, pan arferent gyfarfod â'i gilydd i drafod barddoniaeth ac i lunio cerddi. Wedi iddo adael Coleg y Brifysgol ym Mangor, cafodd W. R. Evans swydd yn Ysgol Gynradd Abergwaun ar ôl gwyliau haf 1932. Yn ystod ei gyfnod yn Abergwaun, daeth i adnabod Benni Lewis, saer maen wrth ei alwedigaeth, a'i briod Elsie, y ddau yn byw yn y Glasfryn, Llanwnda, Wdig. Roedd Dilys, chwaer Waldo, wedi cael swydd yn athrawes yn Ysgol Wdig, ac yng nghartref Benni ac Elsie Lewis y cafodd lety, er i'r llety hwnnw droi'n gartref iddi hithau hefyd, am flynyddoedd helaeth. Byddai'n mynd adref i Landysilio bob penwythnos trwy deithio ar biliwn beic modur W.R. 'Byddai hynny'n golygu sgwrs â'r athrylith o fardd yn aml iawn,' meddai W. R. Evans.[16] 'Ni chroniclir byth y cymwynasau di-ri a wnaed â Waldo gan y ddeuddyn hyn, yn enwedig pan oedd y bardd yn gyffredin ei iechyd ac yn isel ei ysbryd,' meddai W. R. Evans wrth sôn am garedigrwydd Benni ac Elsie Lewis tuag ato.[17] Cyffelyb oedd tystiolaeth T. Llew Jones am gyflwr Waldo yn aml. 'Cofiaf iddo gyrraedd ein tŷ ni ryw noson â golwg flinedig iawn arno, a gallwn weld fod tipyn o dyndra nerfol arno,' meddai.[18] Cyfaddefodd Waldo wrth T. Llew Jones nad oedd wedi cysgu ers bron i bythefnos.

Gellid tybied bod nifer o resymau pam yr aeth Waldo'n wael ar yr union adeg y gwnaeth. I ddechrau, roedd newydd golli ei rieni, ac roedd y cartref gwag yn llawn ysbrydion o'r gorffennol. Hawdd oedd hel meddyliau ar aelwyd wag. Ac roedd y meddyliau hynny yn rhai cymhleth, cymysg. Trwy ei rieni a thrwy ei deulu y cafodd Waldo y gwerthoedd hynny a fyddai'n ei gynnal trwy ei fywyd. Roedd gwirionedd gan ei dad, gwirionedd gwleidyddol a chrefyddol yn sicr, yn ôl fel y gwelai Waldo bethau, ac roedd maddeuant a thosturi a charedigrwydd gan ei fam. Ond roedd ochr dywyll i'r tad hefyd ar un adeg, ac wedi i Waldo lethu a gwasgu profiadau brawychus ei blentyndod drwy'r blynyddoedd i waelodion ei bersonoliaeth ac i ddyfnderoedd ei isymwybod, daeth y profiadau hynny yn ôl i'r wyneb ar ôl marwolaeth y tad. Chwalwyd ei amddiffynfeydd gan gyfuniad o alar a thostrwydd.

Y mae'n sicr hefyd fod llunio'r awdl i 'Dŷ Ddewi' wedi llorio Waldo yn llwyr, a'i wendid corfforol wedi agor y drws i'w wendid meddyliol. Hyd yn oed os oedd yr awdl yn anghyflawn ac yn flêr mewn mannau, roedd fflachiadau o wir athrylith ynddi; er mor amherffaith ydoedd, roedd yn tra rhagori ar y mwyafrif helaeth o awdlau eisteddfodol yr ugeinfed ganrif yn union fel yr oedd. Cymerodd yr awdl ddau benwythnos iddo ei llunio, yn ôl D. J. Williams, a deng niwrnod yn ôl Wil Ifan, ond pwy bynnag oedd yn gywir, roedd Waldo wedi cyflawni camp anhygoel mewn byr amser.

Roedd yr awdl wedi'i gorfodi i ail-fyw hen brofiadau, ac roedd dylanwad ei gartref arno yn dryfrith-guddiedig drwy'r awdl. D. J. Williams a ofalodd y byddai'r awdl yn cyrraedd Ysgrifennydd yr Eisteddfod mewn pryd, ond, gwaetha'r modd, roedd gwallau teipio yn y copïau a gyrhaeddodd y beirniaid. Byddai llai o esgeulustod a blerwch wedi sicrhau'r Gadair i Waldo, yn ôl y tri beirniad, ond ni wyddent ddim oll am yr amgylchiadau ar y pryd. Soniodd Waldo am yr anawsterau a'i hwynebai pan oedd wrthi'n llunio'r awdl wrth Euros Bowen, un o'i gyfeillion yn y dyfodol:

> Sut y bu hi fod D.J. wedi ei pharatoi hi ar gyfer y gystadleuaeth. Ac medde Waldo
> ei fod e ei hun mewn ysbyty'n glaf ei feddwl ar y pryd. Fe enwodd y lle – rywle
> o gwmpas Caerdydd, ond 'dydw i ddim yn cofio'r enw, a 'doedd e ddim yn ei
> bethau'n ddigon da felly i anfon yr awdl i gystadleuaeth yr Eisteddfod.[19]

Felly, ni chadwai Waldo ei salwch yn gyfrinachol iddo'i hun.

Er mai wyth o awdlau yn unig a dderbyniwyd, roedd y gystadleuaeth yn un bur dda yn ôl J. Lloyd Jones, un o'r beirniaid. Roedd y tri beirniad yn cydnabod mai Waldo oedd y bardd pwysicaf yn y gystadleuaeth. Roedd J. Lloyd Jones yn llwyr argyhoeddedig mai *Clegyr Boia* – ffugenw Waldo – oedd 'bardd mwyaf y gystadleuaeth'.[20] Defnyddiwyd yr un geiriau yn union gan Griffith John Williams i'w ddisgrifio. 'Heblaw beiddgarwch a gwroldeb y weledigaeth a gafodd, a bod yn ei gân fwy o swyn lledrithiol y fangre, y mae rhannau ohoni'n well na dim sydd yn y lleill oll, ac yn gynnyrch athrylith wir, dychymyg treiddgar a ffansi fyw,' meddai J. Lloyd Jones.[21] Ond roedd ôl brys ar yr awdl, yn ôl y beirniaid, ac oherwydd y brys hwnnw ceid ynddi nifer o gynganeddion gwallus, blerwch ac anghywirdeb o safbwynt iaith, ac ymadroddion diystyr, annelwig.

Roedd Waldo yn fardd 'a gafodd ei gyffroi gan ei destun, ac a eill weithiau ein cyffroi ninnau gan ei nwyd a'i angerdd,' meddai Griffith John Williams.[22] 'Ffurfiodd gynllun a brawf fod ganddo ddychymyg creadigol na welir mo'i debyg yng ngwaith un o'r ymgeiswyr eraill,' meddai drachefn.[23] Ond nid oedd yr awdl yn gyfanwaith. Gwenallt oedd y mwyaf llym o'r tri. Ni hoffai agoriad confensiynol yr awdl, ac ni lwyddodd, 'ond ar ysbeidiau, i droi'r weledigaeth yn farddoniaeth'.[24] 'Y mae ganddo ddychymyg, ond nis [*sic*] oes ganddo ddisgyblaeth; y mae ganddo ddawn, ond nid oes ganddo ddyfalbarhad,' oedd barn derfynol Gwenallt am Waldo.[25]

Roedd dau o'r tri beirniad yn unfryd mai ail ran yr awdl oedd y rhan wannaf. Roedd 'aneglurder yr ail weledigaeth', meddai J. Lloyd Jones, yn un o'r rhesymau mwyaf pam na allai gadeirio Waldo, ac edliwiodd iddo ei fod wedi colli cyfle i gynhyrchu awdl 'a fuasai'n grefftwaith addurnol benbwygilydd'.[26] Nid oedd Waldo wedi cyflawni'r hyn a fwriadai yn yr ail ran yn ôl Griffith John Williams. 'Y mae'r penillion cyntaf yn lled anodd eu deall a'u cysylltu â'r gweddill, a hynny oherwydd na chymerodd yr awdur ddigon o ofal i'w fynegi ei hun yn glir,' meddai.[27] Y drydedd ran oedd y rhan fwyaf anfoddhaol ym marn Gwenallt. Roedd y rhan hon yn aneglur, meddai, ac andwyid yr awdl 'â beirniadaeth grefyddol'.[28]

Pam, felly, na lwyddodd Waldo i ennill Cadair Eisteddfod Abergwaun? Beth yn union oedd y mannau gwan yn yr awdl? Cyflwynir Dewi yn gynnar iawn yn y rhan gyntaf, 'Y Bore':

> Ys gweddus a gosgeiddig –
> Daw i'w draeth o dŷ ei drig.
> Araf ei sang, i'w dangnef
> O'i uchel waith dychwel ef.
> Erddo chwaler yn dyner, O donnau,
> Eich ewyn lledrith, a byddwch chwithau
> Yn deilwng o'i sandalau – dywod mân
> Ym mysg y graean a'ch cymysg grïau.[29]

Nid yw 'Ys gweddus a gosgeiddig' nac 'o dŷ ei drig' yn foddhaol, ond mae gweddill y pennill yn ddifai. Yn fuan wedyn ceir disgrifiad o lygaid Dewi:

> Dewrder o dan dynerwch
> Duw ni ludd i'r dynol lwch.
> Mae eigion golygon glas
> Ac o'u mewn y gymwynas.
> Ddewi bendigaid ei enaid! Yno
> Yn egr y mae dewraf grym i daro
> Dros egwan ddyn yn huno – yn hedd rhwydd
> Hafn distawrwydd y dwfn a dosturio ...[30]

Mae'r disgrifiad o'r llygaid yn wych. Nid rhaid i ddewrder fod yn ffyrnig nac yn rhyfelgar-waedlyd nac yn ddialgar. Dewrder ymosodol yw dewrder o'r math hwnnw. Gall dewrder fod yn ddewrder tyner yn ogystal, y dewrder sy'n tosturio, yn amddiffyn ac yn achub. Ni wnaeth Duw erioed warafun i'r dynol lwch feddu ar ddewrder dan dynerwch. Rhoddodd Duw i'r ddynoliaeth ddewrder i weithredu gras a thosturi. Dewrder addfwyn yw dewrder Dewi. Canolbwyntir wedyn ar 'eigion golygon glas' llygaid Dewi. Y mae tynerwch y llygaid yn adlewyrchu'r cariad mewnol, y 'gymwynas'. A dyma sefydlu delwedd a oedd i ddod yn greiddiol-ganolog yn ei ganu yn y dyfodol, delwedd y llygaid, yn enwedig yng nghyd-destun y thema o adnabod yn ei waith. Trwy edrych i fyw llygaid ei gilydd y sefydlir adnabyddiaeth lawn rhwng dau unigolyn, ac mae'r cariad a welir yn y llygaid yn adlewyrchu'r caredigrwydd sydd yn y galon. Ceir yr un ddelwedd mewn dwy o'r cerddi y byddai'n eu llunio yng nghanol y 1940au, 'Cyfeillach' a 'Gwanwyn'. Dyma agoriad 'Cyfeillach':

Ni thycia eu deddfau a'u dur
I rannu'r hen deulu am byth,
Cans saetha'r goleuni pur
O lygad i lygad yn syth.[31]

Mae'r cyfathrebu hwn drwy gyfrwng cydedrychiad yn drech na gorthrwm gwladwriaethau. Ceir yr un math o ddelweddu yn 'Gwanwyn':

Chwychwi sydd â'r llygaid dwfn, â'u gwib trwy'r golau i rin eich gilydd,
Duw dilygad a'ch chwipia'n un gyr trwy anialwch eich hygoeledd.[32]

Y gwanwyn cyntaf ar ôl yr Ail Ryfel Byd sydd dan sylw yma. 'Duw dilygad' oedd y duw rhyfel a yrrai'r bechgyn trwy'r anialwch, duw a oedd yn amddifad o dosturi a thrugaredd. Duw dall oedd hwn, heb arlliw o ras na chymwynas na thosturi na thynerwch yn ei lygaid.

Afrwydd, fodd bynnag, oedd ail ran y pennill sy'n disgrifio llygaid Dewi fel yr aeth i'r gystadleuaeth. Mae 'egr' a 'grym i daro' yn swnio'n rhy dreisgar o lawer: dewrder safiad a olygai Waldo, ac nid unrhyw awydd i amddiffyn drwy drais neu drwy daro'n ôl. Mae enaid Dewi, meddir, yn fendigaid, ac yn yr enaid hwnnw y mae'r cryfder i amddiffyn 'egwan ddyn' yn huno, yn bodoli, ac mae'r awydd hwn i amddiffyn egwan ddyn yn deillio o'r daioni sydd yn y galon, 'y dwfn a dosturio'. Y llygaid allanol sy'n cyfleu'r egni daionus mewnol hwn. Atgyfodwyd y syniad hwn o ddewrder sy'n dynerwch, yn hytrach na dewrder sy'n drais, mewn pennill arall y byddai Waldo yn ei lunio yn ystod cyfnod ei aeddfedrwydd fel bardd:

Nid oes yng ngwreiddyn Bod un wywedigaeth,
Yno mae'n rhuddin yn parhau.
Yno mae'r dewrder sy'n dynerwch –
Bywyd pob bywyd brau.[33]

Yn ôl Waldo ei hun, roedd y 'dewrder sy'n dynerwch' yn cyferbynnu '[â] dewrder "ymosodol" sy'n dibynnu am ei nerth ar ofn yn aml iawn'.[34]

Yna, y mae Dewi yn llefaru yn yr awdl. Gadawodd yr hen fywyd o'i ôl wedi iddo ymgysegru i gyflawni gwaith Duw ar y ddaear:

> Gado cysur seguryd,
> Torri balch wychterau byd
> Am drech dawn yr ymdrech deg
> Na chwennych ddawn ychwaneg,
> Gado'r hen air a gado'r anwiredd,
> Gyda'r hen fâr, gado'r hen oferedd,
> Gado'r clod o godi'r cledd – creulonaf
> A thyngu i Naf waith a thangnefedd.[35]

Yn y ddwy linell olaf mae heddychiaeth Waldo yn dod i'r wyneb. 'Addo fy llaw i'r cleddyf llym/Ni wneuthum ac ni wnaf' meddai amdano'i hun ymhen blynyddoedd.[36] Yr un oedd delfrydau a daliadau Dewi â daliadau Waldo.

Caiff Dewi weledigaeth ar y traeth. Gwêl o flaen ei lygaid 'ryw dir, a gwawl oedd ar dorri', a chlyw lais o'r heli yn proffwydo y bydd Cristnogaeth yn lledaenu drwy wledydd Celtaidd ynysoedd Prydain a thrwy Lydaw. Derfydd y proffwydo a gwêl Dewi bysgotwr yn camu o'i gwch. Daw'r pysgotwr ato, ac mae Dewi yn bwrw iddi i genhadu ar unwaith, ond ni fyn y pysgotwr y grefydd newydd hon. Gwell ganddo'r hen dduwiau na'r Duw newydd, a dewisach ganddo'r hen chwedloniaeth na'r Gristnogaeth newydd:

> Dyre yn ôl â Lleu liw goleulon
> Dyre â golau i dir y galon
> Heb un cur, heb boen coron – gwrthuni.
> O, dyro inni adar Rhiannon.[37]

Ond yn ôl Dewi:

> Cân Rhiannon
> Ni thau yn y grefydd hon.
> Yn y newydd ffydd ni phaid
> Hen degwch y Bendigaid.[38]

Ni ddylai'r Gristnogaeth newydd ddisodli'r hen chwedloniaeth. Mae'r chwedlau hyn yn rhan o enaid cenedl. Ond nid gwir dduwiau yw'r hen dduwiau. Er mor gryf a chadarn oedd Bendigeidfran y cawr, brawd Branwen yn chwedl *Branwen ferch Llŷr* yn *Pedair Cainc y Mabinogi*, ac er ei fod yn dduw o ryw fath, marw a wnaeth yn y pen draw:

I osgo Duw, cysgod oedd
A chadarn a gwych ydoedd.
Er hyn oll pond marw a wnaeth
Ym min gelyn mewn galaeth?[39]

Ond atgyfodi a wnaeth Crist, a threchu marwolaeth, gan mai ef yw mab y gwir Dduw a'r unig Dduw. Y 'bore' yn rhan gyntaf yr awdl yw gwawr y Gristnogaeth newydd, a Dewi'n rhag-weld y bydd y grefydd newydd hon yn ymwreiddio yng Nghymru, yn Iwerddon, yr Alban a Llydaw. Mae Oes Aur y seintiau Celtaidd ar fin gwawrio. Mae'r pysgotwr, mewn gwirionedd, yn mynegi pryder tebyg i fyfyrdod Waldo uwch hen wareiddiadau coll a hen dduwiau diflanedig yn 'Cofio'. Roedd yn amlwg yn myfyrio am ddiflaniad hen wareiddiadau yn ystod y blynyddoedd a arweiniai at 'Cofio' ac at 'Tŷ Ddewi', gan ddangos ei ddiddordebau anthropolegol ar yr un pryd. Yn 'Y Gân ni Chanwyd' ceir myfyrdodau tebyg:

Gwybuost ti mai ing a dioddefaint
A fyddai yn nydd y trawstro aruthr hwn
Fel ymhob oes a fu pan â i'w bedd
Hen genedl, hen ddiwylliant neu hen gred
A dynion mawr yn wylo megis plantos
Ar ôl eu mam heb fynnu eu cysuro
Â thegan newydd a ddodir yn eu llaw.[40]

Efallai fod Waldo, wrth lunio'r rhan hon o'r awdl, yn cofio am yr hyn a ddywedodd ei dad yn ei erthygl 'No More War' yn *The Pembrokeshire Telegraph* ym 1922:

If the reader will endeavour to enter into the feelings of the early Christian convert, who had left Judaism and embraced Christianity – he will understand much of the inner conflict that results from the clash of an old ideal sincerely held and conscientiously followed and a new and higher ideal that had just dawned on the mind.[41]

Daw rhan gyntaf yr awdl i ben gyda'r dydd yn gwawrio, ond nid yw Dewi yn penlinio i addoli'r haul a byd natur yn ôl yr hen drefn a'r hen grefydd, fel pagan. Yr hyn a wna goleuni'r grefydd newydd yw chwalu'r nos, nos anghrediniaeth a nos marwolaeth, ac ysgubo anwiredd yr hen grefyddau ymaith:

> Yna'n deg daeth blaen y dydd
> I ymylon y moelydd.
> Ond Dewi ni phenliniodd
> Llyma'r waedd a'r llam a rodd
> 'Hyfryd oleuni a'i afradlonedd,
> Llamaf ar oror fy ngwlad lle gorwedd –
> Agored i'w drugaredd – a'r nos fawr
> Chwâl ar un awr a chilia'r anwiredd.'[42]

Un Duw sydd, un Arglwydd ('Nêr'), ac i'r un Duw hwnnw y dylai dyn gysegru ei holl fywyd:

> Eiddo i Nêr byddwn ni
> A glân fel y goleuni
> O law Nêr – oleuni iach
> Bore syml, ba ras amlach?
> Mynnwn bob bore fendith y Crëwr
> Eiliad o'r angerdd rhag golud yr ungwr!
> Na, bord wen a bara a dŵr – fo dy raid.
> Gwêl dy lygaid y golau dilwgwr.[43]

Yn ail ran yr awdl, 'Canol Dydd', darlun o Dŷ Ddewi yn y Canol Oesoedd a geir. Mae'r gadeirlan bellach yn gyrchfan pererinion. Daw'r 'Norman a'i lu i'w ganlyn' i ymweld â'r eglwys, a llu o bererinion eraill:[44]

> Ond daw rhyw gwmni llawen
> Â chainc o'r ifainc a'r hen.
> Awen ffri gan rywun ffraeth
> Ry delyn i'r frawdoliaeth.
> A gŵr gwenieithus ger y genethod
> Mor agos yr erlyn eu merlynnod.
> Yn eu clyw y cân eu clod – hwy'n eu tro
> Yn para i wrando. Ie, pererindod.[45]

Mae'r seiri maen yn parhau i weithio ar yr eglwys, tra bo pererinion yn mynd ac yn dod trwy'r amser, ond mae pethau wedi newid:

> Yn eofn rhwng colofnau
> Gwych, mae ymsymud a gwau.
> Â llawer llif lliw i'r lle
> Dihafal. Ar wal, wele
> Lu o nofisiaid dan law hen fasiwn
> Yntau a ddywed: 'Mae'r ffydd a gredwn?
> O mor hyll y miri hwn – rhwng creiriau
> Ai mud o wefusau mwy, defosiwn?'[46]

Yn ôl yr hen fasiwn, mae'r elfen ysbrydol ar goll bellach wrth i lu o gwmnïau llawen gyrchu'r gadeirlan. Hwyl a miri yw'r cyfan. Collwyd golwg ar weledigaeth Dewi ac ar ffydd ac aberth y seintiau cynnar. Ofer yw'r pererindodau ysgafnfryd hyn, ac y mae Dewi yn rhodio'n dawel ac yn drist ymhlith y pererinion newydd:

> Mae ofer sang trwy dangnef
> Iesu Grist a'i gysegr ef.
> A lle mae yr hyll ymhél
> Deuai'n Dewi yn dawel.
> O, am enaid hen ysbaid annisbur
> Y saint meudwyol a wybu ddolur!
> Y rhain i'w coron o'u cur – aeth heb au
> A rhydd y lleisiau lle'r oedd eu llaswyr.[47]

Yr hen fasiwn hwn sy'n llefaru trwy weddill yr ail ran. Dim ond un dymuniad sydd ganddo, un nod yn unig, sef rhoi ei holl fywyd i godi'r gadeirlan:

> Un dymuniad a aned i minnau –
> I ddal yr aing oni ddêl yr angau
> Fel y naddwyf flynyddau– fy mywyd
> I deml yr ysbryd yn nhud fy nhadau.[48]

Defnyddio'i amser – ei gyfnod ar y ddaear – er mwyn yr amseroedd a wnaeth yr hen fasiwn. Cododd Eglwys Gadeiriol Tŷ Ddewi yn ei oes ei hun ar gyfer yr oesoedd a ddêl, a thrwy gyfrwng amser y gwnaeth hynny, trwy gyfrwng amser dyn ar y ddaear. Mae amser dyn ar y ddaear yn un rhan fechan o holl amseroedd y ddaear ei hun, treigl y canrifoedd. Mae'r hen fasiwn yn ymwybodol iawn o fyd amser a'i raib, ond amser hefyd, er ei fod yn ein dinistrio, sy'n rhoi cyfle inni greu a chyflawni, a gadael rhywbeth arhosol ar ein hôl. 'Gobaith fo'n meistr: rhoed Amser inni'n was' meddai Waldo yn un o'i gerddi yn y dyfodol.[49] Breuddwyd ac uchelgais yr hen fasiwn yw gadael y gadeirlan, ffrwyth ei awen, ei ddychymyg a'i lafur, ar ei ôl. Y gadeirlan hon yw ffrwyth ei 'gariad didranc'. Y mae hi yno am byth, i bob un o genedlaethau'r dyfodol ei hedmygu:

> Mae amser a'i bwerau
> A'u bri byth ym mhob rhyw bau.
> Dyfal ei droed, nid oeda;
> Fel o'i reibio heibio â.
> A heddiw hen wyf ac oeddwn ifanc
> O boen ei ddiwedd nebun ni ddianc.
> Tra bwy'n llwch try bun a llanc – i'm gwaith gwych
> A gwrid, i edrych ar gariad didranc.[50]

Ond fe geir yma elfen o feirniadaeth. Fe allai'r eglwys gadeiriol ryfeddol hon droi'n rhyw fath o atynfa, yn rhyw fath o atyniad ymwelwyr. Pan fydd yr hen fasiwn wedi hen droi'n llwch, bydd cariadon yn ymweld â Thŷ Ddewi i 'edrych' arni, i ryfeddu at ei cheinder pensaernïol yn unig, nid i ymgymuno â Duw mewn unrhyw ffordd. Dyma allanolion crefydd eto yn denu ac yn dallu. Mae'r hen fasiwn fel pe bai'n ymwybodol o'r perygl mai edmygu'r gadeirlan am ei chelfyddyd bensaernïol yn unig a wneir yn y dyfodol, ond y mae'n gobeithio hefyd y bydd sancteiddrwydd y fro wedi treiddio i mewn iddi, ac y bydd Tŷ Ddewi yn gyrchfan i addolwyr yn ogystal ag ymwelwyr:

> Cans yno bydd celfyddyd
> O bob oes a wybu byd.
> Pob rhyw athrist Grist ar grog
> Fo'n wychlan i Fynachlog.

Urddas y gangell a'i harddwisg yngo
A'r dyfnder tawel i'r hwn a'i gwelo.
A thra cwyd breuddwyd bro – ger bae San Ffraid
Gwn dario enaid ei geinder yno.[51]

A daw oes pryd y dychwel ysbryd y seintiau i Dŷ Ddewi, ac ysbryd Dewi yn anad yr un ohonynt:

Dan eu braint y saint y sy
O'r oesoedd gyda'r Iesu.
Yn ddidlawd eu molawdau,
Yn uwch eu hoen o'u hiacháu.
Mae yno heb liw hen friw Wenfrewi
A Thydfil loywlan a'r pur ferthyri.
A glanaf mwynaf i mi – o holl ryw
Deheulaw Oen Duw, wele ein Dewi.[52]

Awgrymir yn rhan gyntaf 'Tŷ Ddewi' mai arddel a dilyn y grefydd seml a wna Dewi, crefydd seml a byd syml. Y mae'n grefydd sy'n derbyn bendithion naturiol y cread, ac y mae Duw a Christ yn bresennol ymhob man, nid mewn adeilad cysegredig, ond cyfyngedig, yn unig. Angylion neu genhadon Iesu Grist:

Yw'r seren fore sy â'i rhin firain
A'r haul a dyr o hualau dwyrain:
Gwyndduw dydd a rydd â'r rhain – wawl i'r byd.
Penlinia o'i blegid pan leinw blygain.[53]

Duw sy'n rhoi gwawl neu oleuni i'r byd. Oddi wrth Dduw y daw goleuni i'r byd ac i'r galon. Gyda phob gwawr, mae Duw yn lledaenu ei oleuni drwy'r byd i gyd, a hwnnw'n oleuni naturiol ac yn oleuni ysbrydol ar yr un pryd. Trwy fyw bywyd syml, bywyd y bara a'r dŵr, yr ymdeimlir yn angerddol â bendith y Crëwr bob bore, ac ni all unrhyw olud neu gyfoeth ein harwain at Dduw. Trwy beidio â chael ein dallu gan wrthrychau brau ac ofer y byd hwn y canfyddwn y goleuni glân a dilwgwr.

Yn yr ail ran, awgrymir mai yn y byd naturiol y ceir y wir eglwys, a cheisir darbwyllo hen wraig sy'n teithio ar droed i gyfeiriad y gadeirlan ar bererindod i oedi yn Nowrog. Gelwid Dowrog, nid nepell o Dyddewi, yn Dir y Pererinion ar un adeg, gan mai yno y gorffwysai'r pererinion ar eu ffordd i'r eglwys yn y Canol Oesoedd:

> Dyre mor bell â Dowrog
> Yno, clyw, cei daenu clog.
> Mae rhos lle gwylia drosom
> Hedd Eglwys Dduw a'i glas ddôm.
> Maith yw ei hallor a gwyrdd yw'r lloriau
> Ac yno deryn a gân dy oriau ...[54]

Ceir awgrym arall o feirniadaeth yn yr ail ran. Eglwys a godwyd dan nawdd y Normaniaid oedd Tŷ Ddewi. Roedd yr eglwys, felly, yn symbol gweladwy o lwyddiant y goncwest Normanaidd. Adlewyrchai hefyd gyfoeth a balchder y Normaniaid:

> Wele, yr awron olud
> A gwychter a balchter byd.
> Daw mil llewychiadau mân
> Ar ei heol o'r huan.
> Cans daw y Norman a'i lu i'w ganlyn
> Clyw ei osgordd y tincial a esgyn
> O balfais is harnais syn – yn wyneb
> Awchus burdeb o fflach ei ysbardun.[55]

Y tu ôl i'r eglwys ysbrydol y mae grym milwrol a materol y Norman a'i lu a'i osgordd.

Ar Garn Llidi, mynydd bychan ar Benmaen Dewi, uwchben Porth Mawr, yr agorir y drydedd ran, 'Hwyr':

> Lle cwyd pen llwyd Carn Llidi
> Ar hyd un hwyr oedwn i,
> Ac yn syn ar derfyn dydd
> Gwelwn o ben bwy gilydd
> Trwy eitha' Dyfed ei rhith dihafal –
> Rhed ei thres swnd ail brodwaith ar sindal
> Lle naid y lli anwadal – yn sydyn
> I fwrw ei ewyn dros far a hual.[56]

Cafodd Waldo brofiad cyfriniol ar Garn Llidi unwaith, fel yr eglurodd wrth T. Llew Jones, ac roedd y profiad hwnnw yn un o'r rhesymau pam yr aeth ati i lunio'r awdl:

> Ro'n i wedi cael profiad go ryfedd allan ar Garn Llidi rhyw brynhawn o haf; fi'n cofio'n iawn, rhyw fis Medi o'dd hi. Ambell waith chi'n teimlo'ch hunan yn un â'r wlad o'ch cwmpas, ma' rhyw gymundeb rhyfedd yn dod rhyntoch – a hwnna, ydwy'n meddwl, o'dd un o'm cymhellion i sgrifennu 'Tŷ Ddewi' – ro'dd e'n bersonol bron.[57]

Ymgais i ail-greu ac i ailfeddiannu'r profiad hwnnw ar Garn Llidi a geir ym mhenillion agoriadol trydedd ran yr awdl. Wrth iddo oedi ar Garn Llidi, gall y bardd weld yr holl arfordir yn ymagor ac yn ymledu o'i flaen, ac y mae'n ymgolli yn yr olygfa. Saif Carn Llidi ar ddarn o dir sy'n ymestyn tua'r môr, fel braich (gan gofio, ar yr un pryd, fod yna arwyddocâd arbennig i'r ddelwedd o fraich yng nghanu Waldo), ac ar y darn hwn o dir, chwelir ffiniau amser:

> Ar wych fraich y fro uchel
> Heb gyfrif un ganrif gêl,
> Clywaf gyfaredd heddiw
> Ail oes well hen Wales wiw.[58]

Yn ôl Ail Gainc *Pedair Cainc y Mabinogi*, chwedl *Branwen ferch Llŷr*, treuliodd y seithwyr a ddychwelodd o Iwerddon bedwar ugain mlynedd yng Ngwales (Grassholm), sef ynys tuag wyth milltir o bellter oddi ar arfordir gorllewinol Sir Benfro, ar ôl treulio saith mlynedd yn Harlech. Ar ynys Gwales roedd pen y cawr Bendigeidfran, brawd Branwen, yn gwmni iddynt, a buont hwythau fyw'n ddedwydd yno, heb heneiddio a heb gof am eu gofidiau, hyd nes yr agorwyd y drws a wynebai ar Aber Henfelen a Chernyw. Y mae Waldo'n ymglywed â naws ac awyrgylch y cynfyd chwedlonol hwnnw hyd yn oed, wrth iddo groesi ffiniau amser.

Bellach, wrth iddo ei deimlo'i hun yn un â'r wlad o'i amgylch, y mae'n clywed 'hen oesoedd yn golchi/Ym mysg suon llon y lli'. Daw'r gorffennol yn ôl yn fyw iddo:

Parabl yn nydd pêr blynyddoedd
O dan haul haf a gaf ar goedd,
A daw ataf o'm deutu
Iaith fwyn hen bethau a fu.[59]

A daw Carn Llidi yn symbol o'r hyn sy'n barhaol yng nghanol cyfnewidiadau amser; y mae'n rym sy'n drech nag amser ac yn rym sydd hefyd yn bodoli y tu allan i amser, ac yng nghalon y mynydd y mae yna rym ysbrydol na all amser darfu arno na'i ddinistrio:

Mesurau bach amser byd
A chwalaf a'u dymchwelyd.
Er ymlid, hen Garn Llidi,
O'r oesau taer drosot ti,
Anniflan heddiw yw'r hen flynyddoedd
Cans yma mae mynydd fy mynyddoedd
A'i hug o rug fel yr oedd – pan glybu'r
Canu ar antur y cynnar wyntoedd.[60]

Yma, 'mynydd fy mynyddoedd' yw Carn Llidi, un o fynyddoedd ei febyd fel Foel Drigarn, Carn Gyfrwy a Thal Mynydd. Ac erys y mynydd hwn yn ddigyfnewid trwy'r canrifoedd.

Y mae'r weledigaeth a geir yn nhrydedd ran yr awdl yn hynod o debyg i'r weledigaeth a gafodd Waldo mewn bwlch rhwng dau gae, Weun Parc y Blawd a Pharc y Blawd, pan oedd oddeutu pedair ar ddeg oed, pan welodd fod dynion, wedi eu hieuo gan gymdogaeth dda, yn frodyr i'w gilydd. Y mae'r mynydd, neu fynyddoedd y Preseli, yn symbolau grymusach o ddaioni Duw ar y ddaear ac o frawdgarwch rhwng dynion – craidd a hanfod pob crefydd – na'r gadeirlan ysblennydd. Ar lethrau'r Preseli y cydamaethai trigolion a brodorion y rhan hon o Sir Benfro, ac roedd y mynyddoedd hyn, felly, yn cynnal teuluoedd ac yn hybu brawdoliaeth. Y mae'r mynydd, o'r herwydd, yn gryfach ac yn gadarnach nag unrhyw addoldy o waith llaw. O dymor i dymor, o wanwyn i wanwyn, ac o genhedlaeth i genhedlaeth, bu'r hwsmon yn hau ar hyd llethrau'r mynydd:

Daw gwanwyn hyd y gweunydd
Â thân rhwysg i'w heithin rhydd.
Oeda haf ac wedi hyn
Daw rhwd ar hyd y rhedyn.
Dychwel y gwanwyn, a mwyn yw d'amynedd
Pan heuo'r hwsmon i'w afradlonedd,
Gwyliaist waith a gwelaist wedd – hen ddyddiau
A rhawd ei dadau ar hyd dy dudwedd.[61]

Ar lawer ystyr, peth marw yw'r eglwys gadeiriol. Gwahanol yw'r mynydd. Ni all yr un gadeirlan warchod cymuned a chreu brawdgarwch, ond fe all y mynydd wneud hynny. Ac os gwir hynny, mae'r mynydd, a fu'n noddi dyn drwy'r canrifoedd, yn meddu ar fwy o rym a gwerth nag unrhyw grefydd neu addoldy. Y mae'n rymusach na Christ a Christnogaeth hyd yn oed, yn gryfach na'r seintiau ac, yn sicr, yn fwy nerthol na'r hen dduwiau Celtaidd:

Ar dy odre hir didranc
Tua swyn y toau sanct,
Rhodiasant ar hyd oesoedd –
Dy nawdd o hyd, newydd oedd.
Cilied y Crist fel y Lleu liw goleulon
A siantiau taer yr hen seintiau tirion
Di geli yn dy galon – i'r Duw gwir
Enw nid adwaenir â nodau dynion.[62]

Yng nghalon y mynydd y mae'r rhywbeth anniffiniol hwnnw na all dynion roi enw arno, rhyw rym ysbrydol na ellir ei ddeall na'i ddisgrifio. Dyma'r daioni sylfaenol, cynhenid, y rhuddin sy'n parhau yng ngwreiddyn Bod. Gall yr hyn a luniwyd gan law dyn ddiflannu, gan gynnwys yr eglwys gadeiriol fawreddog ei hun, ond ni threchir byth y grym ysbrydol ddaionus sydd yng nghalon y cread, yr hyn a fu erioed ac a fydd yn dragwyddol:

Edrydd fy mynydd i mi
Dy ddiwedd, hen Dŷ Ddewi.[63]

Ar hyn daw cymeriad newydd i mewn i'r awdl, sef rhyw 'ŵr siriol ... A'i wyneb yn deg gan hoen bendigaid/Y mynydd am ei enaid'; hynny yw, y mae hwn yn ymgorfforiad o rym ac egni sanctaidd y mynydd.[64] Gŵr o'r dyfodol yw hwn:

> Y mynydd a'i rym anwel
> Wysiodd hwn o oes a ddêl.[65]

Bellach, y mae'r gadeirlan yn adfeilion wedi i 'amser byd' wneud ei waith:

> Cans daeth y Cadarn arnad
> Amser hen a'i lym sarhad.
> Dy drysor di a dreisiwyd –
> Ger eigion oes – cragen wyd.
> Lle bu dihewyd diwair dy seiri,
> Lle bu eu traserch dan wyll bwtresi
> Neu wawl dy restr ffenestri – hir ymdrôdd
> A'i raib a loriodd dy gry' bileri.[66]

Y gŵr siriol sy'n ein tywys at ddiwedd yr awdl, wrth iddo fyfyrio uwch adfeilion yr eglwys. Cragen wag yw'r gadeirlan bellach, ond y tu mewn i'r gragen gall y gŵr o'r dyfodol glywed '[t]onnau diddiwedd hen Dŷ Ddewi'.[67] Yna, wrth glywed '[b]oreol foliant/A mawr swyn tymhorau sant' yn y gragen, y mae'r gorffennol yn ymrithio o flaen ei lygaid, a gwêl yr hen fasiwn a'i brentisiaid wrthi yn adeiladu'r eglwys.[68] Er mwyn dyrchafu Duw ac addoli Crist y cododd yr hen fasiwn yr eglwys:

> Ar rith yr awyr weithion
> Clywaf dincial dyfal donc
> O'r oesoedd cêl pan welwyd
> Eiddgar amyneddgar nwyd
> Yn mynnu ceinder o'r meini cyndyn –
> Hoffter hirfaith hen grefftwr o'i erfyn
> A gras gwiw yr Iesu gwyn. – Dan ei groes
> Bwa glân a roes, lle bu Glyn Rhosyn.[69]

Ond awgrymir yn yr awdl fod oesoedd diweddarach wedi esgeuluso'r eglwys a gadael iddi ddadfeilio.

Y mae gardd yr eglwys hefyd yn anial:

> Yma bu gardd eu sancteiddiol harddwch
> Yr hoen dialar a'r hen dawelwch.
> Heb bersawr o'i llawr a'i llwch – yw'r ardd hon –
> Mae rhos fy nghalon? Awelon, wylwch.[70]

Ond y mae'r ddaear lle safai'r eglwys gadeiriol yn ddaear gysegredig, gan fod Dewi wedi troedio'r ddaear honno. Er bod yr eglwys wedi dadfeilio, y mae cynhysgaeth Dewi yn aros. Ef a roddodd 'nawdd Duw' i wledydd cred:

> Addolwyn a mwyn i mi
> Dy ddaear, hen Dŷ Ddewi
> Ym mhob nwyd nawdd Duw mab Non
> A roist i'r oesau cristion.[71]

Canolbwyntir ym mhenillion olaf yr awdl ar y ddelwedd o rosyn gwyn. Dewi yw'r rhosyn gwyn hwnnw. Mae gardd Tŷ Ddewi yn ddiffeithwch, ac mae'r gŵr o'r oes a ddêl yn holi am y rhosyn hwnnw, gan annog yr awelon i wylo uwch ei farwolaeth. Ond nid yw'r rhosyn wedi gwywo a darfod:

> Hir islais yn y rhoslwyn
> A sibrydai ym Mai mwyn,
> A than awen heulwen haf
> Acw mae'r rhosyn tecaf.[72]

Gŵr y bywyd syml, gŵr y pethau bychain, oedd Dewi, ac anaddas, ar lawer ystyr, oedd codi eglwys gadeiriol urddasol, fawreddog i'w fawrhau. Y mae'r ddelwedd o rosyn gwyn yn cyfleu purdeb a symlrwydd Dewi yn llawer gwell na chadeirlan. Bellach, er bod yr eglwys yn adfail a'r ardd yn anial, mae rhosyn Dewi wedi ymwreiddio a blodeuo mewn gerddi eraill, trwy Gymru a thrwy wledydd cred:

> A doe blodeuai ond daeth
> Chwalu yr oruchwyliaeth
> Eithr yng ngherddi gerddi gwâr
> Caed ei rosgoed ar wasgar.

Diau rhosyn gwyn Dewi a roesant
A'r rhosyn coch yn berl yn y gerlant.
Tra daw gwlith i blith ei blant – i'w hen chwedl
Hardd y try cenedl y beirdd tra canant.[73]

Gyda delwedd y rhosyn, neu'r blodyn, y diweddir yr awdl:

Cans yma rhwng dail y dyrys ddrysi
Y diddig enaid doe a ddug inni
Burwyn flodeuyn Dewi, a dilys
Ei rin a erys i'w ryw aneiri'.[74]

Rhodd gan Dduw, y 'diddig Enaid', yw'r blodyn neu'r rhosyn hwn.

Proffwydir yn nhrydedd ran yr awdl y bydd credoau dynion yn diflannu gydag amser, yn union fel y bydd y gadeirlan yn dadfeilio gydag amser – amser byd. Dyma'r crefyddau o wneuthuriad dynion sydd 'Yn hawlio creu Duw yn nelw credoau', a phob crefydd yn disgrifio ac yn diffinio Duw yn ôl ei goleuni ei hun, a Duw, felly, yn newid gyda phob dehongliad:

Ofer codi meini mud
A chroesbren uwch yr ysbryd ...

Er diwedd y credoau
Ni dderfydd y mynydd mau
Eirio'n gudd i'r hwn a gâr
Hen dduwiau gwyn y ddaear.
Mae rhith yn chwythu ei bib yn ddiball
Tyner a thirion tannau rhith arall
A chlyw Duw uwchlaw deall – nos a dydd
Ganiadau newydd gan wawd anniwall.[75]

Y mynydd a'i 'rym anwel' yw'r un peth arhosol. Tybiodd Gwenallt mai ymosod ar wahanol enwadau, sectau a chrefyddau yr oedd Waldo yn nhrydedd ran yr awdl, a nododd fod y feirniadaeth yn andwyo'r gerdd, ond mae llythyr enwog J. Edwal Williams at ei fab, pan benderfynodd Waldo ymuno â'r eglwys trwy fedydd, yn taflu llawer o oleuni ar yr hyn sydd gan Waldo dan sylw yn y rhan hon o'r awdl. Brawdoliaeth a sancteiddrwydd bywyd oedd y wir grefydd i J.

Edwal Williams, y gwerthoedd hynny a oedd yn uwch na dogmâu a defodau: 'They have misunderstood religion taking it to be a thing of a day and a place, a hollow zeal for a denomination or a narrow esprit de corps or observance, a routine observance of rites and ceremonies.' Mae'r mynydd yn nhrydedd ran 'Tŷ Ddewi' yn cynrychioli'r peth gwirioneddol, parhaol hwn y mae J. Edwal Williams yn sôn amdano, ac mae'r pwysigrwydd a roddir i'r mynydd fel symbol o nerth cudd yn arwain yn naturiol at gerddi fel 'Y Tŵr a'r Graig', 'Preseli' a 'Cymru a Chymraeg'. O ran hynny, rhagredegydd yw 'Tŷ Ddewi' i 'Y Tŵr a'r Graig'. Y mynydd yn yr awdl yw'r Graig yn y cywydd; y gadeirlan yn yr awdl yw'r Tŵr yn y cywydd; y rhosyn yn yr awdl yw'r grug yn y cywydd. Nid bod y gadeirlan yn symbol o drais na militariaeth, fel y Tŵr, er mai cynnyrch y goncwest Normanaidd ydoedd, fel yr awgrymir yn yr awdl, ond y mae'n sicr yn enghraifft o'r modd y mae dyn yn rhoi pwyslais ar allanolion crefydd, ar sioe ac ar ysblander, yn hytrach na rhoi pwyslais ar y goleuni mewnol, ar symlrwydd ffydd ac ar burdeb y galon. Yn union fel y proffwydir cwymp tŵr a chastell yn 'Y Tŵr a'r Graig' –

> Gyr glaw ar y garreg lom,
> Eithr erys byth ar ros bell.
> Gostwng a fydd ar gastell – [76]

rhagwelwyd dadfeilio'r gadeirlan yn 'Tŷ Ddewi'. Gŵr y bywyd syml a gŵr a fynnai ymgymuno yn uniongyrchol â Duw oedd Dewi, fel y seintiau eraill. Yn rhan gyntaf yr awdl ceir Dewi yn ceisio argyhoeddi'r pysgotwr fod lle yn y grefydd newydd i'r hen dduwiau cyntefig, cynoesol, ac ailadroddir hynny yn y drydedd ran. Pan o gymeriad yw'r rhith sydd yn 'chwythu ei bib yn ddiball' ac Orffews o gymeriad yw'r 'rhith arall', y telynor. Pethau sydd 'uwchlaw deall' yw'r rhain, sef ymdrechion dyn i geisio dirnad a dehongli dirgelwch bywyd trwy gyfrwng mytholeg. Yma y mae diddordebau anthropolegol a mytholegol Waldo yn brigo i'r wyneb. Yn aml iawn, roedd Waldo yn hiraethu am wareiddiadau cynnar, gwareiddiadau symlach a addolai 'Hen dduwiau gwyn y ddaear', a gwareiddiadau hefyd a oedd yn cynnal beichiau a breichiau ei gilydd ac yn byw'n heddychlon wâr mewn cymundeb â'r ddaear. Ni fynnai Waldo ollwng 'Hen dduwiau gwyn y ddaear' dros gof, na'r 'duwiau na ŵyr neb amdanyn nawr', fel y dywedodd yn 'Cofio'. Cyferbynnir rhwng yr hen dduwiau a'r Duw newydd yn yr awdl, rhwng yr hen chwedlau brodorol a'r efengyl newydd estron. Edrychir yn ôl at y cynfyd cyn-Gristnogol â pheth hiraeth, ac wedi i'r gadeirlan ddadfeilio yn nhrydedd ran yr awdl, awgrymir y bydd y byd yn gorfod dychwelyd at hen werthoedd a hen gredoau symlach y byd cyntefig. Yn hyn o beth, mae agwedd Waldo yn hynod o debyg i agwedd Edward Carpenter, yntau hefyd yn cymharu canrifoedd Cristnogaeth yn anffafriol â'r canrifoedd cyn-Gristnogol:

> All down the Christian centuries we find this strange sense of inward strife and discord developed, in marked contrast to the naïve insouciance of the pagan and primitive world; and, what is strangest, we even find people glorying in this consciousness – which, while it may be the harbinger of better things to come, is and can be in itself only the evidence of loss of unity and therefore of ill-health, in the very centre of human life.[77]

Yn awdl Waldo fe geir, mewn gwirionedd, ddau Dŷ Ddewi, sef y Tŷ Ddewi ysbrydol ac anweladwy – 'Ysol dân yw sêl ei dŷ' – a'r Tŷ Ddewi materol a gweladwy.[78] Yr eglwys gadeiriol ei hun yw'r allanol-weladwy, ond yn y mewnol-anweladwy y mae dyn yn dod i gymundeb â Duw a chyd-ddyn. Os oes elfen o feirniadu crefydd yn 'Tŷ Ddewi' – ac ni ellir gwadu hynny – beirniadu dibyniaeth dyn ar yr allanol, yn hytrach na'r mewnol, a wneir. Gwladwriaeth neu gadeirlan, addoldy neu senedd-dy – symbolau yw'r rhain o anallu dyn i reoli ei fywyd ei hun, neu o'r modd y mae gwladwriaethau yn gwarafun i ddyn ei reoli ei hun, fel perchennog yr afallen yn 'Dameg Arall at y Lleill'. Yn ôl Edward Carpenter, yn wahanol i'r dyn cyntefig, collodd y dyn modern y gallu i gyfathrebu â'i hunan mewnol ac â'i gyd-ddynion, ac aeth i ddibynnu ar systemau a chyfundrefnau a sefydliadau allanol. Yn y pen draw, fe'i meddiannwyd yn llwyr gan y systemau hynny:

> The institution of Government is in fact the evidence in social life that man has lost his inner and central control, and therefore must resort to an outward one. Losing touch with the inward Man – who is his true guide – he declines upon an external law, which must always be false. If each man remained in organic adhesion to the general body of his fellows no serious disharmony could occur; but it is when this vital unity of the body politic becomes weak that it has to be preserved by artificial means, and thus it is that with the decay of the primitive and instinctive

social life there springs up a form of government which is no longer the democratic expression of the life of the whole people; but a kind of outside authority and compulsion thrust upon them by a ruling class or caste.[79]

Edmygid y cymdeithasau cyntefig hyn gan Carpenter a Waldo, gan mai cymdeithasau a hyrwyddai gydraddoldeb a democratiaeth oeddynt, ac ni allai'r un unigolyn na'r un sefydliad ddryllio'r undod hwnnw ymhlith gwahanol aelodau'r llwyth. Meddai Carpenter eto:

... the early tribes of mankind, though limited each in their habits, were essentially democratic in structure. In fact nothing had occurred to make them otherwise. Each member stood on a footing of equality with the rest; individual men had not in their hands an arbitrary power over others; and the tribal life and standard ruled supreme.[80]

Er mai awdl anorffenedig oedd 'Tŷ Ddewi', ac er bod Waldo wedi cael trafferth aruthrol, ar brydiau, i fynegi ei feddyliau, hi oedd awdl y trobwynt yn ei yrfa fel bardd, a hynny am nifer o resymau. Mae'r awdl, i ddechrau, yn ffarwelio â chyfnod cynnar, prentisaidd y bardd, cyfnod y canu telynegol, syml, cyfnod cerddi fel 'Menywod' a 'Cofio', i nodi'r ddwy enghraifft amlycaf o ganu'r cyfnod hwn. Cerddi rhydd yw'r rhain i gyd, ond mae 'Tŷ Ddewi' yn cyflwyno Waldo newydd a gwahanol, bardd mwy myfyrgar a mwy crefftus na bardd y telynegion a'r cerddi ysgafn cynnar.

Mae 'Tŷ Ddewi' yn bwysig am reswm arall. Ynddi y mae Waldo yn cyflwyno llawer o'i syniadau, ei symbolau a'i ddelweddau unigryw bersonol am y tro cyntaf. Ynddi hefyd y mae'n dechrau ymgiprys â'r themâu y byddai'n datblygu mwyfwy arnynt yn y dyfodol. Er enghraifft, mae araith Dewi yn yr awdl yn cyflwyno argyhoeddiadau Waldo ei hun yn ogystal â daliadau'r sant:

Gado'r clod o godi'r cledd – mewn byd claf
A thyngu i Naf waith a thangnefedd.

Dyma heddychiaeth a brawdgarwch Waldo yn dechrau chwilio am fynegiant.

Ni chafodd Waldo gyfle i gaboli'r awdl, nac i sicrhau bod fersiwn mwy gorffenedig a chywirach ohoni yn cyrraedd yr Eisteddfod. Aeth yn wael, ac ni fynnai ddim byd pellach i'w wneud â'r awdl. Aeth i grwydro, ac ni wyddai neb ymhle'r oedd ar adegau. Gofidiai ei gyfeillion ac aelodau o'i deulu amdano. Rhwng Mawrth 1937 a Ionawr 1938, pan adawodd ofal yr ysbyty o'i wirfodd, y bu'n derbyn triniaeth fel claf allanol yn yr Eglwys Newydd. Ymhle y bu Waldo cyn hynny? Erbyn 1934 o leiaf, ac efallai cyn hynny, roedd wedi cwrdd â merch o'r enw Linda Llewellyn, athrawes ifanc o'r Maerdy yn y Rhondda. Roedd Waldo a Linda yn bresennol ym mhriodas Roger, brawd Waldo, ym mis Gorffennaf 1934. Merch i beiriannydd yn un o byllau glo'r Maerdy, William Morris Llewellyn, a'i briod, Mary Elizabeth, oedd Linda. Roedd tad William Morris Llewellyn, sef Morris John Llewellyn, a thad Gwladys Llewellyn, Lewis Llewellyn, yn ddau frawd, ac roedd Gwladys, felly, yn perthyn i Waldo ar ochr ei mam ac i Linda ar ochr ei thad. Ganed Linda ar Ebrill 6, 1912, ac felly roedd bron i wyth mlynedd yn iau na Waldo. Yn Rhosaeron y cyfarfu Waldo â Linda Llewellyn, pan oedd Linda yn aros yno gyda Gwladys. Rywbryd yn ystod 1935 roedd Waldo a Linda yn chwilio am gartref Angharad, mam Waldo, yn Twyford, Berkshire, sef y tŷ lle ganed Margaret Wilhelmina, chwaer Angharad. Pa ran yn union a chwaraeai Linda ym mywyd Waldo yn ystod cyfnod ei salwch? Yn ystod cyfnod ei charwriaeth â Waldo, arferai Linda aros yn aml â Gwladys yn Rhosaeron.

Treuliai Waldo lawer o'i amser yn Elm Cottage yn ystod y cyfnod hwn. Roedd yn ddi-waith yn aml, ond ym 1936 cafodd gyfle i ddilyn yn ôl troed ei dad. Prifathro Ysgol Gynradd Mynachlog-ddu ar y pryd oedd E. T. Lewis, brodor o Login yn Nyffryn Taf, a lletyai mewn tŷ o'r enw Bryncleddau ym Mynachlog-ddu gyda gwraig weddw o'r enw Jane Griffith a'i nith Margaret Ann. Cafodd E. T. Lewis ddamwain wrth drafod llechi trymion yn chwarel Tyrch, Mynachlog-ddu, a bu'n rhaid i Waldo weithredu fel prifathro'r ysgol am dri mis. Ym Mryncleddau y lletyai Waldo hefyd, a gadawodd gerdd ar ei ôl i gofnodi ei arhosiad yno. Gweithred olaf Jane Griffith cyn noswylio bob hwyrddydd oedd diffodd (neu 'ddiffod' yn nhafodiaith Waldo) y lamp olew. Ni châi neb arall gyflawni'r ddyletswydd hon, ac i hynny y canodd Waldo:

> Rwy'n dipyn o sgwlyn cylchdeithiol,
> Fan hyn a fan draw ar fy nhro,
> Ond llwyddaf yn weddol effeithiol
> I lynu ym mraster fy mro.

Eich bacwn a'ch wyau boreol
Yw'r gorau a ge's yn fy nhramp,
Ond deliwch yn dynn yn y rheol,
A gwn na chaf ddiffod y lamp.

Hoff gennyf yw llosgi tybaco,
Gwell gennyf yw chwarae â'm pib,
A'r tân yn ei llestr yn slaco,
A'm meddwl yn dal ar ei wib.
Hyfryted yw oriau segurdod
Ar hen dywydd diflas a damp,
Nes trowch at y cloc mewn awdurdod,
A gwn na chaf ddiffod y lamp ...

Frenhines, mae'r gwir yn safadwy,
Mae'ch bacwn a'ch wyau tan gamp;
Mae'ch gofal yn wir ganmoladwy,
Ond O! na chawn ddiffod y lamp.[81]

Er gwaethaf ei dostrwydd ar y pryd, nid y gerdd i Jane Griffith oedd yr unig gerdd iddo ei lunio ym 1936. Yn y flwyddyn honno, cyhoeddwyd *Cerddi'r Plant*, sef casgliad o gerddi ar gyfer plant gan Waldo a'i gyfaill E. Llwyd Williams ar y cyd, a chyfrol a ddaeth yn hynod o boblogaidd ymhlith plant yn ogystal ag athrawon. Fel arall, prin ryfeddol oedd ei gynnyrch rhwng 1935 a 1938. Lluniodd yr awdl 'Tŷ Ddewi', yn ogystal â rhai ymarferiadau cynganeddol a anfonodd at D. J. Williams, ym 1935. Cyhoeddwyd *Cerddi'r Plant* ym 1936, ond ni chyhoeddwyd dim byd ganddo ym 1937. Blwyddyn fud fu honno, a blwyddyn golledus arall yn ei fywyd. Ar Fai 18 bu farw ei gyfaill mawr, Idwal Jones, yn 42 mlwydd oed. Er na fu llawer o gysylltiad rhwng Waldo ac Idwal yn ystod y 1930au, mae'n sicr fod marwolaeth ei gyfaill wedi cyffwrdd ag ef i'r byw.

Un o'r pethau rhyfeddaf ynghylch Waldo yn ystod y cyfnod hwn yw'r modd y llwyddodd i greu cerddi hardd, dychmygus ac afieithus am blant a phlentyndod ar yr union adeg y câi ei blagio gan hunllefau o'i blentyndod ef ei hun. Un o gerddi mwyaf rhyfeddol a chyfareddol *Cerddi'r Plant* yw'r gerdd 'Enwau':

Pryd mae'r gwcw'n gwisgo'i sgidie-a-sane?

Pryd mae'r brain yn gwisgo'u bacse glas?

A sut mae'r blodyn neidir

Fyny fry ar glawdd y feidir

Yn perthyn i sut hen greadur cas?

Sut mae Mair â chymaint o friallu?

Ydi'r cŵn yn clatsho'u bysedd i wneud stŵr?

Ydi'r moch yn bwyta'u crafol?

A oes rhywun â'r dail tafol

Yn pwyso pethau weithiau i'r hen ŵr?

Dywedwch ydi'r nyddwr weithiau'n nyddu?

Ac wedi iddo nyddu, pwy sy'n gweu?

Welais i mo teiliwr Llunden

Yn gwneud siwt erioed i undyn,

Ond cofiwch, falle'i fod e ar y slei.

Pam na fentra'r gwyddau bach i'r afon?

Rhag ofn hen was y neidir, falle'n wir.

Fe ddylai'r brenin brale

Dalu milwyr am ei ddal e –

Mae digon o ddail ceiniog yn ei dir.

Pryd mae Jac y rhaca'n cael ei wair mewn?

'Thâl hi ddim i'w adael nes bo'n llwyd.

Anodd lladd â'r ddalen gryman

Ond bydd gwas y gwcw yma'n

Helpu cywain, a daw'r llyffant ma's â'r bwyd.[82]

Ym 1938, cyhoeddodd un gerdd yn unig, sef y cywydd hir 'Y Tŵr a'r Graig'. Cyhoeddwyd y cywydd yn rhifyn mis Tachwedd 1938 o'r cylchgrawn *Heddiw*, gyda dyfyniad uwch ei ben: 'CONSCRIPTION URGED. Lord Strabolgi is to move in the House of Lords on November 16: "That, in the light of recent events, this House is of the opinion that it would be in the best interests of this country if some measures of compulsory national service to include compulsory service in the Forces of the Crown were to be adopted."'[83] Anfonodd Waldo gopi o'r cywydd at D. J. Williams, a gofynnodd D.J. i'r awdur esbonio rhai pethau ynddo. Atebodd Waldo:

O ie, yr oeddech yn gofyn am dipyn o oleuni ar y cywydd yna. Wel, mi fûm
yn darllen tipyn ar Gyfres y Fil yn ystod yr Haf yma, ac yn teimlo nad oedd bois
y ganrif ddiwethaf ddim mor ffôl wedi'r cyfan ag y mae beirniadaeth lem yr
'adfywiad' yn eu dodi. A phan ddodid testunau cymdeithasol megis Elusengarwch,
neu Heddwch, neu'r Genhadaeth Dramor iddynt ganu arnynt, yr oedd hynny
mewn ffordd yn eithaf unol â thraddodiad y mesurau caeth, oblegid canu
cymdeithasol, yntê, oedd yr eiddo'r cywyddwyr. Wel, teimlo'r own, heb godi i'r
un uchter barddonol ag y gellir mewn canu 'rhamantus' ac 'unigol' y gellid gwneyd
y cywydd yn gyfrwng eithaf defnyddiol at iws gwlad i drafod materion mawr y
dydd mewn ffordd fwy gafaelgar, efallai, na[g] mewn rhyddiaith. Tipyn yn rhy hir
yw'r cywydd hwn, rwy'n deall, o'i weld mewn prŵff, ond nid oedd yn edrych mor
hir i mi pan ddanfonais ef atoch, oblegid yr oeddwn wedi ei dorri i lawr yn helaeth
o'r hyn sgrifenaswn gyntaf.[84]

Eglurodd gefndir y cywydd:

Wrth edrych i'r gorllewin o ffenestr llofft Elm Cottage, gwelir dau bigyn yn ymyl
ei gilydd ar y gorwel. Castell y Garn yw un, a'r Plumstone (Plwyf Camrose) yw
y llall. Cymerais y Tŵr ar Gastell Roch yn arwydd am ormes – cymdeithasol a
militaraidd – peth sy'n estron i ddyn yng ngwaelod ei gyfansoddiad, fel y mae'n
rhaid inni goelio os coeliwn y daw dydd pryd y bydd yn estron i'w hanes, oblegid
gwaelod y cyfansoddiad sy'n penderfynu diwedd yr hanes. Rhywbeth felly yw'r
gormes yma a osodir arnom, fel Castell y Garn ar y garn, gan nerthoedd estronol.
Ond am y Plumstone – fel gwedodd un o drigolion Camrose wrthyf – 'She's a
big lump o[f] a' awld rock, and she've a bin there no dewt since the feundation'
... Felly cymerwn Roach i sefyll dros yr arglwyddiaeth lem, a'r Plumstone dros
y werin arw – honno['n] codi o natur ei hun fel y maen o wythi'r graig, nid
rhywbeth gwneud fel castell.[85]

'[N]id rhywbeth gwneud fel castell' meddai Waldo. 'Rhywbeth gwneud'
oedd Eglwys Gadeiriol Tŷ Ddewi hefyd, ac roedd Waldo wastad yn amheus
o systemau a sefydliadau dynol, o'u cymharu â natur yn ei noethni plaen. A
dyna fyrdwn 'Y Tŵr a'r Graig'. Mae'r tŵr yn y cywydd yn symbol o drais a
gormes, a'r graig arw a noeth yn symbol o wydnwch a dyfalbarhad y werin
dlawd, tŵr gwladwriaeth, craig arwriaeth.

Twyllwyd dynion erioed gan wladwriaethau a llywodraethau mai diben
milwriaeth yw amddiffyn rhyddid a hawliau cenedl. Dychanu a dirymu'r
safbwynt cyfeiliornus hwnnw a wneir yn 'Y Tŵr a'r Graig':

Cwyd o'r tŵr tra cydir tid,
Arwyddair 'Hedd a Rhyddid'
Gan y gwŷr a'n dygai'n gaeth
Ym mrwydr eu hymerodraeth.[86]

'I'r hygred boed eu rhagrith' meddai, hynny yw, pobl hygoelus yn unig a allai gredu'r fath ragrith, ond y gwir yw fod gwladwriaethau ac ymerodraethau yn dibynnu ar bobl hygoelus, hygred i ymladd o'u plaid; ond twyll a chelwydd yw pob propaganda o'r fath.[87]

Ym mhedwaredd ran y cywydd, mae'r fam-ddaear yn llefaru:

'Yr un yw baich gwerin byd,
Un hawlfraint ac un delfryd.
Cânt o'r tir âr y bara,
Trônt gyfwerth fy nerth, fy na
[Â]'u trafael yn y trefi
A than hwyliau llongau lli.
Pob peth a roddo pob pau
Pwy ond fy mhlant a'u piau?
Er gormes o'r tŵr gwrmwawr
A roddai gam i'r fam fawr.'[88]

Y fam yw'r ddaear a'r werin yw ei phlant. Caled yw bywyd y werin ond trwy'r caledwaith hwnnw y sefydlir perthynas agos rhwng dyn a daear, a rhwng dyn a dyn. Trwy rannu'r ddaear yn hytrach nag ymladd i ennill tiriogaeth, trwy rannu bendithion y ddaear a gweithio ar y cyd i gywain daioni a ffrwythlondeb y tir, y sefydlir brawdgarwch rhwng dynion:

Peidiai rhyfel a'i helynt,
Peidiai'r gwae o'r pedwar gwynt
Pe rhannem hap yr unawr,
Awyr las a daear lawr.
Oer angen ni ddôi rhyngom
Na rhwyg yr hen ragor rhôm
Pe baem yn deulu, pob un,
Pawb yn ymgeledd pobun ...[89]

Peth dieithr i filwriaeth, ac i filitarwyr yn gyffredinol, yw cyd-ddibyniaeth o'r fath:

> Rhwng pob ciwdod, pan godan'
> 'Run tŷ, 'run to, i'r un tân.
> Deir waith cymrodyr di-ri
> Yw ei lawr a'i bileri.
> Ac nis edwyn hil milwyr
> Na'r darian dân na'r dwrn dur,
> Na'r heidiau ar ehedeg,
> A'u rhu ar yr awyr, a'u rheg.[90]

Symbol o burdeb dilychwin a symlrwydd buchedd Dewi yw'r rhosyn gwyn yn 'Tŷ Ddewi', tra bo'r grug yn 'Y Tŵr a'r Graig' yn symbol o wydnwch, dygnwch a dewrder y werin yn wyneb adfyd ac erledigaeth. Y grug a'r graig a'r ddaear a drinnir gan y werin sy'n rhoi gwir heddwch a gwir ryddid, nid y tŵr militaraidd, treisgar. Y mae gwir blant y ddaear, y wir werin, yn gwrthod ymgrymu i bôr, sef arglwydd neu deyrn, nac i'w beiriannau rhyfel. Ceir hefyd yn y cywydd beth beirniadaeth ar grefydd gyfundrefnol. Condemnir Eglwys Loegr am y modd y bu'n erlid yr Anghydffurfwyr cynnar, ac efallai fod Waldo yn cofio am yr erlid a fu ar ei hynafiaid ar ochr ei fam:

> Bu gwerin yn penlinio
> Wrth ffwrm braisg buarth fferm bro,
> Rhwydd a hael [y] rhoddai hon
> Ysgubor rhag esgobion.
> Nac i bôr nac i'w beiriant
> Ni phlyg cadernid ei phlant.
> Dros ei haddef bu'n sefyll
> Y garreg yn deg ei dull,
> A'r grug hardd a'r garreg hon
> Gydia'r dewr gyda'r dirion
> A dal yn yr anwel did
> Hen wedd yr hedd a rhyddid.[91]

Fel y dywedodd Waldo, 'rhywbeth gwneud' yw castell, nid rhywbeth naturiol fel y graig, a bydd ymerodraethau dynion yn cwympo yn y pen draw, ond y graig yn aros:

A leda'r hwyrnos drosom?
Gyr glaw ar y garreg lom,
Eithr erys byth ar ros bell.
Gostwng a fydd ar gastell,
A daw cwymp ciwdodau caeth,
A hydref ymerodraeth.
O, mae gwanwyn amgenach
Ar hyd y byd, i rai bach.[92]

Ym 1938, roedd sibrydion yn y gwynt y byddai'r Weinyddiaeth Ryfel yn hawlio tir yn Sir Benfro yn faes ymarfer i danciau. Y bygythiad hwnnw sydd y tu ôl i rai rhannau o 'Y Tŵr a'r Graig'. Trwy ddwyn tir amaethyddol oddi ar ffermwyr ardaloedd y Preseli, treisid a llofruddid y fam-ddaear gan ychydig o weision y wladwriaeth:

Pwy blannai ddur traeturiaeth
Ym mron y fam a ran faeth,
Onid ychydig anwyr
Yn gwael hocedu ein gwŷr?[93]

Ond diweddir y cywydd â gobaith, y gobaith y bydd y maen, y graig, yn drech na haearn gorthrymwyr a threiswyr:

Corsen frau'n crasu'n y fro
Yw y tŵr, cyn y torro.
Echdoe ni bu ei uchter
Ac ni wiw heddiw ei her.
Mwy na'i lu yw maen y wlad,
Na haearn – ei dyhead
Ac awen y dragywydd
Wybren draw, lle daw lliw dydd.[94]

Creodd y cywydd gryn dipyn o argraff ar Aneirin ap Talfan, golygydd *Heddiw*. Yr oedd yn gywydd amserol iawn gan iddo gael ei lunio adeg argyfwng Tsiecoslofacia, 1938, pan feddiannwyd y wlad gan fyddin yr Almaen. Meddai:

Araf iawn y mae Cristnogaeth yn gwneud ei hôl ar Gymru ac ar wledydd eraill Europ. Twyllir hi gan [y] shibolethau mwyaf arwynebol, a gwenwynir ei bywyd hi gan "arweinwyr" na wyddant y dim lleiaf am draddodiadau eu cenedl eu hunain, na malio dim am ei thynged. "Y dall a dywysodd y dall, a llawer a aethant i'r ffos,["] chwedl Morgan Llwyd. Dyna paham y mae'n well gennym heddwch anghyfiawn Chamberlain na rhyfel yr imperialwyr a'r ideolegwyr. Dyna paham y mae'n ffiaidd gennym araith bwdr Mr. Lloyd George. A glywyd erioed eiriau mwy pechadurus a meddyliau mwy twyllodrus? ["]Czechoslovakia would have stood up to Germany while we were preparing to come in and finish the job." A arhosodd ef i ystyried am eiliad beth a olygai "gorffen y job"? A arhosodd ef i glywed cri'r mamau uwchben cyrff clwyfedig a gwaedlyd eu plant bychain? Neu i geisio dychmygu rhyw Dachwedd newydd, a'r miloedd amddifaid o gylch colofnau newydd ym mhentrefi gwlad ei fagu? Cyfyd ei eiriau ei hun o'r gorffennol i'w gondemnio. "They have given the lives of those who are dear to them ... But their reward is at hand. Those who have fallen have had consecrated deaths. They have taken their part in the making of a new Europe, a new world. I can see the signs of it coming in the glare of the battlefield. The people will gain more by this struggle in all lands than they comprehend at the present time." Y Bobl! Y Werin! A orffenwyd job 1914 eto? A esgorodd marwolaeth gysegredig y miloedd Cymry ieuainc ar well byd i'r bobl? Gadewch i filoedd diwaith y Rhondda ateb i chwi. A wnaed iawn am farwolaeth Hedd Wyn? A lanwyd y gadair Ddu gan feirdd y Gymru newydd, rydd, y gwelodd Lloyd George wawr ei thoriad dydd hi ar feysydd gwaedlyd Europ? NADDO. Gadawyd y fraint i'w beirdd ganu i'r *Gwalia Deserta*. Gadawyd i'n gwŷr ifainc lwgu ar bymtheg swllt y dôl, ac i'n mamau newynu i roi bwyd yng ngenau'r plant. Y mae'r plant a frwydrodd i achub cam cenhedloedd bychain Europ, heddiw yn waeth eu cyflwr na'r un Almaenwr Swdetaidd a fu byw erioed.[95]

'Anogwn gyda'r llawenydd mwyaf ystyriaeth ddifrifol ein darllenwyr i awdl [*sic*] Mr. Waldo Williams a gyhoeddir, gan ei phwysiced, yn ei chrynswth yn y rhifyn hwn,' meddai Aneirin ap Talfan ar ddiwedd ei erthygl olygyddol.[96] Roedd Waldo *Heddiw* yn bur wahanol i Waldo *Y Ford Gron*.

Daeth y bygythiad o du'r Weinyddiaeth Ryfel yn wir y flwyddyn ddilynol. Hawliodd y Weinyddiaeth Ryfel dir amaethyddol Castellmartin, chwe mil o aceri a ddefnyddid gan ffermwyr y Preseli yn diroedd pori i'w preiddiau yn ystod misoedd y gaeaf. Yn ystod y cyfnod hwn, ail hanner y 1930au, y dechreuodd Waldo ddod yn wir ymwybodol o ormes y wladwriaeth ar y werin, ac un o'r pethau a'i gwnaeth yn ymwybodol o'r gormes hwnnw oedd y modd yr hawliodd y Weinyddiaeth Ryfel y tir amaethyddol hwn i'w dibenion ei hun.

Lluniodd Waldo gywydd arall, 'Daw'r Wennol yn Ôl i'w Nyth', i brotestio yn erbyn rhaib y Weinyddiaeth Ryfel yn ne Sir Benfro. Cyhoeddwyd y cywydd yn *Y Faner* ac yn y *Western Telegraph and Cymric Times* ar ddiwedd mis Mawrth 1939. Y mae'n amlwg mai bwriad Waldo oedd cyhoeddi ei brotest ar raddfa leol a chenedlaethol. 'Siom am blannu ysgol danciau gan lywodraeth estron ar bentir Lini, ym mro Dyfed, un o'r rhanbarthau prydferthaf a brasaf yng Nghymru,' meddai 'Be Jay', colofnydd barddol y *Western Telegraph and Cymric Times*, wrth iddo gyflwyno'r cywydd i sylw darllenwyr Cymraeg y papur.[97]

Derbyniodd E. Prosser Rhys ddau fersiwn o'r cywydd ar gyfer *Y Faner*, sef fersiwn tebyg i'r un a anfonasai Waldo at y *Western Telegraph* i ddechrau, ac yna fersiwn a oedd fymryn bach yn wahanol. Wrth anfon yr ail fersiwn at Prosser Rhys, eglurodd Waldo ryw ychydig am gefndir y cywydd:

> Bûm yn adrodd wrth rai neithiwr y gân a yrrais atoch, a chredent nad oeddwn wedi gosod allan yn ddigon clir am ba beth y canwn – y ffermydd rhwng Cors Castell Martin a'r môr, lle bydd y 'Tank Range' cyn hir. Felly, mi ail-luniais y gân, gan roi pennill dwy linell ar ôl pob pennill chwe llinell i ddwyn i mewn rhai o'r enwau. Linney (o darddiad Nors, tebygaf) yw'r Lini sydd gennyf – pa beth arall a wnawn ag ef? Pennyholt yw Pen-yr-hollt erbyn hyn, a Crickmail yw Crug-y-mêl yn nhafodiaith yr ardal – a little English beyond Welsh. Efallai nad cywir meddwl am Pen-yr-hollt wrth ddarllen am aelwyd y wehelyth, oblegid nid oes mwy na phymtheng mlynedd er pan symudodd y bobl yno o'r dref.
>
> Hefyd gobeithir achub rhan o Crickmail eto, ond fel darlun cyfansawdd safed yr enwau, onide? Perchenogir Linney, Pennyhollt, Bulliber (Pwll Berw?), Brownslade, Chapel, Mount Sion, Pricaston, Flimston a hanner Longstone. Cedwir yn ôl rannau o Ferion, Loveston, Heyston, Trenorgan, Crickmail ...[98]

Darlunio'r modd y distrywid cymdeithas amaethyddol gyfan a wneir yn y cywydd. Symudai'r cywydd, fel y cyhoeddwyd ef yn *Y Faner* ac yn y *Western Telegraph*, fesul pennill chwe llinell – tri chwpled – a chwpled arall yn dilyn, ar wahân. Ceir darlun o'r ffermwyr yn gorfod gadael eu cartrefi a'u bro i ddechrau. Yn wahanol i'r wennol, sy'n dychwelyd i'r un nyth bob blwyddyn, ni all y ffermwyr byth eto ddychwelyd i'w cartrefi. Gadewir i'w tir dyfu'n wyllt a hwythau'n alltudion o'u bröydd:

> Daw'r wennol yn ôl i'w nyth,
> O'i haelwyd [â]'r wehelyth.
> Derfydd calendr yr hendref
> A'r teulu a dry o dref.
> Pob[l] y[n] gado bro eu bryd –
> Tyf hi'n wyllt a hwy'n alltud.
>
> Bydd truan hyd lan Lini
> Ei hen odidowgrwydd hi.

Adleisir dwy linell gyntaf 'Elegy Written in a Country Churchyard', Thomas Gray, yn yr ail bennill, 'The curfew tolls the knell of parting day,/ The lowing herd wind slowly o'er the lea.' Lleddir canrifoedd o draddodiad gan y Weinyddiaeth Ryfel:

> Hwylia o'i nawn haul y nef.
> Da godro, nis dwg adref:
> Gweddw buarth heb ei wartheg,
> Wylofain dôl a fu'n deg.
> Ni ddaw gorymdaith dawel
> Y buchod sobr a'u gwobr gêl;
>
> Ni ddaw dafad i adwy
> Ym Mhen yr Hollt na mollt mwy.

I bwysleisio'r modd y dilëir canrifoedd o amaethu gan ddyfodiad y tanciau i ardal Castellmartin, eir yn ôl mewn cyfeiriadaeth at y bedwaredd ganrif ar ddeg, bron i bedair canrif cyn cyfnod Thomas Gray, ac at ffynhonnell Gymreiciach, sef cywydd Iolo Goch, 'Y Llafurwr'. Cyfeiria'r llinell 'Gŵyr o'r môr gareio'r maes' at y llinell 'Cryw mwyn a ŵyr c'reiaw maes' yng nghywydd Iolo Goch, tra bo 'Mwy nid ardd neb o'r mebyd' yn cyfeirio at gwpled arall yn yr un cywydd: 'Gwyn ei fyd, trwy febyd draw,/A ddeily aradr â'i ddwylaw.' Ni welir gwylanod yn dilyn yr aradr mwyach:

Darfu hwyl rhyw dyrfa wen
O dorchiad y dywarchen –
Haid ewynlliw adeinllaes,
Gŵyr o'r môr gareio'r maes.
Mwy nid ardd neb o'r mebyd
Na rhannu grawn i'r hen grud.

I'w hathrofa daeth rhyfel
I rwygo maes Crug y Mêl.

Ni chlywir sŵn carnau ceffylau rhagor, na sŵn chwerthin plant. Lladdwyd cymdeithas a dilëwyd cymuned:

Mae parabl y stabl a'i stŵr,
Tynnu'r gwair, gair y gyrrwr?
Peidio'r pystylad cadarn,
Peidio'r cur o'r pedwar carn ...
Tewi'r iaith ar y trothwy
A miri'r plant. Marw yw'r plwy.

Ond mae'r cywydd yn cloi gyda gobaith:

Gaeaf ni bydd tragyfyth,
Daw'r wennol yn ôl i'w nyth.[99]

Mewn gwirionedd, roedd 1939 yn flwyddyn gynhyrchiol i Waldo, yn enwedig o'i chymharu â'r blynyddoedd hysb blaenorol. Er gwaethaf ei bryderon fyrdd yn ystod ail hanner y 1930au, ni laddwyd y Waldo ysgafnfryd a chellweirus yn llwyr. Cafodd gyfle i dynnu coes dau o'i gyfeillion, W. R. Evans ac E. Llwyd Williams, ym mis Chwefror 1939, pan gynhaliwyd Eisteddfod Gadeiriol Bwlch-y-groes, ger Crymych, Sir Benfro. Ysgrifennydd yr Eisteddfod oedd W. R. Evans a beirniad y farddoniaeth oedd E. Llwyd Williams. Penderfynodd Waldo gystadlu ar rai testunau o ran hwyl. Gofynnwyd am 'ganiadau' ar y testunau 'Chwys', 'Dagrau' a 'Gwaed' ar gyfer cystadleuaeth y Gadair, ac anfonodd ddau gynnig at yr ysgrifennydd. Lluniodd hefyd bedwar pennill ar y testun 'Lladd Mochyn' ar y dôn 'Hen Ffon fy Nain', ac anfonodd yn ogystal bedwar cynnig i gystadleuaeth y llinell goll.

Testun yr englyn yn Eisteddfod Bwlch-y-groes oedd 'Taten' ac anfonodd Waldo ddeuddeg o englynion i'r gystadleuaeth, sef 'Englynion Meibion Jacob i'r Daten', ynghyd â llythyr at yr ysgrifennydd, 'Mishtir Ifans' (W. R. Evans) wrth yr enw 'Isaac Jones, Mamre, Sir Bemro'. 'Ma'r bechgyn yma, meibion Jacob, wedi bod wrthi y nosweithi diwetha 'ma, yn canu englyn am y gore i'r daten,' meddai Isaac Jones,'[a] dyma fi hen ŵr eu tad-cu yn gorfod eu hala nhw, dros y lot, i steddfod Bwlchygrôs.'[100] Dyma dri o'r englynion hynny, englynion Reuben, Aser a Naptali:

> Rho imi'r Aran Banner, – mae'n bwysig
>   Mewn basin bob amser;
>   Mwyn ei blas, O, mae'n bleser
>   Cael ei swmp mewn cawl â sêr.
>
> Rhoddwn lond cors o'r porej – am ei blawd,
>   Am ei blas rhwng cabej,
>   Am ei swyn ynghlwm â swej,
>   Neu'n fâl tra sisial sosej.
>
> Hon a gludwyd yn glodwiw – o randir
>   Yr Indiad, a heddiw
>   Gwelir y daten wen, wiw
>   Ymhob man, ymhob meniw.[101]

Englyn Saesneg a gafwyd gan Joseph oherwydd bod y 'jipsis' wedi ei gipio ymaith 'i waelod y sir pan oedd yn fachgen':

> You're all right with Early Rose, – O, Kerr's Pink
>   Are spuds fit for heroes.
>   And Up-to-Date potatoes
>   Are large with the Down Belows.[102]

Ond englyn Isaac Jones ei hun a enillodd y gystadleuaeth:

> Ymborth nobl i bobl y byd, – yn y gwraidd
>   Dan ei gwrysg mae'n golud;
>   Ffein y bo, ffon y bywyd,
>   Wele rodd sy'n ail i'r ŷd.[103]

Lluniodd Waldo gywydd i longyfarch ei gyfaill Llwyd wedi iddo ennill ei wythfed cadair eisteddfodol mewn eisteddfod a gynhaliwyd yn nhŷ cwrdd Calfaria'r Bedyddwyr yn Logyn ym mis Ebrill 1939, a chywydd afieithus oedd hwnnw hefyd:

> Y bardd brwd wrth y bwrdd braf
> Neu'r hen sgiw hwyrnos gaeaf,
> Erni Llwyd, ym marn y lle
> Ti yw'r gŵr, eto'r gore,
> A mynnit ti ym min Taf
> Y bryddest oedd bereiddiaf,
> Un wych ei llun, och y lleill,
> Ucha ar wŷr, och rai ereill.
> Erni, cywilydd arnad,
> Gorthrymder mân glêr min gwlad ...[104]

Cyhoeddwyd cywydd afieithus arall o'i eiddo, 'Daffodil', yn *Y Faner* ym mis Ebrill, ac mae cryn dipyn o asbri ac afiaith mewn cerddi eraill a luniodd ym 1939. Mae'r cerddi hyn yn awgrymu'n gryf fod Waldo wedi bwrw allan ei gythreuliaid ac wedi dechrau gwella o'i dostrwydd nerfol erbyn diwedd y 1930au, a bod Linda hefyd wedi dod â goleuni a llawenydd newydd i'w fywyd. Cyhoeddwyd cerdd ganddo yn y *Western Telegraph*, ar ddechrau Mawrth 1939, 'Rebeca (1839)', cerdd o fawl i Ferched Beca, sef y mudiad a ffurfiwyd i brotestio yn erbyn y tollbyrth niferus a godwyd gan wahanol ymddiriedolaethau ffyrdd yn siroedd de-orllewinol Cymru yn hanner cyntaf y bedwaredd ganrif ar bymtheg. Cychwynnwyd ymgyrch y mudiad trwy ymosod ar dollbyrth ar Fai 13, 1839, yn Efail-wen, ger y ffin rhwng Sir Benfro a Sir Gaerfyrddin, a dathlu dewrder a phenderfyniad Merched Beca a wneir yn y gerdd, yn ogystal â dathlu buddugoliaeth y werin bobl ar eu meistri, dewrder yn erbyn awdurdod, y Graig yn erbyn y Tŵr:

> Ha wŷr, pan gwynai'n gwerin dlawd
> A'i gweddi'n ddim ond cyff eu gwawd,
> Hyd nad oedd ganddi ond braich o gnawd
>   I'w codi rhag ei cham;

Pan gipiai'r swyddog yn y porth
Y dafell fawr o'i 'chydig dorth,
Enynnodd ein gwreichionen sorth –
   Rebeca oedd y fflam.

Pa awr oedd honno y daeth i'n plith
Trwy gyni y blynyddoedd chwith –
Dameg oedd hon dan uchel rith,
   Chwyrn oedd ei heglurhad.
Cydiodd ei betgwn am ei hais
A chwarddodd bro i wyneb trais,
Ond megis baner oedd y bais
   A'r anterliwt yn gad ...[105]

Cyhoeddwyd cerdd afieithus arall o'i waith, 'Cleddau', yn y *Western Telegraph* ar ddechrau Mehefin, ac ar sŵn yr afon y rhoir y pwyslais:

Canu ei dwfr, syfrdandod codwm
Cyn malu ei berl a'r canmil bwrlwm –
Gleiniau llathr rhwng glannau llwm hen Gleddau
Yn dresi golau mewn dyrys gwlwm.

Canu'r dwfr crych ar weundir uchel
A'r don a chwery dan y chwarel,
Ar wib o raib y rwbel, tua thre
Ar hynt i'r de, ar antur dawel.

Suo-ganu ar draws y gweunydd
A thrwy dawelwch dieithr dolydd;
Rhwd a lŷn wrth rod lonydd – atgof maith
Yw trwm olwynwaith tre melinydd.[106]

Ond erbyn canol 1939 roedd sŵn rhyfel yn yr awyr. Daeth Rhyfel Cartref Sbaen i ben ddiwedd mis Mawrth, gyda buddugoliaeth i'r cenedlaetholwyr ffasgaidd dan arweiniad y Cadfridog Franco, yn erbyn byddinoedd cymysg a dibrofiad o weriniaethwyr ac anarchwyr, sosialwyr a chomiwnyddion. Roedd yr Almaen a'r Eidal ffasgaidd wedi anfon miloedd o awyrenwyr a milwyr i Sbaen i ymladd o blaid lluoedd Franco – 10,000 o'r Almaen yn unig – a hynny, yn y pen draw, a sicrhaodd fuddugoliaeth iddo. Roedd yr Almaen wrthi'n ehangu ei thiriogaeth yn nwyrain Ewrop ac yn bygwth annibyniaeth Gwlad Pwyl. Lluniodd Waldo dair cerdd i brotestio yn erbyn militariaeth a rhyfel, ac yn erbyn y modd y sernid ac yr amherchid daear, bro a chynefin gan wladwriaethau, yn ystod hanner cyntaf y flwyddyn.

Pryder mawr Waldo yn ystod blynyddoedd olaf y 1930au oedd y modd y bygythid y ddaear – y fam-ddaear – gan ryfeloedd dyn, a chan ddarpariaethau tuag at ryfeloedd dyn, fel hawlio tir amaethyddol Castellmartin ar gyfer hyfforddiant milwrol. Yr oedd perthynas arbennig rhwng y ddaear a'i phlentyn, rhwng dyn a'i gynefin dir, yn ôl athroniaeth Waldo. Yn un peth, yr oedd tir amaeth yn hybu brawdoliaeth. Trwy iddynt gydweithio ar y tir, a phrynu cymorth daear â'u dawn, fel y byddai Waldo yn mynegi'r syniad yn un o'i gerddi yn y dyfodol, y dysgodd dynion i ddibynnu ar ei gilydd, a dod yn frodyr i'w gilydd. Lladd y berthynas sanctaidd hon rhwng dyn a daear a wnâi militariaeth a rhyfel, gan blannu 'dur traeturiaeth/Ym mron y fam a ran faeth'. Pan ymddangosodd 'Plentyn y Ddaear' yn rhifyn Mai 17, 1939, o'r *Faner*, teitl llawn y gerdd oedd 'Plentyn y Ddaear (neu Polisi'r Rhyfelwyr: "Scorched Earth")', sef y polisi o losgi'r tir a dinistrio popeth a allai fod o ddefnydd i'r gelyn wrth i fyddin encilio o flaen byddin arall, gan droi'r ddaear o'i hôl yn anialwch.

Yn y pennill cyntaf, at filitarwyr a rhyfelwyr y cyfeirir, heb eu henwi:

> Meddiannant derfyngylch y ddaear,
> Treisiant ymylon y Nef.
> Dygant y gaethglud rithiedig
> I'w huffern â baner a llef.
> Cadwent yn rhwym wrth yr haearn
> Hen arial y gïau a'r gwaed.
> Doethineb y Ddaear nis arddel
> A gwyw fydd y gwellt dan eu traed.

Y mae'r rhain, cynheiliaid y wladwriaeth a hyrwyddwyr milwriaeth, â'u bryd ar orchfygu a meddiannu'r holl ddaear hyd i'w therfynau eithaf. Yn wir, ânt mor bell â threisio ymylon y Nef hyd yn oed, gymaint yw eu hawch am rym. Y mae'r arweinwyr hyn, arweinwyr llywodraethau ac ymerodraethau, y rhai sydd mewn grym ac awdurdod, yn caethiwo dynion, fel y caethgludwyd yr Israeliaid i Babilon. Caethglud rithiedig sydd gan y rhain, a thrwy dwyll a hoced yr hudir dynion i ymladd ar ran gwladwriaethau ac ymerodraethau. I ba le bynnag yr â'r rhain, arweinwyr a gwladweinwyr rhyfelgar y byd, ânt â'u caethglud rithiedig, anweledig i'w canlyn i'r uffern a greant ar y ddaear. Natur ryfelgar dyn a olygir wrth 'Hen arial y gïau a'r gwaed', 'arial' yn yr ystyr o egni neu nerth neu angerdd. Cyfeiriad a geir yma at linellau agoriadol golygfa gyntaf y drydedd act yn nrama Shakespeare, *Henry V*:

> Once more unto the breach, dear friends, once more;
> Or close the wall up with our English dead.
> In peace there's nothing so becomes a man
> As modest stillness and humility:
> But when the blast of war blows in our ears,
> Then imitate the action of the tiger;
> Stiffen the sinews, summon up the blood,
> Disguise fair nature with hard favour'd rage;
> Then lend the eye a terrible aspect ...

Y mae cred Waldo yn naioni cynhenid dyn yn amlwg yn 'Plentyn y Ddaear'. Gorfodir dynion i efelychu anifeiliaid gwyllt wrth eu troi'n beiriannau lladd. Rhaid corddi hen arial y gwaed a chaledu'r gïau wrth ymbaratoi ar gyfer ymladd a rhyfela – 'Stiffen the sinews, summon up the blood' – magu gwroldeb, meithrin casineb a mabwysiadu natur wahanol i'n natur arferol ni, mewn gwirionedd: 'Disguise fair nature with hard favour'd rage.' Rhaid i ddyn ymgaledu ac ymlidio, a mabwysiadu personoliaeth wahanol i'w wir bersonoliaeth, wrth iddo ei baratoi ei hun ar gyfer rhyfel. Rhwymir ein natur ryfelgar wrth ddur a haearn – dur a haearn tanciau ac awyrennau ac arfau – gan ein caethgludwyr. Dyma 'ddur traeturiaeth' eto. Symbol o rym a thrais militariaeth yw 'haearn' a 'dur' yng nghanu Waldo, 'Mwy na'i lu yw maen y wlad,/Na haearn – ei dyhead' fel y dywedir yn 'Y Tŵr a'r Graig'. Un o gwpledi grymusaf 'Y Tŵr a'r Graig' yw 'Os tyr argae yr haearn/Gwêl y sêr un gwely sarn', hynny yw, os bydd dyn yn methu rheoli rhyfel, bydd y sêr yn gweld anrhaith a diffeithwch llwyr, chwalfa drylwyr, ar y ddaear danynt. Ac yn y cwpled 'Ac nis edwyn hil milwyr/Na'r darian dân na'r dwrn dur', dwrn dur rhyfel a olygir, gan gyfeirio at linell olaf englyn enwog Hedd Wyn, 'Nid Â'n Ango': 'Er i'r Almaen ystaenio/Ei dwrn dur yn ei waed o.' Nid yw'r gorchfygwr hwn yn arddel doethineb y ddaear, sef y ddaear fel modd i hybu brawdoliaeth – a chreu heddwch yn y pen draw.

Gwywo a wna gwellt y ddaear dan draed y meddianwyr a'r treiswyr, ond blodeuo a wna'r ddaear dan draed ei phlentyn. Plentyn y ddaear yw dyn. Y ddaear sydd yn ei gynnal; y ddaear yw ei fam. Trwy oesoedd dyn, ni allai plentyn y ddaear weld pa mor fregus mewn gwirionedd oedd y nerthoedd dinistriol hyn, ac er gwaethaf ymdrechion y meistri grym i ladd ei ewyllys a'i ddrysu'n llwyr, cadwodd ei ddaioni cynhenid, ac fe'i cadwodd trwy barchu'r ddaear:

> Er drysu aml dro yn eu dryswch
> Nid ildiodd ei galon erioed:
> Adnebydd y ddaear ei phlentyn,
> Blodeua lle dyry ei droed.

Y plentyn hwn, fel y dywedir yn yr ail bennill, yw'r 'bychan aneirif' (cf. 'Y bychan a fydd yn fil, a'r gwael yn genedl gref', Eseia 60:22). Cyfeirir yn y pennill olaf at Lyfr y Datguddiad ('Wedi hyn mi a edrychais; ac wele dyrfa fawr, yr hon ni allai neb ei rhifo, o bob cenedl, a llwythau, a phobloedd, ac ieithoedd, yn sefyll ger bron yr orseddfainc, a cher bron yr Oen, wedi eu gwisgo mewn gynau gwynion, a phalmwydd yn eu dwylaw', Datguddiad 7:9), gan broffwydo mai'r 'bychan aneirif', plentyn cynhenid-ddaionus y ddaear, a fydd yn etifeddu'r holl ddaear yng nghyflawnder yr amser. Daw dydd pryd y bydd brawdoliaeth, ac nid bradwriaeth, yn teyrnasu, ac fe ddaw'r dydd hwnnw gan bwyll, trwy arddel ac arfer amynedd. Gadawn, bryd hynny, ogofâu ein bwystfildod a'n cyntefigrwydd:

> Daw dydd y bydd mawr y rhai bychain,
> Daw dydd ni bydd mwy y rhai mawr,
> Daw'r bore ni wêl ond brawdoliaeth
> Yn casglu teuluoedd y llawr.
> O ogofâu'r nos y cerddasom
> I'r gwynt am a gerddai ein gwaed;
> Tosturi, O sêr, uwch ein pennau,
> Amynedd, O bridd, dan ein traed.[107]

Roedd yn amlwg, bellach, fod yr Almaen, wrth iddi ymarfogi ar gyflymder aruthrol, yn paratoi ar gyfer rhyfel, a'i bod â'i bryd ar orchfygu Ewrop. Ymddangosodd cerdd lidiog o waith Waldo yn dwyn y teitl 'Arfau' yn rhifyn Mehefin 28, 1939, o'r *Faner*, fel cyflwyniad i gyfres o ysgrifau gan y Parchedig E. K. Jones, Wrecsam, ar 'Y Rhai a Safodd/Hanes Gwrthwynebwyr Cydwybodol 1916–1918'. Seiliwyd y gerdd ar hanes Iesu Grist yn chwipio'r marsiandwyr a'r cyfnewidwyr arian allan o'r deml yn Jerusalem adeg y Pasg. Y cyfnewidwyr arian yw'r budr-elwyr a'r cyfalafwyr sy'n ymbesgi ac yn ymgyfoethogi bob tro y daw rhyfel, ond, yn ôl ei arfer, proffwydo cwymp y gyfundrefn ddieflig a wna Waldo, gan gyfeirio'n uniongyrchol at Grist yn gyrru'r cyfnewidwyr arian allan o'r deml ('Ac wedi gwneuthur fflangell o fân reffynnau, efe a'u gyrrodd hwynt oll allan o'r deml, y defaid hefyd a'r ychain; ac a dywalltodd allan arian y newidwyr, ac a ddymchwelodd y byrddau', Ioan 2:15). Ac fe roir sêl bendith y wladwriaeth ar y gwneuthurwyr arfau hyn sy'n troi rhyfel yn elw ('Pan dincial ar ein bordydd aur mâl dan arysgrif Cesar'):

> Am hynny, dywed eu had: 'Dug Iesu arf i'n herbyn.
> Felly, hawl y sy gennym ar arfau tra pery'r ddaear.
> Ati, weithwyr y byd! Gwnewch inni'r ymlusgiaid haearn,
> Gwnewch inni'r ehediaid chwyrnfawr, a thuriwch rhagddynt hefyd.
> Ni piau'r rhain; ni hefyd fydd berchen ar eu hysglyfaeth.
> Bach gennym ni fydd y waedd, a bach gennym fydd yr wylo –
> Cyn lleied â bref yr ŵyn, a chwyno, cwyno'r c'lomennod.
> Pan dincial ar ein bordydd aur mâl dan arysgrif Cesar,
> Da gennym ni yw dial,' medd y cyfnewidwyr arian.
> Da yw dial, aiê? Pan *afael* yr angerdd ynom
> Bydd fflangell o fân reffynnau eto'n ddigon i'ch gwasgar,
> Ac i wneuthur eto'n deml a wnaethoch yn ogof lladron.[108]

Cyhoeddwyd cerdd arall ym mis Mehefin a fynegai bryder Waldo am ei gynefin, 'Diwedd Bro'. Ymddangosodd yn rhifyn Mehefin 1939 o *Heddiw*. Yn gefndir i'r gerdd y mae Trydedd Gainc *Pedair Cainc y Mabinogi*, sef chwedl *Manawydan fab Llŷr*. Aeth Manawydan i Iwerddon gyda'i frawd Bendigeidfran ('meibion Llŷr' yn y gerdd) i achub cam Branwen, eu chwaer, yn Ail Gainc y Mabinogi. Mae Manawydan yn un o'r saith a ddychwelodd i Gymru o Iwerddon. Â Manawydan gyda Phryderi, mab Pwyll a Rhiannon, ac un arall

o'r saith a lwyddodd i ddianc o Iwerddon, i Ddyfed, ac yno y mae Pryderi
yn rhoi ei fam, Rhiannon, yn wraig iddo, yn ogystal ag awdurdod dros saith
cantref Dyfed. Oherwydd i Bwyll gam-drin Gwawl fab Clud yn y Gainc
Gyntaf, y mae cyfaill Gwawl, y dewin Llwyd fab Cil Coed, yn penderfynu dial
y cam a gafodd Gwawl trwy fwrw hud ar Ddyfed a chuddio pobman â chawod
o niwl. Wedi i'r niwl godi, y mae popeth wedi diflannu: 'ni welynt neb rhyw
ddim, na thŷ, nac anifail, na mwg, na thân, na dyn, na chyfannedd, eithr tai y
llys yn wag, diffaith ac anghyfannedd, heb ddyn, heb fil [anifail] ynddunt'. Yr
unig rai sydd ar ôl, wedi i'r niwl gilio, yw Manawydan a Rhiannon, Pryderi
a'i wraig Cigfa. Â'r pedwar i Loegr i chwilio am waith. Yno, mewn gwahanol
leoedd, mae Manawydan a Phryderi, y 'ddau amddifad bro', yn ymarfer crefft
y cyfrwywr, y tarianwr a'r crydd i'w cynnal eu hunain. Ceir hefyd yn y pennill
cyntaf gyfeiriad at chwedl boddi Cantre'r Gwaelod oherwydd esgeulustod y
gwyliwr meddw, Seithenyn.

Oddi mewn i'r fframwaith alegorïol-chwedlonol hwn y mynega Waldo ei
bryder ynghylch hawlio tir amaethyddol Castellmartin i wasanaethu pwerau'r
Fall. Unwaith yn rhagor, y mae'r wladwriaeth yn caethiwo dynion â'i miloedd
o rwydi, fel pryfetach yng ngwe'r corryn. Trwy yrru amaethwyr y Preseli o'u
cartrefi, torrir eu hysbryd a gyrrir y Gymraeg ymaith o'i chartref a'i chynefin
hi ei hun, ac nid oes yr un Llŷr na Bendigeidfran a all eu hachub:

> Taflwyd ei milmil magl
> A chwim fu'r miragl maith.
> Ildiodd saith gantref hud
> Eu hysbryd, gyda'u hiaith.
>
> Heb derfysg wrth eu dôr
> Rheibiwyd cartrefi gwŷr.
> Hyd hyfryd lannau'r môr
> Mae llongau meibion Llŷr?

Cipiwyd cartrefi'r amaethwyr oddi arnynt 'Heb derfysg wrth eu dôr', yn
guddiedig-gyfrwys ac yn dawel bach. Chwalwyd cymdeithas gyfan:

> Pan ddaeth y golau claer
> Nid oedd na chaer na chell.

> Cyn dristed oedd y saith
>> Â'r paith anhysbys pell ...

Canlyniad yr ysbeilio hwn ar diroedd a chartrefi'r amaethwyr yw diboblogi cefn gwlad a gyrru'r brodorion ymaith i Loegr i chwilio am waith, gan ladd cymuned a bylchu rhengoedd yr iaith ar yr un pryd:

> A'r ddau amddifad bro
>> Dan dristyd hwnt i'r deigr,
> Ebr ef: 'Awn ymaith dro',
>> Ac aethant, parth â Lloegr.[109]

Ac ym 1939 y cyhoeddwyd stori fer olaf Waldo, 'Y Darlun', yn rhifyn mis Gorffennaf o'r cylchgrawn *Heddiw*. Yn y stori gadewir y bachgen Twmi i warchod y tŷ, gan fod annwyd arno, tra bo'i rieni yn y cwrdd. Fel rhyw fath o dâl iddo, ac i'w ddifyrru yn ystod eu habsenoldeb, mae rhieni Twmi yn rhoi'r Beibl mawr iddo, er mwyn iddo gael edrych ar y lluniau ynddo. Y mae un llun yn arbennig yn codi ofn ar y bachgen:

> Ac yn awr, try ymlaen i'r darlun nesaf a pha beth sydd yn ei flino, beth yw'r anesmwythdra sydd arno yn y gadair? Rhaid mai dadebriad rhyw *hen* deimlad, rhyw *hen* syniad ydyw, am nad oes dim newydd iddo yn y darlun.[110]

Y llun sy'n codi ofn arno yw'r llun o Abraham â chyllell yn ei law, ac yntau ar fin aberthu ei fab, Isaac. Bu'r llun yn ei boeni ers blynyddoedd, ond y tro hwn mae Twmi yn penderfynu torri'r gyllell allan o'r llun. Mae'n mynd i weithdy ei dad i chwilio am gyllell a darn o ledr. Mae'n gosod y darn o ledr rhwng cefn y darlun a'r ddalen nesaf, ac yna:

> Torri'r gyllell allan o law Abraham ar ben mynydd Moriah a wnaeth rhag ofn na welai Abraham y myharen yn y berth mewn pryd. Dyna'r ofn a gawsai Twmi, dros Isaac, flynyddoedd yn ôl; ac er ei fod yn gweld erbyn hyn mai peth afresymol oedd, heno y daethai'r cyfle i ddial arno, i'w glirio o'r ffordd.[111]

'Felly,' meddai'r storïwr:

... torrwyd ymaith ofn Isaac, ond Twmi, pa beth am dy ofn di dy hun yn awr? Torri'r gyllell, ie, ond torri'r Beibl hefyd a thorri'r Saboth. Mor chwith oedd gweld y drws yna yn agored pan ddywedai popeth arall mai nos Sul oedd. Beth yw'r gair yma, y gair brawychus yma, sy'n ymrithio o'r tudalen nesaf trwy'r gwacter lle bu cyllell Abraham? Darllen Twmi ef yn araf. 'Jehofah Jire', 'Jehofah Jire', trwy'r unigrwydd. Cwyd eto o'r gadair ac â'n lladradaidd ddigon ar y dechrau, ac yna'n drystfawr yn ôl i'r gweithdy â'r gyllell a'r cetyn lledr. Mae'r dail iorwg o gylch y ffenestr fach yn ei weld, ac yn dweud wrtho 'Jehofah Jire'. Daw yn ôl i'r gegin. Gwêl y gyllell bapur ar y ford yn ymyl y Beibl. Cydia ynddo ac â at y tân. Yna saif, try yn ôl a gesyd y gyllell, gwthia'r gyllell i lawr hyd waelod ei boced ...[112]

Stori ryfeddol o gymhleth yw 'Y Darlun', dan ei holl symlrwydd. Mae hi'n stori am ofn ac am euogrwydd. Ceir yma elfen gref o ymgarthu ac o ymwacáu. Dywedir mai dadebriad rhyw hen deimlad a rhyw hen syniad yw'r anesmwythdra a deimla Twmi wrth weld y llun o Abraham ar fin aberthu ei fab, yn union fel yr oedd salwch meddwl Waldo o 1935 ymlaen yn ddadebriad o hen deimlad, wrth i ofnau a phrofiadau brawychus ei blentyndod ddod yn ôl i'w boenydio. Yn union fel yr oedd Abraham yn barod i aberthu ei fab, yr oedd tad Waldo hefyd yn barod i ddifetha ei fab yntau. Roedd Waldo yn ymuniaethu ag Isaac; yn wir, Isaac oedd Waldo a Waldo oedd Isaac. Mae'r weithred o dorri'r gyllell allan o'r llun yn weithred iachaol, gan fod y weithred yn cael gwared â rhywbeth brawychus o'r gorffennol. Cysylltir anesmwythdra Twmi â llun, yn union fel y cysylltai Waldo fygythiad ei dad i adael ei deulu â'r darlun meddyliol o'r Pererin yn *Taith y Pererin* yn gadael ei wraig a'i blant yntau.

Stori seicolegol ar lawer ystyr yw 'Y Darlun'. Mae Twmi yn teimlo'n euog wedi iddo dreisio'r Beibl, ac y mae'n gweld y geiriau 'Jehofah Jire' ('Ac Abraham a alwodd enw y lle hwnnw Jehofah-jire; fel y dywedir heddiw, ym mynydd yr Arglwydd y gwelir', Genesis 22:14) trwy'r twll a adawyd wedi i'r llun gael ei dorri ymaith. Mae'r geiriau dieithr hyn yn swnio fel cosb a chondemniad am y weithred ysgeler o ddinistrio'r llun ac amharchu'r Beibl. Y tu ôl i'r darlun yn y Beibl ceir hefyd ymdeimlad annifyr fod Duw yn fodlon gadael i Abraham aberthu ei fab i brofi ei ufudd-dod i Dduw a'i ffydd ynddo. Roedd Abraham ar fin cyflawni gweithred dreisiol, greulon.

Gweithdy'r crydd yn y stori yw man cyfarfod yr ardalwyr. Yno y daw'r bobl leol i gyd yn eu tro, i ddadlau ac i roi'r byd yn ei le, gan gynnwys y bardd lleol, y gweinidog, yr ysgolfeistr a'r athronydd yn y gymdeithas, a hyd yn oed Sal, mam Twmi, ar brydiau. Gallai Twmi glywed popeth o'r daflod lle cysgai, uwchben un rhan o'r gweithdy. Bedair awr ar hugain ar ôl iddo gyflawni'r weithred o dorri'r gyllell allan o'r llun, mae Twmi yn gwrando ar y sgwrsio yn y gweithdy dano:

> A dadl fawr a geid heno. Gymaint ag y gallai Twmi gasglu oddi wrth chwedl y gweinidog yr oedd dau ŵr bonheddig o Sais wedi eu mwrdro mewn parc yn Iwerddon. Parc y gelwid ar gae yn ardal Twmi a methai â dyfalu pa beth a gawsai'r ddau ŵr bonheddig i groesi'r caeau mewn ardal ddieithr. Llwybr sticil ydoedd efallai; ond tra oedd Twmi'n pwyso'r mater hwn yn y gwely dyma Eliseus o'i le ar ben y fainc yn codi cwestiwn.
> 'Ydy'r weithred hon gymaint yn fwy 'sgeler na rhyfel, fod cymaint mwy o siarad amdani?' meddai gan ailestyn ei goesau hir.
> 'Lleddir mwy, ganwaith, mewn brwydr, 'no,' meddai y crydd yn gwta.
> 'Ond mae'r rheiny wedi ymbaratoi am eu diwedd,' meddai'r gweinidog.
> 'Ie, ie,' meddai Wiliam Penlan, 'dyna'r gwahaniaeth.'
> 'Wel, beth w' i'n weud am y Gwyddelod yma,' meddai Sal, 'os ŷn nhw am 'u rhyddid, coden' fyddin yn iawn, ac wmladden', a phob lwc iddyn' nhw.'
> 'Paid â siarad dwli, Sal fach,' meddai'r crydd. 'Wyddost ti faint yn fwy yw Lloegr na 'Werddon?'[113]

Ar hyn ymuna'r ysgolfeistr â'r gyfeillach, ond ni chymer ran yn y ddadl gan fod mater arall yn pwyso ar ei feddwl – dirgelwch y darn papur â llun o gyllell arno. Gŵyr Twmi ei fod wedi cael ei ddal, a gŵyr hefyd fod cosb yn ei aros. Ac eto, nid oedd arno ofn:

> Ac yn awr, ar y llofft, teimlai'n ddigon anghysurus. Eto, rywle yn eigion ei galon, gwyddai ei fod wedi gwneud y peth iawn â'r darlun. Ac yn rhyfedd iawn, peidiasai'r braw mawr yna, y Jehofah Jire yna, o'r foment neithiwr pan glybu sŵn traed ei dad a'i fam y tu allan i'r tŷ, ac ni ddaethai'n ôl.[114]

Eglura'r ysgolfeistr mai ym mhoced trowsus Twmi yr oedd y llun o'r gyllell, wedi iddo ofyn i Twmi wagio ei bocedi. Mae Sal yn adnabod y llun, ac yn profi hynny trwy ddangos yr union le yn y Beibl mawr lle'r oedd i fod. Fel y mae hi'n dechrau meddwl am gosbi Twmi, mae'r gweinidog yn ymyrryd:

'Arhoswch, Sal,' meddai'r gweinidog. 'Dyna'r peth mwya wna'th Twmi, eto.'

'E?' meddai hithau'n bŵl.

'Torri'r gyll[e]ll allan o law Abraham, on'd i hynny y daeth Crist i'r byd?'[115]

A dyna ben ar y mater. Ymysg pethau eraill, y mae Waldo yn darlunio cymdeithas wâr bro ei febyd a blynyddoedd ei febyd yn y stori:

Felly yr aethant adref trwy'r tywyllwch wedi gweled goleuni mawr. Chwi sy'n coelio mai cul oedd bywyd Cymru ac mai bas oedd celfyddyd Cymru yn eu hadeg hwy, coeliwch hefyd fod golud gwell a roddir i'r tlodion yn yr ysbryd ym mhob oes ac ym mhob gwlad. Ac os nad oedd eu gorwel yn llydan nid estynnai'r bwystfil ei bawen o'r tu ôl iddo i'w hysbeilio o'u gwerthfawrocaf peth.[116]

Gan y bobl hyn yr oedd y trysor, y perl, y golud gwell. Byddai Waldo yn atgyfodi'r ddelwedd hon o fwystfil rheibus, gelyn pob gwarineb a brawdgarwch, yn un o'i gerddi mawr yn y dyfodol, 'Preseli': 'Cadwn y mur rhag y bwystfil, cadwn y ffynnon rhag y baw.'[117] Yr un yw'r 'goleuni mawr' hwn â'r goleuni a welsai Waldo yn y bwlch rhwng y ddau gae ar dir fferm y Cross yng Nghlunderwen pan oedd tua phedair ar ddeg oed. Gweithred symbolaidd oedd y weithred o dynnu'r gyllell allan o'r llun, gweithred symbolaidd bersonol yn achos Waldo ei hun, a gweithred symbolaidd yn gymdeithasol. Fel Dewi yn awdl 1935, yr oedd Waldo wedi tyngu yn gynnar iawn y byddai'n 'Gado'r clod o godi'r cledd'.

Ar lawer ystyr hefyd, mae'r stori yn deyrnged gan Waldo i'w rieni. Er i Twmi amharchu Beibl y teulu, gan ddisgwyl i'w fam ei gosbi am yr anfadwaith, eto y mae'r ofn hwnnw hefyd yn cilio, yn union fel y cafodd wared â'r ofn a godai'r darlun arno, yn sicrwydd a swcr cariad ei rieni. Peidiodd y braw mawr, y Jehofah Jire, o'r eiliad y clywodd Twmi 'sŵn traed ei dad a'i fam y tu allan i'r tŷ, ac ni ddaethai'n ôl'. Ceir syniad tebyg i'r syniad hwn yn niweddglo un arall o gerddi mawr Waldo yn y dyfodol, sef y sicrwydd a roddodd clywed sŵn traed ei fam iddo wedi iddo fethu dod o hyd i'r ffordd adref yng nghanol niwl trwchus: 'Sŵn adeiladu daear newydd a nefoedd newydd/Ar lawr y gegin oedd clocs mam i mi.'[118] Y mae'r ddadl a glywir yng ngweithdy'r crydd yn nodweddiadol o'r dadlau a'r trafod gwleidyddol a chrefyddol a geid ar aelwyd rhieni Waldo gynt, ac roedd Waldo, yn grwt, yn gwrando ar y trafodaethau hynny yn union fel y mae Twmi yn 'Y Darlun' yn gwrando ar y sgwrsio yng ngweithdy ei dad. Ailgrëir awyrgylch Elm Cottage yma.

Delir Twmi yn y stori rhwng dau fath o drais: Abraham â'r gyllell yn ei law ar fin lladd Isaac a'i gyflwyno yn boeth-offrwm i Dduw, a gwrthryfelwyr Gwyddelig yn lladd dau Sais. Ceir ymosodiad cudd ar wladwriaethau yma. 'Ydy'r weithred hon gymaint yn fwy 'sgeler na rhyfel, fod cymaint mwy o siarad amdani?' gofynna un o gymeriadau'r stori, gyda chryn eironi. Gan mai codi yn erbyn awdurdod, codi yn erbyn gwladwriaeth ac ymerodraeth, a wnâi'r Gwyddelod, yr oedd hynny yng ngolwg y wladwriaeth yn weithred warthus, fradwrus. Gall y wladwriaeth ei hun anfon miloedd ar filoedd i ymladd ar faes y gad, yn gwbl gyfreithlon, ond os lleddir dau gan rai sy'n gwrthryfela yn erbyn awdurdod y wladwriaeth, cyfrifir y weithred yn fradwriaeth yn erbyn y wladwriaeth. Yn y bôn, condemniad ar bob math o drais a phob rhyfel yw 'Y Darlun', a dathliad o werthoedd uchaf y gymdeithas wâr y magwyd Waldo ynddi. Gwyddai Twmi yn y stori, er iddo deimlo euogrwydd mawr i ddechrau, mai gweithred gyfiawn oedd y weithred o dynnu'r gyllell allan o'r llun. Daeth y weithred â thangnefedd a thawelwch meddwl iddo, ac ar y nodyn hwnnw y dirwynir y stori i'w therfyn – 'Yr oedd Twmi erbyn hyn wedi mynd i gysgu yn y tawelwch ar ôl y cyffro mawr' – gan ein harwain, unwaith yn rhagor, at un o gerddi mwyaf Waldo yn y dyfodol, 'Mewn Dau Gae'.[119] Yn union fel yr oedd y 'goleuni mawr' wedi cyffroi Twmi yn 'Y Darlun', a rhoi tawelwch iddo wedyn, roedd y 'môr goleuni' yn 'Mewn Dau Gae' wedi rhoi 'llonyddwch mawr' i Waldo, ar ôl i'r weledigaeth roi cyffro iddo 'lle nad oedd/Ond cyffro meddwl yr haul yn mydru'r tes'.[120]

Cyfnod rhyfeddol o bwysig oedd ail hanner y 1930au yng ngyrfa Waldo fel bardd. Er gwaethaf ei dostrwydd, daeth o hyd i'w wir lais rhwng 1935 a 1939. Hwn oedd y cyfnod cynganeddol yn ei yrfa, ac arhosodd disgyblaeth y gynghanedd gydag ef am weddill ei fywyd. Yn ystod y cyfnod hwn y lluniodd Waldo ei ddwy gerdd gynganeddol hwyaf, yr awdl 'Tŷ Ddewi' a'r cywydd 'Y Tŵr a'r Graig'. Y rhain oedd ei gerddi dwysaf a dyfnaf hyd at y pwynt hwnnw yn ei fywyd, ac aeth drwy ffwrn dân a thrwy nos yr enaid i'w creu. Lluniodd o leiaf dri chywydd yn ystod y blynyddoedd hyn, a cherdd arall ar un o fesurau traddodiadol Cerdd Dafod yw 'Cleddau'. Gellir galw'r cyfnod hwn yn ail gyfnod Waldo, cyfnod y cerddi mwy sicr a grymus eu cenadwri a'u mynegiant, a chyfnod y canu ar fesurau traddodiadol Cerdd Dafod, ar ôl y cyfnod ffurfiannol a phrentisaidd cyntaf. Ond os oedd seiliau Waldo fel bardd yn gadarn, roedd seiliau'r byd yn gwegian, a byddai ganddo, yn fuan iawn, fwy na digon i'w ddweud am gyflwr dyn a daear.

'Tangnefeddwyr, plant i Dduw'
Blynyddoedd Brawdoliaeth
1939–1945

Pa werth na thry yn wawd
Pan laddo dyn ei frawd?

'Brawdoliaeth'

Ar Fedi 3, 1939, cyhoeddodd Prydain Fawr a Ffrainc ryfel yn erbyn yr
Almaen, ddeuddydd ar ôl i luoedd yr Almaen oresgyn Gwlad Pwyl.
Roedd Prydain a Ffrainc wedi ymrwymo i gefnogi Gwlad Pwyl ar adeg o ryfel
ers Mawrth 29, 1939, ac ar Awst 25 yr un flwyddyn arwyddwyd cytundeb
rhwng Prydain a Gwlad Pwyl i ymbleidio â'i gilydd pe bai'n dod i ryfel.
Gyda rhyfel ar y gorwel trwy gydol y 1930au, roedd y Senedd wedi cyflwyno
gorfodaeth filwrol ar raddfa fechan ar Ebrill 27, 1939, cyn pasio'r Ddeddf
Hyfforddiant Milwrol fis yn ddiweddarach. Yn ôl y ddeddf hon, roedd yn
rhaid i ddynion ifainc 20 a 21 oed fwrw cyfnod o hyfforddiant milwrol llawn-
amser am chwe mis, cyn eu gollwng i fod ar gael, wrth gefn, pe bai angen. Ar
y dydd y cyhoeddodd Prydain ryfel yn erbyn yr Almaen, pasiwyd y Ddeddf
Gwasanaeth Cenedlaethol (y Lluoedd Arfog), ac roedd y ddeddf newydd hon
yn disodli'r Ddeddf Hyfforddiant Milwrol yn syth. Yn ôl y ddeddf newydd,
yr oedd yn rheidrwydd ar bob dyn rhwng 18 a 41 oed i ymuno â'r Lluoedd
Arfog. Byddai dynion sengl, yn ôl amodau'r ddeddf, yn cael eu galw i'r fyddin
o flaen dynion priod. Ar Fedi 30, 1939, bron i fis ar ôl i Brydain gyhoeddi

rhyfel yn erbyn yr Almaen, roedd Waldo yn dathlu'i ben-blwydd yn 35 oed. Roedd hefyd yn ddibriod. Sut y byddai heddychwr o argyhoeddiad dwfn a digyfaddawd fel Waldo yn ymateb i'r argyfwng byd-eang hwn, ac i orfodaeth filwrol yn enwedig?

Ar Hydref 21, 1939, gwysiwyd pob dyn cymwys rhwng 20 a 23 oed i wasanaethu yn y Lluoedd Arfog. Roedd Waldo ar y pryd, felly, ddeuddeng mlynedd yn hŷn na'r oedran ymuno uchaf, 23 oed, ond pe bai'r rhyfel yn llusgo ymlaen dros gyfnod o flynyddoedd byddai'n rhaid i'r awdurdodau ymestyn yr oedran gwasanaeth, a chyrraedd oedran Waldo, a hyd yn oed y tu hwnt i hynny, yn y pen draw. Bwystfil awchus, barus oedd y bwystfil rhyfel. Dim ond un llwybr a oedd yn agored i heddychwr o argyhoeddiad fel Waldo o fis Medi 1939 ymlaen: yn hwyr neu'n hwyrach, byddai'n rhaid iddo ddatgan ei wrthwynebiad moesol i'r rhyfel, ymhell cyn i'r awdurdodau gael cyfle ac esgus i'w orfodi i ddwyn arfau.

Hyd yn oed pe na bai'n wrthwynebydd cydwybodol, roedd yna bosibiliad y gallai ei swydd fel athro ei achub rhag gorfodaeth filwrol. Rhyddheid athrawon rhag gorfod ymuno â'r Lluoedd Arfog gan rai tribiwnlysoedd ar yr amod eu bod yn aros yn eu swyddi. Condemnid yr arferiad hwn gan y Llywodraeth, ond ni wnaed mohono'n anghyfreithlon. Y broblem gyda Waldo oedd y ffaith mai athro cyflenwi ydoedd, heb swydd barhaol. Ac eto, nid oedd yn broblem yn ei achos ef.

Fe ddisgwylid i Waldo ddatgan ei wrthwynebiad i'r rhyfel o'r cychwyn cyntaf. Er mai ar dudalennau'r *Ford Gron*, rhwng 1930 a 1934, y daeth i amlygrwydd cenedlaethol am y tro cyntaf, erbyn 1939, trwy dudalennau'r *Faner* a *Heddiw*, roedd wedi dechrau ennill enw iddo'i hun yng nghylchoedd llên a diwylliant fel bardd galluog, eirias ei genadwri a chwbl ddigyfaddawd o ran ei ddaliadau heddychol a gwrth-filitaraidd. Roedd y rhai a'i hadnabu'n bersonol yn gyfarwydd hefyd â'i arferiad o gynganeddu ar lafar a llunio englynion byrfyfyr ar wahanol achlysuron ac mewn gwahanol sefyllfaoedd.

Yn rhifyn Rhagfyr 1939 o *Heddiw*, cyhoeddwyd 'Llythyr Agored' gan 'Bleddyn ap Blewddyn', a diben yr ysgrif ddychanol hon oedd gwawdio a difrïo tribiwnlysoedd, nid gwneud hwyl am ben Waldo. Ar gynghanedd y mae 'Waldo Willias' yn ateb aelodau'r tribiwnlys, a thri o'i atebion yn ffurfio englyn milwr, anafus ei gynghanedd braidd ('Yno mae Hedd fel medd mêl/

Canmolir cledd yn Kinmel/I roi biged trwy'r bogel'). Dyma ran o adroddiad 'Bleddyn ap Blewddyn' ar weithgareddau tribiwnlys 'Cwrtyblimpod':

Yr oedd ysgoldy Olewydd yn orlawn pan ddechreuwyd ar waith y Tribiwnlys heddiw, gyda Bleddyn ap Blewddyn yn y gadair. Hon ydoedd trydedd sasiwn y Tribiwnlys yn yr ardal hon, ond nid oes argoel fod diddordeb y trigolion yn y gweithrediadau wedi lleihau dim. Cywirach fyddai dweud bod eu cywreinrwydd a'u mwynhad yn cynyddu o ddydd i ddydd, ond bod lle i ofni eu bod dan yr argraff mai math o gwrdd adloniadol yw'r Tribiwnlys. Awgrymwyd gan amryw y gellid newid ymddygiad y trigolion trwy osod Union Jacks bychain ar y muriau yn lle'r lluniau o Griffith John, Timothy Richards, Pantycelyn, etc., a diamau y cymeradwyid y mesur hwn gan y trigolion eu hunain.

Wedi gweddi fer gan y Parch. J. Porchell Jones, aethpwyd ymlaen â gwaith y dydd. Y gwrthwynebwr cyntaf i ymddangos gerbron ydoedd Waldo Willias, cynganeddwr.

Y CADEIRYDD: Yr ydych yn Gymro, Willias?

WILLIAS: Yn Gymro glew, 'r hen flewgi.

Y CADEIRYDD: Aisht.

COL. RASBERRY: Pam y gwrthodwch fynd i'r gwersyll milwrol?

PORCHELL JONES: Mi fuoch yng ngwersyll yr Urdd. Ble mae'ch cysondeb?

WILLIAS: Yno mae Hedd fel medd mêl.

GABRIEL: A!

WILLIAS: Ond ...

COL. RASBERRY: Ond beth?

WILLIAS: Canmolir cledd yn Kinmel.

Y CADEIRYDD: Eglurwch wrtho, Porchell.

PORCHELL JONES: Wyddoch chwi ddim, Willias, fod yr Athro Hughes Parry am sefydlu Ysgol Sul ym mhob gwersyll lle bo Cymry, heb sôn am Gymrodorion, Cyrddau Gweddi, Dorcas, *Penny Readings*, Eisteddfodau Plant, Cymdeithasau'r Bobl Ieuainc, Seiat, Cyrddau Mawr, Sasiwn, Undeb, Cymdeithasau Cymraeg, *Sales of Work*, Ysgol Gân, *Christmas Tree*, Holi'r Pwnc, *Trips*, Casgliadau at y Genhadaeth a'r Ddeiseb, Cymanfaoedd Canu ac yn y blaen? Bydd y gwersylloedd hyn yn ddarnau o ddiwylliant Cymraeg. Fe ddysgech yno sut i garu'ch gwlad, sut i'w hamddiffyn, sut i ... y ...

WILLIAS: I roi biged trwy'r bogel.

GABRIEL: Ugh â fi ... mochyn.

Y CADEIRYDD: Rhaid gorffen â hwn.

Dyfarnwyd bod Willias i ysgrifennu awdl ar "Y Gwersyll Cristionogawl" i'w beirniadu gan Stephen (Chamberlain) Tudor, Caerwyn (gan ei fod yn Sais mor dda) a Hitler; gyda blwyddyn o wasanaeth gorfod fel gohebydd i'r *News Monocle* os methai [â] chadw at y testun neu ei ddehongli yn nhermau *concentration camp*.[1]

Siglwyd ac ysigwyd Waldo hyd at graidd ei fodolaeth gan y rhyfel. Teimlai, meddai, tua dechrau'r rhyfel 'ein bod ni 'run fath â byd natur i gyd, 'run fath ag anifeiliaid a phob ffurf, yn byw trwy ladd a thraflyncu rhyw hiliogaeth arall', ond gyda'r gwahaniaeth 'ein bod ni yn erbyn ein hiliogaeth ein hunain – wedi ymrannu fel 'na – fod y peth wedi'i blannu ynom ni – nad oedd dim ymwared am fod y gwenwyn trwom ni i gyd – ac roedd e'n deimlad llethol iawn'.[2]

Dechreuodd Waldo brotestio yn erbyn y rhyfel yn syth. Gwyddai, fel y gwyddai eraill, mai anochel oedd rhyfel yn y pen draw, ac yr oedd wedi llunio swrn o gerddi i brotestio yn erbyn rhyfel a militariaeth cyn i'r rhyfel dorri, 'Y Tŵr a'r Graig' yn enwedig, a cherddi fel 'Daw'r Wennol yn Ôl i'w Nyth', 'Plentyn y Ddaear' ac 'Arfau'. Cyhoeddwyd cerdd fechan o'i waith, 'Ateb', yn rhifyn Hydref 18, 1939, o'r *Faner.*

> Pe gwanai miliwn bidog ddur
> Ni theimlai'r unben wae ei wŷr,
> Ond â pob brath trwy'r rhyfel hon
> I galon Crist fel gwaywffon.
> Pwy ddwg y biliwn brath ynghyd
> Yn rhyfel sant i achub byd?
> Pwy gaiff dangnefedd wedi'r rhain?
> Pwy gasgl y ffigys ar y drain?
> 'Ffordd newydd wnaed gan Iesu Grist
> I basio heibio uffern drist,'
> A chryfach eto yw ei ras
> Na gormes Herod Antipas.[3]

Mydr, arddull, awyrgylch a syniadau 'Mab y Bwthyn', Cynan, a geir yn 'Ateb'. Gellir olrhain y gerdd yn ôl i'w tharddiad yn y darn canlynol yn 'Mab y Bwthyn', darn sydd hefyd, fel 'Ateb', yn dyfynnu dwy o linellau William Williams, Pantycelyn:

"Fe ladd dy fidog fwy nag un
Bob tro; a gwelaist trwy dy hun
Mor bell y cyrraedd; ac mor hir
Y crwydra bwled dros y tir.
Y mae dy gysgod, O fy mrawd,
Ar ddegau o fythynnod tlawd,
A'th arswyd ar gartrefi pell.
Clyw! Oni wyddost am ffordd well?" ...
Ac yna fflachiodd ar fy ngho'
Eiriau a genais lawer tro,
Geiriau a ddysgais gan fy mam
Cyn imi droedio'r llwybyr cam:
"Ffordd newydd wnaed gan Iesu Grist
I basio heibio uffern drist."

Ar hynny gwelwn uwch fy mhen
Ddelw o'r Crist ynghrog ar bren
Yng nghwr y coed. Dylifai'r gwaed
O newydd o ddoluriau'i draed
A'i ddwylo, ac o'i ystlys bur.
Nid hoelion, ond bidogau dur
A'i gwanai.

Ymosodiad ar ryfelgwn ac ar wladwriaethau totalitaraidd ac unbenaethol sy'n cynnal rhyfel yw 'Ateb', ond cryfach yw gras Crist, yn ôl y gerdd, na holl orthrwm a chreulondeb Herod Antipas, mab Herod Fawr neu Herod Frenin.

Lluniodd Waldo gerdd brotest arall yn erbyn y rhyfel ar ddydd Nadolig 1939. Soned yn dwyn y teitl 'Gair i Werin Cred' oedd y gerdd, ac ynddi ymosodai'r bardd ar y werin am ganiatáu iddi hi ei hun gael ei sugno i mewn i grombil y peiriant rhyfel mor rhwydd. Yr anghysondeb a'r rhagrith a drawai Waldo. Yr un oedd y werin a ddathlai ddyfodiad Crist mab Duw i'r ddaear ag a fathrai gnawd cyd-ddyn ar faes y gad:

Heddiw mae gwaed ar fonau rhaffau'r clych.
Tynnwch eich dwylo ymaith. Ffy drachefn
Obaith y byd, yn goflaid fach ar gefn
Yr asyn llwm a ddaeth hyd ddrws yr ych.

Na feied dynion gwael y dynion gwych,
Ynoch mae Herod a dialwr Crist
Yn rhoi heb do yr ach fu'n codi'r dist –
Gwae chwi, chwi'ch hunain, wŷr y fainc a'r rhych.
Gwerin beirianfryd ydych wedi drysu
Yn mathru cnawd eich cnawd dan gerbyd grym,
Meibion a mamau dan yr olwyn wrym
A chanu'r ych garolau Mair a'r Iesu.
Tewch. Nid oes ar y ddaear na thu hwnt
Un enw a all lanhau'r fath hurtrwydd brwnt.[4]

Erbyn dechrau 1940 roedd Waldo wedi ailgydio yn ei waith fel athro. Treuliodd gyfnod byr yn dysgu yn Ysgol Gynradd Rudbaxton, rhyw bedair milltir o gyrraedd Hwlffordd, ar ddechrau'r flwyddyn, yna cafodd swydd dros dro fel prifathro ysgol gynradd fechan Cas-mael, tua deuddeng milltir o bellter o Hwlffordd. Gadawodd prifathro'r ysgol, Elgar Parry Jones, ei swydd i fynd i'r rhyfel. Gan fod rhyw un ar ddeg o filltiroedd rhwng Cas-mael a Llandysilio-yn-Nyfed, penderfynodd Waldo letya yng Nghas-mael, ond gan gadw'i afael ar Elm Cottage ar yr un pryd a rhannu'i amser rhwng y ddau le. Bu'n lletya mewn tŷ o'r enw Tegfan i ddechrau, ond symudodd ym mis Chwefror 1941 i dŷ arall yn y pentref, Delfan, wedi i'w letywraig gael pwl o waeledd a gorfod cadw i'r gwely. 'Yr wyf yma ers wythnos ac y mae lle da yma eto,' meddai mewn llythyr at D.J. a Siân ar Chwefror 27.[5] Roedd y lletty newydd wrth ei fodd: 'Un peth yn well yma; y mae gennyf fy rŵm fy hunan, ac y mae hynny'n dderbyniol.'[6]

Yn ogystal â theimlo bod dyn yn lladd ei hiliogaeth ei hun adeg yr Ail Ryfel Byd, daeth Waldo i deimlo bod pridd y ddaear wedi'i wenwyno i gyd. Yng ngwanwyn 1940, rywbryd yn ystod misoedd Mawrth ac Ebrill y flwyddyn honno, lluniodd un o'i gerddi mwyaf enigmatig, 'O Bridd':

Hir iawn, O Bridd, buost drech
Na'm llygaid; daeth diwedd hir iawn,
Mae dy flodau coch yn frech,
Mae dy flodau melyn yn grawn.
Ni cherddaf. Nid oes tu hwnt,
Cerddodd dy dwymyn i'm gwaed,

Mi welais y genau brwnt
Yn agor a dweud, Ho Frawd,
Fy mrawd yn y pydew gwaed
Yn sugno'r wich trwy'r war,
Fy mrawd uwch heglau di-draed,
Bol gwenwyn rhwyd y cor.
A phwy yw hon sy'n lladd
Eu hadar yn nwfn y gwrych,
Yn taflu i'r baw'r pluf blwydd,
I'w gwatwar ag amdo gwych?
Ein mam, sy'n ein gwthio'n ein cefn,
Yn mingamu arnom trwy'r ffenestr,
Yn gweiddi, Ho dras, I'r drefn,
A chrechwenu uwchben y dinistr.

O bridd, tua phegwn y de
Y mae ynys lle nid wyt ti,
Un llawr o iâ glas yw'r lle,
A throed ni chyrhaedda na chri
I'w pherffaith ddiffeithwch oer,
Ond suo'r dymestl gref
A'r un aderyn ni ŵyr
Dramwyo diffeithwch ei nef,
Lle mae'r nos yn goleuo'r niwl
A'r niwl yn tywyllu'r nos,
Harddach nag ydoedd fy haul
Mabol ar ryddid fy rhos
Er chwipio'r gwyntoedd anghenedl
Ar wyneb di-ïau yr iâ
A churo'r cesair dianadl
Heb wneuthur na drwg na da.
Tu hwnt i Kerguelen mae'r ynys
Lle ni safodd creadur byw,
Lle heb enw na hanes,
Ac yno yn disgwyl mae Duw.[7]

Mae 'O Bridd' yn gerdd hynod o gymhleth, ond hefyd yn gerdd ryfeddol o gyfoethog a grymus. Yn 'O Bridd', nid brawdoliaeth rhwng dynion a geir ond gelyniaeth, eiddigedd a chasineb. Tywysir ni yn ôl at Genesis yn rhan gyntaf y gerdd, ac at y brawd-leiddiad cyntaf, wedyn at elyniaeth arall rhwng brodyr, sef hanes Joseff a'i frodyr. Awgrymir hanes Cain yn llofruddio Abel i ddechrau:

> Mi welais y genau brwnt
> Yn agor a dweud, Ho Frawd ...

Mae'r 'genau brwnt', genau'r fam-ddaear, yn adleisio'r ymadrodd 'safn y ddaear' yn Genesis. Cain oedd y brawd a lafuriai'r ddaear, tra oedd Abel yn bugeilio defaid. Mae Cain yn melltithio'r ddaear o'r dechreuad drwy ei llychwino â gwaed Abel. Mae gwaed Abel yn llefain ar Dduw o'r ddaear: 'llef gwaed dy frawd sydd yn gweiddi arnaf fi o'r ddaear' (Genesis 4:10). Ac fel y mae Cain wedi melltithio'r ddaear, mae'r ddaear hithau wedi melltithio Cain: 'Ac yr awr hon melltigedig wyt ti o'r ddaear, yr hon a agorodd ei safn i dderbyn gwaed dy frawd o'th law di' (4:11). Mae'r 'genau brwnt', neu 'safn y ddaear', yn gwawdio'r hyn y mae Waldo yn credu ynddo, sef y syniad o frawdgarwch rhwng dynion, drwy ei atgoffa am y modd y llychwinwyd y ddaear o'r dechrau gan y weithred giaidd o ladd brawd gan frawd.

Melltithiwyd y ddaear gan Cain, yn y dechreuad ac o'r dechreuad. Gwenwynwyd y pridd. Efallai i lafur dyn trwy'r canrifoedd garthu'r gwenwyn hwnnw o'r pridd yn raddol, trwy i ddynion gydweithio â'i gilydd ar y tir a thrin y ddaear i ennill cynhaliaeth, a'r cydweithio hwn yn esgor ar gyd-ddibyniaeth, ac ar frawdgarwch a chlosrwydd perthynas yn y pen draw, ond nid felly yr oedd hi ar ddechrau'r Ail Ryfel Byd. Roedd y pridd wedi'i wenwyno a'i lychwino eto. Anifeiliaid sy'n sugno gwaed, fel y carlwm, y wenci a'r ffured, a'r corryn gwenwynig, gyda'i goesau tenau, hir a di-draed, yw brodyr dyn bellach. Cain, fel llafurwr y ddaear, oedd sefydlydd amaethyddiaeth, ond troes y llafurwr yn llofrudd. Amaethyddiaeth a greodd lwyr ddibyniaeth dyn ar y tir, neu ar y pridd yn y pen draw, a chreodd y ddibyniaeth honno gyd-ddibyniaeth yn ogystal – nes i gyd-ddibyniaeth droi'n frawdoliaeth, wrth i ddynion gydweithio a chydymdrechu i feistroli pridd y ddaear. Y pridd hefyd a greodd gymunedau sefydlog. Wedi i ddyn ddysgu sut i drin y tir, sut i aredig y ddaear a ffrwythloni'r meysydd, nid oedd angen i ddynion cyntefig ddilyn yr helfa rhagor. Aeth dyn yr heliwr yn ddyn yr heuwr a'r cynaeafwr. Troes y cymunedau bychain hunangynhaliol hyn yn bentrefi yn y pen draw, ac wedyn yn drefi. Y pridd oedd craidd gwareiddiad. Ond roedd pridd y ddaear bellach wedi ei wenwyno, ac roedd brawdoliaeth hefyd, o'r herwydd, wedi ei gwenwyno a'i difwyno.

Mae 'Fy mrawd yn y pydew gwaed' yn cyfeirio at anghydfod arall rhwng brodyr, eto yn Genesis, sef y cynllwyn i ladd Joseff gan ei frodyr trwy ei daflu i bydew. Unwaith yr oedd y weithred ysgeler wedi cael ei chyflawni, twyllwyd y tad i gredu mai 'bwystfil drwg a'i bwytaodd ef' (Genesis 37:33), ar ôl i'r brodyr drochi'r siaced fraith yng ngwaed y myn gafr a laddwyd ganddynt.

O bridd y ddaear y gwnaed dyn, yn ôl Genesis; o Genesis y deillia'r ymadrodd 'O Bridd': 'A'r Arglwydd Dduw a luniasai y dyn o bridd y ddaear, ac a anadlasai yn ei ffroenau ef anadl einioes' (2:7). Gwnaethpwyd anifeiliaid ac ehediaid y maes yn yr un modd: 'A'r Arglwydd Dduw a luniodd o'r ddaear holl fwystfilod y maes, a holl ehediaid y nefoedd' (2:19). Dyma, felly, wir frodyr dyn, anifeiliaid rheibus y maes ac adar ysglyfaethus y nefoedd, nid dynion yn unig. Mewn creadigaeth sydd mor llawn o falais a chreulondeb y mae brawdgarwch rhwng dynion bron â bod yn ddelfryd afreal, amhosibl.

Mae'r wenci sy'n mygu gwich cwningen drwy sugno'r wich honno drwy'r war gyda'r gwaed, a'r corryn gyda'i goesau hir di-draed, yn frodyr iddo. Yr ydym yn frodyr i'n gilydd gan mai'r un fam sydd gennym: Natur, pridd y ddaear, sef y Fam-ddaear, y fam greulon hon sy'n lladd adar bach i'w gwatwar ag 'amdo gwych' eu plu eu hunain. Ymhen rhyw bymtheng mlynedd a rhagor, byddai Waldo yn sôn am greulondeb natur ac am yr hyn a alwai yn 'gaethiwed greddf' yng nghyd-destun adar:

> Gwelir yr aderyn yn hedfan o gwmpas yn helbulus pan syrthio un bach allan o'r nyth. Ond er ei drallod, nid yw'n cynnig porthi'r un bach ar y llawr. Caiff yr aderyn bach lwgu. Peth truenus yw gweld creadur yn dioddef am fod caethiwed greddf arno.[8]

Mae'r ffaith y caiff creaduriaid rheibus y ddaear eu cyfarch fel brodyr gan Waldo yn rhwym o ddwyn i gof y modd y meddyliai William Blake am y berthynas agos a geir rhwng dyn a phryfyn, yn 'The Gates of Paradise', er enghraifft:

> The Door of Death I open found
> And the Worm Weaving in the Ground:
> Thou'rt my Mother from the Womb,
> Wife, Sister, Daughter, to the Tomb,
> Weaving to Dreams the Sexual strife
> And weeping over the Web of Life.

Ar ddechrau'r rhyfel, teimlai Waldo 'ein bod ni 'run fath â byd natur i gyd, 'run fath ag anifeiliaid a phob ffurf, yn byw trwy ladd a thraflyncu rhyw hiliogaeth arall'. Os oedd dyn yn is na'r angylion, yn sicr nid oedd yn uwch na'r anifail. Byw trwy ladd a rheibio a darnio hiliogaethau eraill a wnâi adar ac anifeiliaid. Myfyrio uwch y cwestiwn mawr oesol a wneir yma, sef, os yw Duw yn gyfrifol am Natur, pam felly y mae Natur mor hynod o greulon? Ai oherwydd bod Duw ei hun yn greulon? Gofynnodd Blake yr un cwestiwn yn union, yn 'The Four Zoas', er enghraifft:

> The Spider sits in his labour'd Web, eager watching for the Fly.
> Presently comes a famish'd Bird and takes away the Spider ...

Un arall a fu'n trafod y broblem oesol hon oedd Alfred Lord Tennyson yn ei gerdd fawr 'In Memoriam'. Y tu ôl i'r gerdd y mae damcaniaethau chwyldroadol ac ysgytwol Charles Darwin, T. H. Huxley ac Alfred Russel Wallace ynghylch esblygiad a datblygiad y rhywogaethau, gan bwysleisio mai egwyddor goroesiad y cryfaf yw'r egwyddor fwyaf sylfaenol ym myd anifeiliaid. Nid y creadur unigol sy'n bwysig o fewn y frwydr i sicrhau parhad a goroesiad y rhywogaethau; goroesiad y rhywogaeth ei hun yn unig sy'n bwysig, fel y sylwodd Tennyson:

> So careful of the type she seems,
> So careless of the single life.

Y mae natur yn tanseilio'r syniad mai cariad yw Duw, ac mai cariad Duw sy'n rheoli'r cread:

> Who trusted God was love indeed
> And love Creation's final law –

> Tho' Nature, red in tooth and claw
> With ravine, shriek'd against his creed.

Yn ôl Tennyson mewn cerdd hir arall o'i eiddo, 'Maud: a Monodrama', ni all crefydd dyn ymyrryd mewn unrhyw fodd â'r drefn greulon hon:

> For nature is one with rapine, a harm no preacher can heal;
> The Mayfly is torn by the swallow, the sparrow spear'd by the shrike,
> And the whole little wood where I sit is a world of plunder and prey.

Darlun gwrth-ramantaidd o fyd Natur ac o'r goedwig a geir gan Tennyson, a safbwynt sy'n gwrth-ddweud safbwynt Wordsworth, 'Nature never did betray the heart that loved her.' Mam-ddaear fradwrus a chreulon – yn groes, eto, i safbwynt Wordsworth – a geir yn 'O Bridd': 'Ein mam, sy'n ein gwthio'n ein cefn.' Yn wir, anodd osgoi'r argraff fod cryn dipyn o drafod wedi bod ar ddamcaniaethau a darganfyddiadau Darwin a Wallace ar aelwyd Elm Cottage, a bod Waldo wedi gwrando'n astud ar y trafodaethau hynny. Wrth i J. Edwal Williams edliw i'r Almaen ryfelgar faint ei dyled i wledydd eraill yn ei erthygl 'No More War', gan restru'r cymwynasau hynny a wnaed â hi mewn sawl maes, nodir bod arni ddyled i 'Darwin and Wallace in science'.[9]

Mae ail ran 'O Bridd' yn dawelach na'r rhan gyntaf. I gyfeiriad Pegwn y De ceir ynys heb arni bridd o gwbl, dim ond 'llawr o iâ glas'. Mae'r ynys felly, er ei bod yn ddiffaith ac yn ddiffrwyth, yn ddilychwin lân. Darganfuwyd Ynysoedd Kerguelen gan y Llydäwr Yves-Joseph de Kerguelen-Trémarec ym 1772, ac fe'u henwyd ar ei ôl. Mae ail ran 'O Bridd' yn adleisio rhannau o gerdd y bardd o Awstralia, Henry Clarence Kendall, 'Beyond Kerguelen', ac yn adleisio'r pennill cyntaf yn enwedig:

> Down in the South, by the waste without sail on it,
>   Far from the zone of the blossom and tree,
> Lieth, with winter and whirlwind and wail on it,
>   Ghost of a land by the ghost of a sea.
> Weird is the mist from the summit to base of it;
>   Sun of its heaven is wizened and grey;

Phantom of life is the light on the face of it –
  Never is night on it, never is day!
Here is the shore without flower or bird on it;
  Here is no litany sweet of the springs –
Only the haughty, harsh thunder is heard on it,
  Only the storm, with a roar in its wings!

Cread afluniaidd a gwag a geir ar yr ynys hon, byd oer, marw, didyfiant, y byd fel ag yr oedd yn y dechreuad, cyn i Dduw roi anadl einioes yn y pridd i greu Adda, a chyn geni Cain ac Abel: y byd, mewn gwirionedd, yn ei gyflwr cysefin, gwyryfol, cychwynnol cyn i waed Abel lychwino a gwenwyno'r pridd. Yn union fel y mae rhan gyntaf y gerdd yn llawn adleisiau o Genesis, felly hefyd yr ail ran. Lluniodd yr Arglwydd Dduw 'y dyn o bridd y ddaear, ac a anadlasai yn ei ffroenau ef anadl einioes' yn ôl Genesis (2:7), ond 'cesair dianadl' sy'n curo ar wyneb yr iâ yn ail ran 'O Bridd'. Plannodd Duw Ardd Eden 'o du y dwyrain', ond i gyfeiriad arall, 'tua phegwn y de', y lleolwyd yr ynys ddiffaith; ac mae 'Heb wneuthur na drwg na da' eto yn adleisio '[p]ren gwybodaeth da a drwg' yn Genesis (2:9). Yn ôl Genesis, creodd Duw yr haul a'r lleuad 'i oleuo ar y ddaear, Ac i lywodraethu y dydd a'r nos, ac i wahanu rhwng y goleuni a'r tywyllwch' (1:17–18), ond y nos yn hytrach na'r dydd sy'n goleuo'r ynys sydd y tu hwnt i Kerguelen, gan gyfeirio at y ffenomen dywydd ryfedd honno a geir ym mhegwn y De: 'Lle mae'r nos yn goleuo'r niwl.'

Chwipir wyneb yr iâ gan 'wyntoedd anghenedl', gan wyntoedd nad ydynt yn perthyn i'r un wlad, ac y mae'r syniad hwn o wyntoedd amhleidiol yn apelio at Waldo. Ymerodraethau mawrion a gwladwriaethau barus sy'n goresgyn cenhedloedd eraill i'w hawlio yn eiddo iddynt eu hunain. Nid yw'r ymosodwr hwn o wynt yn perthyn i'r un garfan wleidyddol nac i'r un genedl. Lle heb iddo enw na hanes yw'r ynys ddi-bridd hon ym Mhegwn y De. Clwstwr o fân ynysoedd yw Ynysoedd Kerguelen. Y brif ynys yw La Grand Terre, a cheir oddeutu 300 o fân ynysoedd dienw eraill o'i chwmpas. Peth arall deniadol ynghylch yr ynys ddienw hon yw'r ffaith nad oes iddi hanes. Ni phreswyliodd yr un dyn arni erioed, a dynion sy'n creu hanes, a hwnnw'n hanes gwaedlyd, rhyfelgar, yn amlach na pheidio. Ceir awgrym pendant fod Duw ei hun wedi encilio o fyd gwenwynedig dynion i fyd gwyryfol ddilychwin un o ynysoedd Kerguelen. Ac yno,

Azariah Price, o Dŷ'nygwndwn, Brynaman, hen-dad-cu Waldo.

David neu Dafi Williams, tad-cu Waldo ar ochr ei dad, yr ail o'r chwith, gyda phostmyn eraill yr ardal.

Dafi Williams, tad J. Edwal Williams
a thad-cu Waldo.

Waldo ar lin ei fam-gu,
Margaret Jones, mam
Angharad.

John Jones, tad Angharad a thad-cu Waldo.

Angharad, yn sefyll yn y canol yn y cefn, pan oedd yn athrawes gynorthwyol yn Ysgol Glanwydden, yn ymyl Llandudno. Yn eistedd ar y dde yn y blaen y mae prifathro'r ysgol, John Roberts, brodor o Fethesda.

Angharad, ar y chwith yn yr ail res, yn ifanc. Tynnwyd y llun ym Mangor.

Angharad, y drydedd o'r chwith yn y rhes gefn, mewn priodas. Tynnwyd y llun ym Mangor Uchaf.

Teulu Pen'rallt Lodge ar drothwy priodas Angharad ar Fehefin 2, 1900. Mae Angharad yn eistedd ar y chwith.

Angharad yn ifanc.

J. Edwal Williams yn ifanc.

Margaret Wilhelmina, ail ferch
John a Margaret Jones, chwaer
Angharad a modryb Waldo.

Mwynlan Mai, trydedd ferch
John a Margaret Jones. Priododd
William S. Edmonds, brodor o
Hwlffordd.

John Elias Jones, brawd hynaf
Angharad.

Azariah Henry Jones, ail fab John a
Margaret Jones.

Waldo, Mary a Morvydd yn blant.

Morvydd a Mwynlan y tu
allan i Ben'rallt Lodge.

Minnie yn ferch ifanc, ar drothwy ei hugain oed.

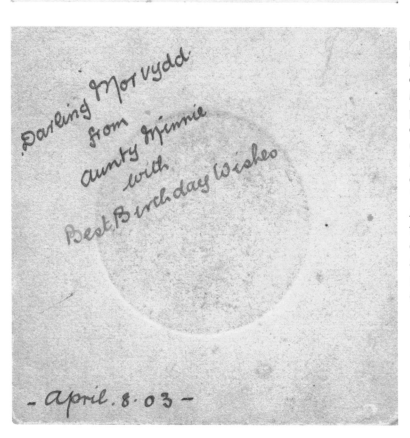

Rhodd i Morvydd gan ei modryb Minnie ar ei phen-blwydd oedd y llun uchod. Roedd Morvydd yn un oed ar Ebrill 8, 1903. Lluniodd John Jones, ei thad-cu, hefyd englyn iddi ar achlysur ei phen-blwydd cyntaf.

Teulu Rhosaeron, yn sefyll o flaen y cartref. O'r chwith i'r dde, yn union o flaen y tŷ, saif Angharad, Levi, Elizabeth (gwraig Levi), Gwladys Llewellyn, Waldo a Mary; yn ymyl y llidiart saif J. Edwal a Gwilamus, a Dilys a Roger yn sefyll o'u blaen.

Llun teuluol arall, ar yr un achlysur.

Ysgol Gynradd
Mynachlog-ddu, lle
bu J. Edwal Williams
yn brifathro a
Waldo'n ddisgybl.

Waldo, y nofiwr ifanc.

Waldo, ynghyd ag aelodau eraill o Bwyllgor yr Undeb Dadleuon, sef yr hen Gymdeithas
'Lit. and Deb.' ar ei newydd wedd, yn ystod sesiwn 1926–1927, blwyddyn gyntaf bodolaeth
yr undeb. Y mae Waldo yn sefyll ar y dde yn y rhes ôl. Yn y canol yn y rhes ôl saif Sydney
Herbert, darlithydd mewn Gwleidyddiaeth Ryngwladol ac wedyn mewn Hanes yn
Aberystwyth.

Willie Jenkins, Hoplas, un o gyfeillion pennaf Waldo.

D. J. Williams, un arall o gyfeillion mwyaf Waldo. Bu'r ddau'n gyfeillion agos am bron i hanner can mlynedd.

Y 'Tŵr' a'r 'Graig': tŵr
Castell y Garn; carreg
y Plumstone, plwyf
Camros.

mewn byd nad yw wedi ei faeddu na'i feddiannu gan ryfel, y mae Duw yn ein haros.

Ceir adleisiau o gerddi eraill, ar wahân i gerdd Henry Kendall, yn ail ran 'O Bridd'. Yn ei gerdd 'Regeneration', y mae Henry Vaughan yn dilyn trywydd digon tebyg:

> With that, some cried, "Away"; straight I
>   Obey'd, and led
> Full East, a fair, fresh field could spy;
>   Some call'd it Jacob's Bed;
>   A virgin soil, which no
>   Rude feet e'er trod;
> Where – since He stept there – only go
>   Prophets, and friends of God.

A cheir syniad digon tebyg ym mhennill olaf cerdd John Clare, 'I Am', yn ogystal:

> I long for scenes, where man hath never trod,
>   - A place where woman never smiled or wept
> There to abide with my Creator, God;
>   And sleep as I in childhood sweetly slept,
> Untroubling and untroubled where I lie,
> The grass below – above the vaulted sky.

Ymdeimlad gwirioneddol oedd yr ymdeimlad hwn fod pridd y ddaear wedi cael ei wenwyno, nid syniad barddonol, nid ffansi. Meddai Waldo ei hun, chwarter canrif a rhagor ar ôl cychwyn y rhyfel:

> Y peth pwysig yw mai fel yna rown i'n teimlo. Nid dewis y pridd fel symbol a wneuthum. Fel yna rown i'n teimlo ynglŷn â'r pridd ei hun am bum mis, neu chwech, ar ôl i'r rhyfel dorri allan.[10]

Daeth yr ymdeimlad hwn iddo felly yn ystod misoedd olaf 1939 a misoedd cychwynnol 1940. Yr hyn a iachaodd Waldo o'r ymdeimlad hunllefus hwn fod y ddaear o'i amgylch wedi ei gwenwyno a'i melltithio oedd ymweliad â Gwlad yr Haf, yn gynnar yng ngwanwyn 1940. Aeth Waldo a Linda am wyliau i'r ardal lle bu Samuel Taylor Coleridge a William Wordsworth yn byw ar un adeg. Symudodd Coleridge a'i deulu i bentref bychan Nether Stowey ger Bridgwater ym mis Rhagfyr 1796. Ym mis Mawrth y flwyddyn ganlynol, ymwelodd William Wordsworth â Coleridge yn Nether Stowey, ac erbyn mis Gorffennaf 1797 roedd Wordsworth a'i chwaer Dorothy wedi symud i Alfoxden House, tua phedair milltir o bellter o Nether Stowey. Yn ystod y cyfnod hwn, ac yn enwedig yn ystod gwanwyn a haf 1798, y bu'r ddau yn cydweithio ar eu *Lyrical Ballads*, a gyhoeddwyd ym mis Medi 1798. Ceir enwau Waldo a Linda yn llyfr ymwelwyr Bwthyn Coleridge yn Nether Stowey gogyfer â Mawrth 2, 1940.[11] Ymhen blynyddoedd, cofiai Waldo am y gwanwyn adferol, iachaol hwnnw:

> Dyna'r pryd y newidiais nôl, lawr yn Alfoxden a Nether Stowey. Aeth Linda a minnau yno yn y gwanwyn, y mannau lle sgrifennodd Wordsworth a Coleridge y *Lyrical Ballads*. Ond cyn hyn, sef cyn fy nghymodi â'r pridd, roeddwn i'n gwrthod anobeithio am ddyn ychwaith. (Ac wrth gwrs nid barnu dynion yr oeddwn i – os yn y pridd y mae'r gwenwyn) ... Roedd map o'r byd ar y wal yn ysgol Cas-mael, a Kerguelen ar lefel fy llygaid. Arhoswn weithiau am ddeng munud ar ôl i bawb fynd adref yn edrych ar Kerguelen mewn rhyw fath o orfoledd am nad oedd dim pridd yno. Sgrifennu ei hunan yn sydyn wnaeth y gân yn y diwedd, a hynny wedi imi ddod nôl o Nether Stowey; atgof mewn gwirionedd ydyw.[12]

Wedi iddo gymodi â'r pridd a charthu'r ymdeimlad hwnnw o gread pwdr, gwenwynedig allan o'i gyfansoddiad, gallai Waldo bellach ailgydio yn un o'i brif themâu fel bardd, sef brawdoliaeth fyd-eang – ar ôl datgan yn ddiamwys yn 'O Bridd' fod brawdoliaeth wedi troi'n elyniaeth rhwng dynion. Cyhoeddodd gerdd fechan yn dwyn y teitl 'Brawdoliaeth' yn rhifyn Mai 29, 1940, o'r *Faner*, cerdd ddewr, feiddgar, heriol, o gofio mai yn ystod cyfnod y rhyfel y lluniwyd hi.

Yn ôl 'Brawdoliaeth', Duw sy'n ieuo dynion ynghyd yn un cwlwm o frawdgarwch:

> Mae rhwydwaith dirgel Duw
> Yn cydio pob dyn byw;
> Cymod a chyflawn we
> Myfi, Tydi, Efe.

'Rhwyd' a 'gwe': ceir yma ddelwedd o Dduw fel heliwr, fel ymlidiwr. Yr oedd yn ddelwedd y byddai Waldo yn ymhelaethu arni yn y dyfodol, wrth synio am Dduw fel heliwr a dynion fel prae. Mae rhwyd a gwe yn dal ac yn caethiwo. Duw sy'n weithredol, nid dynion. Mae rhwydwaith Duw yn cydio 'pob dyn byw', ac mae'r we yn gyflawn. Gweledigaeth o frawdoliaeth fyd-eang a geid yn 'Brawdoliaeth', ar adeg pan oedd y cenhedloedd yn ymladd benben â'i gilydd.

Ni all yr un grefydd gynnal na meithrin y frawdoliaeth fyd-eang hon. Y mae'n bodoli y tu hwnt i ffiniau crefydd:

> Mae'r hen frawdgarwch syml
> Tu hwnt i ffurfiau'r Deml.
> Â'r Lefiad heibio i'r fan,
> Plyg y Samaritan.
> Myfi, Tydi, ynghyd
> Er holl raniadau'r byd –
> Efe'n cyfannu'i fyd.
>
> Mae Cariad yn dreftâd
> Tu hwnt i Ryddid Gwlad.
> Cymerth yr Iesu ran
> Yng ngwledd y Publican.
> Mae concwest wych nas gwêl
> Y Phariseaidd sêl.
> Henffych y dydd y dêl.

Y mae brawdoliaeth yn codi uwchlaw mân ddefodau a mân ddogmâu crefyddol. Y mae'n egwyddor fyd-eang nad yw'n perthyn i unrhyw sect neu grefydd. Clywir cyngor J. Edwal Williams i'w fab, pan benderfynodd Waldo ymuno â'r eglwys drwy fedydd, yn glir yn 'Brawdoliaeth'. 'They have misunderstood religion taking it to be a thing of a day and a place, a hollow zeal for a denomination or a narrow esprit de corps or observance, a routine observance of rites and ceremonies,' meddai. Dywedodd mai'r ffurf uchaf ar grefydd oedd honno a oedd yn arddel ac yn arfer brawdgarwch. Mae'r ysbryd sy'n arddel brawdgarwch yn ysbryd rhydd na all cyfyngiadau crefydd ei gaethiwo; fel y dywedodd Waldo yn 'Tŷ Ddewi':

> Ofer codi meini mud
> A chroesbren uwch yr ysbryd ...

Nid y tad yn unig sy'n bresennol yn 'Brawdoliaeth', ond y fam yn ogystal. Mae'r gerdd yn paratoi'r ffordd ar gyfer 'Y Tangnefeddwyr'. Credoau a daliadau'r tad a edmygai Waldo, ond cariad, caredigrwydd a thosturi ei fam a edmygai – ei chydymdeimlad a'i maddeuant. Mae'r tad a'r fam yn bresennol ym mhennill olaf y gerdd:

> Mae Teyrnas gref, a'i rhaith
> Yw cydymdeimlad maith.
> Cymod a chyflawn we
> Myfi, Tydi, Efe,
> A'n cyfyd uwch y cnawd.
> Pa werth na thry yn wawd
> Pan laddo dyn ei frawd?[13]

Mae'r pennill yn crynhoi gwerthoedd aelwyd ei rieni.

Daeth 1940, blwyddyn lawn gyntaf y rhyfel, i ben gyda Waldo yn ymbalfalu am wir ystyr y Nadolig. Diystyr, bron, oedd dathlu genedigaeth Tywysog Tangnefedd mewn byd a orseddai frenhinoedd rhyfel yn ei le. Lluniodd garol fechan ar ddydd Nadolig, a'i chyhoeddi yn rhifyn Ionawr 8, 1941, o'r *Faner*. Carol ddigon traddodiadol oedd hon ar un wedd, ond carol hefyd yr oedd y rhyfel yn gefndir amlwg iddi, a'r un mor amlwg ynddi oedd ei ddaliadau ef ei hun. Yr oedd totalitariaeth ac unbennaeth a gormes gwladwriaeth mor hen â'r cread, ac roedd Cesar yn gormesu'r bobl hyd yn oed ar yr adeg y daeth Crist fab Duw i'r byd:

> Pan drethai Cesar yr holl fyd
> Gan yrru pobl ei hawl ynghyd,
> Pryd hynny ganed baban Mair
> A'i roi i orwedd yn y gwair.

Y trethu oedd y broblem, hyd yn oed yn y gwareiddiad cynnar hwnnw. Trethu i gynnal grym ac i gadw gwladwriaethau a wneid, trethu i gynnal byddinoedd, trethu er mwyn trechu. Ond gall y gwan orchfygu'r cryf, a daw dydd y bydd mawr y rhai bychain:

Ni wyddai'r ymerodraeth wych
Am eni'r Oen yng nghôr yr ych,
Ac am roi bron i faban gwan
I godi teulu dyn i'r lan.

Y mae'r trydydd pennill yn rhagredegydd i'r gerdd 'Eu Cyfrinach', wrth i gariad dau tuag at eu plentyn drechu Cesar a'i lengoedd (gorchfygu Pharao a wna cariad rhieni yn 'Eu Cyfrinach'):

Ond nid oes leng gan Gesar, mwy,
All chwalu eu cyfrinach hwy.
Cadarnach fydd na rhyfel certh
Cans caru gelyn yw ei nerth.

Dyheu am eni Crist ymhob enaid a phob calon a wneir ar ddiwedd y garol, gan arddel brenhiniaeth Duw ar y ddaear, nid brenhiniaeth dynion:

Deled y gân drwy'r dymestl wynt,
O Fethlehem Effrata gynt.
Caned angylion yn gytûn
Nes geni ynom Fab y Dyn.

O tyfed y Winwydden Wir
A changau tewfrig dros bob tir,
Onid arddelir ym mhob bron
Frenhiniaeth nid o'r ddaear hon.[14]

Erbyn dechrau 1941 roedd y rhyfel wedi cyrraedd Cymru. Dechreuwyd ymosod ar dref borthladd Abertawe o'r awyr ym 1940, ond ym 1941 y daeth yr ymosodiadau trymaf. Ar Ionawr 17, bomiwyd y dref yn ddidostur gan awyrennau'r gelyn. Lladdwyd 55 o'i thrigolion. Dilynwyd y cyrch hwnnw gan gyrch trymach fyth pan fomiwyd y dref am dair noson yn olynol, Chwefror 19–21. Lladdwyd 122 o ddynion, 68 o wragedd a 37 o blant dan 16 oed. Anafwyd 400 o drigolion eraill.

Roedd y rhyfel wedi cyrraedd Waldo hefyd, mewn mwy nag un ystyr. Un a ddaeth yn gyfaill agos iddo oedd Dewi W. Thomas, brodor o Lanfyrnach yn wreiddiol. Hyfforddwyd Dewi Thomas ar gyfer yr offeiriadaeth yng Ngholeg

Dewi Sant, Llanbedr Pont Steffan, a Choleg Sant Mihangel, Llandaf. Adeg
y rhyfel, wedi iddo lwyddo yn ei arholiadau yn y coleg, aeth ati i ymgeisio
am ei guradiaeth gyntaf. Fel Waldo, heddychwr diwyro o ran argyhoeddiad
oedd Dewi Thomas, a gwrthodwyd iddo ddwy swydd fel curad oherwydd ei
heddychiaeth, yn Noc Penfro ac ym Mhen-bre. Fe'i derbyniwyd, er hynny,
yn gurad cynorthwyol i Ficer Caeo a Llansewyl yn Sir Gaerfyrddin. Ym mis
Hydref 1939 y cyfarfu Dewi W. Thomas â Waldo am y tro cyntaf, ar ddiwrnod
Cymanfa Ganu'r Annibynwyr yng Nglan-dŵr, Sir Benfro. Roedd Waldo yn
dosbarthu pamffledi'r Peace Pledge Union – Undeb y Llw o Blaid Heddwch
– yn y Gymanfa ar y pryd.

Ceir cofnod o gyfarfyddiad y ddau yn llyfr cofnodion Cangen Abergwaun
o Undeb y Llw o Blaid Heddwch. Roedd Waldo a Dilys ei chwaer, yn ogystal
â D. J. Williams a'i briod Siân, yn aelodau o'r gangen hon o'r undeb. Cadwyd
y llyfr gan Dilys Williams, ac yn ôl un o gofnodion y cyfarfod a gynhaliwyd
ar Hydref 10, 1939:

> Great appreciation of Mr. Waldo Williams' propaganda work was expressed.
> He distributed leaflets – "What are we fighting for?" in Crymych, Glandwr,
> Llanfyrnach, Hermon, Llanfallteg & Llansilio. He and a P.P.U. member whom
> he met in Llanfyrnach (Mr. Dewi Thomas of the Post Office) resolved to form
> a group in Crymych, and with that in view drafted and printed two leaflets to
> be circularised, inviting would-be members and sympathisers to suggest most
> convenient meeting place.[15]

Ychydig fisoedd wedi i'r ddau gyfarfod â'i gilydd yng Nghymanfa Ganu'r
Annibynwyr, gwahoddodd Waldo ei gyfaill newydd i dreulio noson gydag ef
yn ei gartref yn Elm Cottage, 'ym mherfeddion y gaeaf'.[16] Cyfarfu Waldo ag ef
yng ngorsaf Clunderwen, wedi iddo deithio yno ar ei feic, a chydgerddodd y
ddau o Glunderwen i Landysilio. 'A chofiaf yn eglur,' meddai Dewi Thomas,
'ein bod wedi aros droeon yn ystod y daith, i edrych yn ôl tua'r de-ddwyrain,
a gweld, fel y dywed yn ei gân, "Y Tangnefeddwyr", fod "Abertawe'n
fflam".'[17] Felly, bu Dewi Thomas yn aros gyda Waldo un ai ganol mis Ionawr
neu rywbryd o gwmpas diwedd y drydedd wythnos ym mis Chwefror.

Roedd Waldo yng nghanol ei helbulon pan aeth Dewi Thomas i aros
gydag ef:

Yr oedd gwraig o ifaciwî o Abertawe a thri o blant wedi cael lloches yn Elm Cottage, ac yr oedd y plant yn y frech goch. Ac yn ei helbul, druan, yr oedd Waldo wedi anghofio crasu'r gwely. Ef oedd yr unig un a welais yn cael ymateb positif i brawf potel-ddŵr-twym a drych. Fe'u rhoes yn y gwely, ac ymhen ychydig daeth â'r drych i lawr a'r lleithder yn drwm arno. 'Rhaid inni aros lawr drwy'r nos', oedd ei gasgliad cwbl resymol. Ac i wneud pethau'n waeth, nid oedd dyn-y-glo wedi galw, ac yn fuan wedi hanner nos, o ddiffyg cynhaliaeth, ymadawodd y tân â ni, a'n gadael i rynnu yn yr oerfel.

Ar ôl pwl neu ddau o'i chwerthin diwenwyn, awgrymodd fy ngwesteiwr y gallem efallai anghofio'r anghysur drwy gysgu ar y llawr caled. Cytunais y gellid treio, a gorweddais ar y llawr drafftiog a thaenu 'nghot-fawr ysgafn trosof, a hynny'n ddiobennydd, a buan iawn y cadarnhawyd fy amheuaeth o lwyddiant y ddihangfa. Gan na fu ei ymdrech yntau i gysgu nemor gwell, treuliwyd gweddill y noson fythgofiadwy honno drwy fod Waldo'n darllen detholiad o ddarnau llenyddol yn ymwneud â heddwch, a rhai darnau o'i farddoniaeth ef ei hunan.[18]

Y bomio mawr ar Abertawe a ysgogodd Waldo i lunio 'Y Tangnefeddwyr', a gyhoeddwyd yn rhifyn Mawrth 5 o'r *Faner*. Teyrnged i'w rieni yw 'Y Tangnefeddwyr', ond mae hi'n fwy na hynny. Mae'n gerdd gymod, ac yn gerdd hefyd sy'n ymdrech ar ran Waldo i wynebu ellyllon ei orffennol am y tro olaf – a'u claddu. Yn y pennill cyntaf, y mae'n cerdded adref i Elm Cottage – i hen gartref ei rieni, mewn gwirionedd. Elm Cottage oedd 'adref' a chartref Waldo o hyd. Ac ar y daith adref, y mae'n dwyn ei rieni i gof:

> Uwch yr eira, wybren ros,
>   Lle mae Abertawe'n fflam.
> Cerddaf adref yn y nos,
>   Af dan gofio 'nhad a 'mam.
> Gwyn eu byd tu hwnt i glyw,
> Tangnefeddwyr, plant i Dduw.

Nid cerdded adref i dŷ gwag yr oedd Waldo ar y pryd. Roedd Elm Cottage yn lloches i blant cadw, a rhaid bod hynny wedi dwysáu'r chwithdod iddo. Cofiai am y cartref fel ag yr oedd, a daeth gwerthoedd ei rieni yn ôl yn fyw iddo. Chwilio am y gorau ym mhawb a wnâi Angharad, ac ni fynnai ddifrïo neb. Cadwai ran anffodusion cymdeithas. Hi oedd yr un drugarog, faddeugar, yr un y dôi'r rhai trafferthus i'w phyrth ac y gwyddai'r llesg am ddôr ei llys.

Cafodd y tad, wedyn, ddeuberl drud, sef yr egwyddor o frawdoliaeth rhwng dynion – 'The Highest Religion I have had glimpses of is that which makes man a brother' – a ffydd yn Nuw a'i 'anwel fyd':

Ni châi enllib, ni châi llaid
　　Roddi troed o fewn i'w tre.
Chwiliai 'mam am air o blaid
　　Pechaduriaid mwya'r lle.
Gwyn eu byd tu hwnt i glyw,
Tangnefeddwyr, plant i Dduw.

Angel y cartrefi tlawd
　　Roes i 'nhad y deuberl drud:
Cennad dyn yw bod yn frawd,
　　Golud Duw yw'r anwel fyd.
Gwyn eu byd tu hwnt i glyw,
Tangnefeddwyr, plant i Dduw.

Cenedl dda a chenedl ddrwg –
　　Dysgent hwy mai rhith yw hyn,
Ond goleuni Crist a ddwg
　　Ryddid i bob dyn a'i myn.
Gwyn eu byd, daw dydd a'u clyw,
Dangnefeddwyr, plant i Dduw.

Cydnabod ei ddyled i'w rieni a wna Waldo yn 'Y Tangnefeddwyr'. Mae'r gerdd hefyd yn ymdrech i greu heddwch rhyngddo a'i dad ac i gladdu ofnau a siomedigaethau ei blentyndod. Nid yw'n gwyngalchu ei dad mewn unrhyw ffordd. Mae gwahaniaeth mawr rhwng yr hyn a adawsai ei dad yn gynhysgaeth iddo a'r hyn a adawsai ei fam. Yr hyn a roddodd ei dad iddo yw 'Gwirionedd', sef syniadau a daliadau crefyddol a gwleidyddol – yr elfen ddeallusol, egwyddorol mewn bywyd – ond gan ei fam y cafodd faddeuant a thrugaredd a thosturi. Rhwng y ddau – 'Gwirionedd' y naill a 'Maddeuant' y llall – roedd Waldo wedi etifeddu hanfodion pwysicaf bywyd. Ar adeg o ryfel y daeth i sylweddoli hynny:

Pa beth, heno, eu hystâd,
　　Heno pan fo'r byd yn fflam?

Mae Gwirionedd gyda 'nhad,
  Mae Maddeuant gyda 'mam.
Gwyn eu byd yr oes a'u clyw,
Dangnefeddwyr, plant i Dduw.[19]

Ddeuddeng niwrnod ar ôl i 'Y Tangnefeddwyr' ymddangos yn *Y Faner*, ysgrifennodd Waldo lythyr at D. J. Williams a Siân o Gas-mael. Mae'n amlwg nad oedd Waldo yn gwbl hapus ynglŷn â'i swydd fel prifathro dros dro Ysgol Gynradd Cas-mael, a cheir yn y llythyr enghraifft gynnar iawn o wrthdaro rhyngddo a D. T. Jones, Cyfarwyddwr Addysg Sir Benfro, hyn ymhell cyn i'r tyndra rhwng y ddau waethygu a throi'n annioddefol. 'Cafodd y cyfarwyddwr bersw[â]d arnaf i aros yma,' meddai Waldo wrth ei gyfeillion yn Abergwaun.[20] 'Dywedodd wrthyf am rannu'r gwaith â Miss Jones fel y gwelwn orau, ac os na byddai'r gwaith wrth fodd yr awdurdod eglwysig, am agor y mater gyda hwy,' ymhelaethodd.[21] Wedi cael cymaint â hynny o ryddid gan y Cyfarwyddwr, teimlai fod arno reidrwydd i aros yng Nghas-mael.

Yn yr un llythyr amgaeodd englyn, wedi iddo fod yn gwrando ar y newyddion ar y radio:

Befin a'i felin falu – mae pob mab,
  Pob merch i'w wasnaethu –
Rhengau dof yr angau du
A'i epil yn chwil chwalu.[22]

Ernest Bevin oedd y Gweinidog Llafur a Gwasanaeth Cenedlaethol ar y pryd, a'r gŵr a oedd yn gyfrifol am reoli a dosbarthu gweithlu Prydain yn ystod yr Ail Ryfel Byd. Bu'n gyfrifol am yrru miloedd o fechgyn ifainc o'r Lluoedd Arfog i weithio mewn pyllau glo (y 'Bevin Boys'), gan fod cynhyrchu tanwydd yn elfen hanfodol yn yr ymdrech i ennill y rhyfel. Er y gellid dadlau bod Bevin wedi achub miloedd o fywydau yn ystod y rhyfel, un o weision y drefn ydoedd er hynny, a'i waith oedd cynnal a phorthi'r rhyfel yn y pen draw. Roedd Bevin, fel un o weision y Llywodraeth, yn gweithredu polisi'r wladwriaeth trwy orfodi pob un o'i ddeiliaid i blygu i'w hewyllys. Ef a benderfynai pwy a gâi ymladd a phwy a gâi weithio yn y pyllau glo.

Offeryn propaganda oedd y radio i Waldo, un o arfau'r Llywodraeth.

Ddeuddydd wedi iddo anfon ei lythyr a'i englyn at D. J. Williams a Siân, cyhoeddwyd pum englyn milwr, 'Englynion y Rhyfel', ganddo yn *Y Faner*. Englyn i'r 'Radio' oedd yr englyn cyntaf, gyda'i gyfeiriad amlwg at un o gwpledi enwocaf Tudur Aled:

> Cân propaganda'n gyndyn,
> Hysbys y dengys y dyn
> O ba badell bo'i bwdin.

Yn ôl y trydydd englyn, sef yr ail englyn dan y teitl 'Y Werin', hyd yn oed pe byddai Prydain a'i chynghreiriaid yn ennill y rhyfel, caeth fyddem o hyd ym mws Tre-cŵn, sef y bws a gludai weithwyr yn ôl ac ymlaen i'r ffatri a'r storfa arfau yn Nhre-cŵn, gyda'i rhwydwaith o dwneli tanddaearol. Byddai adeiladwyr y peiriant rhyfel yn eiddo i'r peiriant hwnnw yn y pen draw, a'r meistr yn troi'n gaethwas:

> O faeddu, dyma fyddwn:
> Meistri caeth ym mws Tre Cŵn,
> Eiddo'r peiriant ddarparwn.

'Y Drefn' yw'r englyn cryfaf o'r pump, englyn gyda chyferbyniad ymhob llinell:

> Drud bwyd a rh[a]d bywydau;
> Cuddio'r gwir, cyhoeddi'r gau;
> Tolio'r blawd, talu â'r blodau.

Dychan ynghyd â thosturi a geir yn y pumed englyn, 'Y Milwr':

> Ei wobr yn fach: wybren faith,
> Gwely pell ar gil y paith;
> A'i Gymru fyth dan gamraith.[23]

Ceir gwrth-ddweud yn y ddwy linell gyntaf a'r gwrth-ddweud hwnnw yn esgor ar eironi. Nid gwobr fechan yw 'wybren faith' na gwely ar gil y paith agored, eang, ac eto, nid yw'r wobr hon – ei orweddle olaf – yn golygu dim i'r milwr o Gymro. Condemnir polisi'r gwledydd totalitaraidd, gwladwriaethol yma eto. Gall y wladwriaeth fowldio'r unigolyn yn ôl ei hewyllys hi ei hun, gyda'r canlyniad y gall milwr o Gymro ymladd hyd at angau dros iawnderau Prydain, ond ni fyddai'n codi bys bach i amddiffyn ei wlad ei hun, y Gymru sydd o hyd yn gwingo dan gamgyfraith a chamreolaeth. Y tu ôl i'r englyn, yn llercian yn y cefndir, y mae 'Drummer Hodge', y gerdd honno gan Thomas Hardy am y milwr ifanc a laddwyd yn Rhyfel y Boeriaid:

> They throw in Drummer Hodge, to rest
> Uncoffined – just as found:
> His landmark is a Kopje-crest
> That breaks the veldt around:
> And foreign constellations west
> Each night above his mound.

Yn ystod y cyfnod hwn, misoedd cychwynnol 1941, digwyddodd tro trwstan rhyfeddol i Waldo. Un prynhawn Sul aeth am dro, meddai yn 'Fel Hyn y Bu', y gerdd sy'n cofnodi'r tro trwstan hwnnw, 'I weled y gwanwyn yn dod dros y fro'. Aeth i grwydro o amgylch plwyf Castell Henri. Cerddodd am ddwy filltir ar hyd y ffordd gul o bentref Cas-mael i sgwâr Tufton, ac aeth yn ei flaen wedyn am ryw filltir heibio i Dŷ-meini, Tŷ-canol, Castell Henri, eglwys y plwyf, y Rheithordy a dringo'r rhiw serth heibio i fferm o'r enw Pantycabal. Roedd dau frawd yn ffermio Pantycabal ar y pryd, Willie a Morris Morris.

Pan oedd Waldo yn cerdded heibio i ffermdy Pantycabal, yr oedd un o'r brodyr, Morris, yn digwydd bod yn sefyll ar y stand laeth ar fin y ffordd. Oedodd Waldo a gofyn iddo: 'Beth yw enw'r lle hwn?' Dieithryn oedd Waldo i Morris Morris, a chymerodd yn ei ben mai ysbïwr Almaenig oedd y gŵr dieithr. Gofynnodd am gael gweld ei gerdyn adnabod, ond gwrthododd Waldo ei ddangos iddo. Ar hyn, daeth y brawd arall, Willie Morris, allan o'r tŷ, a dechreuodd gerdded i lawr y rhiw, ar ei ffordd i'r oedfa brynhawn yn Eglwys Annibynnol Seilo, yn Tufton. Gwaeddodd Morris arno o ben y stand laeth a gofynnodd iddo ffonio'r heddlu o'r bwth ffôn unwaith y cyrhaeddai sgwâr Tufton, i ddweud bod 'dyn od ar y ffordd'. Troes Waldo ar ei sawdl a diflannodd am ei hoedl. Cofnodwyd yr holl helynt yn ail bennill 'Fel Hyn y Bu':

> Wrth basio rhyw ffermwr yn ymyl ei glos
> Mi holais am enw ei dŷ, yn jocôs,
> A'r ateb a roddodd, fel ergyd o'r ordd,
> Oedd gwaedd ar ei frawd: 'Mae dyn od ar y ffordd!'
> Gan hynny ni welai'r dyn od ar ei daith
> Fod rhaid iddo yntau roi enw ychwaith,
> Ac am nad oedd yno yr un o'r Home Guard
> Ni chafodd neb weled ei Identity Card.

Gan nad oedd Morris Morris yn aelod o'r Gwarchodlu Cartref, ni welai Waldo fod unrhyw reidrwydd arno i ddangos ei gerdyn adnabod iddo.

Gan gredu'n llwyr mai ysbïwr oedd Waldo, a rhag ofn na fyddai ei frawd yn credu hynny, cyfrwyodd Morris Morris ei ferlen a rhuthrodd ar garlam i'r Rheithordy. Esboniodd y sefyllfa i'r offeiriad, a gofynnodd iddo ruthro yn ei gar i ffonio'r heddlu o'r bwth ffôn ar sgwâr Tufton. Fel yr eglurodd yr ysbïwr ei hun:

> 'Rôl imi ymadael â'm teimlad dan glwyf
> Y ffermwr a aeth at offeiriad y plwyf,
> Ymwylltu wnaeth yntau pan glywodd y sôn
> A bu rhaid iddo alw'r polîs ar y ffôn.
> Disgrifiwyd y gwrthrych: ei ddannedd yn brin
> A'i dafod – iaith Dyfed ag acen Berlin,
> Ei gerdded yn garcus rhag ofn yr Home Guard
> A'i osgo fel dyn heb Identity Card.

Wedi i'r offeiriad alw'r heddlu, bu cwnstabl Maenclochog a rhingyll Treletert yn chwilio am Waldo am dridiau. Erbyn y bore dydd Mercher canlynol, roedd dau blismon yn aros amdano y tu allan i Ysgol Cas-mael. Y tro hwn, dangosodd ei gerdyn adnabod i'r plismyn.

Er mai cofnodi tro trwstan, yn null ac yn arddull y Bardd Gwlad, a wneir yn 'Fel Hyn y Bu', y tu ôl i'r miri a'r cellwair fe geir cyhuddiad difrifol, sobreiddiol. Roedd y rhyfel wedi dechrau gwenwyno meddyliau pobl. Ar lawer ystyr, mae'r stori yn swnio fel stori ffug. Sut y gallai Cymro glân gloyw o Sir Benfro dybio am un eiliad y gallai Waldo, gyda'i acen Sir Benfro gref yntau, fod yn ysbïwr o Almaenwr? Mae'n stori ddwli, yn stori asgwrn pen llo, yn stori swrrealaidd hyd yn oed. Ac eto, fe ddigwyddodd. 'Ychydig feddyliwn fel hyn lle'r ymdrown/Y gwelai rhai pobl mai ysbïo yr own' meddai Waldo. Roedd y rhyfel yn creu dieithrwch a drwgdybiaeth rhwng pobl – rhwng cyd-frodorion hyd yn oed – ac yn lladd adnabod. Y rhyfel a barai fod yn rhaid i bob enaid byw gario cerdyn adnabod, ac a barai hefyd fod Cymro yn gofyn i Gymro ddangos ei gerdyn adnabod iddo. Dihangodd Waldo 'â'm teimlad dan glwyf', wedi ei frifo i'r byw fod Cymro yn ei amau o fod yn Almaenwr. Ac roedd y ffaith fod cyd-wladwr a chyd-ardalwr wedi ei alw yn 'ddyn od' wedi rhoi halen ar y briw. Roedd y ffermwr, yr offeiriad a'r heddlu wedi ymuno â'i gilydd i'w erlid. Gweision y wladwriaeth oedd y rhain.

Mae pennill olaf 'Fel Hyn y Bu' yn ddeifiol yn ei ddychan:

> Chwi wŷr Castell Henri, diolchwch fel praidd
> Am fugail yn cadw ei blwyf rhag y blaidd,
> Ac am Bant y Cabal a safodd ei dir
> Gan weled trwy'r rhagrith i galon y gwir.
> O rhodder i Gymru o Fynwy i Fôn
> Wlatgarwyr fo'n barod i fynd ar y ffôn,
> A gwaedded y werin yn gefn i'r Home Guard
> 'Why don't you take out your Identity Card?'[24]

Saesneg yw iaith y werin bellach, gan mai Saesneg yw iaith y wladwriaeth. Ac mae gwladgarwch Prydeinig yn drech na brogarwch Cymreig.

Cyhoeddwyd 'Fel Hyn y Bu' yn rhifyn Mawrth 27, 1941, o'r *Western Telegraph*. Gellid tybio iddo lunio'r gerdd yn fuan ar ôl y digwyddiad, tra oedd yr holl beth yn fyw yn ei feddwl. Dydd Iau oedd Mawrth 27, a Mawrth 23 oedd y dydd Sul cyn hynny. Gan fod Waldo wedi ei ddal gan yr heddlu 'ddydd Mercher wrth fynd at fy ngwaith', nid ar Fawrth 26 y digwyddodd hynny, gan fod y gerdd wedi ei chyhoeddi yn y *Western Telegraph* ar Fawrth 27. Mynd am dro ar y Sul hwnnw i weld y gwanwyn yn dod dros y fro a wnaeth Waldo. Ai ar ddydd Sul, Mawrth 16, felly, y digwyddodd y tro trwstan hwn, gan y byddai'r Suliau cyn hynny yn nes at y gaeaf nag at y gwanwyn?

Wedi i Waldo gyhoeddi'r gerdd yn y *Western Telegraph*, ymddangosodd cerddi eraill yn ei sgil. Cerdd o waith ei gyfaill E. Llwyd Williams oedd un o'r cerddi hyn. Ynfydrwydd y sefyllfa a drawodd E. Llwyd Williams:

> Wel, pwy ar y ddaear
>> Amheuodd dy lun,
> A hynny ym Mhenfro,
>> Dy henwlad dy hun?
> Ond twt! Paid gofidio,
>> Ceir rhai ymhob sir
> Heb glustiau i glywed
>> Heb lygaid glân, clir.

Beio'r 'Sefydliad' am yr holl helynt a wnaeth Llwyd, a tharo ergyd gyfrwys yn erbyn yr Eglwys Wladol yr un pryd:

> Daeth atat ti blisman
>> Ym mhentref Cas-mael!
> Wel, wir, yr hen gyfaill,
>> Mae pethau'n lled wael ...
> Paid synnu bod ffeirad
>> Yn mynd ar y ffôn –
> Mae pob gwas y goron
>> 'Run fath yn y bôn.[25]

Yn yr un rhifyn o'r *Western Telegraph* ymddangosodd cyfraniad arall i'r ymryson, sef cerdd yn dwyn y teitl 'Adfesur' gan 'Castellwr'. Tybiai rhai o'r bobl leol ar y pryd mai John Williams, yr offeiriad, oedd 'Castellwr'. Canmol y ffermwr a chollfarnu'r 'scwlin' a wnaeth 'Castellwr':

> Rhof rybudd caredig i'r scwlin fel hyn:
> Paid meddwl am droedio Pob Pant a Phob bryn.
> Heb enw a dyddiad i foddio'r 'Home Guard'
> Wedi eu gosod yn iawn ar 'r identity Card.[26]

Roedd Waldo wedi adrodd y stori o'i safbwynt ef yn 'Fel Hyn y Bu', ac ar ôl i'w gerdd ef a cherddi E. Llwyd Williams a John Williams – os ef yn wir oedd yr awdur – ymddangos yn y *Western Telegraph*, mentrodd Willie Morris, Pantycabal, i'r maes, i gyflwyno ei ochr ef a'i frawd o'r stori:

Wrth ddala pen rheswm [â] ffrynd ar yr heol
Rhyw deithiwr ddaeth heibio yn ddie[i]thr hollol.
Gofynodd yn serchog ple mae'r ffordd hyn yn mynd;
Yr ateb a gafodd, pa le yr wyt am fynd.
Ddim un man o bwys attebodd y strawlin.
Wyddwn i yn y byd pwy ydoedd y smaglin.
Gofynodd drachefn ple yr ydoedd fan hon;
Edrychai'n gartrefol a'i ysbryd yn llon.
Peth nesaf ofynodd, beth oedd enw y lle,
Minnau ofynais pwy ydoedd efe?

Natur holgar, chwilfrydus y dieithryn a barodd i'r ffermwr feddwl mai ysbïwr ydoedd:

Credais pryd hyn mai ysb[i]wr gwir
Ydoedd y g[ŵ]r oedd yn tramwy y tir.
Edrychais yn fanwl ar ei wisg a'i draed
Er mwyn rhoi ei hanes i fechgyn Home Guard.[27]

A daeth yr helynt, o'r diwedd, i ben. Ond y tu ôl i'r tro trwstan roedd tristwch.

Rai wythnosau ar ôl y cyrchoedd bomio ar Abertawe, priodwyd Waldo a Linda Llewellyn, ar Ebrill 14, 1941, yng Nghapel y Bedyddwyr, Blaenconin, gan y Parchedig D. J. Michael, gweinidog y capel. Priodas dawel oedd hi. Gwas priodas Waldo oedd Albert Lewis. Cyflogwyd mam Albert Lewis gan Gwladys Llewellyn i gadw tŷ iddi ar ôl marwolaeth Dafi a Martha Williams, ond bu farw mewn damwain ffordd, ac ar aelwyd Rhosaeron y magwyd Albert. Roedd Waldo ac yntau yn gyfeillion mawr. Nodir ar y dystysgrif mai cyfeiriad Waldo adeg y briodas oedd y Precelly Hotel, Rhos-y-bwlch, ger Maenclochog, a chyfeiriad Linda oedd Rhosaeron. Bellach, roedd cwpan Waldo yn llawn. Y ferch bengoch, lawen, hwyliog hon oedd ei fyd. Daeth o hyd i lawenydd a hyfrydwch yng nghanol dyddiau dreng y rhyfel.

Ddeuddydd ar ôl iddo briodi, ymddangosodd cerdd newydd o'i waith, 'Cyrraedd yn Ôl', yn *Y Faner*. Roedd y gerdd, yn ogystal â'r ffaith ei bod yn dathlu llawenydd y cyfnod hwn yn ei hanes, yn cofnodi hefyd ei orfoledd o fod wedi cymodi â'r pridd eilwaith, a bod y pridd yn cyflawni ei wir swyddogaeth unwaith eto, sef ieuo pobl ynghyd. Cerdd sy'n dadwneud negyddoldeb 'O Bridd' yw 'Cyrraedd yn Ôl'.

Mae pennill cyntaf 'Cyrraedd yn Ôl' yn sôn am Dduw yn alltudio dyn o Ardd Eden, 'Felly efe a yrrodd allan y dyn, ac a osododd, o'r tu dwyrain i ardd Eden, y cerubiaid, a chleddyf tanllyd ysgwydedig, i gadw ffordd pren y bywyd' (Genesis 3:24). Ym mhennill cyntaf y gerdd y mae un o filwyr Mihangel, amddiffynnydd ac angel gwarcheidiol Israel yn ôl Daniel, a'r un a fu'n rhyfela, gyda'i angylion, yn erbyn y ddraig yn ôl Llyfr y Datguddiad, yn sefyll 'ym mwlch y berth' ac yn gweithredu ewyllys Duw:

> Safed ym mwlch y berth
>   Filwr Mihangel.
> Eirias uwch dwrn ei nerth
>   Cleddyf yr angel.
> Da oedd y gynnar lef:
>   'Ymaith yr ei di.
> Lle gwnelych mwy dy dref,
>   Trwy chwys [y] bwytei di.'

Dyma alltudiaeth dyn o Ardd Eden, dyma'r baradwys goll, ac eto mae Waldo fel petai yn falch fod Duw wedi gyrru dyn o Ardd Eden: 'Da oedd y gynnar lef.' Yn ôl Genesis, gwaharddwyd dyn gan Dduw rhag bwyta 'o bren gwybodaeth da a drwg' (2:17), oherwydd, yn ôl esboniad y sarff, 'gwybod y mae Duw mai yn y dydd y bwytaoch ohono ef, yr agorir eich llygaid, ac y byddwch megis duwiau, yn gwybod da a drwg' (3:5). Ond mae Adda ac Efa yn bwyta'r ffrwyth gwaharddedig: 'Wele y dyn sydd megis un ohonom ni, i wybod da a drwg ... Am hynny yr Arglwydd Dduw a'i hanfonodd ef allan o ardd Eden, i lafurio y ddaear' (3:22–23).

Dweud y mae Waldo y dylai dyn wybod y da a'r drwg, ac y dylai fedru gwahaniaethu rhyngddynt. Drwy i ddyn gael ei alltudio o Ardd Eden, cafodd gyfle i ddatblygu ac i esblygu, i ddod i adnabod y ddaear ac i drin y ddaear. Ni fyddai hynny wedi digwydd pe bai wedi cael ei gadw yng Ngardd Eden. Dyma'r ail bennill:

> Daeth i'n hymwybod wawl
>   Rheswm deallus.

Cododd cydwybod hawl
   Uwch yr ewyllys.
Gweled ein gwir a'n gwael,
   Cychwyn y brwydro,
Myned o'n Heden hael,
   Chwysu, a chrwydro.

Datblygodd dyn reswm a deallusrwydd, oherwydd iddo golli ymgeledd Duw, a'r gynhaliaeth rwydd a hael yr oedd Duw wedi ei ddarparu ar ei gyfer: 'A phob planhigyn y maes cyn ei fod yn y ddaear, a phob llysieuyn y maes cyn tarddu allan: oblegid ni pharasai yr Arglwydd Dduw lawio ar y ddaear, ac nid ydoedd dyn i lafurio y ddaear' (Genesis 2:5). Datblygodd dyn hefyd gydwybod. Y gydwybod hon a lywodraethai ar ei ewyllys, a'i rwystro rhag lladd a throseddu. Cychwyn y frwydr oedd 'Gweled ein gwir a'n gwael', gwahaniaethu rhwng da a drwg, ar ôl gadael yr 'Eden hael', yr Eden a oedd wedi darparu mor hael ar gyfer dyn, fel nad oedd angen iddo lafurio. Dyna oedd y man cychwyn hanfodol. Dyma hefyd gychwyn y frwydr oesol rhwng daioni a drygioni, ac ni fyddai'r frwydr honno wedi cychwyn o gwbl oni bai bod dyn wedi dod i wybod am y drwg a'r da.

Yn y trydydd pennill, mae dyn yn creu ei ardd ei hun. Pan ddysgodd dyn sut i drin y ddaear, sut i hau a medi, doedd dim angen iddo grwydro mwyach. Cyn hynny, hil grwydr oedd y ddynol-ryw, a ffurfiau cynharach ar y ddynol-ryw. Roedd yn rhaid dilyn yr helfa a symud o le i le i gael bwyd. Pan ddysgodd dyn sut i dyfu ei fwyd ei hun, doedd dim rhaid iddo ddilyn yr helfa mwyach. Creodd bentrefi a chododd drefi, a dinasoedd yn y pen draw. Creodd gymuned a chreodd wareiddiad:

Ym mhob rhyw ardd a wnawn
   Mae Cwymp yn cysgu:
Dyfod rhagorach dawn,
   Methu â'n dysgu.
Cryfach ein gwir a'n gwael,
   A'r cwymp yn hyllach.
Diwedd pob Eden hael –
   Crwydro ymhellach.

Er i ddyn greu ei erddi ei hun, a dysgu sut i drin y ddaear, doedd cwymp arall ddim ymhell. Roedd cwymp yn cysgu yn yr ardd o hyd, o dan yr wyneb. Gallai pechod a drygioni ffrwydro i'r wyneb ar unrhyw adeg. Nid lladd pechod a drygioni a wneid, ond ei lethu am y tro, ei wasgu a'i wthio yn ddwfn o'r golwg. Datblygodd dyn ei ddoniau, daeth ei ddawn yn rhagorach, ei ddawn i amaethu yn un peth. Cafodd dyn gyfle, drwy'r canrifoedd, i ddatblygu ei ddychymyg, ei ddyfeisgarwch a'i allu, oherwydd bod rhaid iddo wneud hynny, pe bai ond er mwyn goroesi; ond methodd ddiddymu'r drwg yn ei natur. Aeth y drwg a'r da, y gwir a'r gwael, yn gryfach. A doedd dyn ddim yn fodlon aros yn ei gymuned. Cipiodd dir oddi ar eraill, drwy drais a grym; lledaenodd ei ffiniau, goresgynnodd genhedloedd eraill, a chynhaliodd ryfeloedd. Dyna ddiwedd yr Eden a greodd iddo ef ei hun – 'crwydro ymhellach'. Mae'r crwydro ymhellach hwn yn difa sefydlogrwydd cymunedol, yn lladd y gymdogaeth dda. Cyd-ddibyniaeth sy'n creu'r gymdogaeth dda, a'r gyd-ddibyniaeth hon yn creu annibyniaeth, annibyniaeth cymdeithas ac annibyniaeth barn. Creu unffurfiaeth barn a wneir gan wladwriaethau totalitaraidd.

Cafwyd hyd yn hyn gydbwysedd rhwng da a drwg, 'Cryfach ein gwir a'n gwael'. Wrth i'r drygioni gynyddu mae'n rhaid i'r da hefyd fod yr un mor gryf, i wrthsefyll y drwg. Ond beth pe bai'r gwael yn drech na'r gwir?

> Frodyr, yn arddu'r tir,
>   Pa werth a wariom
> Lle trecho'r gwael y gwir
>   Cyd y llafuriom?
> Gwag ein gwareiddiad gwych,
>   Sofl ei systemau.
> Wele, pan ddêl y nych
>   Lludw yw gemau.

Brodyr sy'n aredig y tir; brodyr sy'n troi'r pridd i hau a medi. Cyd-drin y tir sy'n creu brawdoliaeth, ond beth pe bai'r gwael yn trechu'r gwir, er pob ymdrech i lafurio a thrin y tir? Gwareiddiad gwag, diwerth a geid wedyn, diwerth ei gyfundrefnau a diwerth ei gyfoeth. Yr unig obaith i'r ddynoliaeth yw medru gwahaniaethu'n llwyr rhwng y da a'r drwg yn ein natur, a pheidio â gadael i'r drwg orchfygu'r da. Pan fydd cleddyf Mihangel wedi gwahanu'r ddau, wedyn fe geir paradwys arall, a bydd honno'n Eden well, oherwydd, yn wahanol i'r Eden gyntaf lle na châi dyn wybod da a drwg, fe gaiff wybod y pethau hyn yn yr ail Eden:

> Diau un Eden sydd
>   Heibio i'r angel.
> Gobaith i'n mentr a rydd
>   Cleddyf Mihangel.
> Er pleth ein gwir a'n gwael
>   Hwn a'u gwahano!
> Braf, wedi cyrraedd, cael
>   Gwell Eden yno.[28]

Mae'r gwir a'r gwael wedi eu plethu'n dynn yn ei gilydd, ond gall cleddyf Mihangel – neu ymyrraeth ysbrydol, ddwyfol – wahanu'r ddau, y drwg a'r da. Gwyddai Waldo, fel ei rieni, nad mater o ddrygioni pur a daioni pur, y ddau beth ar wahân, oedd y broblem, ond bod drwg a da yn bodoli gyda'i gilydd. Peth amhosibl oedd 'Cenedl dda a chenedl ddrwg', hynny yw, cenedl a oedd yn dda i gyd neu'n ddrwg i gyd. Cadw dyn mewn anwybodaeth a wnaethpwyd yn yr Eden wreiddiol. Gwaharddwyd dyn gan Dduw rhag bwyta 'o bren gwybodaeth da a drwg', ac nid da hynny. Mae 'Cyrraedd yn Ôl' nid yn unig yn gerdd wrthbwynt i 'O Bridd', ond hefyd y mae'n gondemniad ar y gerdd honno. Rhyw fath o baradwys ffŵl, wedi'r cyfan, oedd yr ynys y tu hwnt i Kerguelen, oherwydd bod y 'gwyntoedd anghenedl' a'r 'cesair dianadl' yno 'Heb wneuthur na drwg na da'.

Yn fuan wedi iddo briodi Linda, symudodd y ddau i dŷ o'r enw Brynawel yng nghanol pentref Cas-mael. Anfonodd Waldo lythyr oddi yno at D.J. a Siân ganol mis Medi. Diolchodd i D. J. Williams am anfon copi o'i gasgliad newydd o storïau ato, *Storïau'r Tir Coch*, ac addawodd adolygu'r llyfr, i dalu iawn am iddo fethu adolygu *Hen Wynebau* rai blynyddoedd ynghynt. Ac fe wnaeth hynny, yn rhifyn Mawrth 12, 1942, o'r *Western Telegraph*. Roedd yr ysgol wedi ailagor ar ôl gwyliau'r haf, ac roedd Waldo'n ceisio ei orau glas 'i ymysgwyd o'r diogi sy'n cydio mewn dyn ar ôl gwyliau'r haf'.[29] Ond nid oedd ganddo ddewis ond bwrw iddi. Roedd yr ysgol yn hawlio llawer iawn o'i egni a'i amser, yn enwedig gan fod yna blant cadw ymhlith ei ddisgyblion:

... gan fod bechgyn Abertawe yma, heb athro bellach, "a'r gofal i gyd arnaf i" ac felly y dewis sy'n ymgynnyg i mi yw lladd yr amser neu lladd [*sic*] fy hunan. Modd bynnag mae'r ysgol yn cau eto nos Wener am bythefnos, ac felly nid yw'n werth codi stîm am yr ychydig ddyddiau sydd ar [ô]l. Yr wyf yn dod i'r amlwg fel 'jwj' mewn sports dydd Sadwrn, ac yr ydym wedi trefnu, yn ddoeth iawn, i frysio oddi yma wedyn am rai diwrnodau. Yr ydym yn mynd lawr i Lansilio; y mae Dil yn rhoi i fyny Elm Cottage [Ŵ]yl Fihangel.[30]

Roedd y cwlwm rhwng Waldo ac Elm Cottage bellach ar fin cael ei dorri.

Lluniodd un gerdd arall cyn i 1941 ddirwyn i ben. Soned yn dwyn y teitl 'Yr Hwrdd' oedd hon, ac fe'i cyhoeddwyd yn rhifyn Rhagfyr 17 o'r *Faner*. Cymharu byd natur a byd dynion a wneir yn y soned, gan adlewyrchu'n anffafriol iawn ar fyd dynion. Tra bo anifeiliaid yn fodlon ymladd eu brwydrau eu hunain, y mae arweinwyr gwleidyddol a militaraidd yn anfon yr ifainc diniwed i ymladd yn eu lle. Dyna fraint gwladwriaethau. Disgrifir dau hwrdd yn cornio'i gilydd i ennill yr hawl i feichiogi'r praidd:

> Safant. Ânt ar eu [h]ôl, fel bydd eu ffordd,
> A'u pennau i lawr, ar ruthr y daw ynghyd
> Eu bas benglogau, fel ag ergyd gordd –
> A gorwedd hwn a'i lygaid gwag, yn fud.
> Arweinydd defaid dwl, pe baet yn ddyn
> Ni byddai raid it fynd i'r frwydr – dy hun.[31]

Erbyn wythnosau cychwynnol 1942 roedd y dyfodol yn dechrau edrych yn ansicr ac yn ansefydlog i Waldo a Linda. Roedd Waldo wedi hysbysu'r awdurdodau mai ei ddymuniad oedd cael ei gofrestru'n wrthwynebydd cydwybodol, er nad oedd fawr o siawns y câi ei alw i ymuno â'r fyddin. Ond mater o egwyddor oedd ei heddychiaeth iddo. Anfonodd lythyr at D.J. a Siân ar 'ddydd Gwener' i'w hysbysu iddo dderbyn 'Rhybudd heddiw am fy nhribiwnlys dydd Iau yng Nghaerfyrddin'.[32] Gwysiwyd Waldo i ymddangos gerbron tribiwnlys yng Nghaerfyrddin ar Chwefror 12, ac felly, ar Chwefror 6 yr anfonodd y llythyr at D.J. a Siân. 'Gormod fyddai imi dreio'n awr s[ô]n am gymhlethdod y sefyllfa yr wyf wedi bod ynddi, ond y mae'r tribiwnlys yn mynd i dorri'r cwlwm,' meddai wrth y ddau.[33] Yr oedd hefyd ar fin mynd i weld Cyfarwyddwr Addysg Sir Benfro, D. T. Jones. 'Bu ef yma echdoe,' meddai, a bu llawer o drafod a dadlau rhwng y ddau, mae'n amlwg, ond heb gyrraedd unrhyw fan canol boddhaol i'r naill nac i'r llall.[34]

Fel yr awgrymodd Waldo, roedd y sefyllfa'n gymhleth. Roedd yn argyhoeddedig y câi ei ddiswyddo gan ei Gyfarwyddwr Addysg oherwydd ei benderfyniad i gael ei gofrestru fel gwrthwynebydd cydwybodol, beth bynnag fyddai dyfarniad y tribiwnlys. Gobeithiai y gallai'r tribiwnlys 'dorri'r cwlm', ond roedd y Cyfarwyddwr Addysg yn meddu ar y grym a'r awdurdod i ddiswyddo Waldo, pe bai'n dymuno gwneud hynny. Yn wir, roedd Waldo wedi sicrhau swydd iddo'i hun cyn iddo gael ei wysio gerbron y tribiwnlys yng Nghaerfyrddin, gan mor argyhoeddedig ydoedd y byddai'n colli ei swydd fel prifathro Ysgol Cas-mael. Adroddwyd peth o hanes y cyfnod anodd hwn ym mywyd Waldo gan un a oedd i ddod yn gyfaill mawr iddo, y bardd a'r beirniad Bobi Jones:

Ar ddechrau'r rhyfel yr oedd yn 'athro mewn gofal' yn ysgol Cas-mael ac wedi cofrestru'n wrthwynebydd cydwybodol. Fe aeth i weld – fe'i galwn ni ef yn Mr S. (S am swyddog), i ofyn iddo beth oedd y sefyllfa. Dywedodd hwnnw y byddai'n rhaid i Waldo ymadael, ond y gwnâi ef ohirio hynny cyhyd ag y gallai. (Mewn gwirionedd nid oedd angen hyn gan fod Waldo'n 36 oed, a phrifathrawon yn cael eu hesgusodi'n 30 oed ac athrawon eraill yn 35.)

Un diwrnod daeth hysbysiad i Waldo ymadael.

Aeth ef ar ei union i weld Mr S., gan ddweud wrtho gan ei fod yn hyddysg yn y gyfraith sut y gallai ef gysoni'r hysbysiad â'r gyfraith. Ateb Mr S. oedd na hidiai ef fotwm am y gyfraith gan fod achos Waldo mor amhoblogaidd ac na feiddiai Waldo ei amddiffyn ei hun mewn llys barn.

Daeth pobl yr ardal i wybod am yr helynt, a chynhaliwyd cyfarfod cyhoeddus lle y pasiwyd yn unfrydol gan lywodraethwyr a rhieni'r ysgol i bwyso fod Waldo'n cael cadw ei le. Dywedodd ficer cyfagos: 'He is the most Christian teacher in Pembrokeshire'. Anfonwyd datganiad tebyg at Mr S. gan Fedyddwyr y cylch; ac anfonodd *Home Guard* Llandysilio i ddweud y byddent hwythau'n ymddiswyddo oni chedwid Waldo yn ei swydd.

Cafodd fynd yn ôl i'w ysgol, o leiaf tan y cyfarfod nesaf o'r pwyllgor addysg. Gofynnodd am gael cyflwyno'i achos o'u blaen; ac ymhen hir a hwyr fe gafodd ganiatâd i wneud hynny. Cododd Dr R. Williams yn y cyfarfod i ddweud na ddylid rhoi'r wybodaeth o ganlyniad y cyfarfod hwnnw ond trwy law Mr S. Maes o law cafodd Waldo nodyn i ddweud y câi ef aros tan y tribiwnlys, ac y byddent yn

ailystyried ei sefyllfa wedyn. Nid oedd hyn yn foddhaol iawn; ac felly, dechreuodd
Waldo gynnig am swyddi eraill ...[35]

Ymddangosodd Waldo o flaen tribiwnlys i wrthwynebwyr cydwybodol
yng Nghaerfyrddin ar Chwefror 12, 1942. Gerbron y tribiwnlys hwn y
darllenodd ei ddatganiad enwog, gan gyfeirio ar ddechrau'r datganiad at un o'r
cysyniadau mwyaf canolog yng ngwaith un o'i arwyr mawr, William Blake,
sef y cysyniad hwn o 'ddychymyg Dwyfol' ('Imagination is evidence of the
Divine', meddai Blake):

I believe all men to be brothers and to be humble partakers of the Divine
Imagination that brought forth the world, and that now enables us to be born again
into its own richness, by doing unto others as we would have others do unto us.[36]

Collfarnodd ryfel yn llwyr, a rhyfel modern, technolegol yn enwedig:

War, to me, is the most monstrous violation of this Spirit that society can devise.
I consider all soldiering to be wrong, for it places other obligations before a man's
first duty, to his brother – a brother he cannot regard as a cipher to be wiped
off the other side. But modern warfare, and blockade in particular, I consider
detestable, for it takes the bread out of the mouths of children, and starves to death
the innocence of the world.[37]

Ni allai rhyfel ddileu rhyfel, ddim mwy nag y gallai'r Diafol fwrw allan
gythreuliaid. Cydymdeimlad neu Dosturi Dwyfol yn unig a allai ddiddymu
rhyfel. Yr oedd pawb yn meddu ar ryw gyfran o'r Cydymdeimlad Dwyfol
hwn, ond yng Nghrist y cyrhaeddodd ei binacl eithaf:

I believe Divine Sympathy to be the full self-realisation of the Imagination that
brought forth the world. I believe that all men possess it obscurely and in part, and
that it has attained its perfect expression in the life and teaching of Jesus. It tells
us that it would be wrong and therefore futile to seek even justice – even justice
for others – through the slaughter and bereavement and mutilation and misery of
multitudes of men, women and children.[38]

Dyletswydd y Cristion yw dioddef yn amyneddgar ac nid achosi
dioddefaint, ond gan droi'r amynedd hwnnw wedyn yn egwyddor weithredol

yn y frwydr rhwng da a drwg. Hanfod gwir Gristnogaeth a gwir frawdoliaeth yw caredigrwydd a chymwynasgarwch, ac estyn cymorth i gyd-ddyn pan fo angen cymorth arno:

> It tells us that oppression is not shortly to be eliminated from the world. It tells us that it is the Christian duty not to inflict such suffering, but if need be, to bear it patiently whereby it is transmuted from its passive state into an active principle in the fight of good against evil. Divine sympathy tells me that in the Wars of Religion, the widow who gave a cup of water to a straggler from the invading army did more for religion than any champion of the cause. And whether or no this be a War for Liberty, it is the man who stands for universal and individual brotherhood – he is Liberty's truest friend.[39]

A dyna union fyrdwn un o'r cerddi y byddai'n eu llunio ymhen rhyw dair blynedd, 'Cyfeillach'. Yn y gerdd honno hefyd y mae'r Ysbryd sy'n cyfannu yn drech na grym a thrais gwladwriaethau, ac y mae un weithred garedig yn ddigon i herio a thanseilio grym ac awdurdod gorthrymwyr a thrawsfeddianwyr:

> Ni thycia eu deddfau a'u dur
> I rannu'r hen deulu am byth,
> Cans saetha'r goleuni pur
> O lygad i lygad yn syth.
> Mae'r ysbryd yn gwau yn ddi-stŵr
> A'r nerthoedd, er cryfed eu hach,
> Yn crynu pan welont ŵr
> Yn rhoi rhuban i eneth fach
> I gofio'r bugeiliaid llwyd
> A'u cred yn yr angel gwyn.[40]

Y mae 'Cyfeillach' yn yr un wythïen yn union â cherdd William Blake, 'Auguries of Innocence':

> A dove-house filled with doves and pigeons
> Shudders Hell through all its regions ...
> He who respects the infant's faith
> Triumphs over hell and death.

Ac, wrth gwrs, mae'r Ysbryd cyfannol, gwaredigol hwn yn cymuno'n uniongyrchol ag eneidiau unigolion, yn hytrach na chymuno â chymdeithasau:

> I believe that the Spirit communes not with societies as such, but directly and singly with the souls of men and women, thereby enabling us to commune fully with each other, forming societies. I believe, therefore, that my first duty to the community to which I belong is to maintain the integrity of my own personality. 'God is a spirit and they that worship Him must worship Him in spirit and in truth'.[41]

Pan ofynnodd y Barnwr Frank Davies iddo a oedd yn seilio'i wrthwynebiad i ryfel ar dir crefydd, atebodd Waldo ei fod. Dywedodd hefyd y byddai'n barod i ymuno â'r Corfflu Meddygol, ond pe gwnâi hynny, teimlai y byddai'n ddyletswydd arno i geisio darbwyllo'r milwyr i ollwng eu harfau. Siaradodd y Parchedig D. J. Michael, gweinidog Capel Blaenconin, o blaid Waldo, gan dystio i'w ddiffuantrwydd a'i onestrwydd. Disgrifiodd Waldo fel bardd o gryn fedrusrwydd, a'i fod wedi cymryd diddordeb mewn materion yn ymwneud â heddwch erioed, yn union fel ei dad o'i flaen, yntau hefyd yn hyrwyddwr heddwch mawr yn ei ddydd. Bu Waldo hefyd, meddai D. J. Michael, yn ysgrifennydd Undeb y Llw o Blaid Heddwch yn ei ardal, ac nid oedd ganddo yr amheuaeth leiaf ynghylch 'the genuineness of his convictions and of his conscience'.[42]

Cafodd Waldo ryddhad diamod ar ôl iddo ymddangos o flaen y Barnwr Frank Davies. Un a gofiai'r achlysur a'r achos oedd T. J. Morgan, yr academydd. Yn ystod y rhyfel, roedd T. J. Morgan yn swyddog yn y Weinyddiaeth Lafur a Gwasanaeth Cenedlaethol, a rhai o ddyletswyddau'r adran y gweithiai ynddi oedd cofrestru'r gwrthwynebwyr cydwybodol a threfnu iddynt ymddangos o flaen y tribiwnlysoedd. Dyma dystiolaeth T. J. Morgan:

> Fe ofynnid i ni o bryd i'w gilydd gyfieithu ambell ble o'r Gymraeg i'r Saesneg. Nid wyf yn siŵr bellach ai yn Gymraeg ai yn Saesneg yr oedd datganiad Waldo, ond 'rwy'n cofio teimlo na fyddai'r datganiad yn ddealladwy iawn i aelodau'r Tribiwnlys ... penderfynais, heb ymgynghori â'm penaethiaid, anfon llythyr personol a chyfrinachol i'r Barnwr Frank Davies. Ofni'r oeddwn na fyddai datganiad Waldo yn help ond yn dramgwydd, er bod aelodau'r Tribiwnlys yn

ddynion digon clên; yr oedd yn siarad iaith a oedd o'r un natur â'r cerddi a ystyrir yn 'anodd'. Ni fyddwn wedi mentro ysgrifennu at unrhyw gadeirydd arall ond teimlwn fod modd gwneud hyn â Frank Davies ac y deallai ef beth oedd fy nghymhellion, ac felly lluniais lythyr pwyllog, eglurhaol, 'diymyrraeth', yn sôn ychydig am hanes teuluol Waldo, ac yn ceisio troi'r arddull gyfriniol mor 'synhwyrol' ag oedd bosibl. Nid oeddwn yn bresennol yn yr eisteddiad ond fe gafodd Waldo ei gofrestru'n ddiamodol, yn un o'r ychydig bach, bach a gafodd ryddhad diamodol, gan taw 'rhyddhad ar amod' oedd y dyfarniad arferol yn achos y rhai a lwyddodd i gael eu cofrestru.[43]

Felly, gyda'r tribiwnlys wedi rhyddhau Waldo'n ddiamodol, a lwyddwyd i 'dorri'r cwlm', ac a fyddai Waldo yn cael cadw'i swydd fel prifathro Ysgol Cas-mael? Ofn mwyaf Linda oedd yr ofn y câi Waldo ei ddiswyddo, ac roedd ei phryder yn bryder iddo yntau hefyd. 'I believe Linda is worrying a bit about the possibility of my getting the sack,' meddai Waldo mewn llythyr at Dilys yn syth ar ôl iddo gwblhau ei ddatganiad, gan ofyn i'w chwaer sicrhau Linda na fyddai hynny'n digwydd.[44] Mae'r bennod fach hon yn ei hanes, mewn gwirionedd, yn llawn dryswch a chamddealltwriaeth. Nododd Bobi Jones fod Dr R. Williams wedi codi ar ei draed yn ystod cyfarfod y Pwyllgor Addysg i ddweud na ddylid cyflwyno penderfyniad y cyfarfod hwnnw ond trwy law Mr S., sef y Cyfarwyddwr Addysg. Un arall a oedd yn elyniaethus tuag at Waldo ac yn wrthwynebus i'w ddaliadau oedd Dr Rowland Williams. Yng ngeiriau Bobi Jones eto:

> Gŵr arall yr oedd gan Waldo barch ato, yn ystod yr Ail Ryfel Byd, oedd Dr E. Roland Williams, gŵr tra diwylliedig a oedd yn ddylanwadol yng Nghlunderwen ac yn wir yn y Sir i gyd. Yr oedd hwn hefyd yn filwrol ei gydymdeimlad ac wedi brifo teimladau Waldo droeon drwy ddweud pethau cas ynghylch ei basiffistiaeth, ac wedi gweithio'n ei erbyn ar y pwyllgor addysg i'w ddiswyddo.[45]

'Onid yw Rowland Williams yn drafferthus ynghylch llawer o bethau?' meddai Waldo amdano, yn gynnil, yn y llythyr a anfonodd at D. J. Williams a Siân ganol mis Medi 1941.[46]

Gan bryderu am ei ddyfodol, roedd Waldo wedi sicrhau swydd iddo'i hun cyn iddo ymddangos gerbron y tribiwnlys yng Nghaerfyrddin, yn Ysgol Botwnnog yn Llŷn. Roedd D. T. Jones wedi hysbysu Waldo fod y Pwyllgor

Addysg yn bwriadu ei ddiswyddo ar ôl y tribiwnlys, beth bynnag fyddai penderfyniad y tribiwnlys, ond mewn gwirionedd, yn ddiarwybod i Waldo, roedd y Pwyllor wedi pleidleisio i'w gadw yn ei swydd.

Wedi iddo fethu cael y maen i'r wal gyda D. T. Jones ar ôl sawl trafodaeth ag ef ar ddechrau mis Chwefror 1942, a chyn hynny, ac wedi iddo ymddangos gerbron y tribiwnlys yng Nghaerfyrddin ar Chwefror 12, roedd Waldo a Linda wrthi yn paratoi ar gyfer mudo i Ben Llŷn. Penbleth i'w gyfaill D. J. Williams oedd y symudiad hwn ar ran Waldo. Ni allai ddeall, yn un peth, pam yr oedd Waldo wedi penderfynu gadael ei hen sir i chwilio am waith. Cafodd ateb ganddo, ar ffurf cywydd:

> A yw'th ddeall yn pallu?
> Dim byth, sownd! Wel, dam, beth sy? ...
> Mynd i'r north am ymborth wyf,
> Rhodio am fara'r ydwyf
> Ac nid am fy "erlid" i,
> "Llabyddio" (yn lle boddi).
> Mae dewis, a dim dwywaith,
> Newid gwâl neu newid gwaith –
> Fy hyrddio gan waharddiad,
> Dyry sling ar draws y wlad.
> O'm tyfle hwy a'm taflant –
> Talu byr yw towlu bant.
> Daw'r ban wedi'r tribiwnal;
> Newid gwaith neu newid gwâl.
> Twt, twt, rhaid dwedyd ta-ta
> I'r Casmaelwyr, cu, smala.
> Ti gei air gwell ymhellach
> Wreiddyn mawr, yn awr yn iach![47]

Cyn iddo ymadael â'r Casmaelwyr, lluniodd gerdd i ffarwelio â Chasmael, ac â'i gynefin yn gyffredinol. Er mor drist oedd yr achlysur, roedd y gerdd newydd hon, 'Ar Weun Cas' Mael', yn llawn gobaith y câi ddychwelyd i Sir Benfro rywbryd yn y dyfodol, a hynny mewn dyddiau gwell. Yn y pennill cyntaf, mae blodau euraid yr eithin yn darogan y daw gwanwyn a haf drachefn, er gwaethaf y gaeaf 'gwyw a gwael' – gaeaf ym myd natur ac ym myd dynion:

Mi rodiaf eto Weun Cas' Mael
A'i pherthi eithin, yn ddi-ffael,
Yn dweud bod gaeaf gwyw a gwael
    Ar golli'r dydd.
'Daw eto'n las ein hwybren hael'
    Medd fflam eu ffydd.

Y rhan hon o Gymru, ardal y Preseli, a roddodd iddo 'annibyniaeth barn', gan ei alluogi i sefyll ar ei draed ei hun, fel unigolyn, a mynd yn groes i'r farn boblogaidd neu'r farn gyffredin. Y mae'n dyheu am gael cadernid y mynyddoedd y tu ôl i bob her a safiad o'i eiddo:

O! Gymru'r gweundir gwrm a'r garn,
Magwrfa annibyniaeth barn,
Saif dy gadernid uwch y sarn
    O oes i oes.
Dwg ninnau atat: gwna ni'n ddarn
    O'th fyw a'th foes.

Er mor erwin a moel yw ardal y Preseli, dyma ardal cymdogaeth dda a chyd-dynnu rhwng trigolion y mynydd; mewn gwirionedd, dyma grud brawdoliaeth a sail cymdeithas gytûn, unol: gerwinder yn creu mireinder a'r garw yn creu brawdgarwch:

Yn dy erwinder hardd dy hun
Deffroet gymwynas dyn â dyn,
Gwnaet eu cymdeithas yn gytûn –
    A'th nerth o'u cefn,
Blodeuai, heb gaethiwed un,
    Eu haraf drefn.[48]

Cychwynnodd Waldo ar ei waith yn Ysgol Ramadeg Botwnnog, yn swyddogol, ar ddydd Gŵyl Ddewi 1942. Bu'r ysgol ar gau am rai wythnosau ar ddechrau 1942, tra oedd yr adeiladwyr wrthi yn gwneud gwelliannau iddi ac yn ychwanegu adeiladau newydd at yr hen adeiladau, gwaith a gostiodd dros £14,000 i gyd. Ailagorwyd yr ysgol yn swyddogol ar Fawrth 20, gan Syr Wyn Wheldon, Ysgrifennydd Cymreig y Bwrdd Addysg. Cwbl uniaith

Gymraeg oedd Pen Llŷn yn y cyfnod hwnnw. Cymraeg oedd iaith yr ysgol, hen ysgol a sefydlwyd ym 1616, a Chymraeg oedd iaith yr athrawon. Roedd 120 o ddisgyblion yn Ysgol Botwnnog ar y pryd, ac yn eu plith yr oedd ffoaduriaid o ddinasoedd mawrion Lloegr, ond ni châi'r rheini aros yn Saeson bach uniaith am yn hir. Dysgid yr holl ddisgyblion gan wyth o athrawon.

Bu Waldo a Linda yn lletya mewn tyddyn o'r enw Bryn Llan yn ymyl Ysgol Botwnnog ar ddechrau eu cyfnod yn Llŷn. Ac o Fryn Llan y cysylltodd Waldo â'i gyfaill E. Llwyd Williams ym mis Mai 1942. Diolchodd i Llwyd am roi gwobr iddo yn Eisteddfod Brynmyrnach a dywedodd wrtho fel y bu'n beirniadu'r cystadlaethau llenyddol a'r cystadlaethau adrodd ar y cyd â'r Parchedig R. D. Roberts, Llangian, yn Eisteddfod Sulgwyn Mynytho ar y diwrnod blaenorol. Nid oedd, meddai, am wrthod cais pwyllgor yr eisteddfod, nac, ar y llaw arall, am ei amlygu ei hun fel beirniad adrodd, rhag iddo gael rhagor o wahoddiadau i feirniadu, ond 'b[û]m yn ddigon anlwcus i wobrwyo'r ysgrifennydd ar y delyneg, ac felly'r wyf mewn perygl o fynd yno eto!'[49] Amgaeodd ddau englyn i'r 'Blacowt' yn y llythyr. Hwn oedd y cyntaf:

> Mwrdro golau â mawrdraul; gwadu'r Nef;
> Gado'r nos i'r cythraul;
> Rhoi i'r nen her ar nawn araul –
> Rhoi llu'r drôm rhyngom â'r [sic] haul.[50]

'Neidiodd y llinell hon i'm pen pan gafodd Linda ryw flacowt o bant i'r ffenest fawr, fawr honno yng Nghasmael,' meddai am linell gyntaf yr englyn, gan awgrymu, efallai, nad oedd iechyd Linda cyn gryfed ag y dylai fod yn ei hoedran hi.[51] Ac eto, roedd Waldo a Linda yn hapus yng nghwmni ei gilydd, ac yn ymgeledd i'w gilydd ar adeg ddigon anodd yn eu hanes. Ym Mhen Llŷn y dathlodd Waldo ei ben-blwydd yn 38 oed, a chafodd ailargraffiad 1942 o *Collected Poems of W. H. Davies* yn rhodd gan Linda.

Dysgai liaws o bynciau i wahanol ddosbarthiadau yn Ysgol Botwnnog: Hanes a Mathemateg, Saesneg a Daearyddiaeth, a Chymraeg ac Ymarfer Corff ar raddfa lai. Cafodd Waldo a Linda gyfnod hynod o helbulus wedi symud i Lŷn. Erbyn Ionawr 6, 1943, roedd y ddau wedi symud i dŷ o'r enw Creigir Uchaf, ar y ffordd rhwng Llanengan ac Abersoch, er eu bod wedi bwriadu symud i dŷ arall, ond roedd hwnnw yn gwbl anaddas. Ar ben popeth, cafodd y ddau gryn dipyn o drafferth gyda'u dodrefn:

> ... nid aethom i D[ŷ] Nant wedi'r cwbl. Nid oedd y tŷ wedi ei lanhau yn ôl addewid y perchennog, yr oedd un ystafell ar y llofft yn llawn dodrefn ac awyrgylch cyfnod y cathau; ac fe ddaethom i'r penderfyniad mai'r peth gorau fyddai ymryddhau – trwy dalu deufis o rent rhag codi helynt, a dyfod i'r lle hyn a gynygiwyd inni cyn i'n dodrefn gyrraedd stesion Pwllheli.
>
> Yna cawsom dipyn o fyd gyda bechgyn y G.W.R. – yr oedd hi'n bwrw glaw'n ofnadwy y diwrnod y daeth y lorri allan a'r container. Yr oedd y ffordd dros y caeau (yr ydym lled tri chae o'r ffordd) yn rhy wlyb i'r lorri fentro ar y borfa, a'r feidir sy'n dod o'r cyfeiriad arall, yn rhy gul a throellog a phorfaog hefyd. Bu raid dympo'r cwbl yn un o deiau mâs Creigir Goch a'u cael hwy yma ar y cart bob yn dipyn pan beidiodd y glaw.[52]

O ran lleoliad, roedd Creigir Uchaf, gyda'i olygfeydd trawiadol, yn ddiguro:

> ... o ran sefyllfa, y mae Creigir Uchaf yn lle brenhinaidd teg uwchben y weilgi. O ffrynt y tŷ y mae mynyddoedd Meirion i'w gweld dros y m[ô]r; ac o ben y bancyn y tu [ô]l i'r tŷ gwelir Ynys Enlli y tu draw i Borth Neigwl. Dyna i chi'r dwyrain a'r gorllewin. Rhyngddynt tua'r de, Pen Cilan i gadw Sir Benfro o'r golwg; a'r ochr arall, Eryri yn y pellter ac wrth ddyfod yn ôl tua'r gorllewin, fynyddoedd a bryniau Llŷn.[53]

Ond bychan o fendith oedd y golygfeydd a welid o'r tŷ. Roedd y tŷ ei hun mewn cyflwr difrifol:

> Ynghanol y fath olygfa y mae'n ddrwg gennyf gofnodi un ddiffyg [sic] hanfodol: y mae'r tŷ ei hunan yn wlyb iawn – yn wlypach nag y tybiem pan ddaethom i mewn. Y mae cefn y tŷ yn îs [sic] na'r graig y tu ôl iddo ac y mae'r dwfr weithiau yn tarddu i fyny trwy lawr yr hen laethdy, sydd trwy lwc, step yn is na'r lloriau eraill. Un prynhawn Sul buom wrthi am oriau yn – ysbydu yw'r gair a arferir yma – a chawsom ddeuddeg bwcedaid a phedwar ugain i fyny, a'u taflu allan trwy ddrws y ffrynt. Rhyw nos Fawrth o'r ail wythnos ar [ô]l hynny cawsom ryw bymtheg ar hugain. Bu'r d[ŵ]r i fyny neithiwr hefyd ond aeth yn ôl trwy'r llawr heb godi nemor, trwy lwc. Ni bu neb yn byw yma yn y gaeaf ers dros bymtheng mlynedd – rhyw bobl o Fanceinion a gafodd lês arno fel tŷ haf am dair blynedd ar ddeg, ac wedi hynny bu rhai'n byw yma am ysbeidiau byr.[54]

Anghaffael arall oedd y ffaith fod bechgyn mewn fferm gyfagos yn ei alw'n 'conshi' bob cyfle a gaent.

Nododd Waldo fod rhyw bedair milltir o bellter rhwng Creigir Uchaf a'r ysgol, 'ar y ffordd fyrraf, a hawsaf', ond âi'r bws heibio i Lanbedrog a Mynytho i godi plant – gan ychwanegu chwe milltir arall at y daith.[55] Cychwynnai Waldo o'r tŷ am ychydig wedi wyth o'r gloch, i ddal y bws am chwarter wedi wyth. Roedd yr ysgol yn dechrau am chwarter i naw. Câi fws yn ôl ychydig funudau wedi i'r ysgol orffen am hanner awr wedi tri o'r gloch – 'yn rhy fuan mewn gwirionedd, yr wyf wedi fy ngadael ar ôl droeon, heb ddim i'w wneud ond cerdded'.[56] Taith anghyffyrddus oedd honno ar y gorau. Roedd y bws, meddai, 'yn orlawn o blant wedi eu heidio ar ben ei gilydd fel pe baent Hindŵaid a Mahometaniaid ar reilffyrdd gwladwriaethol yr India', a bwriadai gael beic rywbryd i deithio yn ôl ac ymlaen i'r ysgol, os byddai'n parhau i fyw yng Nghreigir Uchaf.[57]

Roedd yr ysgol yn ei gadw yn hynod o brysur, a hynny dan amgylchiadau anodd ac anfoddhaol:

> Am yr ysgol – wel, y mae digon o waith ynddi o hyd ar fy nghyfer. Mae'r Higher
> gennyf mewn Saesneg a Hanes eleni, a chan nad wyf yn hyddysg eto yn y meysydd
> – fu'n wndwn gennyf cyhyd, nid oes gennyf ryw lawer o ymyl i'm hamser i wneud
> dim. Os cadwaf i fyny â gofynion yr ysgol o wythnos i wythnos, cyfrifaf hynny'n
> ddigon ar hyn o bryd. Daw pethau'n well eto wedi imi ymgydnabyddu mwy â'r
> cyrsiau. Wyddoch chi am ryw lyfrau fydd o help imi gyda'r Saesneg, neu'r Hanes
> o ran hynny. Ysgol wael yw hon am lyfrau. Yr wyf yn cymryd Geog II a III – dim
> llyfrau darllen iddynt. Maths II, dim llyfrau – Maths III dim llyfrau digon i fynd
> rownd ... Mae'r ddiffyg [sic] llyfrau yn dyblu'r gwaith. Gallem fod yn yr oesoedd
> canol o ran fel yr ydym yn cario ymlaen.[58]

Cymerai Waldo ddiddordeb mawr ar y pryd yn yr isetholiad am sedd Prifysgol Cymru yn y Senedd yn Llundain a gynhaliwyd rhwng Ionawr 25 a Ionawr 29, 1943. Roedd dau o fawrion llên Cymru yn ymladd am y sedd honno, W. J. Gruffydd a Saunders Lewis. Er nad oedd ganddo bleidlais, cefnogi Saunders Lewis a'r Blaid Genedlaethol a wnâi Waldo, fel aelod arall o staff Ysgol Botwnnog ar y pryd, Gruffudd Parry, yr athro Saesneg:

S[ô]n am yr oesoedd canol, on[']d yw pleidwyr W.J. yn ecsploetio Catholiciaeth Saunders yn gywilyddus? Beth sy'n bod ar W.J. ei hun, gwedwch? Dywedir wrthyf nad oes fôt gennyf, am imi beidio â thalu'r goron yna pan raddiais. Clywais hynny gan rywun a fu'n edrych trwy'r rhestri, ond efallai nad yw hyn yn iawn. O mi garwn weld Saunders i mewn, ac mi garwn weld Gruffydd allan lawn cymaint. Mi arwyddais ryw restr dros Saunders a oedd gyda Gruff Parry, wedi deall nad oedd George Davies yn sefyll, fel y bu unwaith sôn. Pwy yw "Gwerinwr" y Cymro? Ai Peate? Nid wyf yn credu y pleidleisia hanner yr etholwyr. Y mae cynnifer ar wasgar, heb sôn am yr etholwyr anllythrennog mewn etholaeth fel hon – rhai a fu'n medru darllen unwaith, ond na allant yn awr fwy na sbelio yr hyn sydd o dan y pictiwr ... Fe ddylid cadw rhyw damaid o dest, yn y festri, ar gyfer y rhain. Ond yn wir, ni allaf lai na gwenu wrth weld W.J. yn troi gwythïen uniongrededd ofnus Cymru yn bistyll gloyw i'w stên 'radicalaidd'.[59]

Nododd, wrth gloi'i lythyr, fod cylch ei adnabyddiaeth yn fach, ond bod 'staff dymunol iawn yn yr ysgol; ac yr wyf yn eithaf hapus yn eu plith'.[60] Ar y llaw arall, 'Tipyn yn unig yw Creigir Uchaf i Linda yr wy'n meddwl.'[61] Dywedodd hefyd fod 'athro newydd yn dechreu yma'r term sydd yn dod: rhyw Edwards o Lundain i gymryd lle un a aeth at yr R.A.F.'.[62] Roedd hwnnw hefyd yn wrthwynebydd cydwybodol. 'Dyna dri felly ar y staff!' ebychodd Waldo, gyda chryn dipyn o falchder.[63] Mor wahanol oedd agwedd D. R. Griffith, prifathro Ysgol Botwnnog, i agwedd D. T. Jones, Cyfarwyddwr Addysg Sir Benfro. Gofidiai Waldo hefyd nad oedd 'fawr o obaith am ddiwedd y rhyfel eleni eto'.[64]

Ymhen rhyw fis, ar Chwefror 3, anfonodd Waldo lythyr arall at D. J. Williams a Siân. Cwynai nad oedd wedi derbyn llythyr gan D. J. Williams ers tro. 'Onibae fy mod yn cael y Telegraph o Hwlffordd bob wythnos, buaswn yn barod i gredu, yn ddiweddar, ddyfod cawod niwl eto dros saith gantref Dyfed,' meddai.[65] Y *Telegraph* oedd *The Western Telegraph and Cymric Times*, papur newydd y rhan helaethaf o Sir Benfro ar y pryd. Yn ystod y cyfnod hwn, blynyddoedd cynnar yr Ail Ryfel Byd, roedd Waldo yn defnyddio rhyddiaith, yn ogystal â barddoniaeth, i gondemnio'r rhyfel, i hyrwyddo brawdgarwch ac i amddiffyn democratiaeth. Cyhoeddwyd nifer o lythyrau o'i eiddo yn y *Western Telegraph and Cymric Times* rhwng 1939 a 1943.

Yn rhifyn Ionawr 11, 1940, o'r *Western Telegraph*, lluniodd apêl ar gyfer y flwyddyn newydd. Byrdwn y llythyr oedd nodi mai rhyfel llwfr oedd hwn bellach, oherwydd bod Prydain wedi mabwysiadu dulliau'r gwledydd totalitaraidd o ryfela, dulliau Hitler ei hun, i bob pwrpas. Ystyried y rhyfel yn nhermau dioddefaint dynol yr oedd Waldo:

> The poignancy of the situation must have been brought home to all with the New Year. To me, it happened this way. The children were out collecting boxes. One of them did particularly well – we were touched by the thought that his father was in the Navy. Yet is not the Navy today mainly concerned with starving to death such children as these in the villages of Bavaria, Saxony, Prussia? Behind the clouds of ideology, that is what the war means in human terms. And it is the human terms that are the truest. The courage of combatants is being put to ends that are eminently cowardly. Reason revolts against the attempt to end Hitlerism by the very means which made Hitler.[66]

Ni ellid dyrchafu nac amddiffyn democratiaeth trwy fabwysiadu dulliau'r Almaen ffasgaidd o gynnal rhyfel. 'Now that we have adopted the totalitarian technique, do we still say that we are fighting for democracy?' gofynnodd.[67] Y broblem yn ôl Waldo oedd y modd yr oedd gwladwriaethau totalitaraidd yn meddiannu enaid yr unigolyn. Unwaith yr oedd gwladwriaethau o'r fath wedi hawlio enaid yr unigolyn, eiddo'r wladwriaeth oedd yr unigolyn hwnnw am byth, a thrwy ddwyn oddi arno ei enaid, gellid ei ddad-ddynoli yn rhwydd, a chymryd oddi arno bob tosturi a thrugaredd a chydymdeimlad. Trwy gymharu'r sefyllfa yn Ewrop ar y pryd â'r ymgiprys rhwng Athen a Sparta yn yr hen fyd, ceisiodd ddangos yn union beth oedd yn digwydd, a sut yr oedd modd cyflyru dynion i ddifa ei gilydd:

> Athens in her struggle against Sparta deceived herself so. But that struggle was the beginning of the end for Athens and Sparta and the civilisation of Greece. Is this story to be rewritten on a European scale? The real cause of that struggle was not racial or constitutional or even economic. It was the simple fact that the minds of people were so habituated to the city-state that they were unable to conceive of a wider loyalty. Substitute sovereign nation for city-state and you have the position today. We think it right to kill a man because he is a subject of an enemy state, rather than to let him live because he is a fellow man.[68]

Flwyddyn yn ddiweddarach, mewn llythyr a gyhoeddwyd yn rhifyn

Ionawr 2, 1941, o'r *Western Telegraph*, haerai fod y wladwriaeth unbenaethol hefyd yn hawlio cydwybod yr unigolyn, a thrwy ddwyn oddi ar yr unigolyn ei gydwybod yn ogystal â'i enaid y gwneir rhyfel yn bosibl:

> ... conscience is coming to be regarded not as a thing in itself but as the reflex of social environment in the individual. This is the essence of the gospel of dictatorship, where the State regards itself as the moulder of social environment and therefore the maker and the keeper of individual conscience.[69]

'This inmost conscience we know to be the most universal, and feel to be the most personal of all things we have and are,' meddai.[70]

Mewn llythyr yn rhifyn Mehefin 19, 1941, o'r un papur, tynnodd sylw at ynfydrwydd y gred y gellid amddiffyn democratiaeth, yn erbyn unbennaeth a thotalitariaeth, trwy ryfel:

> War as a method is such a complete denial of democracy that a 'war to save democracy' has no longer a foothold in the world of rational concepts, while in the world of fact it is becoming apparent that anything is better for democracy than the waging of such a war. Can we bomb Europeans back into democracy as we bomb recalcitrant Indians back into Empire?[71]

Fel heddychwr democrataidd yr ystyriai Waldo ei hun, ac i heddychwyr o'r fath, y mae bywyd pob unigolyn yn werthfawr ac yn gysegredig:

> ... the pacifist democrat sees more than the irrationality and futility of war. He is a democrat because he sees the supreme value of every human life, whatever its status, and he is a pacifist for the same reason.[72]

Ac meddai mewn llythyr arall yn y *Western Telegraph*, yn rhifyn Gorffennaf 24, 1941:

> I hold that every European child has the right to live, and not to be bombed, starved, mutilated, or preserved for future sacrifice.
>
> This right is as general as it is individual, and in the light of Christ, it is fundamental and final. 'Inasmuch as ye did it unto one of the least of my brethren, ye did it unto me.'[73]

Trwy arddel ac ymarfer tosturi, trugaredd a maddeuant yn unig y gellid amddiffyn dyn rhag dinistr a barbareiddiwch, amddiffyn dyn rhagddo ef ei hun, mewn gwirionedd. Dyma'r egwyddor fawr, hollgyfannol ym marddoniaeth ac ym mhersonoliaeth Waldo. Meddai yn y llythyr o'i eiddo a gyhoeddwyd yn rhifyn Mehefin 19, 1941, o'r *Western Telegraph*:

> 'The sentiment of mercy is the natural recoil which the laws of the universe provide to protect mankind from destruction by its savage passions.' So said Emerson in his speech at Salem eighty years ago. He spoke then of the recoil from slavery. Today, the recoil from war is our only escape from destruction. Nothing which lies outside pacifism can be really constructive in the modern world.[74]

Yn y llythyr a anfonodd Waldo at D. J. Williams a Siân o Greigir Uchaf ar Chwefror 3, 1943, yr oedd Waldo yn dal i sôn am yr isetholiad am sedd Prifysgol Cymru. W. J. Gruffydd a enillodd y sedd, gyda 3,098 o bleidleisiau; derbyniodd Saunders Lewis 1,330 o bleidleisiau yn unig. 'Yr oeddwn innau yn synnu wrth fwyafrif W.J. ond wrth gwrs nid oedd gennyf fawr o gyfle i wybod barn pobl yn gyffredin,' meddai Waldo.[75] Yr oedd pedwar aelod o'r staff yn Ysgol Botwnnog yn bleidiol i Saunders Lewis, meddai, gan gynnwys y prifathro, D. R. Griffith. Bu Waldo a Linda yng Nghaernarfon yn gwrando ar Saunders Lewis yn siarad.

Nid oedd Waldo yn fodlon fod W. J. Gruffydd wedi ennill y sedd. Un o gefnogwyr mwyaf brwd W. J. Gruffydd oedd ei gyfaill mawr Iorwerth C. Peate, a fu'n ymgyrchu o blaid Gruffydd, trwy lythyru yn *Y Cymro* yn un peth. Roedd Waldo wedi llunio englyn dychanol i Iorwerth Peate:

> Diarbed ydyw'r dewrBeate – ym mhob st[ŵ]r,
>   Ym mhob storm cadarnBeate,
>   Cignoeth, chwilboeth uchelBeate;
>   "Fy safbwynt" ydyw pwynt Peate.[76]

Câi Waldo a Linda broblemau gyda'r tŷ o hyd, a gwyddent na allent dreulio gaeaf arall yng Nghreigir Uchaf:

> Mi ddywedais wrthych inni fod tipyn yn anffodus yn ein tŷ, fod y glaw yn dod i mewn iddo. Dros y Sul yr oedd tribiwtari pwysig i Afon Soch yn tarddu o fewn i'w furiau; ac yr oedd tri llawr o dan y dwfr, yn llwyr neu'n rhannol. Dydd Sadwrn

buom yn gweld tŷ arall yn ymyl sydd wedi dod ar osod. Cawsom weld y tŷ, gan y perchen sy'n byw y drws nesaf, ond wedi inni ddod yn ôl ato, a dweud ein bod yn fwy na bodlon arno, dywedodd nad oedd yn cyfrif fy mod yn ddigon arhosol yn yr ardal i gael y tŷ. Nid oedd gennyf ddim i ddweud am hynny wrtho, gan ei fod yn amlwg y gwyddai fwy am fy nyfodol nag a wyddwn i fy hun.[77]

Yn waeth na dim, roedd cyflwr y tŷ yn amharu ar iechyd Linda. 'Bydd rhaid cael tŷ arall erbyn y gaeaf nesaf, y mae'r lleithder wedi rhoi annwyd i Linda fwy nag unwaith,' meddai Waldo.[78] Yn wir, roedd iechyd Linda yn dirywio'n raddol. Poenai Waldo am y rhyfel o hyd. 'Bydd y rhyfel yn y dwyrain yn esgus ganddynt dros barhau'r awdurdodaeth yma – am byth, os gallant,' meddai wrth D. J. Williams a'i briod.[79]

Anfonodd lythyr arall at D.J. a Siân ymhen mis, eto o Greigir Uchaf. Roedd Waldo a Linda ar fin symud i dŷ arall, tŷ llawer gwell na Chreigir Uchaf:

Nid yw'n debyg y cewch lythyr eto o Greigir Uchaf am ysbaid hir – am ein bod yn symud i le arall yn ymyl – yn nes i Abersoch. Y mae'r tŷ hwn yn llaith iawn ... ac yr ydym yn lwcus [i] gael y tŷ arall yma – sef Glasfryn. Un o ddau wrth ei gilydd ydyw – y mae'r perchennog yn byw yn y llall. Tŷ sych a cryno [*sic*] iawn ydyw a bwriadwn symud iddo wythnos i fory. Y diwrnod hwnnw bydd llawer o'n dodrefn wedi cyrraedd ei chweched lle mewn dwy flynedd. Mi fydd yn well hefyd am ei fod yn nes i'r pentref ac yn fwy ymysg dynion. Tipyn yn unig yw'r lle yma a minnau i ffwrdd o 8 i hanner awr wedi pedwar.[80]

Roedd Llŷn yn un bwrlwm o ddiwylliant er gwaethaf y rhyfel. Un nos Lun, bu Waldo yn gwrando ar Bob Owen Croesor yn darlithio yn Abersoch. 'Ymdriniodd ynddi â'r pynciau canlynol: Bedyddwyr cynnar Llŷn, Weslêaid Llŷn, a Brutus,' meddai, ond oherwydd bod 'ei faes mor gyfyng fe ddywedodd gryn dipyn am Grynwyr America, i lenwi'r amser'.[81] Yn wir, roedd Llŷn yn ôl Waldo yn rhy brysur o lawer yn ddiwylliannol:

Buom yn eisteddfod G[ŵ]yl Dewi Aelwyd Abersoch, ac yr oedd rhai pethau go dda yno! Ond rhwng eisteddfod yr Aelwyd, eisteddfod yr Ysgol (ond nid oes sôn amdani eleni, eto)[,] eisteddfod y Capel, ac eisteddfod y Dosbarth Ysgolion Sul (gwir mai paratoad yw'r olaf ond un at yr olaf) y mae'r sefydliad hwn yn *rhy* fyw, yn fy marn i.[82]

Ac roedd Waldo ei hun wedi cael ei sugno i ganol y berw diwylliant hwn:

Yr wyf yn gweithredu fel beirniad adrodd yn eisteddfod Rhoshirwaun nos Fawrth nesaf. Pwysleisiaf y *fel*. Nid oes gennyf gynnyg i'r gwaith ... Bydd rhaid i minnau syrthio yn ôl ar y dot, ac ar y coma. Soned Williams Parry i'r llwynog yw'r darn i rai dros 18 oed yr wy'n meddwl. Oes lot o gomas ynddi? Gobeithiaf fod e.[83]

'Bu Linda ddim yn rhy hwylus ond y mae hi'n well o gryn dipyn y dyddiau hyn,' meddai yn yr un llythyr.[84] Gyda chyffro'r gwanwyn yn y gwynt, roedd pethau ar wella i Waldo a Linda, a gallai'r ddau bellach edrych ymlaen at y dyfodol.

Hawdd y gallai Waldo bryderu bod y sefydliad eisteddfodol yn rhy fyw yn Llŷn. Bu'n hynod o brysur yn ystod diwedd 1942 a dechrau 1943. Er enghraifft, bu'n beirniadu'r cystadlaethau llenyddol mewn cyfarfod amrywiol a gynhaliwyd dan nawdd Cymdeithas Lenyddol y Bwlch ar Nos Galan, 1942, ac ar ddechrau mis Chwefror, bu'n rhoi gwersi ar y canu telynegol i aelodau'r Aelwyd yn Abersoch. Ac fel y dywedodd wrth D.J. a Siân, bu'n beirniadu'r cystadlaethau adrodd a'r cystadlaethau llenyddol yng Ngŵyl y Grempog yn Rhoshirwaun.

Ac o un ŵyl at ŵyl arall. Yn ystod y cyfnod hwn y lluniodd ei ddwy soned nerthol, 'Gŵyl Ddewi', a ymddangosodd yn rhifyn Mawrth 17 o'r *Faner*. 'Sylwed y beirdd ar ei rithmau, rhithmau sydd ar y dechrau'n taro'n chwith a lletchwith ar fesur llyfn y soned, ond o ail-ddarllen fe welir bod Waldo yn creu ar fesur y soned fiwsig arbennig iddo'i hun,' meddai Prosser Rhys, golygydd *Y Faner*, gan ddangos, unwaith yn rhagor, pa mor effro ydoedd i fawredd a rhagoriaeth Waldo fel bardd.[85] Am Sir Benfro y meddyliai Waldo o hyd o bellafoedd Llŷn. Yn y soned gyntaf, ceir darlun trosiadol o Ddewi Sant yn braenaru'r tir ar gyfer cynhaeaf ffrwythlon y dyfodol. Dewi ei hun, fel 'Ych hywaith Duw', sy'n aredig y tir; ef yw 'Hwsmon tymhorau cenedl', ac ef sy'n hau'r had y cafwyd ohono, yng nghyflawnder yr amser, fara ar gyfer y Cymun, a maeth a chynhaliaeth ysbrydol i genedl am ganrifoedd i ddod. Dewi yw'r un sy'n 'Diwyllio'r llethrau', gan roi i'r gair 'diwyllio' ei ystyr wreiddiol, sef 'diwylltio', a'r diwylltio hwnnw yn troi'n ddiwyllio ysbrydol. Mae rhythm herciog, plyciog yr wythawd yn cyfleu'r ymdrech galed hon rhwng dyn a daear, tra bo rhythm esmwythach, huotlach y chwechawd yn cyfleu buddugoliaeth a goruchafiaeth Dewi ar y tir:

> Ar raff dros war a than geseiliau'r sant
>   Tynnai'r aradr bren, a rhwygai'r tir.
> Troednoeth y cerddai'r clapiau wedyn, a chant
>   Y gŵys o dan ei wadn yn wynfyd hir.
> Ych hywaith Duw, ei nerth; a'i santaidd nwyd –
>   Hwsmon tymhorau cenedl ar ei lain.
> Llafuriai garegog âr dan y graig lwyd,
>   Diwylliai'r llethrau a diwreiddio'r drain.
> Heuodd yr had a ddaeth ar ôl ei farw
>   Yn fara'r Crist i filoedd bordydd braint.
> Addurn ysgrythur Crist oedd ei dalar arw
>   Ac afrwydd sicrwydd cychwyniadau'r saint.
> Na heuem heddiw ar ôl ein herydr rhugl
> Rawn ei ddeheulaw ef a'i huawdl sigl.

Ond bellach, meddir yn yr ail soned, 'Rhannodd y dymp a'r drôm bentir y sant/Ac uffern fodlon fry yn canu ei chrwth.' Storfa arfau a maes awyrennau a geir ar 'bentir y sant' mwyach. Yn y soned gyntaf, canai'r gŵys o dan wadn Dewi 'yn wynfyd hir', ond uffern yn unig sy'n canu mewn gorfoledd erbyn hyn. Gweision y wladwriaeth – 'Tragwyddol bebyll Mamon' – sydd wrthi eto yn gweithredu ewyllys y wladwriaeth, sef hawlio deiliaid y wladwriaeth honno gorff ac enaid:

> Tragwyddol bebyll Mamon – yma y maent
>   Yn derbyn fy mhobl o'u penbleth i mewn i'w plan,
> A'u drysu fel llysywod y plethwaith paent
>   A rhwydd orffwylltra llawer yn yr un man.

Plant Mamon yw gweision y Wladwriaeth. Credai llawer – sosialwyr a chomiwnyddion yn enwedig – mai rhyfel cyfalafol oedd yr Ail Ryfel Byd, fel y Rhyfel Byd Cyntaf o'i flaen. Credai Edward Carpenter, arwr mawr J. Edwal Williams, mai un o brif achosion y rhyfel hwnnw oedd twf a chynnydd y dosbarth masnachol yn yr Almaen, a'r modd yr oedd y dosbarth hwnnw wedi ysglyfaethu ar anwybodaeth wleidyddol yr Almaenwyr. Y dosbarth masnachol hwn a lywiai gwrs y rhyfel. Roedd yn rhyfel a grëwyd ac a gâi ei ymladd er mwyn elw yn unig. Hynny a gredai Waldo am yr Ail Ryfel Byd hefyd. Meddai, yn un o'i lythyrau yn y *Western Telegraph* adeg y rhyfel:

> I will quote substantially and from memory the New York financial correspondent of *The Times* on Russia's entry into the war. Germany's invasion of Russia, he said, came as a relief to financial circles in America. They were relieved, not because they believed that Russia, with England, could encompass Germany's defeat, for they doubted Russia's ability to withstand Germany for more than a few weeks. They were relieved because this new development would greatly prolong the war in Europe and so secure a continuance of American industry at its high rate of output and the postponement of economic reorganisation.[86]

Y mae'r bobl mewn penbleth. Mae'r wladwriaeth wedi eu drysu, wedi dwyn eu hewyllys a'u henaid oddi arnynt, wedi eu hypnoteiddio. Yn union fel y mae 'llysywod y plethwaith paent', cuddwisgoedd y fyddin gyda'u stribedi lliw, yn drysu'r gelyn, mae gweision Mamon a gweision rhyfel wedi drysu'r bobl eu hunain, nid y gelyn yn unig. Twyll bwriadol ar ran y wladwriaeth yw'r cyfan. Un o amcanion y wladwriaeth yw peri dryswch, drysu'r bobl, fel y gallant yn rhwydd eu gorfodi i blygu i ewyllys y wladwriaeth. Canlyniad y dryswch hwn yw gwallgofrwydd yn aml, arwain y bobl ar gyfeiliorn a'u gorfodi i wasanaethu'r peiriant lladd, nes eu bod yn gorffwyllo. 'Er drysu aml dro yn eu dryswch/Nid ildiodd ei galon erioed' meddai Waldo yn 'Plentyn y Ddaear', a'r un syniad yn union a geir yn 'Gŵyl Ddewi'. 'Gwnewch i chwi gyfeillion o'r mamon anghyfiawn: fel, pan fo eisiau arnoch, y'ch derbyniont i'r tragwyddol bebyll' meddir yn Luc (16:9). Yr oedd i'r Mamon anghyfiawn hwn lawer o gyfeillion yn ystod cyfnod y rhyfel, a phebyll milwrol oedd tragywydd bebyll Mamon bellach.

Ceir newid cywair yn y chwechawd. Bellach darlunnir Dewi nid fel arddwr amyneddgar a gweithgar y maes ond fel gŵr llidiog, cyfiawn ei ddicter, fel Crist gynt yn chwipio'r masnachwyr arian allan o'r deml. Gwnaed defnydd o'r ddelwedd o Grist yn ysgubo'r masnachwyr arian allan o'r deml yn 'Arfau'. Gwneuthurwyr arfau oedd y masnachwyr arian modern, cyfalafwyr yr oedd cynhyrchu arfau yn chwyddo'u cyfoeth, ond, meddir yn 'Arfau', daw dydd dial:

Bydd fflangell o fân reffynnau eto'n ddigon i'ch gwasgar,
Ac i wneuthur eto'n deml a wnaethoch yn ogof lladron.

Dewi yw'r cosbwr yn 'Gŵyl Ddewi':

Nerth Dewi, pe deuai yn dymestl dros y grug
   Ni safai pebyll Mamon ar y maes;
Chwyrlïai eu holl ragluniaeth ffein a ffug,
   A chyfiawnderau'r gwaed yn rhubanau llaes,
A hir ddigywilydd-dra a bryntni'r bunt
Yn dawnsio dawns dail crin ar yr uchel wynt.[87]

Ysgubir holl feibion Mamon, y militarwyr a'r rhyfelgarwyr hyn sy'n cyfiawnhau arllwys gwaed mewn rhyfeloedd, ymaith gan rym tymestl Dewi. Fe ysgubir rhyfelgarwch ac ariangarwch ymaith, ac nid oes gan ragluniaeth ffug, ddisylwedd plant Mamon obaith yn erbyn tymestl nerthol Dewi.

Erbyn gwanwyn 1943 roedd gan Waldo ei frwydrau ei hun i'w hymladd. O Lasfryn, Abersoch, yr anfonodd ei lythyr nesaf at D. J. Williams a Siân, ond nid oedd arno ddyddiad. Erbyn iddo ysgrifennu'r llythyr hwn at ei gyfeillion, roedd Linda wedi bod yn yr ysbyty ers wyth wythnos. Yr oedd, meddai Waldo, 'yn dod ymlaen yn bur dda'.[88] Yn wir, er gwaethaf popeth, teimlai'n galonnog:

Cefais lythyr oddi wrthi heddiw'n dweyd fod Emyr Jones pennaeth y lle yn fodlon iawn ar fel y mae hi'n gwella, a Lancaster y surgeon yn dweud ei bod yn 'doing wonderfully'. Bu hi'n wael iawn am wythnosau, ac ofnid fod clefydau eraill y tu ôl i'r ulcers. Mae hi wedi cael ward preifat erbyn hyn, a chred y bydd hynny'n help iddi wella'n gynt. Nid oes s[ô]n eto pa bryd y daw hi allan; dim am wythnosau eto.[89]

Ar y pumed o Fawrth yr anfonodd Waldo lythyr at D. J. Williams a Siân cyn anfon y llythyr diddyddiad hwn at y ddau. Gan i Linda dreulio deufis yn yr ysbyty oddi ar i Waldo anfon at ei ffrindiau yn Abergwaun, aethpwyd â hi i'r ysbyty, felly, yn fuan iawn ar ôl Mawrth 3, a rhaid mai rywbryd ar ddechrau mis Mai yr anfonodd Waldo ei lythyr. Cyfnod blinderus a phryderus oedd hwn iddo:

... llusgo ymlaen yma rywsut yr wyf, ond gydag adferiad Linda yn dechreu cael gafael ar bethau eto, a throi eto o ddyn hurt i ddyn harti. Mi wnes un peth echdoe na wneuthum erioed o'r blaen: anhygoel[,] mynd i gysgu ar ganol gwers, a chadw ymlaen i siarad! Mazzini oedd gennyf dan sylw. Clywais fy llygaid yn cau ar fy ngwaethaf, ond cedwais ymlaen yn iawn nes dod i ddiwedd y pwynt oedd gennyf. Yna fe'm clywais fy hun o bell, bell yn dweyd "Mae rug gyda ni yn y tŷ ..." Rwy'n meddwl mai chi oedd y ddolen rhwng y wers a'r frawddeg honno. Roeddwn yn meddwl amdanoch D.J. wrth roi'r wers, a'ch rhodd inni oedd y rug. Rhwng yr ardd (ym Mangor trwy'r gwyliau) y tŷ a'r paratoi, a'r eroplens drwy'r noson gynt ychydig o gwsg a gawsom.[90]

Athrawes ifanc a oedd newydd ymuno â staff Ysgol Botwnnog oddeutu'r adeg y penodwyd Waldo yn athro yno oedd Anna Wyn Jones, a daeth y ddau yn gyfeillion agos. Cofiai Anna Wyn Jones am ddigwyddiad tebyg:

Un prynhawn poeth roedd disgybl o'r chweched dosbarth yn ysgrifennu traethawd iddo wrth y bwrdd yn ystafell fechan yr athrawon. Eisteddai Waldo ar y setî yn y gornel. Ond aeth ei ludded yn drech nag ef a syrthiodd i gysgu. Pan ganodd y gloch nid oedd calon gan y bachgen i'w ddeffro. Gan adael ei draethawd ar y bwrdd, aeth allan a chau'r drws yn ddistaw ar ei ôl.[91]

Âi Waldo i ymweld â Linda yn Ysbyty Dewi Sant ym Mangor bob dydd Sadwrn a phob dydd Sul, trwy garedigrwydd eraill a oedd yn berchen ar gerbydau, a byddai'n gweithio wythnos lawn yn yr ysgol rhwng yr ymweliadau penwythnosol hyn. Mawr oedd y pryder amdano yn ystod y cyfnod anodd hwn, a mwy fyth oedd y pryder am Linda. Yn ôl Anna Wyn Jones, roedd y plant yn ogystal â'i gyd-athrawon yn teimlo dros Waldo.

Yna, yn groes i optimistiaeth y meddygon a gobeithion Waldo, bu farw Linda o'r ddarfodedigaeth yn Ysbyty Dewi Sant, ar ddydd Mawrth, Mehefin 1, 1943 – 'T.B. Peritonitis' yn ôl ei thystysgrif marwolaeth. Drylliwyd byd Waldo, ac roedd eraill hefyd yn teimlo'r golled. Roedd pawb, mae'n debyg, yn hoff o Linda. 'Enillasai le arbennig iawn iddi ei hun gyda'i sirioldeb dihafal a'i gofal diflino am Waldo,' meddai Anna Wyn Jones.[92] Ychydig wythnosau ar ôl marwolaeth Linda, anfonodd Waldo gardiau, dyddiedig Mehefin 1943, at ei gyfeillion gyda chywydd byr er cof am Linda arnynt. Dyma'r llinellau clo:

Hi wnaeth o'm hawen, ennyd,
Aderyn bach uwch drain byd.
Awel ei thro, haul ei threm,
Hapusrwydd rhwydd lle'r oeddem.
Fy nglangrych, fy nghalongref,
Tragyfyth fy nyth, fy nef.[93]

Cafodd marwolaeth Linda effaith ddirdynnol ar Waldo. Ni fedrodd ddygymod â'r golled erioed. Roedd Anna Wyn Jones yn cofio'r cyfnod hwnnw – cyfnod colli Linda a'r misoedd wedi hynny – yn fyw:

Os cafodd gŵr golled ryw dro o golli ei gymar, Waldo oedd hwnnw. Ni fu ganddynt blant, ac yn y misoedd dilynol profodd unigrwydd a hiraeth a'i llethai ar brydiau, ond llwyddai i'w cuddio'n rhyfeddol ond rhag ei gyfeillion agosaf.

Gadawodd Abersoch ac aeth i fyw at Wmffra Jones, Mur Poeth, Mynytho. Cerddai lawer. Nofiai yn y môr ar draeth Llanbedrog, a pharhau i wneud hynny hyd yn oed yn y tywyllwch yn y gaeaf, hyd nes i'r meddyg wahardd iddo er lles ei galon. Yn raddol lleddfodd amser beth ar ei ofid, a gwelsom eto o bryd i'w gilydd gysgod o'r hen asbri a'i nodweddai gynt. Eithr o dan y bwrlwm gorweddai rhyw dristwch yr oeddem i gyd yn ymwybodol iawn ohono.[94]

Cyn iddo symud i Fur Poeth, bu Waldo yn byw, am gyfnod byr iawn, yn Hirdrefaig, Nanhoron, y drws nesaf i gartref John Gruffydd Jones, y bardd a'r llenor. Roedd John Gruffydd Jones yn un o'i ddisgyblion yn Ysgol Botwnnog hefyd, ac mae ganddo gof plentyn amdano:

Fel athro Algebra y meddyliwn amdano, pan gofiai ddod i'r wers! Nid peth hawdd oedd deall Algebra yn enwedig yn ei acen o, ac mae'r stori amdano yn rhoi pen un disgybl o dan gaead y ddesg yn gyfarwydd i lawer erbyn hyn, hynny o gofio y Tangnefeddwyr yn enwedig! Cefais y fraint fawr o gael mynd i nofio gydag o ambell dro ar fore Sadwrn, neu i 'olchi'r wythnos mas' yn ei eiriau o, hynny heb sylweddoli mawredd y dyn na fy mraint innau. Adnabod o bell fu fy hanes i, a hynny pan oeddwn yn rhy ifanc i sylweddoli. Mi wn iddo ymddiheuro i Thomas Hughes am roi ei ben yn y ddesg a'i daro, ac i hwnnw haeru mai Waldio Williams oedd ei enw cywir![95]

Arferai nofio yn Abersoch ac ym Mhwllheli hefyd, ac mae'n debyg mai nofio ym Mhwllheli yr oedd pan ddaeth teulu o Sir Gaerhirfryn i'r traeth, ac yntau'n nofio'n noethlymun yn y dŵr:

> Dihangaf rhag y dynged, – a heb ddrôrs
> Y bydd raid im fyned:
> Rhedaf tua'r ymwared
> Yn borc noeth drwy Birkenhead.[96]

Ceir yr argraff mai Linda yn unig a'i cadwai rhag suddo i'r gwaelodion eithaf yn ystod blynyddoedd y rhyfel. Yn y sgwrs radio honno rhyngddo a T. Llew Jones ym 1965, ar ôl i'r holwr awgrymu 'mai amser rhyfel oedd y cyfnod mwyaf cynhyrchiol' yn ei hanes, atebodd Waldo:

> Mae'n bosibl i chi'i fod e, o achos yr oedd adeg rhyfel yn cyd-fynd â chyfnod pwysig yn fy hanes personol i – cyfnod o lawenydd mawr ar y dechre, cyfnod o dristwch wedyn ar ôl i'm gwraig farw. Ac rwy'n meddwl ro'n nhw'n gyfnodau dwfwn iawn oherwydd hynny – y llawenydd a'r tristwch – ac rwy'n credu mai'r pethe personol yna a gyffrôdd yr egnïon yma.[97]

Un arall a oedd yn adnabod Waldo yn y cyfnod hwn pan gollodd Linda oedd yr ysgolhaig Thomas Parry, ac roedd Thomas Parry yn ei adnabod yn dda. Meddai:

> Y mae'r sawl oedd yn adnabod Waldo Williams yn gwybod fod dwy ochr dra gwahanol, gwrthgyferbyniol bron, i'w bersonoliaeth. Yr oedd y doniolwr a'r cellweiriwr, y gŵr a allai reffynnu straeon difyr a diddori'r cwmni heb ball am oriau. Y mae ei ffraethineb ef a'i gyfaill ldwal Jones yn rhan o chwedloniaeth Coleg Aberystwyth er y dyddiau yr oeddent yn fyfyrwyr yno. Yr oedd i'w gymeriad ochr heulog oedd yn pefrio yng nghwmni ei gydnabod a'i gyfeillion. Ond yr oedd iddo hefyd ochr ddifri a theimladol, a byddai ei argoeddiadau yn ei gordeddu i waelod ei fod.[98]

Yn ôl Thomas Parry, bu personoliaeth Waldo yn achubiaeth ac yn waredigaeth iddo adeg colli Linda:

> Yr oedd gallu ymroi i londer bywyd, a hefyd bryderu ynghylch y gwerthoedd uchaf a phuraf, yn peri fod Waldo Williams yn byw bywyd tra chyfoethog, er

gwaethaf y boen yr oedd ei argoeddiadau yn ddiau yn ei hachosi iddo ar brydiau. Praw o hynny oedd y serennedd tawel oedd yn amlwg yn ei ymarweddiad, a hynny mewn argyfyngau llethol. Cafodd fy ngwraig a minnau y fraint o fod yn agos iawn ato pan fu farw ei wraig, a hwythau heb fod yn briod ond am amser byr – oriau mwyaf adfydus ei einioes – ac yr oeddem yn rhyfeddu at fwynder gwastad ei feddwl, er ei bod yn amlwg fod sylfeini ei fyd yn siglo.

Yr esboniad ar hyn, os esboniad hefyd, yw fod ganddo ffynhonnell o nerth yn ei enaid ei hun. Er gwaethaf rhai ysbeidiau o wendid ac o fethu ymgynnal heb help, yr oedd y nerthoedd mewnol yn gadarn iawn, a'r 'canol llonydd' yn sadio ac yn sefydlogi ei holl gymeriad yn y diwedd.[99]

Cludwyd corff Linda yn ôl i Sir Benfro. Fe'i claddwyd ar ddydd Gwener, Mehefin 4, dridiau ar ôl ei marwolaeth, ym mynwent Blaenconin, yn yr un bedd â rhieni Waldo. Cynhaliwyd gwasanaeth byr yn Rhosaeron dan arweiniad y Parchedig D. J. Michael, y gweinidog a unasai'r ddau ychydig dros ddwy flynedd ynghynt. Unwyd, gwahanwyd. Symudwyd ymlaen i Gapel y Bedyddwyr ym Mlaenconin ar ôl y gwasanaeth yn Rhosaeron. Cynhaliwyd y gwasanaeth angladdol yn y capel gyda'r Parchedigion D. J. Michael, E. Llwyd Williams ac R. Parry Roberts, gweinidog Bethel, Mynachlog-ddu, yn cymryd rhan. Ymhlith y galarwyr yr oedd chwiorydd Linda, Gertrude a Doris, ei chyfnither Gwladys, Roger, brawd Waldo, a'i briod Edith, a Jack a Mary Francis, brawd-yng-nghyfraith a chwaer Waldo. Ymhlith y rhai a anfonodd flodau i'r angladd yr oedd athrawon a disgyblion Ysgol Botwnnog. Ynghlwm wrth un dorch o flodau yr oedd neges seml, galonrwygol: 'From your Waldo: With love to Lin.'[100]

Personoliaeth hawddgar a chyfeillgar oedd gan Linda, yn ôl pob tystiolaeth. 'Warm hearted and sincere, Linda was always kind and friendly towards everyone,' meddai'r *Western Telegraph* amdani.[101] Yn ôl *Yr Herald Cymraeg* roedd Linda 'yn wraig ieuanc o gryn athrylith'.[102] Roedd yn gymar perffaith i Waldo ac ergyd ddidostur iddo oedd ei cholli ym mis Mehefin 1943. Bu si ar led erioed fod Linda wedi colli plentyn. Credai rhai mai marw wrth roi genedigaeth a wnaeth Linda, ond nid gwir hynny. Ond y mae tystiolaeth ar gael iddi golli plentyn. Pan gyrhaeddodd Waldo a Linda Ben Llŷn ar ddechrau 1942, dau o'r rhai a'u croesawodd i'r ardal oedd dirprwy brifathro Ysgol Botwnnog, G. Hughes Thomas, a'i briod, Gwen. Yn ôl eu merch, Ann Hughes Thomas (Ann Williams ar ôl priodi):

Pan ddaeth Linda a Waldo Williams i Ben Llŷn yn Ionawr 1942, roedd hi bron
yn amhosibl i gyplau ifanc gael tŷ ar rent (sgil-effeithiau'r rhyfel, a mewnlifiad yr
evacuees). Dyna oedd sefyllfa fy nhad a'm mam hefyd, ond buont yn ddigon ffodus
i gael rhannu byngalo bach efo hen lanc – Yncl Bob (dim perthynas), Islwyn,
Rhoshirwaun. Yma, o dro i dro, y deuai Waldo a Linda am swper a chlonc, ac
ar y pryd roeddwn i ryw ychydig o wythnosau neu ychydig fisoedd oed. Byddai
Mam yn fy rhoi yn fy nghrud yn gynt nag arfer er mwyn iddi hi gael paratoi'r
swper a mwynhau'r sgwrsio – y rhyfel, yr ysgol, y capel a dogn reit dda o hiwmor.
Ond, yn ddieithriad, byddai Waldo a Linda yn mynnu mynd trwodd at y babi
(fi!) – fy nghodi, a'm deffro er mwyn iddynt eu dau gael fy magu. 'Doedd deffro'r
babi ddim yn plesio mam o gwbwl, ond bu'n diolch i'r drefn na ddangosodd
ei hanfodlonrwydd pan ddeallodd, ymhen amser, fod Waldo a Linda wedi colli
plentyn rywdro yn ystod cyfnod y beichiogrwydd, a phetai'r plentyn wedi byw,
byddai'r un oed â mi (priododd Linda a Waldo ar Ebrill 14, 1941, a Dad a Mam ar
Ebrill 19, 1941).[103]

Roedd rhieni Ann Williams yn cofio profedigaeth Waldo yn fyw iawn:

Drylliwyd unrhyw freuddwydion ganddynt am deulu bach yn llwyr pan fu farw
Linda ym 1943. Roedd Mam yn cofio'i 'golled aruthrol'. Roedd Linda yn ei ddeall
ymhob ystyr; fel pob athrylith, roedd Waldo'n cael dyddiau gwael neu isel, ond
roedd Linda wrth law bob amser i roi ymgeledd gorff a meddwl iddo – gwyddai'n
iawn sut i'w drin a'i godi o'i ofidiau am ryfel, ei gyd-ddyn a'i gonsŷrn am heddwch
yn y byd.[104]

Tystiolaeth arall, bwysicach o lawer mewn ffordd, yw tystiolaeth
Dilys Williams, chwaer Waldo. Ar gais J. E. Caerwyn Williams, golygydd
Y Traethodydd, lluniodd Dilys ychydig o ffeithiau am Waldo ar gyfer rhifyn
Hydref 1971 o'r cylchgrawn, sef rhifyn coffa Waldo. Cynhwyswyd y nodiadau
yn y rhifyn arbennig hwnnw o'r cylchgrawn, ac eithrio un ffaith:

Am ychydig flynyddoedd yn unig y bu Waldo a Linda yn briod, blynyddoedd
y cyfeiriodd atynt fel 'fy mlynyddoedd mawr'. Cawsant blentyn a fu farw ar ei
enedigaeth, ac ni bu Linda byw yn hir wedyn.[105]

Un arall a wyddai am golled enbyd Waldo a Linda oedd Bobi Jones.
Adroddodd Waldo hanesyn bach trist wrth Bobi Jones un tro:

... yr oedd Waldo wedi claddu'i wraig a'r baban, ac yn teithio i lawr o Afon-wen yn y trên i Gaerfyrddin. Yn gwmni iddo ar y daith yr oedd dau Bleidiwr (nas enwaf). Roedd eu gwragedd hwy wedi esgor yn llwyddiannus ar blant ychydig ynghynt. Ac yn anhydeiml (os yn naturiol), dyna'r cyfan oedd eu sgwrs yr holl ffordd yn y trên – rhyfeddod y plant bach. Parablent am eu teuluoedd yn ddi-baid. Ni allai Waldo yngan gair. Yswatiai'n dawel yn ei gornel. Daeth allan o'r trên yng Nghaerfyrddin yn friw ac yn isel ei ysbryd. Ac yna, yn sydyn, cafodd olwg ar ddangnefedd buddugoliaeth cariad. Canfu lendid ei berthynas ef a Linda.[106]

Arhosodd Waldo mewn cariad â Linda drwy gydol ei fywyd. Ei gariad ati oedd yr un peth mawr a'i cynhaliodd yn ystod blynyddoedd tywyllaf ei fywyd. Gofynnodd Euros Bowen iddo un tro a oedd wedi meddwl am ailbriodi:

Mi edrychodd ym myw fy llygad, a minnau o ran hynny i fyw ei lygad yntau. Distawrwydd. Deall, heb iddo yngan gair. Ie, yn ei feddwl e 'roedd yn dal yn ŵr priod ac 'roedd Linda iddo fe'n fyw o hyd.[107]

Rhyw flwyddyn cyn marwolaeth Linda, yr oedd Waldo yn pryderu y câi ei wahodd i feirniadu eto yn eisteddfod flynyddol Mynytho oherwydd iddo wobrwyo'r ysgrifennydd ar yr achlysur hwnnw. Gwireddwyd ei ofnau. Ar ddiwedd y mis Mehefin tyngedfennol hwnnw, roedd yn beirniadu'r cystadlaethau adrodd a'r cystadlaethau llenyddol yn Eisteddfod Mynytho, eto ar y cyd â'r Parchedig R. D. Roberts. Rhwng dwy eisteddfod roedd amgylchiadau Waldo wedi newid yn enbyd: o feirniadu i farwnadu.

Ym mis Awst yr oedd yn beirniadu eto – cystadleuaeth y 'Detholiad o Ganeuon Digrif' yn yr Eisteddfod Genedlaethol ym Mangor y tro hwn. Waldo'r *Ford Gron* oedd Waldo o hyd i rai Cymry. Rywbryd yn ystod 1943, lluniodd 'Gân o Glod i J. Barrett, Ysw., gynt o Lynges ei Fawrhydi, garddwr Ysgol Botwnnog yn awr'. John Barrett oedd garddwr-athro Ysgol Botwnnog pan oedd Waldo yn dysgu yno. Yr oedd yn ymerodrwr i'r carn, a'i ddychanu yn ddidrugaredd a wnaeth Waldo yn ei gân o glod iddo, a chollfarnu'r Ymerodraeth Brydeinig ar yr un pryd. Gyrrwyd dau Eidalwr o wersyll carcharorion Sarn Mellteyrn i weithio yng ngardd Ysgol Botwnnog, dan oruchwyliaeth John Barrett. Gwrthododd ef ei hun wneud yr un swydd o waith yn yr ardd yng ngŵydd y ddau garcharor, gan nad oedd hynny yn gweddu i orchfygwr. Safai'n awdurdodol wrth wylio'r ddau garcharor rhyfel yn gweithio yn yr ardd, a hynny a gynddeiriogodd Waldo a'i ysgogi i lunio'r gân. Gwrthun iddo oedd ymddygiad trahaus o'r fath, a mwy gwrthun fyth oedd y syniad y gallai dyn fod yn feistr ar gyd-ddyn. Dychenir y meddylfryd ymerodrol-Brydeinig yn y gân:

> Paham na weithia Barrett un pwt?
> Pam y saif fel colofn yno?
> Am fod dau Eidalwr, bob un ar ei glwt,
> Yn gweithio heno o dano.
>
> Bu Barrett am oes ar y moroedd draw,
> Bu'n dŵr rhag ystrywiau mileinig,
> Bu'n cadw poblach didoreth di-daw
> Dan yr ymerodraeth Brydeinig.
>
> Yn ofer yr âi'r gwylio dewr ar y don,
> Yn ofer pob gwrol orchfygu,
> Pe gwelid Barrett yn awr ger bron
> Y ddau Eidalwr yn plygu.

Mae'r meddylfryd ymerodrol yn feddylfryd hiliol yn ogystal, gan fod cenhedloedd ymerodrol yn eu hystyried eu hunain uwchlaw pobloedd eraill. I rywun fel John Barrett, pobl israddol oedd Eidalwyr ('wops'), Tsieineaid a phobl dduon:

> 'Does fawr rhwng y wops, a'r chincs, a'r blacs,
> Mae eu crwyn yn eu tyngu i'w gilydd,
> O! Barrett rhag dyfod penrhyddid pob rhacs
> Ymgadw uwchlaw cywilydd.

Ac mae'r gân yn cloi ar nodyn o ddychan cignoeth:

> Da Barrett, ti sefaist yn llafn uwch y llawr
> Nes dyfod y gwlith a'i lleithio.
> Dy frwydr ffyrnicaf dros Brydain Fawr –
> Gorchfygaist yr awydd i weithio.[108]

Ar ddechrau 1944, lluniodd un o'i gerddi grymusaf, 'Y Plant Marw'. Ymddangosodd y gerdd yn rhifyn Chwefror 23 o'r *Faner*. Pryder Waldo am blant yn newynu i farwolaeth oherwydd y rhyfel sydd y tu ôl i'r gerdd hon, sef yr union bryder ag a fynegwyd ganddo yn rhifyn Ionawr 11, 1940, o'r *Western Telegraph*: 'Yet is not the Navy today mainly concerned with starving to death such children as these in the villages of Bavaria, Saxony, Prussia?' gofynnodd yn y llythyr hwnnw; a dywedodd yr un peth, i bob pwrpas, yn ei ddatganiad gerbron Tribiwnlys Caerfyrddin ym mis Chwefror 1942: 'modern warfare, and blockade in particular, I consider detestable, for it takes the bread out of the mouths of children, and starves to death the innocence of the world'. Newyn a fu'n gyfrifol am ladd y plant yn 'Y Plant Marw':

> Dyma gyrff plant. Buont farw yn nechrau'r nos.
> Cawsant gerrig yn lle bara, yn syth o'r ffyn tafl.
> Ni chawsant gysgod gwal nes gorwedd yn gyrff.
> Methodd yr haul o'r wybr â rhoddi iddynt ei wres,
> Methodd hithau, eu pennaf haul, a'i chusan a'i chofl,
> Oherwydd cerrig y byd, oherwydd ei sarff.
>
> Gwelwch fel y mae pob ystlys yn llawer rhwgn;
> Gwelwch feined eu cluniau a'u penliniau mor fawr,
> Dyryswch i'w deall oedd methu eu 'Brechdan, mam.'
> Aeth pylni eu trem yn fin i'r fron roesai'i sugn.
> Yn ofer y canai iddynt yn hir ac yn hwyr
> Rhag brath anweledig y sarff. Buont farw mewn siom.

Cafodd y rhain gerrig yn lle bara, cyfeiriad amlwg at 'Neu a oes un dyn ohonoch, yr hwn os gofyn ei fab iddo fara, a rydd iddo garreg?' (Mathew 7:9), a pherthnasol hefyd yw'r adnod ddilynol: 'Ac os gofyn efe bysgodyn, a ddyry efe sarff iddo?' (Mathew 7:10), oherwydd dyna'n union yr hyn a gafodd y plant hyn: 'brath ... y sarff'. Ond cerrig a hyrddir 'yn syth o'r ffyn tafl' yw'r rhain, cerrig trais a lladd. 'Ni chawsant gysgod gwal nes gorwedd yn gyrff.' Ai cyfeiriad sydd yma at y lluniau erchyll hynny o gyfnod Rhyfel Cartref Sbaen o res o blant marw yn gorwedd yng nghysgod wal, lluniau a ddefnyddiwyd ar bosteri propaganda yn erbyn cyrchoedd awyr yr unben Franco a'i gyd-ffasgwyr o'r Almaen a'r Eidal? A welodd Waldo y *montage* pwerus hwnnw gan John Heartfield, *Das ist das Heil, das sie bringen!* ('Dyma'r waredigaeth a ddygant', 1938)? Gyda'u cartrefi yn adfeilion gan y bomiau – y cerrig o'r ffyn tafl – yn eu marwolaeth yn unig y cawsant 'gysgod gwal'.

Methodd yr haul roi gwres bywyd yn ôl yng nghyrff y plant hyn. Glawiwyd angau o'r wybren yn hytrach na phelydru bywyd ohoni. Methodd y fam hithau, haul pennaf y plant bychain hyn, â'u hadfer â'i chariad, oherwydd i'r plant gael cerrig y byd yn lle bara cynhaliaeth, ac oherwydd y sarff. Ceir delwedd y sarff, delwedd arall sy'n deillio o Lyfr Genesis, mewn cerdd ddiweddarach, 'Adnabod', yn ogystal:

> Cyfyd pen sarffaidd, sinistr
> O ganol torchau gwybod.
> Rhag bradwriaeth, rhag dinistr,
> Dy gymorth, O! awen Adnabod.[109]

Gwybodaeth dynion sydd wedi eu harwain i ddifancoll, eu gallu i ddyfeisio arfau a gwladwriaethau, ac awen adnabod, parch at gyd-ddyn a brawdgarwch, yn unig a all achub dynion rhag mynd ar chwâl. Ceir y sarff dorchog ym mhennill olaf 'Y Plant Marw', fel symbol amlwg o ddinistr, diawlineb a gwallgofrwydd:

> Dyma gyrff y plant. Gwyn a du a melyn. Mae myrdd.
> Llithra'r cawr gorffwyll yn sarffaidd heb si, i bob gwlad.
> Lle tery ei oerdorch ef rhed rhyndod trwy'r awyr.
> O, gan bwy cafodd hwn hawl ar y ddaear werdd?
> Gan seren pob gwallgof, lloer y lloerig: 'Rhaid! Rhaid!'
> Gwae bawb sydd yn ffaglu'r seren sy'n damnio'r ddaear.[110]

Os yw pridd y ddaear wedi cael ei wenwyno yn 'O Bridd', mae'r holl fydysawd yn cael ei reoli gan ryw rym gorffwyll yma. Methodd yr haul, sef haul goleuni a gwres bywyd. Y nos sy'n teyrnasu bellach, ac mae'r sêr a'r lleuad yng ngafael y grym gwallgof hwn. Ac yn y gerdd mae holl blant y byd yn dioddef, plant o bob tras – 'Gwyn a du a melyn.' Ceir yr un cyfuniad geiriol yn 'Dan y Dyfroedd Claear':

Gwyn a du a melyn
Dan y môr ynghyd
Ni bydd neb yn elyn
Yn eu dirgel fyd.[111]

Ceir disgrifiad o gyrff newynog y plant yn ail bennill 'Y Plant Marw'. Mae eu hasennau yn gwthio drwy'r cnawd tyn, y cnawd rhwng yr asennau fel rhychau neu linellau. Dryswch i'r plant oedd methu cael brechdan gan y fam. Roedd llygaid pŵl y plant newynog yn gwanu bron y fam fel cyllell, sef yr union fron a arferai roi llaeth iddynt ond sydd bellach yn hesb gan lwgfa a diffyg maeth, ac ofer oedd hwiangerdd y fam i gadw'r plant rhag creulondeb y byd, a rhag brath y sarff, sydd yn lledu ei gwenwyn a'i melltith drwy'r ddaear.

Ym mis Awst, flwyddyn a rhagor wedi marwolaeth Linda, bu Waldo'n beirniadu cystadleuaeth y Goron yn Eisteddfod Genedlaethol Llandybïe, pan wobrwywyd J. M. Edwards am ei bryddest, 'Yr Aradr', er mai atal y Goron a fynnai Waldo. Dywedodd bethau pwysig iawn am y gelfyddyd a'r grefft o farddoni yn ei feirniadaeth. Camp barddoniaeth, meddai, 'yw creu byd y gellir ei dderbyn'.[112] Yr oedd i'r dychymyg le hanfodol bwysig yn yr holl broses. Roedd yn rhaid i fardd ddysgu gweithredu 'yn ôl deddfau'r dychymyg', a rhaid oedd iddo fedru gwahaniaethu 'rhwng y dychmygion mentrus, gwibiog y gellir eu derbyn am foment a'r rhai sadiach y gellir aros ynddynt yn hwy'.[113] Dilyn Rhamantwyr mawr Lloegr yr oedd Waldo unwaith eto yn ei bwyslais ar y dychymyg yn y broses greadigol. Wrth feirniadu cystadleuaeth y delyneg yn Eisteddfod Genedlaethol Aberteifi ym 1942, dywedodd: 'pan fyddo'r dychymyg yn effro dyry i arddull y bywiogrwydd hwnnw sy'n achub naturioldeb rhag cyffredinedd'.[114]

Arhosodd Waldo yn Ysgol Botwnnog am flwyddyn arall ar ôl marwolaeth Linda. Gadawodd Ben Llŷn yn ystod haf 1944 yn ôl amryw, gan gynnwys Anna Wyn Jones, ond roedd yn anfon llythyr at D.J. a Siân ar y diwrnod cyntaf o fis Hydref 1944 o Fur Poeth, Mynytho, ac un arall ar Hydref 10. Yn ei lythyr ar Hydref 1, dywedodd ei fod 'lawer iawn yn well eto'.[115] Ni allai fwrw'i alar am Linda. Câi nosweithiau di-gwsg, ac roedd hynny hefyd yn amharu ar ei iechyd a'i gyflwr meddyliol. Ym mis Medi cyfarfu ag un o gymeriadau mawr Eifionydd, Cybi, sef Robert Evans, bardd gwlad, llyfrwerthwr a chasglwr llyfrau, ond postmon wrth ei alwedigaeth. 'Mae e tua 73 erbyn hyn, ond yn cario'r post o hyd, ond wedi rhoi i fyny olchi'r llestri ers rhai blynyddoedd, gallwn feddwl; ac yr oedd yn dda gennyf na chynygodd dê [*sic*] i mi,' meddai Waldo.[116] Roedd cartref Cybi, bwthyn o'r enw Bryn Eithin, yn orlawn o lyfrau, a beiai Bob Owen Croesor, gŵr o gyffelyb anian iddo, am yr annibendod a welai Waldo ymhobman o'i gwmpas: '"Pan ddaw Robyn yma mae o'n lluchio'r llyfra i bobman, a rhaid i mi ei gaddo hi iddo cyn peidith o."'[117]

Bu'n rhaid i Waldo gysgu yn nhafarn Llangybi y noson honno, meddai, gan iddi fynd yn rhy hwyr iddo ei chychwyn hi yn ôl am Fynytho. Ond cafodd gwmnïaeth ddifyr yn y dafarn, a chryn dipyn o hwyl, wrth sôn am Siôn Wyn o Eifion, y bardd byr o gorffolaeth:

> Euthum i siarad â chwmni'r dafarn ynghylch beirdd Eifionydd, ac amheuais mai annwyd wrth ymdrochi a ataliodd i Si[ô]n Wyn dyfu rhagor. A meddai doethur y pentref yn ddifrifol a phwysig y tu hwnt: "Posibl nag ê. Y mae eithriadau felly i'w cael. Yda' ni'n darllen, ac yn cael ar ddeall, mai un bychan iawn oedd Tom Thumb. 'Doedd o fawr o beth i gyd, y mae'n debyg." Cydsyniodd pawb.[118]

Llythyr byr a anfonodd ar Hydref 10 i ddweud 'fod dau ddiwrnod o wyliau gennym y tro hwn – dydd Llun a dydd Mawrth nesaf', a bwriadai deithio i'r Dinas ddydd Sadwrn a galw i weld D.J. a Siân ar y dydd Sul.[119] Teimlai'n llawer iawn gwell nag a wnaeth yn ystod gwyliau'r haf. Bu yng Nghaernarfon ar ddydd Sadwrn, Hydref 7, yn gwrando ar Gwynfor Evans yn siarad, ac roedd 'yn ardderchog'.[120] Byddai'n cael cyfle i wrando arno'n siarad eto ymhen deuddydd, ar Hydref 12:

> Y mae e yma ym Mynytho nos Iau, a chan fod tri o staff Botwnnog yn dod draw, ac wedi derbyn gwahoddiad gennyf i dê yma, bydd rhaid imi droi ati i wneud pasteiod nos yfory gan ein bod eto heb 'howscipar'. Yr athrawes gwaith tŷ yw un o'r gwahoddedigion hefyd, er hynny, y mae gennyf ddigon o hyder i wneud pasteiod ...[121]

Ym mis Tachwedd 1944 yr oedd Waldo yn cyfrannu i'r *Western Telegraph* unwaith yn rhagor, ond soned Saesneg wreiddiol a oedd ganddo y tro hwn, 'Beauty's Slaves':

What the spirit of man has made, that I hold light,
   But greatly I prize the making, the heart's warmth, the will,
The long downbending ascending, the sudden height,
   Beauty's world out of nothingness breaking, her storm through the still.
One hour of the maker's hot mood is more to the world
   Than centuries of it after, caught and stone cold.
Therefore it grieves me not if frescoes are hurled
   Into time's yawn and the grand architecture of old.
But this, O! blindfold world, is your high crime, bringing
   The numbing punishment that you seek not pardon:
Alun and our own Geraint are dead ... But they went singing
   Up to the jagged gate and into the garden.
What then? Here, by the gulls' wings white against the blue
Beauty's not dead I deem. Shall not her slaves be deathless too?[122]

Galaru y mae Waldo fod y rhyfel wedi difa dau o feirdd ifainc Cymru, Alun Lewis a David Rhys Geraint Jones. Bu farw'r ddau o fewn ychydig fisoedd i'w gilydd, Alun Lewis ar Fawrth 5, 1944 (wedi'i glwyfo'n angheuol gyda'i ddryll ei hun), a David Geraint Jones ar Fehefin 28, 1944. Ymddangosodd soned Waldo yn y *Western Telegraph and Cymric Times* ar Dachwedd 23, 1944, ac fe'i hargraffwyd, yn eironig ddigon, uwchben cerdd gan David Rhys Geraint Jones, 'POEM, by D. R. Geraint Jones. Died of wounds in Normandy, June 28th 1944, aged 22'. Yn wir, trwy'r *Western Telegraph* y daeth Waldo i wybod am farwolaeth David Geraint Jones, ac yn y papur hwnnw y gwelodd ei gerddi.

Nodwyd yn rhifyn Tachwedd 9, 1944, o'r *Western Telegraph* fod D. R. Geraint Jones wedi marw o'i glwyfau yn Normandi ar Fehefin 28, 1944, a bod y papur yn bwriadu cyhoeddi rhai o'i gerddi mewn rhifynnau i ddod. Traethwyd rhywfaint am ei gefndir:

David Rhys Geraint Jones, the only son of Mr. and Mrs. W. E. D. Jones, Gwynfa, Merlin's Hill, Haverfordwest, was educated at the Haverfordwest Grammar School (1933–36), Cheltenham College (1936–40), and for two years (1940–42) he was a law student at Trinity Hall, Cambridge.

   In 1942 he passed through Sandhurst and was given a Commission in the Royal Armoured Corps. While in the R.A.C. he received a certificate from the Commander-in-Chief Home Forces in appreciation of his services and devotion to duty. Later he was transferred with the rank of Lieutenant to the 159th Infantry Brigade Headquarters.[123]

Ac roedd gan y papur hyn i'w ddweud am ei gerddi:

> Although his young life has been cut short so tragically he has left behind him a memory of inestimable value. They seem, peculiarly enough, prophetic of an early death, and show a philosophy of life unusual in one so young.[124]

Yr enghraifft gyntaf o'i waith i ymddangos yn y papur oedd y gerdd ganlynol, a gyhoeddwyd gyda'r deyrnged iddo yn rhifyn Tachwedd 9, 1944, o'r *Western Telegraph*:

> The light of day is cold and grey and there is no peace
> By the high white moon-washed walls, where we laughed and where we sung
> And I can't go back to those days of short unthinking ease,
> When I was very foolish and you were very young.
> For you the laurel and the rose will bloom, and you will see
> The dawn's delight, firelight on rafters, wind, seas and thunder,
> Children asleep and dreams and hearts at ease, when life will be,
> Even at its close, a quiet and an ageless wonder.
> For me the poppies soon will dance and sway in Haute [Avesnes]:
> The sunrise of my love slides into dusk, its day untasted:
> Yet as I lie, turf clad, and freed of passion, and of pain,
> I find my sacrifice of golden things not wasted.
> Your peace is bought with mine, and I am paid in full, and well,
> If but the echo of your laughter reaches me in hell.[125]

Ymddangosodd cerdd arall o'i waith yn rhifyn yr wythnos ddilynol o'r papur:

> Let me not see old age: let me not hear
> The proffered help, the mumbled sympathy,
> The well-meant tactful sophistries that mock
> Pathetic husks, who once were strong and free.
> And in youth's fickle triumph, laughed and sang,
> Loved, and were foolish: and at the close have seen
> The fruits of folly garnered, and that love,

Tamed and encaged, stale into grey routine.
Let me not see old age. I am content
With my few crowded years: laughter and strength
And song have lit the beacon of my life.
Let me not see it fade, but when the long
September shadows steal across the square,
Grant me this wish: they may not find me there.[126]

Trwy alw David Geraint Jones yn 'our own Geraint', yr oedd Waldo yn ei uniaethu â Hwlffordd, y dref lle ganed Waldo ei hun. Ffigwr gweddol anadnabyddus yw David Geraint Jones erbyn hyn, yn wahanol i Alun Lewis, ond byddai pobl Hwlffordd a darllenwyr y *Western Telegraph* yn gwybod yn iawn at bwy yr oedd Waldo yn cyfeirio.

A dyma'r gerdd a gyhoeddwyd yn yr un rhifyn ag yr ymddangosodd 'Beauty's Slaves' ynddo:

Where once your laughing loveliness
Streamed like a flag unfurled across
The window of my mind, Time's veil
Obliterates at last my loss;
I see you faint and far away
Dream-dim in tattered splendour,
I shall not mock with elegies
Your love, too brief and tender
To be proud. Your monument
Abides, wrought not in stone or clay
But in the lives of those whose gain
Was knowing you. For with you went
A joy too deep for words to say
That left a wound too deep for pain.[127]

Er bod soned Waldo yn mynegi galar, yn ogystal â dicter, o golli'r ddau, mae hefyd yn dathlu'r ffaith fod ysbryd creadigol dyn yn drech na'r ysfa ddinistriol yn ei natur. I Waldo yn y soned, y cyffro creadigol eirias, nid cynnyrch oeraidd y cyffro hwn, sy'n bwysig – 'greatly I prize the making'. Dyma 'the heart's warmth', gwefr a chyffro a thân yn y galon, a dyma hefyd 'the will', ewyllys dyn i greu, 'awydd creu, amynedd crefft', fel y dywed mewn cerdd arall.[128] Y cyffro creadigol hwn sy'n codi dyn i'r uchelderau, yn ei godi i fyd arall, wrth i'r bardd neu'r crëwr greu prydferthwch allan o ddim, ac wrth i storm y creu dorri drwy'r llonyddwch a'r diddymdra. Ac felly, mae un awr o'r dwymyn greadigol eirias hon, yr ysbrydoliaeth danbaid hon, yn fwy gwerthfawr na chanrifoedd o gynnyrch oer y cyffro eirias hwn, ac nid yw o bwys felly fod y ffresgoau yn cael eu hyrddio i agendor amser ac i ebargofiant, a bod adeiladau gwych o ran eu pensaernïaeth yn cael eu malurio a'u dymchwel gan y cyrchoedd o'r awyr. Dyna drosedd y byd a dyna gamwedd rhyfel, sef gwthio'r oerni hwn arnom − 'The numbing punishment' − ac oeri'r angerdd creadigol eirias hwn. Y merwindod neu'r fferdod hwn yw'r gosb i'r holl ddynoliaeth, oherwydd drygioni'r byd ac oherwydd diawledigrwydd rhyfel, ac y mae'n gosb heb iddi bardwn o unrhyw fath.

Bu farw'r ddau grëwr ifanc, Alun Lewis a David Geraint Jones, wrth agosáu at borth marwolaeth, ond aethant i'w marwolaeth tan ganu, yn llawn o'r cyffro creadigol eirias hwn. Ni all prydferthwch byth farw, er gwaethaf rhyfel a dinistr, ac felly ni all y crewyr, y beirdd, sef y rhai sy'n gaethweision i harddwch, y rhai sy'n cael eu hudo a'u rhwydo gan harddwch, farw ychwaith. Moli dawn greadigol dyn a wnaeth Waldo yn ei soned i'r ddau fardd ifanc, a'r ddawn honno yn codi uwchlaw dawn ddinistriol dyn.

Ym mis Tachwedd hefyd yr ymddangosodd ei ddwy soned hynod rymus 'Elw ac Awen' yn *Y Faner*. Cyferbynnu a wneir yn y sonedau hyn rhwng y rhai sy'n crafangu am elw er budd personol, budrelwyr a rhyfelgarwyr yn enwedig, ar draul cynnal a gwarchod buddiannau cymdogaeth neu gymdeithas, a'r rhai sy'n rhannu bendithion ymhlith ei gilydd. Mae'r weithred o elwa yn cyfoethogi'r unigolyn yn unig, a'r weithred o rannu yn fendithiol i'r gymuned gyfan, ac i'r byd. Ceir yn y soned gyntaf ddelwedd o 'gath wyllt o'r coed' yn bachu lliain y bwrdd â'i hewinedd nes tynnu'r holl lestri sydd ar y bwrdd i'r llawr a'u malurio'n deilchion:

> O! cwympodd ar y cerrig y llestri'n llanastr:
>   Cartref cynefin − cawgiau bywyd a barn,
> Eglwys a doc, pob dysgl, ac yn y dinistr
>   Bara brawdoliaeth a gwin tosturi'n sarn.

Y llestri ar y ford yw'r gwerthoedd hynny yr oedd Waldo yn eu coleddu: cartref o fewn y cynefin, gwerthoedd bywyd, annibyniaeth barn, Eglwys Dduw a dociau lle llwythid y llongau i gludo bwyd i wledydd eraill a lle y derbynnid nwyddau o wledydd eraill, a 'bara brawdoliaeth' a 'gwin tosturi' – y cydrannu hwn sy'n llesol i'r holl ddynoliaeth. Cyfeirio a wneir yma at y difrod a wnaed i Ddoc Penfro ac i Ddoc Abertawe rhwng 1940 a 1943, a'r difrod a wnaed i Eglwys Llandaf pan fomiwyd rhannau o Gaerdydd yn ystod 1941/42. "'Ysgafnheais/Fy maich, fy mwrdd. Ei wacter fydd ei werth'" meddir yn y soned gyntaf, ond mae'r bwrdd gwag yn gyfystyr â llwgfa i eraill, wrth i Elw besgi, a pheri chwalfa gymdeithasol. Yn wahanol i Elw, sy'n cadw popeth iddo'i hun, mae Awen yn rhannu ymborth a gwin i eraill: 'Caiff Awen rannu'r bara a gweini'r gwin.'

Mae 'elw', sef awch dyn am gyfoeth materol a golud bydol, yn rym dinistriol ym marddoniaeth Waldo yn ddieithriad. Mae'r gair 'elw' yn ei farddoniaeth yn cael ei osod ochr yn ochr â'r gair 'awen', mewn ffordd wrthgyferbyniol, ac 'awen' yw'r grym ysbrydoledig sy'n ieuo dynion ynghyd, yn wahanol i 'elw', sydd wastad yn creu llanastr ac anhrefn, ac yn rhwygo dynion ar wahân. Ysbryd tosturi a haelioni a chariad yw Awen. Mae'r rhain yn rymusterau cyferbyniol yn ei waith.

Yn yr ail soned, dathlu buddugoliaeth a goruchafiaeth Awen ar Elw a wneir:

> Nid Elw piau'r hen ddaear ond mewn rhith.
>   Dianc o'i grebach grap yr hylithr hael.
> Rhedegog wythi'r gwynt a rhifedi'r gwlith
>   Yw awen dyn, ac Elw a'u cyll o'u cael.

Ni all Elw ddinistrio na dileu Awen. Ni all ei afael grebachlyd fyth rwystro haelioni llifeiriol Awen rhag dianc a rhedeg yn rhydd, er lles i'r ddynoliaeth oll. Eiddo Awen, eiddo'r ddynoliaeth, yw bendithion y ddaear, fel y glaw, sy'n llifo drwy wythiennau'r gwynt wrth i'r gwynt yrru a hyrddio'r glaw, a rhifedi'r gwlith. Dyma fendithion naturiol y ddaear, ond chwilio am gyfoeth materol a wna Elw, nid am fendithion daearol. Elw a luniodd y llestr sy'n dal y gwin. Gwirioni ar y llestr, ac nid ar gynnwys y llestr, a wna Elw, gwirioni ar y gwrthrych materol allanol ac nid ar y cynnwys ysbrydol mewnol. Edmygu'r llestr drudfawr a wna wrth iddo ei ddal yn ei afael gybyddlyd, ond gall y gwin nerthol sydd y tu mewn i'r llestr ddryllio'r llestr ei hun:

> Pa fodd y lluniai'r llestr? O! nid adnebydd
>> Mo'r gwlybwr gloywber: nis profodd ar ei fin.
> Eistedd yn dwp a dal ei afael gybydd
>> Nes dryllio'r gostrel gan athrylith y gwin.

Ac Awen sy'n ennill yn y diwedd:

> Hon piau'r ddaear i gyd, a'r gwaith a'r gêr.
> A'i gobaith piau'r difancoll rhwng y sêr.[129]

Ym mis Rhagfyr, ymddangosodd cerdd arall o'i eiddo yn *Y Faner*, 'Y Sant', cerdd ysmala, gellweirus ac ynddi ymosodiad dychanol ar y bobl sychdduwiol a gorbarchus hynny – yr awdurdodau addysg lleol yn enwedig – a fynnai fod athrawon yn ymddwyn yn weddus ac yn barchus bob amser, heb ystyried y gallai dysgu fod yn straen rhyfeddol ar athrawon. Disgwylid i athrawon fod yn seintiau, ac yn beiriannau dideimlad. Y tu ôl i ysgafnder cellweirus y gerdd yr oedd yna ymosodiad ar Bwyllgor Addysg Sir Benfro a'i Gyfarwyddwr:

> A gwyn fyd y plant dan ofal sant sydd ymhell uwchlaw direidi,
> Yn codi am saith, ymolchi ac eillio a gwisgo'i goler yn deidi,
> A bwyta'i frecwast ac allan i'w waith yn batrwm rhag esgeulustra,
> A'i fron ar dân dros y pethau mân sy'n gwneud i fyny weddustra,
> Ac sydd felly a'i fuchedd fel pictiwr pert a'r Pwyllgor wedi ei fframio,
> Y dyn na bydd byth yn damio neb, y dyn na bydd neb yn ei ddamio.
>> Pa le mae'r plant dan ofal sant
>> Sy'n ateb eu gofyn, cant y cant?[130]

Ar ddydd Nadolig 1944 y lluniwyd 'Cyfeillach', sef y gerdd honno a ysgrifennodd wedi iddo ddarllen mewn papur newydd nad oedd dim cyfeillachu i fod rhwng milwyr y Cynghreiriaid a phobl yr Almaen. Brwydr rhwng Elw, y 'crafangwyr am haearn ac oel', ac Awen, calon pob cyfeillach a chraidd pob brawdoliaeth, a geir yma eto, ac Awen sy'n ennill y dydd ac yn rhwystro Elw rhag rhannu'r ddaear yn ddwy:

Gall crafangwyr am haearn ac oel
Lyfu'r dinasoedd â than
Ond ofer eu celwydd a'u coel
I'n cadw ni'n hir ar wahân.
Ni saif eu canolfur pwdr
I rannu'r hen ddaear yn ddwy,
Ac ni phery bratiau budr
Eu holl gyfiawnderau hwy.
O! ni phery eu bratiau budr
Rhag y gwynt sy'n chwythu lle myn.
Mae Gair, a phob calon a'i medr.
Bydd cyfeillach ar ôl hyn.[131]

Bellach, roedd yn rhaid i Waldo chwilio am swydd newydd, a hynny a wnaeth. Erbyn y diwrnod cyntaf o Chwefror 1945, roedd yn athro Lladin yn Ysgol Ramadeg Kimbolton yn Swydd Huntingdon. Dihangfa o ryw fath oedd y cyfnod hwn yn ei hanes, ac ymdrech hefyd, o bosibl, i ail-fyw hapusrwydd y gwyliau hynny a dreuliodd gyda Linda yn Lloegr.

Fodd bynnag, cynigiodd Anna Wyn Jones resymau eraill am ymadawiad sydyn Waldo ag Ysgol Botwnnog. Roedd dau beth yn ei flino yn ystod y cyfnod hwn, meddai:

Y cyntaf oedd y galwadau a wneid ar ei oriau hamdden. Roedd mwy a mwy o alw arno i ddarlithio yma ac acw, ac i feirniadu mewn mân gyfarfodydd llenyddol. Ni allai byth wrthod. Rhwng hynny a'i waith ysgol âi ei amser hamdden yn brinnach, brinnach, tra dyheai yntau am heddwch i ddarllen a myfyrio. Yr un pryd ni theimlai'n hollol hapus ynglŷn â'i waith yn yr ysgol. Dysgai Hanes. Eithr cymharol ychydig o hanes Cymru oedd ar faes llafur y bwrdd arholi. Ni welai Waldo bwrpas yn y byd mewn dysgu hanes Lloegr a'r Ymerodraeth Brydeinig i Gymro o Ben Llŷn ar draul dysgu hanes ei fro a'i genedl ei hun. O ddysgu hanes Lloegr, meddai, gwell ganddo fynd i wneud hynny i Saeson. Ac i Loegr yr aeth.[132]

Ceir tystiolaeth debyg gan Ann Williams:

... roedd Waldo wedi penderfynnu gadael Botwnnog. Soniai Mam fod Dad yn llwyr sylweddoli bod gŵr arbennig iawn wedi dod i'w plith ym Motwnnog. Roedd y prifathro, Mr D. R. Griffith yn wael, ac fel dirprwy-brifathro, fe geisiodd Dad ddarbwyllo'r awdurdodau i gadw Waldo ar 'staff' yr ysgol, ond ei ryddhau o gyfrifoldebau arholiadau (roedd yn atgas gan Waldo orfod dysgu hanes Lloegr yn unig, heb yr un gair am hanes Cymru, i blant Pen Llŷn). Methiant fu ymdrech fy nhad, a gadawodd Waldo Fotwnnog, a'r golled yn fawr i'r ysgol ac i'r gymdeithas ddiwyllianol yn Llŷn.[133]

Ond mae'n sicr nad mynd i Loegr i ddysgu Hanes oedd y rheswm pennaf am y symudiad o Ben Llŷn. Nid Hanes oedd ei bwnc yn Ysgol Ramadeg Kimbolton, ond Lladin. Yn Lloegr y cafodd wellhad ac adferiad rhag gwenwyn a malltod y pridd yng ngwanwyn 1940, ac efallai y gallai Lloegr liniaru rhyw ychydig ar ei hiraeth a'i alar am Linda yng ngwanwyn 1945, ac wedi hynny. Mwy na thebyg mai at y gwanwyn adferol hwnnw ym 1940 y cyfeiriai yn 'Tri Bardd o Sais a Lloegr':

> Nid am dy fawrion, Loegr, ychwaith;
> Rhoddaf fy niolch iti'n awr,
> Am iti dorri'r hyfryd iaith
> Â mi, yn fy mlynyddoedd mawr,
>
> A'th adar cerdd a dail y coed
> Yn canu o gylch fy Linda lon,
> Cydganu â mi amdani hi
> Yn dwyn y fraint o dan y fron.[134]

Yr oedd gormod o atgofion poenus iddo yn Llŷn, ac ni allai aros yno. Yn wir, trychineb fu'r symudiad o Gas-mael i Lŷn. Dilynwyd erledigaeth gan brofedigaeth, ac i ŵr a hyrwyddai heddwch ac a garai frawdgarwch, uffern ar y ddaear oedd gorfod byw trwy flynyddoedd creulon yr Ail Ryfel Byd. Ond er bod stormydd byd a bywyd wedi malurio rhai o ganghennau'r pren, ni allai'r un storm ei lwyr falurio. Roedd ei wreiddiau yn rhy ddwfn yn y pridd a'i fôn yn rhy braff a chadarn i'r un storm ei lorio yn gyfan gwbl.

Pennod 6

'Crwydro gan ymwrando â lleisiau'
Blynyddoedd Alltudiaeth
1945–1948

Ni sylwem arni. Hi oedd y goleuni, heb liw.
Ni sylwem arni, yr awyr a ddaliai'r arogl
I'n ffroenau. Dwfr ein genau, goleuni blas.
Ni chlywem ei breichiau am ei bro ddiberygl
Ond mae tir ni ddring ehedydd yn ôl i'w nen,
Rhyw ddoe dihiraeth a'u gwahanodd.
Hyn yw gaeaf cenedl, y galon oer
Heb wybod colli ei phum llawenydd.

'Yr Heniaith'

Erbyn y diwrnod cyntaf o Chwefror 1945, roedd Waldo yn athro Lladin yn Ysgol Ramadeg Kimbolton yn Swydd Huntingdon.[1] Lletyai yn ystod y cyfnod hwn mewn tŷ o'r enw Sunnyside, tŷ hen wraig o'r enw Mrs Topham, ym mhentref bychan West Perry yn ymyl Kimbolton. Cadw iddo'i hun a wnaeth Waldo yn ystod y cyfnod hwn yn Kimbolton, a cheisio dygymod orau y gallai, fe ellid tybied, â'r ing o golli Linda, ac ymlafnio hefyd i gadw'i bwyll mewn byd hollol orffwyll. Wedi'r cyfan, 'Aderyn bach uwch drain byd' oedd Linda iddo, a bellach roedd yn rhaid iddo geisio codi uwch drain y byd ar ei ben ei hun.

Y mae'n bosibl mai prifathro'r ysgol, William Ingram, Cymro o Lanidloes, Powys, a fu'n gyfrifol am ddenu Waldo i ymuno â staff Ysgol Ramadeg Kimbolton, yn enwedig gan iddo benodi Cymry eraill i ddysgu yn ei ysgol o dro i dro. Roedd William Ingram yn ymwybodol iawn mai Cymro ydoedd, er mai y tu allan i Gymru y bu'n dysgu trwy gydol ei fywyd. Yn ei hunangofiant, *The Power in a School*, cyfeiria ato'i hun, wrth drafod dyddiau ei ieuenctid, fel 'our young Welshman', ac fel hyn y disgrifir dyddiau ei blentyndod ganddo:

> A Welsh boy, the ninth child of parents who knew the struggle of poverty, was born in 1887 in a small town, the first on the river Severn as it winds its sinuous way from Plynlimon to the Bristol Channel. The small town, albeit an ancient borough, was immured in a natural keep of lofty hills over which the tumult of the world leapt only in dim echoes. His early boyhood was filled by the "Board" School; the Chapel and the long sermons on Sundays, delivered by shining lights of the Welsh pulpit in the ecstasy of the "hwyl"; the Sunday School and the learning by heart of long passages from the Scriptures in Welsh and in English; the soul-stirring beauty of the Welsh hymns, inspired by the wild grandeur of the everlasting hills over which he was free to roam among the bracken and the larches, and fill his developing lungs with his invigorating native air ...[2]

Graddiodd Bill Ingram mewn gwyddoniaeth yng Ngholeg Prifysgol Cymru, Aberystwyth, ac ar ôl dysgu mewn tri lle gwahanol fe'i penodwyd ym 1912 yn brifathro Coleg Kimbolton, fel y gelwid yr ysgol ar y pryd. Bu'n brifathro ar yr ysgol hyd at ei ymddeoliad ym 1947, ychydig fisoedd ar ôl i Waldo symud ymlaen at ysgol arall. William Ingram oedd y gŵr, yn anad neb, a gododd yr ysgol ar ei thraed, a throi sefydliad dirywiedig ac aneffeithiol yn un o ysgolion preswyl gorau Lloegr.

Roedd y rhyfel yn dal i rygnu ymlaen pan aeth Waldo i Ysgol Ramadeg Kimbolton. Dyddiau pryderus oedd y dyddiau hynny i'r prifathro ac i'r athrawon, ond trwy arweiniad ac esiampl William Ingram, llwyddwyd i lywio'r ysgol trwy ddyddiau dreng y rhyfel:

> There was something fine and right and free-from-smugness in the spiritual life of the School in those anxious days. Daylight hours were filled by sound work, strenuous games, A.T.C. activities and four gatherings daily for nourishment in the dining-hall. Few were the occasions when sky-watchers were posted for aircraft recognition on receipt of a raid-warning. But as the darkness fell and the hours of "prep" concluded with the last of the day's assemblies, there was honest trust and complete confidence in the manly young breasts over which heads were bowed

and "... Lighten our darkness we beseech Thee O Lord, and by Thy great mercy defend us from all perils and dangers of this night ..."[3]

Daeth y rhyfel yn Ewrop a mannau eraill i ben ym mis Mai 1945, ond gwrthodai Siapan ildio o hyd. I roi terfyn sydyn ar y rhyfel, gollyngodd America fom atomig ar ddinas Hiroshima ar Awst 6, 1945, ac ar ddinas Nagasaki ar Awst 9, gan greu dinistr ar raddfa anhygoel, a lladd rhwng 150,000 a 250,000 o sifiliaid. Dyma ryfel technolegol dyn ar ei fwyaf brawychus a'i fwyaf ciaidd.

Roedd cyfnod newydd o farbareiddiwch technolegol wedi cyrraedd. Ymatebodd Waldo i'r erchyllter newydd a chwbl annynol hwn trwy lunio cerdd fechan, 'Cân Bom', a gyhoeddwyd yn rhifyn Ebrill 3, 1946, o'r *Faner*. Yn ôl y gerdd, y mae'r wladwriaeth wedi ei chynllunio a'i strwythuro yn ofalus, ac ynddi y mae lle i bawb a phawb yn ei le. Meddai Waldo am y bom ei hun:

> Chwalwr i'r Chwalwr wyf.
> Mae'r Codwm yn fy nghodwm.
> Ofod, pa le mae Pwrpas
> A'i annedd, Patrwm?

Dyn yw'r Chwalwr, a'r bom yw'r ddyfais sy'n chwalu ac yn dinistrio ar ei ran. Yng nghwymp y bom ar drefi a dinasoedd a phorthladdoedd y mae codwm dyn, ac nid y Cwymp yn Eden yn unig a olygir, ond cwymp dyn, diwedd gwareiddiad, er bod hanes Cwymp dyn yng Ngardd Eden hefyd yn gefnlen i'r gerdd. 'Y mae gan hanes ateb syml iawn i'r cwestiwn paham y mae'r gwladwriaethau yn rhyfela,' meddai Waldo ymhen blynyddoedd, gan ychwanegu 'mai dyna yw eu diben, dyna paham y daethant i fod'.[4] 'Y mae'r pwrpas yn creu'r patrwm a byth wedyn yn llechu ynddo,' meddai wedyn; hynny yw, pwrpas gwladwriaethau yw creu rhyfeloedd, ac i'r diben hwnnw y mae angen strwythuraeth ofalus a manwl.[5] Mae'r bom a chrëwr y bom yn rhan hanfodol o'r strwythuraeth neu'r patrymwaith hwnnw. Yr 'ymennydd noeth', fel y dywedir yn yr ail bennill, sy'n cynllunio'r bom, dwylo mewn labordai a ffatrïoedd sy'n rhoi'r bom ynghyd, ac awyrenwyr ifainc sy'n cludo'r bom at ei tharged. Mae'r rhain i gyd yn rhan o drefn hierarchaidd y wladwriaeth, o'r brig i'r bôn, o'r uchaf i'r isaf, a'r bom yw'r isaf, yr olaf o weision y wladwriaeth, fel y dywedir yn y trydydd pennill:

> Distaw y mae fy meistr
> Yn datod cwlwm calon.
> Aruthr y deuaf i
> Yr olaf o'i weision.

Meistr y bom yw'r gwyddonydd, a hwnnw'n was yn ei dro i arweinwyr neu benaethiaid y wladwriaeth. Y gwyddonydd sy'n hollti'r atom, yn 'datod cwlwm calon', yn creu'r bom ar gyfer ei feistri yntau. Trwy ddysgu sut i hollti'r atom a chreu'r bom atomig, daeth dyn i wybod un o gyfrinachau mwyaf – a pheryclaf – creadigaeth Duw. Mewn gwirionedd, bwytaodd dyn 'o bren gwybodaeth da a drwg' (Genesis 2:17), a bu farw o'r herwydd.

Y meistri hyn sy'n dinistrio pren brawdoliaeth. Canghennau'r pren yw'r cenhedloedd, y pren ei hun yw pren brawdgarwch. Bellach mae'r pryf yn bwyta'r pren ac mae'r pren yn pydru a'r canghennau yn gwywo. Angau yn unig sy'n fuddugoliaethus dan drefn y wladwriaeth:

> Ef yw'r 'pryf yn y pren',
> Gwahanglwyf y canghennau.
> Mi a'u hysgubaf i dân
> Ecstasi angau.[6]

Rhoddwyd yr ymadrodd 'pryf yn y pren' rhwng dyfynodau gan mai cyfeirio at y llinell 'A ddengys y pryf yn y pren, y crac yn y cread' yn soned R. Williams Parry, 'Propaganda'r Prydydd', yr oedd Waldo.

Ar Ebrill 16, 1946, anfonodd Waldo gerdd newydd yn dwyn y teitl 'Adnabod' at D. J. Williams a Siân, gan egluro mai'r ysgogiad i'w chreu oedd 'rhyw frawddeg gan Berdyaev mai cyfoeth y berthynas iawn rhwng dynion a'i gilydd yw Teyrnas Dduw'.[7] Cyhoeddwyd y gerdd yn rhifyn Mai 29, 1946, o'r *Faner*. Gyda'r Ail Ryfel Byd wedi dod i ben, roedd Waldo, bellach, yn myfyrio ar y dinistr a'r dioddefaint a achosodd y rhyfel hwnnw, ac yn chwilio am ffordd i iacháu'r ddynoliaeth ac i achub y byd rhag lladdfa gyffelyb yn y dyfodol. Un ffordd sicr oedd peri i ddynion ddod i adnabod ei gilydd yn well, ieuo pawb mewn un cwlwm clòs o frawdgarwch. Rhaid oedd gwrthsefyll y rhyfelgarwr a'r dinistriwr trwy alw'r hen gyfannwr yn ôl, sef yr ysbryd sy'n asio dynion ynghyd, yr awen sy'n dadwneud negyddiaeth y dadelfennwr:

> Rhag y rhemp sydd i law'r dadelfennwr
> A gyll, rhwng ei fysedd, fyd,
> Tyrd yn ôl, hen gyfannwr,
> Ac ymestyn i'n hachub ynghyd.
> Cyfyd pen sarffaidd, sinistr
> O ganol torchau gwybod.
> Rhag bradwriaeth, rhag dinistr,
> Dy gymorth, O! awen Adnabod.

Yma eto, y mae Cwymp dyn yng Ngardd Eden yn llercian y tu ôl i'r llinellau. Cyfyd pen sinistr ar lun sarff, sef y sarff a arweiniodd ddyn ar ddifancoll, 'O ganol torchau gwybod', sef o ganol torchau'r sarff ei hun ac o ganol torchau marwolaeth, gan mai'r 'gwybod' hwn, sef bwyta o bren gwybodaeth da a drwg, a roddodd i ddyn y modd a'r medr i lunio arfau a allai ddinistrio ar raddfa eang ryfeddol. Cyferbynnir rhwng 'gwybod' ac 'adnabod' – y 'gwybod' clinigol, ymenyddol, oeraidd sy'n gallu dyfeisio arfau dinistriol mewn labordy a ffatri, a'r 'adnabod' sy'n dadwneud melltith gwybod, sef yr elfen waredigol, galon-gynnes, hollgyfannol.

Awen neu Ysbryd Adnabod yw popeth i'r ddynoliaeth. Yr Awen hon yn unig a all gadw, gwarchod a chynnal hiliogaethau'r ddaear; hi yw eu gwaredigaeth a'u puredigaeth:

> Ti yw'n hanadl. Ti yw ehedeg
> Ein hiraeth i'r wybren ddofn.
> Ti yw'r dwfr sy'n rhedeg
> Rhag diffeithwch pryder ac ofn.
> Ti yw'r halen i'n puro.
> Ti yw'r deifwynt i'r rhwysg amdanom.
> Ti yw'r teithiwr sy'n curo.
> Ti yw'r tywysog sy'n aros ynom.[8]

Roedd Waldo wedi dyfynnu Nikolai Berdyaev, yr athronydd gwleidyddol a chrefyddol o Rwsia, wrth anfon y gerdd at D.J. a Siân. Cafodd Berdyaev gryn ddylanwad ar Waldo, ac eto, er bod syniadau'r ddau ynghylch y bersonoliaeth unigol, a'r modd y cais gwladwriaethau hawlio'r bersonoliaeth honno, yn hynod o debyg, roedd Waldo wedi meddwl a myfyrio am y pethau hyn ymhell cyn iddo ddarllen Berdyaev. Cael cadarnhad i'w ddaliadau a wnaeth trwy ddarllen Berdyaev, ac esboniadau pellach a dyfnach – esboniadau athronyddol – ar bynciau fel personoliaeth dyn a'r gydwybod unigol, a deunydd anhepgor ar gyfer y dyfodol, pe bai angen hynny. Ym 1939 cyhoeddwyd un o weithiau pwysicaf Berdyaev, *Caethwasiaeth a Rhyddid*. Cyhoeddwyd cyfieithiad Saesneg, o waith R. M. French, ryw bedair blynedd yn ddiweddarach, ym mis Chwefror 1943, a'r llyfr hwn, yn anad yr un llyfr arall gan Berdyaev, a adawodd ei ôl ar feddwl Waldo.

Yn ôl Berdyaev yn *Slavery and Freedom*, personoliaeth yw dyn, ac y mae pob personoliaeth unigol yn gwbl unigryw. 'The entire world is nothing in comparison with human personality, with the unique person of a man, with his unique fate,' meddai.[9] Peth ysbrydol yn ei hanfod yw personoliaeth dyn: 'Man is a personality not by nature but by spirit. By nature he is only an individual.'[10] Ond mae'r wladwriaeth â'i bryd ar gaethiwo personoliaeth dyn a hawlio'i gydwybod a'i enaid. Yn ôl Berdyaev: 'The totalitarian state itself wishes to be a church, to organize the souls of men, to exercise dominion over souls, over conscience and thought, and to leave no room for freedom of spirit, for the sphere of the Kingdom of God.'[11] Unwaith y mae'r wladwriaeth yn hawlio enaid dyn ac yn rheoli ei gydwybod, mae rhyfel yn bosibl, ac unwaith y mae dyn yn dwyn arfau yn enw'r wladwriaeth, y mae'n peidio â bod yn bersonoliaeth. Trwy iddo golli ei bersonoliaeth ef ei hun yn ei barodrwydd i ymladd ar ran y wladwriaeth, mae'r rheini a leddir ganddo hefyd yn peidio â bod yn bersonoliaethau. Llofruddiaeth gyfreithlon ar raddfa eang yw rhyfel. Gall dyn ladd miloedd yn enw'r wladwriaeth, ond os bydd yn llofruddio un person arall yn annibynnol ar y wladwriaeth, fe'i cyfrifir yn droseddwr a chaiff ei gosbi'n drwm. 'That which has been considered immoral for a person has been considered entirely moral for the state,' meddai Berdyaev yng nghyfieithiad R. M. French.[12] Dywedir yr un peth, ar ffurf cwestiwn, yn 'Y Darlun', wrth sôn am y gwrthryfelwyr Gwyddelig yn lladd dau Sais: 'Ydy'r weithred hon gymaint yn fwy 'sgeler na rhyfel, fod cymaint mwy o siarad amdani?' Mae'r wladwriaeth yn dallu i dwyllo, yn troi erchyllter yn ysblander, i hudo dynion i ryfela yn ei henw. 'The authority of the state is always surrounded by the symbols of war, by armies, flags, orders and military music,' yn ôl Berdyaev.[13] Trwy barlysu ymwybod dyn, trwy ei hypnoteiddio a meddiannu'i gydwybod, y llwydda'r wladwriaeth i gael dynion i ddifa'i gilydd. 'The human masses can only be made to go to war by paralysing their consciousness through a system of hypnosis, of psychological and physical poisoning, and by Terror which is always introduced in time of war,' meddai Berdyaev eto.[14]

Roedd Waldo yn sicr wedi darllen rhai o syniadau Berdyaev erbyn 1940. Yn ystod y rhyfel cyhoeddwyd nifer o bamffledi ar heddychiaeth gan heddychwyr Cymru. Roedd gan Waldo gopi o bob pamffledyn. Cyhoeddwyd ei gerdd 'Brawdoliaeth' yn un o'r pamffledi hyn, *Tystiolaeth y Plant* (1942), a olygwyd gan Gwynfor Evans, ysgrifennydd Mudiad Heddychwyr Cymru ar y pryd, ac un o'r rhai mwyaf blaenllaw ynglŷn â chyhoeddi'r pamffledi. Awdur un o'r pamffledi hyn oedd T. Gwynn Jones, arwr llenyddol Waldo, sef *Proffwydi Rwsia: y Ddau Ddewis*, a gyhoeddwyd ym 1940. Yr hyn a geir yn y pamffled yw sylwadau Berdyaev ar y pumed llyfr yn rhan gyntaf nofel fawr Dostoevsky, *Y Brodyr Karamazov*, sef 'Y Pen Chwiliadur', yn ogystal â chyfieithiad T. Gwynn Jones ei hun o rai rhannau o'r nofel. Cyhoeddwyd ymdriniaeth Berdyaev â'r nofel yn ei lyfr *Dostoevsky*, a gyhoeddwyd yn y Rwseg wreiddiol ym 1934. Cyhoeddwyd cyfieithiad Donald Attwater o'r llyfr yn yr un flwyddyn.

I ddechrau, mae T. Gwynn Jones yn cyflwyno Berdyaev fel brodor o Kiev, ac yn dyfynnu'r hyn a ddywedodd Berdyaev am ryfel yn ei bamffledyn *Rhyfel a'r Gydwybod Gristnogol* (1936):

> Cwbl annigonol yw dywedyd yn ein cyfnod ni fod rhyfel yn *un* o'r pethau sy'n poeni cydwybod dynolryw, oblegid ef, yn wir, yw'r dryswch pennaf y sydd; mater yw o fyw neu farw i ddynolryw, a holl dynged gwareiddiad ... Ni ddichon rhyfel beidio â bod onid pan fo penaduraeth gwladwriaethau cenedlaethol wedi ei fwrw ymaith a chynghrair o genhedloedd wedi ei sefydlu; bydd hynny yn adferiad oddiwrth afiechyd 'gwladwriaethyddiaeth'; fe ddylai fod diwylliant cenedlaethol, ond nid gwladwriaethau cenedlaethol. Derfydd am ryfel pan ddarffo'r drefn gyfalafol ar gymdeithas, gyda'i masnach briod mewn arfau a gwneuthur gynnau a nwy at amcanion elw a golud personol, peth sy'n mynnu cael arfogaethau ac yn magu rhyfel, tra bo ar yr un pryd yn barod i fasnachu tan gudd â'r gelyn mewn arfau a darpariaethau milwrol.[15]

Dau frawd yw'r brodyr Karamazov, y naill yn filwr a'r llall yn fynach. Yn y nofel, mae un o'r brodyr, y milwr, Ifan, wedi rhyw fath o lunio cerdd o'r enw 'Y Pen Chwiliadur' mewn iaith rydd, cerdd wedi ei lleoli 'yn Ysbaen, yn amser mwyaf ofnadwy'r Chwil-lys'.[16] Yn y gerdd mae Crist yn garcharor, a gorfodir ef i ymddangos gerbron y Cardinal, y Pen Chwiliadur. Bellach, yr Eglwys yw'r wladwriaeth, a Christ yn garcharor o'i blaen. Dywed y Pen Chwiliadur fod yr Eglwys wedi dilyn Cesar er mwyn uno'r holl fyd. 'Ceisiodd dynolryw erioed un wladwriaeth gyffredin,' meddai'r Pen Chwiliadur, yn ôl cyfieithiad T. Gwynn Jones.[17] Yn wahanol i'r Eglwys, gwrthododd Crist fabwysiadu dulliau Cesar, ac oherwydd hynny, collodd ei gyfle yn ôl y Pen Chwiliadur:

> Pe bait Ti wedi cymryd y byd a mantell borffor Caisar, byddit wedi seilio'r wladwriaeth gyffredin a dwyn heddwch dros yr holl fyd. Canys pwy a reola ddynion onid ef a geidw eu cydwybod a'u bara yn ei law. Cymerasom ni gleddyf Caisar, ac wrth ei gymryd, gwrthodasom Di, a'i ganlyn *ef*.[18]

Daeth Crist yn ôl i'r byd i herio'r drefn ac i ddymchwel yr Eglwys a'r wladwriaeth. Oherwydd hynny, fe'i dedfrydir i farwolaeth gan y Pen Chwiliadur, ac y mae ganddo ddigon o weision i'w gynorthwyo yn y gwaith o'i ladd:

> Yfory, cei weled y praidd ufudd hwnnw a red, pan roddwyf i arwydd, i bentyrru'r marwydos oddi-amgylch yr ystanc, lle dodaf Di i'th losgi am ddyfod i'n rhwystro ni, canys os haeddodd un erioed ein tanau ni, Tydi yw hwnnw. Yfory, fe'th losgaf Di.[19]

Mae'r wladwriaeth yn rheoli ei deiliaid, a rhaid i'w deiliaid ufuddhau i orchymyn y wladwriaeth. Trais a chreulondeb, rhyfel a llofruddiaeth, yw prif arfau'r wladwriaeth, ond cariad ac addfwynder yw prif arfau'r Carcharor:

> Pan dawodd y Chwiliadur, disgwyliodd beth amser am i'w Garcharor ei ateb. Yr oedd distawrwydd Hwnnw yn pwyso arno. Gwelsai fod y Carcharor wedi gwrando'n astud arno ar hyd yr amser, gan edrych yn addfwyn yn ei wyneb, yn amlwg heb ewyllysio ei ateb. Hiraethai'r hen ŵr am iddo dddywedyd rhywbeth, pa mor chwerw a pha mor ofnadwy bynnag. Ond yn ebrwydd dyma'r Carcharor yn

camu at yr hen ŵr, a'i gusanu'n sydyn ar ei wefus hen, ddi-waed. Dyna'i unig ateb efô. Daeth cryndod dros yr hen ŵr. Symudodd ei wefusau. Aeth at y drws, gan ei agoryd, a dywedodd wrtho Efô: 'Dos, ac na ddychwel eto, byth, byth!' Ac fe'i gollyngodd Efô allan i heolydd culion y dref. Ac aeth y Carcharor ymaith.

'A'r hen ŵr?' gofynnai'r mynach.

'Llysg y cusan yn ei galon,' meddai'r milwr, 'ond deil yr hen ŵr at ei syniad.'[20]

Byddai Waldo yn atgyfodi stori'r Pen Chwiliadur a'r Carcharor ymhen ychydig flynyddoedd, wrth iddo gollfarnu'r wladwriaeth a dyrchafu heddychiaeth.

Wedi iddo groesi'r ffin i Loegr, cafodd Waldo gyfle i fyfyrio am yr Ail Ryfel Byd a'i holl erchyllterau. Cyfnod o fyfyrdod ac o atgyfnerthiad meddyliol oedd y cyfnod hwn. Ni châi lawer o lonydd yng Nghymru i fapio'i ddyfodol. Plagiai D. J. Williams ef byth a beunydd i weithio dros Blaid Cymru, ond roedd heddychiaeth Waldo yr un mor bwysig iddo â'i genedlaetholdeb, os nad yn bwysicach o ryw fymryn. I raddau helaeth, y byd oedd ei genedl. Oherwydd hynny, yr oedd dioddefaint eraill yn ddioddefaint iddo yntau hefyd. Y tri angerdd mawr ym mywyd Waldo oedd ei heddychiaeth, ei farddoniaeth a'i wleidyddiaeth. Dôi'r tri ynghyd yn ei gerddi – hynny yw, roedd geiriau yn ieuo'r tri – ond rhywbeth i'w weithredu oedd heddychiaeth iddo, nid rhywbeth i'w arddel yn gysurus braf heb wneud dim byd yn ei gylch.

Yn ystod cyfnod ei alltudiaeth yn Lloegr, lluniodd dair cerdd a oedd yn ymwneud, mewn rhyw ffordd neu'i gilydd, â'r Almaen, a rhan yr Almaen yn y rhyfel. Y gerdd gyntaf o'r tair i ymddangos mewn print oedd 'Almaenes', a gyhoeddwyd yn rhifyn Ebrill 24, 1946, o'r *Faner*. Nodweddiadol o Waldo oedd y ffaith iddo ddewis Almaenes i ddarlunio erchyllter rhyfel ac i gynrychioli mamau a menywod dioddefus y byd; hynny yw, dewis aelod o'r wlad a ddechreuodd y rhyfel yn y lle cyntaf, a'r wlad a fu'n bennaf cyfrifol am achosi'r fath ddioddefaint drwy'r byd. Mae'r Almaenes hon yn byw mewn tref a anrheithiwyd gan gyrchoedd awyr y gelyn:

O'i boncyff tŷ, tros asglod tref,
Yn drigain oed, trwy'r gwyll i'w gwaith
Bob dydd yn mentro'r daith
Fel pe dihangasai'n galon gref
O'r ogof hunllef faith.

Nid yr Almaen yn unig a fu'n gyfrifol am ladd miloedd o bobl ddiniwed yn ystod y rhyfel trwy ollwng bomiau o'r awyr ar drefi a dinasoedd. Bomiwyd tref borthladd Hamburg yn yr Almaen gan awyrennau Prydain ac America ym mis Gorffennaf 1943 gan ladd 42,600 o sifiliaid ac anafu 37,000 o drigolion eraill. Rhwng Chwefror 13 a Chwefror 15, 1945, lladdwyd hyd at 25,000 o drigolion Dresden yn yr Almaen gan awyrennau Prydain ac America. Chwarae plant oedd y cyrchoedd awyr ar Abertawe ym 1941 o'u cymharu â'r cyrchoedd ar y trefi hyn yn yr Almaen.

Trigai'r Almaenes drigain oed hon mewn tref a faluriwyd gan gyrchoedd awyr y Cynghreiriaid. Ogof hunllefus yw ei chartref bellach, tŷ tywyll y gorchuddir ei ffenestri gyda'r nos, i'w guddio rhag awyrennau'r gelyn. Ond calon ddewr sydd gan y fam hon, ac mae'r disgrifiad ohoni fel gwraig 'galon gref' yn dwyn i gof yr hyn a ddywedodd Waldo am Linda yn ei farwnad fer iddi, 'Fy nglangrych, fy nghalongref.' Roedd Linda yn ddewr yn ei salwch olaf, ac mae'r Almaenes hithau'n ddewr yn ei phrofedigaethau. Gan famau a chan fenywod y mae'r cryfder a'r dewrder cynhenid a all achub y ddynoliaeth yn y pen draw. Mae'r Almaenes yn mynnu 'mentro'r daith' i'r gwaith, drwy'r gwyll boreol. Mae hi hefyd yn gorfod dianc o'i chartref, gan mai hunllef yw byw yn y cartref hwnnw bellach, yn enwedig gyda'r nos.

Mae'r tŷ'n dywyll, ond mae hefyd yn wag ac yn ddigysur, yn dŷ galar:

> Dau fab yn farw ac un 'ar goll'.
> A ddychwel ef o lu ei wlad?
> Ni chaiff na'i chwaer na'i dad.
> ''Rwyf yma'n disgwyl drosom oll.'
> Teulu uwch cyfrgoll cad.

Mae hi wedi colli ei theulu i gyd, ac eithrio, o bosibl, un mab, sydd 'ar goll', ond gwan yw'r gobaith y bydd yn dychwelyd i'w gartref o'r fyddin un diwrnod. Ond o leiaf y mae yna obaith y gall ddychwelyd rywbryd, yn wahanol i'w chwaer a'i dad, sef merch a gŵr yr Almaenes. Yr awgrym yw fod y rheini wedi cael eu lladd yn un o'r cyrchoedd awyr dinistriol hyn. Mae'r Almaenes yn disgwyl am ei mab ar ran yr holl deulu. Disgrifiwyd yr Ail Ryfel Byd fel rhyfel cyflawn, gan fod sifiliaid ac ymladdwyr yn dargedau agored, diamddiffyn, ac mae'r Almaenes a'i theulu yn enghraifft o deulu a chwalwyd yn llwyr gan ryfel. Ond mae ei theulu yn deulu sydd hefyd yn sefyll uwchlaw dinistr rhyfel. Tra bo hi'n aros am ei mab, a thra bo gobaith y bydd i'w mab ddychwelyd, y mae hi'n herio rhyfel ac yn cadw gobaith yn fyw. Fel y mae pethau, mae rhyfel, a rhyfel rhwng gwladwriaethau mawr y byd at hynny, wedi difa teulu cyfan, pawb ond y fam; ac er na fydd y teulu yn gyfan byth eto, os dychwel y mab sydd ar goll, bydd rhyfel wedi methu â difa'r teulu cyfan, y teulu oll.

Yna, delweddir arwyddocâd a diben y fam:

> Pydew trwy'r graig i darddiant hedd.
> Trwy'r niwl, y ddilys gloch ar glyw,
> Ei rhan ym mwriad Duw.
> Cymhwysach hi yn ôl ei gwedd
> I fynd i'r bedd na byw.

Mae'r ddelwedd gyntaf yn synio am heddwch fel rhywbeth y mae'n rhaid gweithio'n galed ac ymdrechu'n daer i'w gael. Credai heddychwyr – y gwir heddychwyr – mai brwydr feunyddiol, barhaol oedd y frwydr i sicrhau heddwch i'r byd, a diddymu rhyfel am byth. Gair a gysylltir â dŵr ac afonydd yw 'tarddiant', a rhaid torri pydew trwy graig i gyrraedd y dŵr bywiol, adferol yng nghrombil y ddaear. Ceir synio am heddwch yma fel rhywbeth cuddiedig y mae'n rhaid torri trwy'r graig galed i'w gyrraedd, yr heddwch sy'n ymguddio yn rhywle dan haenau caled a didostur o ryfela a lladd. Efallai y ceir yma hefyd adlais o emyn Pantycelyn, 'Agor y ffynhonnau melys/Sydd yn tarddu o'r Graig i ma's.' Y fam hefyd yw'r bwi cloch sy'n rhybuddio llongau yn y niwl fod dŵr bas yn agos. Y mae gan y fam hon swyddogaeth i'w chyflawni yn ôl arfaeth Duw, sef achub y ddynoliaeth rhag peryglon a difodiant. Gall y reddf famol fod yn reddf achubol.

Nid Almaenes, nid gwraig unigol mohoni bellach, ond holl famau'r ddynoliaeth. Mawl i'r fam fel symbol o ddaioni a thosturi a geir yma, y fam fel unig obaith y byd am heddwch:

> Ond hi yw'r galon, mam pob gwerth,
> A chraig merthyri, seren saint.
> Ni thraetha'r môr ei maint.
> Ateb, O fawredd. Gwisg dy nerth
> Yn brydferth yn ei braint.[21]

Y fam sy'n cynnal gwerthoedd y teulu, a gwerthoedd cymdeithas yn gyffredinol. Cariad anorchfygol yw cariad mam, cariad nerthol ond cariad tyner. 'A chynnau yn fflam ddall gariad ei famog' meddai Waldo yn 'Y Gân ni Chanwyd', hynny yw, cariad dall, diamodol yw cariad mamog at ei hoen, yn union fel cariad mam at ei phlentyn. Hi yw mam pob gwerth a hi yw pob mam hefyd. Cariad mam yw'r unig obaith am waredigaeth ac achubiaeth i'r byd. Mae cariad mam hefyd yn gariad hyd at aberth, ac mae'r cariad hwnnw yn gadarn fel y graig yn ei ferthyrdod. Hi hefyd sy'n dysgu i eraill werth hunan-aberth; hi sy'n creu merthyron. Gan ei bod hi'n trosglwyddo gwerthoedd mwyaf aruchel bywyd i'w phlant, mae hi'n creu merthyron, pobl sy'n fodlon wynebu carchar neu farwolaeth i amddiffyn y gwerthoedd hynny. Mam fel Angharad, mam Waldo, yw'r Almaenes hon. Hi hefyd yw seren y saint, sef y syniad bod sêr y nos fel tyllau bychain yn llen y bydysawd, a'r mân oleuadau hyn yn rhoi cip inni ar Deyrnas y Goleuni ac ar fyd a bywyd tragwyddol y saint.

Dyrchefir y fam i'r entrychion yma; i raddau, fe'i dwyfolir. Dyna pam y ceir yn y pennill olaf adleisiau emynyddol ac ysgrythurol. Cyfeiria'r llinell 'Ni thraetha'r môr ei maint' at un o emynau Robert ap Gwilym Ddu: 'Ni thraethir maint anfeidrol werth/Ei aberth yn dragywydd', tra bo'r ddwy linell olaf yn cyfeirio at ddwy adnod yn yr Hen Destament: 'Deffro, deffro, gwisg nerth, O fraich yr Arglwydd' (Eseia 51:9) a 'Gwisg dy nerth, Seion' (Eseia 52:1), yn ogystal ag at emyn John Hughes, Pontrobert, 'O deffro, deffro, gwisg dy nerth,/O brydferth fraich yr Arglwydd.'

Cyhoeddwyd cerdd newydd arall, 'Eu Cyfrinach', cerdd ar thema debyg i 'Almaenes', yn rhifyn Mehefin 12, 1946, o'r *Faner*. Cariad gwaredigol ac amddiffynnol rhieni, a chariad y fam yn enwedig, yw thema'r gerdd hon hithau. Yn gefndir i'r gerdd y mae hanes achub Moses rhag gorchymyn Pharao, brenin yr Aifft, fod pob baban gwryw Hebreig i'w ladd, rhag ofn i arweinydd godi o blith plant Israel i herio ei awdurdod yn y dyfodol: 'A Pharao a orchmynnodd i'w holl bobl, gan ddywedyd, Pob mab a'r a enir, bwriwch ef i'r afon' (Exodus 1:22). Cyfeirir yn uniongyrchol at yr adnod ganlynol yn y pennill cyntaf: 'A'r wraig a feichiogodd, ac a esgorodd ar fab: a phan welodd hi mai tlws ydoedd efe, hi a'i cuddiodd ef dri mis' (Exodus 2:2):

Cyfrinach y teulu oedd yn eu caban,
Ac yn eu cyfrinach, cyfrinach Duw.
Arweinydd ni welent ond gwrid eu baban
A dweud yn unol 'Caiff ef fyw'.
Ac ofer oedd hyrddio yn erbyn eu drws
Rybudd Pharao. Yr oedd y rhieni'n
Gweled ei fod yn fachgen tlws
Ac nid ofnasant orchymyn y brenin.

Mae'r fam yn chwilio am ffordd i guddio'i phlentyn rhag Pharao:

Ef ni wyddai, er cymaint ei hyder,
Un ffordd i gwato perl eu serch.
Hithau, dri mis wedi'r esgor ar bryder
A luniodd ymwared, trwy ddyfais merch.
Ac ofer, Pharao, yw grym fel y gwres
A gair a all gynnull lluoedd fel tonnau.
Gorchfygwyd, yn awr, dy gerbydau pres
Gan ddyhead breichiau a bronnau.[22]

Cyflawnwyd y weithred gyfrwys 'trwy ddyfais merch', sef gan y fam. 'A phan na allai hi ei guddio ef yn hwy, hi a gymerodd gawell iddo ef o lafrwyn, ac a ddwbiodd hwnnw â chlai ac â phyg; ac a osododd y bachgen ynddo, ac a'i rhoddodd ymysg yr hesg ar fin yr afon', yn ôl Exodus 2:3. Dyma gariad sy'n drech na holl rym y wladwriaeth, a dyma'r cariad hefyd a all achub y byd a threchu'r grymoedd dinistriol. Efallai nad yw cefndir Almaenig y gerdd hon mor amlwg ag 'Almaenes', ond o gofio am y modd yr erlidiwyd ac y llofruddiwyd yr Iddewon – plant yn ogystal ag oedolion – gan y Natsïaid adeg yr Ail Ryfel Byd, ac o gofio hefyd fod cannoedd o rieni wedi dyfeisio ffyrdd i guddio'u plant a'u hachub rhag y siamberi nwy, yna, y mae'r cyd-destun Almaenig yn amlwg ynddi. Mae'r llinell 'A gair a all gynnull lluoedd fel tonnau' yn dwyn i gof eiriau'r Pen Chwiliadur wrth iddo sôn am lwyr ufudd-dod deiliaid y wladwriaeth: 'y praidd ufudd hwnnw a red, pan roddwyf i arwydd, i bentyrru'r marwydos oddi-amgylch yr ystanc'. Cerddi am gariad – a chariad mam yn benodol – fel grym a all drechu gwladwriaethau yw 'Eu Cyfrinach' ac 'Almaenes', a chariad nid annhebyg, unwaith yn rhagor, i gariad y Carcharor yn wyneb casineb y Pen Chwiliadur.

Anfonodd Waldo gerdd newydd at D.J. a Siân ar Fehefin 13, 1946. 'Ydych chi'n gweld y War Resister?' gofynnodd i'r ddau, gan ychwanegu, 'Amgaeaf gân ar safiad Tystion Iehofa yn yr Almaen.'[23] 'Die Bibelforscher' oedd y gân honno. Anfonodd ddwy gerdd arall yn ogystal at y ddau, 'Caniad Ehedydd' a 'Beth i'w Wneud â Nhw' ('i *Siân* achos bod hi'n sâl').[24]

Roedd y cyfeiriad at *The War Resister* yn arwyddocaol. Cylchgrawn swyddogol y mudiad War Resisters' International (WRI), mudiad a sefydlwyd yn Bilthoven, yr Iseldiroedd, ym 1921, oedd hwn. Erbyn yr Ail Ryfel Byd, roedd gan y mudiad ganghennau mewn 30 a rhagor o wahanol wledydd. Gwnaed datganiad swyddogol pan ffurfiwyd y mudiad, a daeth y datganiad yn rhyw fath o arwyddair iddo: 'War is a crime against humanity: I am therefore determined not to support any kind of war and to strive for the removal of all causes of war.' Roedd yn fudiad, felly, a oedd wrth fodd calon Waldo, ac arferai brynu cylchgrawn y mudiad yn rheolaidd. Yn y llythyr at D.J. a Siân, cyfeirio at rifyn Haf 1946, rhif 51, o *The War Resister* yr oedd Waldo, gan mai yn y rhifyn hwnnw y cafodd hanes 'Die Bibelforscher'.

Tystion Iehofa oedd 'Die Bibelforscher'. Erlidiwyd y Tystion yn yr Almaen o 1933 ymlaen, hyd at ddiwedd yr Ail Ryfel Byd. Defnyddiai'r Natsïaid y term 'Ernste Bibelforscher' (Efrydwyr neu Astudwyr difrifddwys neu daer y Beibl) i'w gwawdio. Gan nad oedd aelodau'r sect yn cydnabod unrhyw awdurdod daearol, gwrthodent dalu gwrogaeth i Hitler na derbyn ei dra-arglwyddiaeth ar yr Almaen. Oherwydd bod Iesu Grist wedi datgan nad oedd ei deyrnas yn rhan o'r byd hwn ac na fynnai dderbyn coron ddaearol, credai'r Tystion y dylent hwythau hefyd eu cadw eu hunain ar wahân i weddill y byd, ac ymatal rhag ymwneud ag unrhyw fath o wleidyddiaeth. Deiliaid Teyrnas Dduw, neu Iehofa, oeddynt. Gwrthodent ddefnyddio'r cyfarchiad 'Heil, Hitler' a gwrthodent ymuno â'r fyddin. Caent eu herlid o'u swyddi, câi rhai eu harteithio, lleddid eraill. Cymerid plant oddi ar eu rhieni a'u hanfon at deuluoedd eraill i gael eu magu a'u haddysgu, a'u troi'n Natsïaid bach, neu i gartrefi ar gyfer plant amddifad ac i ysgolion arbennig.

Carcharwyd tua 12,000 o'r Tystion gan y Natsïaid rhwng 1933 a 1945, a bu farw o leiaf 2,000 ohonynt yn y gwersyll-garcharau. Yn y gwersylloedd

hyn, bu'n rhaid i holl aelodau'r sect wisgo darn o frethyn porffor ar eu crysau.
Bob bore cynigid eu rhyddid yn ôl iddynt ar yr amod eu bod yn ymwadu â'u
ffydd ac yn derbyn awdurdod Hitler, ond gwrthod a wnaent yn ddieithriad.

Ysbrydolwyd y gerdd gan yr adroddiad hwn yn rhifyn Haf 1946 o *The
War Resister*:

GERMAN C.O.s IN BUCHENWALD AND OTHER CAMPS
"German Conscientious Objectors in Buchenwald were distinguished from the
other internees by a violet triangle which they wore on the left side. They were
called 'Bibleforschers' [*sic*] – Bible students.

"As they refused to make V-weapons they were given other work and became
tailors, cooks and bakers.

"In spite of several years of detention they managed to maintain the serenity
and goodness which characterised them.

"As we were forced to work 12 hours each day it was difficult to contact them.
The language barrier was another difficulty, but I knew two in my barracks. One,
called Schmidt, a baker in civilian life, who was imprisoned since 1934. The other,
also imprisoned since 1934, was a prepossessing, stalwart fellow, but blind ...

PAUL BRUNEL

A DECLARATION THEY REFUSED TO SIGN
"There were a very large number of War Resisters among the German members
of the Jehova Witnesses, International Bible students. Many died in prison, most
remained steadfast during years in concentration camps.

"All could have bought their life and their freedom by signing the following
declaration, but they refused.

DECLARATION
"I recognise that the International Society of Bible Scholars (Jehova's Witnesses)
propagated a false doctrine and under cover of religious activity pursues only
treasonable ends.

"I have therefore turned away completely from this organisation and also freed
myself inwardly from the teaching of this sect.

"I hereby give assurance that I will never again work for the Society of
Jehovah's Witnesses. Persons who approach me soliciting or who in any other way
show their alignment with the Jehova's Witnesses, I will report without delay.
Should Jehova's Witnesses publications be sent to me, I will give them up to the
nearest police station by return.

"I will in future obey the laws of the State and fit myself completely into the community of the nation. Furthermore, I have been notified that I have to reckon with being immediately taken into protective custody again, if I act against my declaration given to-day.

"Concentration Camp Buchenwald.

"Weimer-Buchenwald, the ....

"............. Signature."[25]

Yn ôl Tystion Iehofa, gan seilio'u cred ar Lyfr y Datguddiad, bydd Satan a'i luoedd rywbryd yn ymosod ar y Tystion, a bydd hynny'n cythruddo Duw ac yn peri iddo gychwyn Armagedon, y frwydr fawr olaf un, pan fydd Duw yn dinistrio pob llywodraeth ddaearol a holl drigolion y ddaear, ac eithrio gwir ddilynwyr Crist, sef y Tystion eu hunain. Ar ôl Armagedon, bydd Duw yn helaethu ei Deyrnas Nefol, a bydd y ddaear yn rhan o'r deyrnas honno, yn ail Ardd Eden mewn gwirionedd, a hefyd, ar ôl Armagedon, bydd y rhai a fu farw cyn ymyrraeth Duw yn cael eu hatgyfodi'n raddol, a bydd Duw yn barnu'r meirwon hyn am fil o flynyddoedd. Cânt eu barnu am eu gweithredoedd ar ôl iddynt gael eu hatgyfodi, nid am eu gweithredoedd yn y gorffennol. Hwn, yn ôl Llyfr y Datguddiad, yw'r 'atgyfodiad cyntaf', ac ar yr ugeinfed bennod y seiliodd y Tystion eu cred, er enghraifft: 'Gwynfydedig a sanctaidd yw yr hwn sydd â rhan iddo yn yr atgyfodiad cyntaf: y rhai hyn nid oes i'r ail farwolaeth awdurdod arnynt, eithr hwy a fyddant offeiriaid i Dduw ac i Grist, ac a deyrnasant gydag ef fil o flynyddoedd' (20:6). Hynny yw, derbyniwyd yr hyn a ddywedir yn Llyfr y Datguddiad fel gwirionedd diymwad gan y Tystion. Seiliwyd eu cred ar anffaeledigrwydd y Beibl, ac ar eu dehongliadau llythrennol o'r Ysgrythur. Ar ôl y cyfnod hwn o fil o flynyddoedd, bydd Satan unwaith eto yn ceisio twyllo'r ddynoliaeth, ond, erbyn hynny, bydd y ddynoliaeth wedi ei phuro a'i pherffeithio a'i gogoneddu, ac ni all dim ei llygru mwyach. Seilir y gred hon unwaith yn rhagor ar yr hyn a ddywedir yn Llyfr y Datguddiad: 'A phan gyflawner y mil blynyddoedd, gollyngir Satan allan o'i garchar; Ac efe a â allan i dwyllo y cenhedloedd sydd ym mhedair congl y ddaear, Gog a Magog, i'w casglu hwy ynghyd i ryfel' (20:7–8).

Yr oedd sawl adnod yn Llyfr y Datguddiad yn arweiniad ac yn symbyliad i'r Tystion, ac yn atgyfnerthiad i'w ffydd, er enghraifft: 'A thi a oddefaist, ac y mae amynedd gennyt, ac a gymeraist boen er mwyn fy enw i, ac ni ddiffygiaist' (2:3), a 'Nac ofna ddim o'r pethau yr ydwyt i'w dioddef. Wele, y cythraul a fwrw rai ohonoch chwi i garchar, fel y'ch profer; a chwi a gewch gystudd ddeng niwrnod. Bydd ffyddlawn hyd angau, ac mi a roddaf i ti goron y bywyd' (2:10). Byddai'r bedwaredd adnod yn yr ugeinfed bennod yn disgrifio'n berffaith safiad y sect yn erbyn Hitleriaeth: 'Ac mi a welais orseddfeinciau, a hwy a eisteddasant arnynt, a barn a roed iddynt hwy; ac mi a welais eneidiau y rhai a dorrwyd eu pennau am dystiolaeth Iesu, ac am air Duw, a'r rhai ni addolasent y bwystfil na'i ddelw ef, ac ni dderbyniasent ei nod ef ar eu talcennau, neu ar eu dwylaw; a hwy a fuant fyw ac a deyrnasant gyda Christ fil o flynyddoedd.'

Yn ôl Llyfr y Datguddiad, dadlennodd Duw ei fwriadau i Iesu Grist, ac anfonodd Crist ei angel at Ioan y Diwinydd i'w hysbysu ynghylch y pethau hyn, sef 'y pethau sydd raid eu dyfod i ben ar fyrder' (1:1). 'Dedwydd yw yr hwn sydd yn darllen, a'r rhai sydd yn gwrandaw geiriau y broffwydoliaeth hon, ac yn cadw y pethau sydd yn ysgrifenedig ynddi: canys y mae yr amser yn agos,' meddai Llyfr y Datguddiad (1:3), ac fe adleisir cymal olaf yr adnod ym mhennill cyntaf 'Die Bibelforscher': 'Ni waeth ai ymhell ai'n agos.' Ac ym mhennod olaf Llyfr y Datguddiad, pwysleisir eto fod yr amser yn agos: 'Ac efe a ddywedodd wrthyf fi, Na selia eiriau proffwydoliaeth y llyfr hwn; oblegid y mae yr amser yn agos' (22:10). Gofyn cwestiwn a wneir yn y pennill cyntaf:

> Pwy fedr ddarllen y ddaear? Ond cawsom neges
> Gan Frenin i'w dwyn mewn dirfawr chwys,
> Ni waeth ai ymhell ai'n agos
> Y seinio'r utgorn rhag Ei lys.
> Trwy falais a chlais a chlwy
> Gwrit y Brenin a ddygasant hwy.

Pwy byth a all ddirnad y ddaear a deall creadigaeth Duw yn llawn ac yn llwyr? A phwy a all ddeall bwriadau Duw ar ein cyfer? Dyna'r hyn a ofynnir yn y pennill cyntaf. Yn ôl Tystion Iehofa, Duw yw awdur y greadigaeth, ac mae Duw wedi datgelu ei fwriadau i'r Tystion, sef ei fwriad i ddod â'r byd i ben, a chreu paradwys ddaearol gyda'r Tystion eu hunain yn unig yn trigo ynddi. Felly, fe allant hwy ddarllen y ddaear – 'Dedwydd yw yr hwn sydd yn darllen.'

Nid yw Waldo yn condemnio'r Tystion am gredu hyn mewn unrhyw ffordd, ond, yn sicr, nid yw'n cytuno â'u hathrawiaeth. Credai'r Tystion yn gryf mewn brawdoliaeth fyd-eang, ond brawdoliaeth o fewn y sect yn unig oedd honno, brawdoliaeth ryngwladol rhwng aelodau o'r sect, ac ni allai Waldo dderbyn brawdoliaeth gyfyngedig o'r fath, ddim mwy nag y gallai gredu yn niwedd y byd. Edmygu'r Tystion am eu safiad a'u dewrder anhygoel yr oedd Waldo, wedi iddo ddarllen amdanynt yn *The War Resister*, yn enwedig gan mai safiad yn erbyn grym gwladwriaethol a gorthrwm totalitaraidd a militaraidd oedd eu safiad. Er na allwn ddarllen y ddaear, y mae un peth yn glir i bawb, sef mai cynnal, trin a meithrin y ddaear yw nod a diben dyn ar y ddaear: 'Trwy chwys dy wyneb y bwytei fara, hyd pan ddychwelech i'r ddaear' (Genesis 3:19). Ceir yr un syniad o bellter ac agosrwydd daearyddol ac amseryddol mewn cerdd arall gan Waldo, 'Odidoced Brig y Cread':

> Ie, yr un gorchymyn ydoedd
> Cychwyn sant y gwaeth a'r gwell;
> Rhoed treftadaeth i'n hysbrydoedd
> Yma'n agos fel ymhell.[26]

Er bod Waldo yn anghytuno â chredoau'r Tystion, mae'n edmygu eu hymlyniad digyfaddawd wrth y credoau hynny, wrth iddynt gario 'Gwrit y Brenin', sef y Beibl (*Holy Writ*) gyda hwy i bobman.

Yn yr ail bennill pwysleisir yr hyn a ddywedir yn y pennill cyntaf:

> Er na chwblhäer y ddaear ail i ddameg
> A fflach dehongliad yn ei hwyr
> Trwm-lwythog, na dirhau'r dychymyg
> Gwydr a thân is y ceyrydd cwyr,
> Pur trwy ffieidd-dra'r ffald
> Oedd eu tystiolaeth hwy yn Buchenwald.

Cyfeirir yma at yr ail adnod yn y bymthegfed bennod yn Llyfr y Datguddiad: 'Ac mi a welais megis môr o wydr wedi ei gymysgu â thân; a rhai a oedd yn cael y maes ar y bwystfil, ac ar ei ddelw ef, ac ar ei nod ef, ac ar rifedi ei enw ef, yn sefyll ar y môr gwydr, a thelynau Duw ganddynt.' Nid dameg yw'r ddaear, sef rhywbeth y gellir ei egluro'n daclus ac yn gryno. Mae'n llawer mwy cymhleth na hynny. Dameg o ryw fath yw Llyfr y Datguddiad, alegori, ac ni ddylid ei dderbyn yn llythrennol. Cynnyrch dychymyg dyn ydyw – 'dychymyg/Gwydr a thân' – sef cyfeiriad uniongyrchol at y 'môr o wydr wedi ei gymysgu â thân' – nid gair llythrennol Duw. Dirhau dychymyg a wna'r Tystion, hynny yw, gwireddu neu ddiriaethu dychymyg, troi dychymyg yn rhywbeth gwirioneddol, ffeithiol, er mai dychymyg ydyw.

I Waldo, yr hwyr neu'r nos yn unig sy'n rhoi i ddyn gipolwg ar Deyrnas Dduw, neu ar Deyrnas y Goleuni. Dyna arwyddocâd y 'fflach dehongliad' yn yr 'hwyr/Trwm-lwythog'. Mae sêr y nos fel tyllau bychain yn llen yr wybren, a'r tyllau bychain hyn yn gadael rhyw lygedyn o oleuni allan o'r hyn sydd y tu ôl iddynt, sef Teyrnas y Goleuni. Ceir yr un ddelwedd yn 'Odidoced Brig y Cread':

> Fry o'm blaen yn sydyn neidiodd
> Seren gynta'r nos i'r nen,
> A'i phelydriad pur ni pheidiodd
> Rhwyll i'm llygaid yn y llen.

Goleuni 'sydyn' yw hwn, fel yr 'eglurwr sydyn' yn un o'i gerddi mawr yn y dyfodol, 'Mewn Dau Gae', a'r 'fflach dehongliad' yn 'Die Bibelforscher', ond mae'r goleuni sydyn, brysiog, fflachiog hwn 'fel eiriolaeth', fel sicrwydd neu ernes o Deyrnas Dduw, a gall pererinion y llawr weld eu hanwyliaid, y rhai a aeth o'u blaenau, yn ymrithio yn nisgleirdeb y nos:

> O! ddisgleirdeb, fel eiriolaeth,
> Dros y pererinion blin
> Ac anwyliaid eu mabolaeth
> Yn ymrithio yn ei rin.[27]

Yr hyn a awgrymir yn ail bennill 'Die Bibelforscher' yw na all neb ddarllen neu ddirnad y ddaear, na chreadigaeth Duw, a'r gorau y gellir gobeithio amdano yw cael ambell gip ar ystyr bywyd a dirgelwch y cread, fel y mae sêr y nos, sydd fel tyllau bychain yn llen yr wybren, yn caniatáu i bererinion blin y llawr gael cipolwg sydyn ar y goleuni mawr y tu ôl i'r llen. Yn yr ail bennill, 'Trwm-lwythog' gan sêr a olygir. Ni ellir dirnad y ddaear fel pe bai'n ddameg ac ni ellir gwireddu'r 'dychymyg/Gwydr a thân' ychwaith, sef y dychymyg y rhoir mynegiant iddo yn Llyfr y Datguddiad; hynny yw, ni ellir troi'r dychymyg hwn yn ffaith, na'i ddehongli yn llythrennol, fel y gwna'r Tystion, dan y 'ceyrydd cwyr', sef cestyll rhith gwladwriaeth neu filitariaeth, cestyll bregus, brau a disylwedd Hitleriaeth yn y cyswllt hwn. Ond, cytuno neu anghytuno â'u daliadau, roedd tystiolaeth y sect yn bur, yn ddiffuant ac yn ddilys 'trwy ffieidd-dra'r ffald', 'ffald' (corlan) yn golygu carchar (a chan gofio fel y disgrifir Babilon fawr yn Llyfr y Datguddiad fel 'mam puteiniaid a ffieidd-dra y ddaear', 17:5).

Edmygu dewrder y Tystion a wnâi Waldo, a'u clodfori am eu parodrwydd i herio'r wladwriaeth er mwyn amddiffyn eu cydwybod a'u ffydd:

> Heb hidio am y drws a agorid
> Os rhoent eu llaw i'r geiriau llwfr,
> Sefyll rhwng cieidd-dra a'r pared,
> Marw lle rhedai eu budreddi i'w dwfr,
> Cyrraedd porth y Nef
> A'u dyrnau'n gaeëdig am Ei ysgrif Ef.

Mae'r pennill olaf yn dathlu buddugoliaeth y Tystion ar eu herlidwyr a'u harteithwyr:

> Pwy fedr ddarllen y ddaear? Hyn a wyddom,
> Tarth yw'r llu lle geilw'r llais.
> Mae wybren lle'r â'n ddiddim
> Rym yr ymhonwyr, trwst eu trais.
> Lle cyfyd cân yr Oen
> A gogoniant yr apocalups o'r poen.[28]

'Tarth', rhith, rhywbeth disylwedd, fel y 'ceyrydd cwyr', yw'r 'llu' sy'n erlid y Tystion. 'Ymhonwyr' yw'r erlidwyr hyn, ac nid oes lle iddynt yn Nheyrnas Dduw, Teyrnas y Goleuni, lle clywir cân orfoleddus a buddugoliaethus yr Oen, sef Crist ('A chanu y maent gân Moses gwasanaethwr Duw, a chân yr Oen; gan ddywedyd, Mawr a rhyfedd yw dy weithredoedd, O Arglwydd Dduw Hollalluog', Datguddiad 15:3), a lle y bydd pawb yn esgyn mewn gogoniant uwchlaw poen ac artaith a '[m]alais a chlais a chlwy'. Yn ei lyfrgell bersonol o lyfrau, cylchgronau a phamffledi, roedd gan Waldo gopi o rifyn

Mai 1945 o *The Presbyter: a Journal of Confessional and Catholic Churchmanship*. Ceir yn y rhifyn hwn o'r cylchgrawn un ysgrif y byddai gan Waldo ddiddordeb mawr ynddi, 'Church and State in the New Testament' gan Oliver Tomkins. Ymhlith materion eraill, archwilio'r berthynas rhwng y wladwriaeth a Theyrnas Dduw, a rhwng y wladwriaeth a'r Eglwys, a wna Oliver Tomkins, gan gyfeirio'n arbennig at Lyfr y Datguddiad. Dylai'r wladwriaeth fod yn atebol i'r Eglwys, i'r Wir Ddinas ac i Deyrnas Dduw, yn ôl Tomkins, ond, yn aml iawn, mae'r wladwriaeth yn mynnu rheoli'r Eglwys. Mae'n cloi ei erthygl yn debyg iawn i'r modd y mae Waldo yn cloi 'Die Bibelforscher':

> Yet, obedient or disobedient, the State does not live in its *own* right, for there *is* a City in virtue of which all Christians are pilgrims and all States are ghosts, waiting to end their nebulous existence in that transforming reality wherein the kingdoms of this world are become the Kingdoms of our Lord and of His Christ.[29]

Mae un peth yn sicr: arwyr oedd y Tystion hyn i Waldo.

Yn y llythyr hwnnw a anfonodd Waldo at D.J. a Siân ar Fehefin 13, 1946, yr amgaeodd 'Caniad Ehedydd', 'cân a wneuthum llynedd ar ôl ein hymgyrch yn Nedd – clywed yr ehedydd un bore ar fy ffordd i'r ysgol'.[30] Ni chollodd Waldo gysylltiad yn llwyr â Chymru yn ystod cyfnod ei alltudiaeth yn Lloegr. Ym mis Ebrill 1945 aeth D. J. Williams i Gwm Dulais i gefnogi ymgyrch Wynne Samuel i ennill sedd etholaeth Nedd yn enw Plaid Cymru, ac aeth Waldo yntau hefyd i Gwm Dulais i ganfasio ar ran Wynne Samuel, ymgeisydd cyntaf y Blaid yn un o etholaethau'r De. 'Roedd hi'n dywydd godidog, a daeth Waldo Williams ataf ymhen rhyw ddeuddydd neu dri a'i gwpledau a'i sylwadau Waldoaidd ef yn gwneud yr awyr las yn lasach a'r haul ei hun yn fwy heulog,' meddai D. J. Williams yn ail ran ei hunangofiant, *Yn Chwech ar Hugain Oed*.[31] Un o'r cwpledi hynny, a ddyfynnir gan D. J. Williams, oedd 'Here's the shop for pop and pie/Gorau diawl Segradelli', wedi i'r ddau gael hoe a lluniaeth mewn caffe Eidalaidd yn y cwm.[32]

Cerdd obeithlon yw 'Caniad Ehedydd', a symbol o obaith yw'r ehedydd ynddi. Roedd optimistiaeth newydd wedi meddiannu Plaid Cymru ar y pryd, yn enwedig ar ôl penodi Gwynfor Evans yn Llywydd y Blaid ym 1945, i olynu Saunders Lewis, a chan fod y Blaid ei hun wedi magu digon o hyder i ymgeisio am sedd yn un o etholaethau de Cymru. Anfonodd Branwen aderyn drudwy o Iwerddon yn gennad at ei brawd Bendigeidfran yn chwedl *Branwen ferch Llŷr* yn *Pedair Cainc y Mabinogi*, ac wedi iddo dderbyn y neges a glymwyd wrth fôn adenydd yr aderyn, aeth Bendigeidfran a'i lu i Iwerddon i achub cam Branwen. Yn yr un modd, mae'r ehedydd yng ngherdd Waldo yn symbol o obaith a gwaredigaeth, wrth i'w gân egnïol a llawn goleuni godi uwch cyni Cymru, 'Branwen Cenhedloedd':

> Ymrôf i'r wybren
> Yn gennad angen
> Fel Drudwy Branwen
>   Yn nydd cyfyngder.
> Canaf o'r cyni
> A'm hanadl yn egni
> Herodr y goleuni
>   Yn yr uchelder.
>
> Disgyn y gloywglwm
> Hyd lawer dyfngwm
> Lle rhoddodd gorthrwm
>   Gleisiau ar geinder.
> Wiwfoes yr oesoedd
> Hardd yr ynysoedd,
> Franwen cenhedloedd
>   Deuant i'w hadfer.

Roedd gwastraff y pyllau glo wedi hagru cymoedd y De – 'rhoddodd gorthrwm/Gleisiau ar geinder', yn union fel yr oedd y cigydd wedi gadael cleisiau ar geinder wyneb Branwen yn y gegin yn llys Matholwch.[33]

Lluniodd Waldo gerdd arall ar ôl y dyddiau hynny o ymgyrchu ar ran Wynne Samuel yng Nghwm Dulais, sef 'Yn y Tŷ'. Lluniwyd y gerdd ar ôl ymweliad â D. Mardy Jones ym Mlaendulais (Seven Sisters). Ganed David Mardy Jones ym 1895, a bu'n byw 'yn y tŷ', 6, Bryn Bedd, Blaendulais, am y rhan fwyaf o'i oes. Glöwr ym mhwll y Seven oedd D. Mardy Jones, ac erbyn 1945 roedd yn dioddef o'r gwynegon a chlefyd llwch y glo. Roedd D. Mardy Jones yn fardd medrus ac yn enghraifft berffaith o löwr diwylliedig.

Yn y pennill cyntaf, disgrifir D. Mardy Jones fel 'calon cwm', ac yn yr ail bennill fel 'drych y dref'. Pobl fel D. Mardy Jones yw craidd y gymdeithas, calon y cwm; ef hefyd yw cynrychiolydd ei bobl – drych i'r gymdeithas y mae'n perthyn iddi. Fel drych, y mae'n adlewyrchu dewrder a dioddefaint, a gwerthoedd a diwylliant, y gymdeithas honno. Ond mae cartref y gŵr hwn mewn cwm a anrheithiwyd ac a ddiffeithiwyd gan y diwydiant glofaol:

> Yn y tŷ mae calon cwm;
> Yn y tŷ diffeithia'r ffenestr.
> Cerddodd Elw oddi yma'n drwm,
> Dug ei lwyth a gado'i lanastr;
> Gwasgu ei well ag offer llwgr,
> Myned tua llawntiau Lloegr.
>
> Yn y tŷ bu cuddio'r cam.
> Palmwydd rhag yr anial hwnt
> Oedd y gegin, y gofal am
> Lawer ffril y parlwr ffrynt.
> Unig ydyw drych y dref
> Ers blynyddoedd, neb ond ef.

Mae Elw, sef Cyfalafiaeth, wedi llwyr ysbeilio'r cwm o'i adnoddau ac wedi ei droi'n anialwch. Pwysleisio'r anialwch hwnnw a wneir yn y ddau bennill cyntaf: 'diffeithia'r ffenestr', 'gado'i lanastr', 'anial hwnt'. Condemnir y modd yr ecsbloetiwyd y glowyr gan eu meistri yn y pennill cyntaf. Mae Elw wedi dihysbyddu'r cwm o'i holl adnoddau cyfoethog, ac wedi cerdded ymaith a'i adael yn wag ddiffaith. Condemnir hyd yn oed yr offer a roid i'r glowyr, gan roi dwy ystyr i 'llwgr', offer gwael ac aneffeithiol ac offer a oedd yn cynnal trefn a oedd yn bwdr ac yn llwgr yn ei hanfod. Cyferbynnir yma rhwng y cwm anial a lawntiau moethus, cymen perchnogion y pyllau glo yn eu cartrefi yn Lloegr. Troir cymoedd de Cymru yn ddiffeithleoedd hagr er mwyn harddu ystadau godidog perchnogion y pyllau yn Lloegr. Diffeithir ffenestr y tŷ gan y llwch a'r budreddi a chwythir gan y gwynt. Mae'r ddelwedd o ffenestr (delwedd a oedd i ddod yn ddelwedd ganolog ym marddoniaeth Waldo) a'r ddelwedd o ddrych yn cydio wrth ei gilydd, ond ffenestr ddiffaith a drych unig a geir yn y tŷ bellach, drych unig oherwydd bod y math o gymdeithas ddiwylliedig yr oedd Mardy Jones yn ei chynrychioli yn prysur ddiflannu.

Parhau â'r syniad o ysbeilio a lladrata a wneir yn y trydydd pennill. Yma y mae Elw wedi dwyn rhywbeth llawer mwy gwerthfawr nag adnoddau naturiol y cwm. Mae wedi dwyn iechyd y glöwr oddi arno. Mae 'awyr fwll' y pwll, holl awyrgylch trymaidd a gwasgfaeol y pwll glo, yn llenwi'r tŷ, oherwydd bod y pwll wedi gadael ei ôl ar D. Mardy Jones am byth. Ni adawodd mohono erioed. Ceir gwrtheb yn llinell olaf y trydydd pennill, wrth i Waldo ddisgrifio'r frwydr a gâi gwrthrych y gerdd i gerdded ar hyd llawr gwastad y gegin hyd yn oed, oherwydd bod clefyd y llwch arno:

> Rhued storom, ni rwyddheir
> Yn y tŷ mo'r awyr fwll:
> Rhoddodd Elw ar gaethwas deir
> Gaethach hual, haint y pwll;
> Yn y tŷ mae lladron nerth,
> Ar y llawr mae rhiwiau serth.

Gwerddon o ddiwylliant yng nghanol anialwch diwydiant yw cartref Mardy Jones:

> Yn y tŷ mae perl nas câi
> Elw, pe chwiliai'r llawr a'r llofft.
> Ef a'i piau, nis marchnatâi:
> Awydd creu, amynedd crefft:
> Yn y tŷ mae gwedd a gwib
> Y mesurau a'r 'Vers Libre'.

Oherwydd hynny, 'Yn y tŷ mae Gwlad.' Mae cartref D. Mardy Jones yn ddrych nid yn unig i'r dref ac i'w gymdeithas, ond hefyd i Gymru. Mae diwylliant y Cymry, a diwylliant glowyr cymoedd y De, yn y tŷ i ddechrau. Fel y dywedir yn niweddglo'r pennill olaf:

> Yn y tŷ, lle clymir Clod
> Bardd a beirdd oedd cyn ein bod.[34]

Ac y mae gwlad yn y tŷ hefyd oherwydd bod cartref Mardy Jones yn ddrych i'r modd yr ecsbloetiwyd Cymru gan Loegr. Canfasio ar ran y blaid a fynnai ryddhau Cymru o afael Lloegr yr oedd Waldo ar y pryd.

Fel 'Die Bibelforscher', cerdd sy'n edmygu safiad yw 'Yn y Tŷ', safiad ar raddfa lai, mae'n wir, ond safiad er hynny. Nid yw preswyliwr y tŷ yn fodlon gadael i Elw ei lorio'n llwyr. Tra bo rhaib Cyfalafiaeth wedi llwyr anrheithio a hagru'r cwm y tu allan i'r tŷ, cedwir y tŷ ei hun yn daclus ac yn lân, fel protest yn erbyn y diwydiant sydd wedi diffeithio'r ffenestr. 'Palmwydd rhag yr anial hwnt' oedd y gegin a ffriliau'r parlwr ffrynt. Ac mae awen D. Mardy Jones yn herio Elw, a'i ddiwylliant a'i greadigolrwydd yn wrthfur cadarn yn erbyn lluoedd Cyfalafiaeth.

Er mai alltudiaeth hunanddewisedig oedd alltudiaeth Waldo, roedd ei hiraeth am ei gynefin ef ei hun a'i bobl ef ei hun yn amlwg yn agoriad y llythyr a anfonodd at D.J. a Siân ar Fehefin 13, 1946:

> Dyma fwrw fy mara ar wyneb y dyfroedd. Y fath ddyfroedd hefyd. Wythnos segur i mi am fod y caeau cleiog yn rhy wlyb i fyned iddynt. Peth anghyffredin yn yr amser hwn o'r flwyddyn hefyd. Cawn dipyn o hwyl yr wythnos o'r blaen yn gweld fy nghydweithwyr yn mynd i gwato, a minnau
>
> > Yn mynd ymlaen, ac ymlaen yn null fy mhobl
> > Hen hil y niwl a'r glaw m[â]n a'r brwyn a'r ffetanau sach
> > Ymgodymwyr [â] daear ac wybren, curwyr y cwbl
> > Fel y gwelais hwy gynt ar y llethrau yn y caeau bach.[35]

Lluniodd Waldo gerdd arall am y rhyfel ym 1946, 'Gwanwyn', a gyhoeddwyd yn rhifyn Mai 8 o'r *Faner*, cerdd rymus, hunllefus ei delweddau. Gyda'r swp hwn o gerddi a luniwyd ym 1946, daeth ei ganu am y rhyfel a'i effeithiau i ben, a throdd at thema arall: Cymru a Chymreictod. Roedd rheswm arbennig am hynny, a'r rheswm hwn eto yn ymwneud â'i heddychiaeth yn ogystal â'i genedlaetholdeb. Ym mis Tachwedd 1946 dadlennwyd cynlluniau'r Swyddfa Ryfel i feddiannu 16,000 o erwau o fynyddoedd y Preseli a bröydd cyfagos, oddeutu 58,800 o erwau o dir amaethyddol i gyd, ar gyfer hyfforddiant milwrol. Lai na phythefnos ar ôl i'r Swyddfa Ryfel ddatgelu ei bwriadau, trefnwyd cyfarfod i wrthwynebu'r cynllun gan Undeb Cymru Fydd yn Abergwaun, a ffurfiwyd Pwyllgor Amddiffyn Preseli yn y cyfarfod hwnnw. Cynhaliwyd cyfarfod cyntaf y pwyllgor yn Ysgol Maenclochog ddiwedd Tachwedd, i ethol swyddogion a chynrychiolwyr i'r gwahanol ardaloedd. Roedd gan y Pwyllgor Amddiffyn frwydr hir a chwerw o'i flaen, yn enwedig gan fod sawl cyngor tref lleol yn cefnogi bwriad y Swyddfa Ryfel.

Ac yntau'n byw ac yn gweithio yn Lloegr ar y pryd, ni allai Waldo wneud fawr ddim i gefnogi'r Pwyllgor Amddiffyn, ac eithrio rhoi ei awen ar waith, i brotestio yn erbyn anfadwaith y Swyddfa Ryfel. Trodd y pennill cymharol ddiniwed a anfonodd at D.J. a Siân yn bennill yn un o'i gerddi grymusaf oll, 'Preselau', yn ôl ei theitl gwreiddiol, cyn i Waldo roi'r teitl mwy adnabyddus 'Preseli' iddi:

> Ac ar glosydd, ar aelwydydd fy mhobl –
> Hil y gwynt a'r glaw a'r niwl a'r gelaets a'r grug,
> Yn ymgodymu â daear ac wybren, ac yn curo,
> Ac yn estyn yr haul i'r plant, o'u plyg.

Cerdd brotest yw 'Preselau', protest eirias yn erbyn bwriad y Swyddfa Ryfel i droi ardaloedd brawdoliaeth yn fröydd llofruddiaeth:

> Hon oedd fy ffenestr, y cynaeafu a'r cneifio
> Mi welais drefn yn fy mhalas draw.
> Mae rhu, mae rhaib drwy'r fforest ddiffenestr
> Cadwn y mur rhag y bwystfil, cadwn y ffynnon rhag y baw.[36]

Yr oedd Waldo o'r farn mai 'Preselau' oedd un o'i gerddi gorau:

> ... rwyf i wedi darlunio nawr y man lle'r oedd y frawdoliaeth 'ma yn bod. Hanfod y peth hwn oedd y teimlad brawdol 'ma trwy'r gymdeithas i gyd – y peth sy'n tystio bod gynnom ni rywbeth sydd o'r tu hwnt i'r ddaear yma. 'Perl yr anfeidrol awr yn wystl gan amser' – fod hwnna rywffordd neu'i gilydd wedi cael ei blannu ynom ni yn y dechre, a dyna pam rŷn ni'n bod, allwn i feddwl, a'n hamcan ni; trwy y gymdeithas hon, trwy'r pethe gore yn ein bywyd ni, yr oeddwn i'n gweld posibilrwydd nefoedd. 'Mi welais drefn yn fy mhalas draw.' Wedyn y 'fforest ddiffenestr' yw pethe sydd yn ein cau rhag gweld y byd ysbrydol, yr elyniaeth yma, trais, gormes – hwnna oedd y 'baw'.[37]

Cyhoeddwyd 'Preselau' yn rhifyn Tachwedd 20, 1946, o'r *Faner*. Erbyn i'r gerdd ymddangos yn *Y Faner*, roedd Waldo wedi gadael Ysgol Kimbolton. Prin ryfeddol erbyn hyn yw'r rhai sy'n cofio amdano yn dysgu yn Ysgol

Kimbolton, ond mae un o'i gyn-ddisgyblion, Mick Rich, wedi rhoi ar gof a chadw ei atgofion am ei athro Lladin, ar gyfer y cofiant hwn. Aeth Mick Rich i Ysgol Kimbolton ym mis Medi 1943, pan oedd yn ddeuddeg oed. Roedd ganddo gof byw am ei athro Lladin:

> I remember him most of all as a rather fierce looking man – I am sure that it was his bushy eyebrows that gave that impression – but in reality he was very kind; something of a fatherly figure. With my reluctance with the subject, he must have been a good teacher to get me to where he did. With all good teachers, the pupils do not realise they are learning, but that is difficult to achieve with Latin. I can perhaps best sum it up by saying that I looked forward to his lessons and that is more than I can say of some![38]

Cofiai fel y gallai Waldo golli ei limpin weithiau:

> Waldo did have something of a temper but it really was with himself. Looking back, I now realise that it was some frustration that he had not managed to get into our thick skulls what he wished to implant there. I never remember him making a scene with any pupil at all. His method was persuasion. From what I now know of his life after Kimbolton, that fits.[39]

Ni chymysgai Waldo ryw lawer â'r athrawon eraill. Roedd yn byw y tu allan i Kimbolton, yn un peth. Cadw iddo'i hun a wnâi'n bennaf:

> When Waldo arrived at Kimbolton, of course, we were still at war. Transport by car was impossible. Like some of the other teachers, Waldo arrived at School on his bicycle. Most of the staff lived in the town of Kimbolton itself (it is and was, officially, a Town, not a Village – although it only had 900 inhabitants!). They used to walk to work or cycle. Waldo had digs at Perry which was about 4 miles away, too far to walk except for an enthusiast; hence his bike. I do not recall him taking part in any of the many extra-mural activities. We never knew, of course, that he came to Kimbolton very shortly after Linda had died. Looking back now, I suspect this may have had something to do with his quiet and somewhat reserved out of school manner.[40]

Gadawodd Waldo Ysgol Kimbolton i fynd i ddysgu yn Ysgol Gynradd Lyneham, ger Chippenham, Wiltshire. Ymunodd â staff yr ysgol ar Dachwedd 4, 1946, yn union ar ôl gwyliau hanner tymor.[41] Ysgol eglwysig oedd Ysgol

Gynradd Lyneham, a phrifathrawes Waldo oedd Maude Elizabeth Ivy Webb. Roedd Maude Webb yn meddu ar ddoniau cerddorol a hi oedd organyddes Eglwys Lyneham. Bu'n brifathrawes Ysgol Lyneham oddi ar 1935, a byddai'n aros yn y swydd hyd at 1956.

Lletyai Waldo yn Barrow End Farm ar gwr gorllewinol pentref Lyneham, fferm o ryw 96 o aceri cyn i'r Weinyddiaeth Awyr hawlio cyfran sylweddol o'r tir ym 1940–41 i godi gorsaf awyrlu yno. Ym 1942 hawliwyd rhagor o dir amaethyddol ar gyfer yr orsaf awyrlu. Lletyai Waldo gydag Egbert ac Ada Kane yn Barrow End Farm, ond nid oedd ganddo ystafell ar ei gyfer ef ei hun yno. Fodd bynnag, cafodd ystafell iddo'i hun mewn fferm gyfagos, Thickthorn Farm, gan Reg a Muriel Pocock, ac âi yno gyda'r nos i ddarllen ac i fyfyrio, fel yr eglurodd wrth Anna Wyn Jones ym mis Ionawr 1948:

> Rwy[']n dod lawr yma bob prynhawn yn union ar ôl yr ysgol, yn dod [â] digon o frechdan i de mewn bocs tun hwylus iawn sydd gennyf, yr un un ag oedd gennyf yn Huntingdon ar y tir. Mae'r bobl yma yn cael tamaid cyn mynd i odro, ac felly mi allaf gael y te cyn cynneu'r tân. Ar ôl cael fy nhê rwy[']n mynd at y gwaith hwnnw, weithiau mae'n hala tipyn o amser os bydd y tanwent yn wlyb – nid wyf yn ddigon darbodus i gasglu crugyn ymlaen llaw a'u rhoi dan do i sychu, mae'n rhaid imi ddiwygio ar y pen hwn. Wedyn ar [ô]l gwneud hyn a'r llall o gwmpas fy ystafell rwy['n] barod i setlo i lawr tua phump o'r gloch, ac yr wyf yn cadw ymlaen hyd hanner awr wedi naw. Wedyn rwy[']n mynd, nid yn ôl i Barrow End eto, ond i'r cyfeiriad arall, tua milltir, i le bach o'r enw The Trotting Horse ac rwy[']n cael peint a sgwrs yno, cyn mynd yn ôl i Barrow End sydd dair milltir a hanner i ffwrdd.[42]

Yn y Trotting Horse dôi Waldo ar draws ambell gymeriad difyr:

> Mae'n bur anodd dod i nabod pobl y ffordd hon – i mi beth bynnag. Pa noswaith yr oeddwn gyda rhyw hen greadur yn y Trotting Horse dim ond ni'n dau yn y stafell honno, ac fe ofynnodd i fi "How's farming getting on?" Atebais "It's teaching I am. Didn't I tell you that before?" "Oh," meddai yntau[,] "I thought you said ditching."[43]

Roedd y berthynas rhwng Waldo a'i brifathrawes yn fregus ar brydiau, er iddo wneud sawl cymwynas â hi. Mewn llythyr diddyddiad at D.J. a Siân dywedodd ei fod wedi mynd i Trowbridge a dau nai Miss Webb gydag ef.

Roedd chwaer Miss Webb, a oedd yn byw yn Calne, wrthi'n rhoi genedigaeth i blentyn arall, 'ar ôl amser caled iawn', a gwaith Waldo oedd mynd â'r ddau nai allan o'r ffordd.[44] Dro arall, ym mis Ionawr 1948, fel yr eglurodd wrth Anna Wyn Jones, collodd chwe awr o'i ddydd Sul 'trwy i Miss Webb fy ngalw ar y ffôn i ofyn a ddown i draw i gadw cwmni i Gordon y prynhawn tra byddai hi allan'.[45] Anfonodd Waldo gerdd Saesneg ynghlwm wrth lun o Geffyl Gwyn Cherhill a cholofn hirfain Cofeb Lansdowne yn weladwy yn y cefndir at Gordon ar Ragfyr 20, 1948, yn rhodd Nadolig, fe ellid tybied. Mwy na thebyg mai un o ddau nai Maude Webb oedd y Gordon hwn. 'Waldo G. Williams' yw'r enw wrth gwt y gerdd, sef y ffurf ar ei enw a ddefnyddid fynychaf yn ysgolion Kimbolton a Lyneham. Dyma'r gerdd:

> High above the Great West Road,
> Where the larks in summer time
> Sing, and past the last abode
> Holiday making parties climb.
> There the Cherhill White Horse stands
> Art of ancient heads and hands.
>
> There the newer monument
> Pierces summer's azure sky.
> Wind and rain do not relent,
> But when the tower's stones shall lie
> O'er the sword on either hand
> Still that ancient Horse shall stand.[46]

Ceir yma adlais croyw ac amlwg o'r cywydd 'Y Tŵr a'r Graig', gyda'r ceffyl gwyn yn cyfateb i'r graig a Chofeb Lansdowne yn cyfateb i'r tŵr. Ar Cherhill Down, rhyw dair milltir a hanner o bellter o dref Calne, y ceir y ceffyl gwyn hwn. Creadigaeth meddyg o Calne o'r enw Christopher Alsop oedd Ceffyl Gwyn Cherhill (neu Geffyl Gwyn Oldbury) – ac nid gwaith unrhyw lwyth hynafol. Ym 1780, cyfarwyddodd nifer o weithwyr i dorri ffurf y ceffyl yn y tywyrch a orweddai dros haenau o galch, a thynnu'r tywyrch i gyd ymaith. Codwyd y gofeb, ar y llaw arall, gan Drydydd Marcwis Lansdowne ym 1845, i goffáu un o'i hynafiaid.

Pentref a reolid gan ferched oedd Lyneham, ac nid oedd Maude Webb yn eithriad yn hynny o beth:

> Mae merched ar y cyfan y[n] fwy deddfol na dynion ... yn fwy tueddol i feddwl
> beth fydd yr arolygwyr a'r rhai mewn awdurdod yn meddwl am hyn. Ond fy mhrif
> gŵyn yn erbyn Miss Webb yw nad yw y plant eu hunain ddim yn cyfrif digon
> gyda hi – eisiau ysgol dda sydd arni, nid plant da; a bod y safonau ymddygiad felly
> yn mynd yn artiffisial iawn. Nid ydym yn cydfynd o gwbl ynghylch gwreiddyn y
> mater ac y mae'n drueni mawr ein bod yn rhannu'r un ystafell. Mi wn ei bod yn
> meddwl na fedraf ddysgu rhai pynciau. Un o'r rhain yw barddoniaeth. Y llall yw
> Arith.[47]

'Mae hi'n garedig iawn yn ei ffordd, ond mae'n drueni ei bod hi mor stodgy gyda'r plant,' meddai Waldo amdani, gan ychwanegu y gallai 'agor i maes lawer mwy oni bae fy mod yn yr un ystafell â hi'.[48] Roedd Waldo yn hoff o ddifyrru plant wrth eu dysgu, ond ni allai wneud hynny ym mhresenoldeb ei brifathrawes.

Amgaeodd gerdd newydd o'i eiddo yn y llythyr a anfonodd ar Ionawr 25, 1948, at Anna Wyn Jones, sef 'Cwmwl Haf'. Anfonodd gopi o'r gerdd at D. J. Williams yn ogystal, fisoedd yn ddiweddarach. Cerdd ar ffurf *vers libre* oedd y gerdd newydd. Y mae'n anodd osgoi'r argraff fod y gerdd yn ail-greu profiad arswydus a ddaeth i ran Waldo pan oedd yn blentyn, neu'n fachgen ifanc o leiaf. Yn y gerdd, y mae Waldo yn cofio amdano yn colli ei ffordd ar y mynydd ar ôl i niwl trwchus orchuddio a dileu'r hen olygfeydd cyfarwydd. Yn y llinellau agoriadol mae Waldo, ac yntau bellach yn alltud, yn sôn am ymlyniad oesol dyn wrth ei gynefin:

> Durham, Devonia, Allendale – dyna'u tai.
> A'r un enw yw pob enw,
> Enw'r hen le a tharddle araf amser
> Yn yr ogof sy'n oleuach na'r awyr
> Ac yn y tŷ sydd allan ym mhob tywydd.

Tai estroniaid yw'r tai hyn a wêl Waldo ymhobman o'i gwmpas – 'dyna'u tai' nid 'dyna'n tai'. Ac eto, er mai tai dieithriaid ydynt, y mae un peth yn gyffredin yn yr enwau tai hyn, sef bod pobl yn hoff o roi enw eu cynefin ar eu tai, os ydynt wedi ymgartrefu mewn lle dieithr. Felly, y mae pob enw yr un fath â'i gilydd gan fod pob enw yn nodi ymlyniad dyn wrth ei gynefin a hefyd ei hiraeth am ardal ei febyd. Mae tarddle neu ddechreuad pob un o'r tai hyn yn yr ogof gyntefig, cartref cyntaf dyn, a thrwy droi ogof yn gartref, a sefydlu'r syniad o gartref, roedd dyn ar yr un pryd yn creu'r gwerthoedd hynny a oedd yn rhan annatod o gartref: closrwydd teuluol, caredigrwydd, cariad, gofal, diogelwch, perthyn. Mae'r ogof, felly, sef y cartref cychwynnol, yn oleuni i gyd, gan fod cariad a charedigrwydd yn goleuo'r holl gartref. Y mae'r ogof a'r tai a enwir yn y llinell gyntaf yn dai sydd allan ymhob tywydd, tywydd llythrennol a thywydd trosiadol. Y mae tai, fel yr ogof gyntefig, yn amddiffynfa rhag gerwinder y tywydd, ac yn lloches ac yn noddfa hefyd rhag stormydd bywyd, rhag gorthrwm a rhag rhyfeloedd. Cymerodd ganrifoedd i ddyn godi o'r ogof gyntefig i drigo mewn tai, a chymerodd ganrifoedd hefyd i ddyn roi enwau i dir ac i dai, ac felly, cynnyrch tarddle 'araf amser' yw'r lleoedd hyn. Ceir y syniad hwn o amser yn arafu wrth lifo rhagddo yn y stori 'Llety Fforddolion', lle mae un o ddoethion yr ardal yn cyflwyno 'thiori diwetha'r gwyddonwyr' i'r lleill: 'Mae llif amser yn arafu wrth fyned yn ei flaen ... Yn arafu, arafu o hyd. Hyd nes daw adeg pan beidia amser â llifo o gwbl. Ac wedi sefyll, nid amser a fydd mwyach ond – *dim.*'

Wrth fyfyrio ar yr hyn y mae enwau'r tai yn ei gynrychioli, sef ymlyniad wrth fro, yn ogystal ag ymdrech i ddal gafael ar yr hen gynefin, dechreua Waldo feddwl am ei genedl a'i gynefin ef ei hun. Fel dewin, teifl lond dwrn o ehedyddion i'r awyr, ac mae'r ehedyddion hynny yn deffro'r dydd yn ei hen ardal, ac yn galw ar yr anifeiliaid i fentro allan i'r meysydd. Ar ôl i J. Edwal Williams a'i deulu symud o Hwlffordd, mewn ardal amaethyddol y magwyd Waldo, a gall yn awr weld meirch a gwartheg y cynefin hwnnw yn fyw o flaen ei lygaid:

> Bwrw llond dwrn o hedyddion yma a thraw
> I alw cymdeithion y dydd.
> Yn eu plith yr oedd anrhydedd llawer llinach –
> Henffych i'r march mawr teithiol dan ei fwa rhawn,
> A'i gerddediad hardd yn gywydd balchder bonedd,
> Ninnau'n meddwl mai dangos ei bedolau yr oedd;
> Ac wele, i fyny o'r afon,
> Urddas wâr, urddas flith, fel y nos,
> Yn plygu'r brwyn [â]'i chadair
> Ac yn cario'r awyr ar ei chyrn.

Ac yn ein plith ni, arglwyddi geiriau, yr oedd rhai mwy
Na brenhinoedd hanes a breninesau.
Ym mhob tywydd diogelwch oedd y tywydd.
Caredigrwydd oedd y tŷ.

Yn ei ddychymyg, a thrwy lygad atgof, mae Waldo yn ôl yn yr hen le. Rhyfeddod iddo oedd gweld y march mawr â'i fwa rhawn yn prancio'n osgeiddig heibio iddo, gan godi ei goesau'n uchel a dangos ei bedolau. Dyna'r ystyr lythrennol: urddas a rhyfeddod y march hwn, a hwnnw'n farch o dras. Ond mae i'r march amgenach ystyr yma. Yr hyn y mae Waldo yn ei wneud yn y rhan hon o'r gerdd, ac yntau yn byw bellach yng nghanol estroniaid Lyneham a broydd cyfagos, yw myfyrio ar ei gefndir ef ei hun. Mae rhyw ddyhead ynddo yn 'Bwrw llond dwrn o hedyddion yma a thraw', ei hiraeth yn galw ar hedyddion ei ddychymyg i oleuo'r dydd, i ganu gobaith ac i gynnig hyder, ac mae'r hedyddion hyn yn eu tro yn cymell march ei atgofion a march ei ddychymyg. Cyfeirio at y traddodiad barddol a wneir yma. Yr oedd olrhain achau'r noddwr yn elfen hanfodol yng nghanu Beirdd yr Uchelwyr ('anrhydedd llawer llinach'). Un o fotifau amlycaf y Cywyddwyr oedd y cywyddau gofyn march. Wrth i'r cywyddwr erchi march ar ran ei noddwr, disgrifid y math o farch delfrydol y dymunai ei gael, a cheir dyfalu a disgrifio a delweddu gorchestol yn y math hwn o ganu. At ddelweddu o'r fath y cyfeiria bwa rhawn a cherddediad hardd y march. Roedd angen i'r march hefyd fod yn farch o dras aruchel, 'yn gywydd balchder bonedd'. Priod-ddull yw 'dangos ei bedolau', sy'n golygu bod rhywun yn dangos ei orchest neu'n 'dangos ei hun'. Nid dangos eu pedolau yr oedd y Cywyddwyr gynt wrth ddyfalu, sef disgrifio gwahanol wrthrychau mewn dull trosiadol, lliwgar, ffansïol a llawn dychymyg, a hynny trwy gyfrwng cynganeddion cywrain a gorchestol, yn eu cywyddau gofyn. Yr oedd i'w cywyddau ddyfnach arwyddocâd nag arddangos campau yn unig.

Yn ôl Waldo, un o'r pethau a wnâi Gymru yn gwbl unigryw ac yn hollol wahanol i bob gwlad arall dan haul oedd y gynghanedd. Wrth iddo fyfyrio am ei genedl yn Lloegr bell, mae'n meddwl am rai o'i hanfodion a'i nodweddion pwysicaf ac amlycaf oll, ac un o'r hanfodion hynny yw'r gynghanedd. Bu Waldo'n darlithio droeon ar y gynghanedd, ac y mae rhai o'r darlithiau hynny wedi goroesi, ei ddarlith 'Y Gynghanedd Yfory', er enghraifft, y ceir sawl fersiwn ohoni ymhlith ei bapurau. Credai fod y gynghanedd yn anhepgor i'r Gymraeg ac i'w llenyddiaeth:

Credaf i y pery'r gynghanedd mwy, tra pery'r iaith, yn ddigon byw ac ar raddfa ddigon mawr i gynnal llenyddiaeth. Bydd b[arddoniaeth] yn rhan o'n llenyddiaeth, a b[ydd] [y] g[ynghanedd] yn rhan ohoni, oherwydd y berthynas agos sydd rhwng y g[ynghanedd] a theithi'r iaith. Yr ydym yn teimlo wrth ddarllen gwaith bardd mawr fod athrylith yr iaith yn ei mynegi ei hunan drwyddo ac y mae hyn yn wir iawn am y gynghanedd yn nwylo bardd mawr.[49]

Mwy perthnasol fyth, o safbwynt ystyried 'Cwmwl Haf', yw'r hyn a ddywedodd Waldo am y gynghanedd, ac am farddoniaeth yn gyffredinol, yn ei ddarlith 'Y Gynghanedd, Beth Yw Hi?':

Ai addurn, ai gorchest[?] Y mae'n a[ddurn] ac yn o[rchest]. Mae gorchest ym mhob celfyddyd. Bod dyn yn feistr ar ei ddeunydd ac ar ei gyfrwng, mwynhad – bod arall yn canfod ei feistrolaeth, mwynhad. Ond nid peth estronol i'r peth a addurnir yw'r addurn, ond rhywbeth yn dangos ei ogoniant, yn dwyn allan ei anian. Nid rhywbeth ecstra at y creu yw'r ymorchestu, ond rhyw benllanw o'r elfen greadigol. Y mae'r ddau beth yn un. Pan welwch chi geffyl syrcas yn dawnsio ar ben barilau, neu gi syrcas yn cyfarth atebion i syms ar garden, yr ydych yn synnu, nid ydych yn edmygu. Pan welwch chi geffyl yn neidio'r glwyd a'r ffos, wedi perffaith fesur yr uchter a'r lled â'r llygad a dwyn ei gyhyrau at y gofynion, neu pan welwch chi gi defaid yn cymell y defaid hyd lwybr nad ydynt a[m] fynd [arno], pryd hynny'r ydych yn edmygu. Nid triciau estron i'w natur sydd yma, ond datblygiad ar y cynheddfau [*sic*] sy[dd] ynddynt. A dyna yw barddoniaeth, datblygiad ar gynheddf [*sic*] iaith, ac y mae'r gynghanedd i'm meddwl i yn cario ymlaen hyd yr eithaf un agwedd ar y datblygiad yma.[50]

Testun edmygedd oedd y march a oedd 'yn gywydd balchder bonedd', nid testun syndod. Nid ceffyl syrcas mohono, ond ceffyl gosgeiddig a allai neidio'r glwyd a'r ffos yn naturiol. Dangos ei orchest a wna'r ceffyl syrcas a'r ci sy'n cyfarth atebion, ond nid felly'r march yn 'Cwmwl Haf'. Ac nid y traddodiad barddol yn unig a gynrychiolir gan y march hwn, ond y gynghanedd ei hun. Fel y gynghanedd, y mae'r march hwn yn addurn ac yn orchest ar yr un pryd – y ddau yn un.

Ar ôl sôn am draddodiad barddol ei genedl, mae Waldo wedyn yn sôn am draddodiad storïol ei genedl a'i gynefin. Yma ceir darlun o'r gymdeithas agos a geid yn ardaloedd y Preseli. Mae 'Ac wele, i fyny o'r afon' yn cyfeirio at hanes y newyn yn yr Aifft yn ôl Genesis: 'Ac wele, yn esgyn o'r afon, saith o wartheg teg yr olwg, a thewion o gig; ac mewn gweirglodd-dir y porent' (Genesis 41:2). Un o gampweithiau mawr y Gymraeg yw Beibl William Morgan, ac y mae *Pedair Cainc y Mabinogi* a chwedlau Cymraeg eraill ymhlith gorchestion pennaf y genedl. Mae i'r Gymraeg draddodiad rhyddiaith cyfoethog yn ogystal â thraddodiad barddol gorchestol. Roedd magwraeth Waldo yn fagwraeth gapelyddol, ond nid at y capel na'r Ysgol Sul yn unig y cyfeirir yma. Adroddid rhannau o'r Beibl yn ogystal â chwedlau a straeon a berthynai i'r traddodiad llafar ar aelwydydd y fro. Awgrymir chwedl Llyn y Fan yn ogystal â hanes y newyn yn Genesis yma. Y rhain yw'r arglwyddi geiriau, y cyfarwyddiaid a'r storïwyr a'r llenorion lleol, ac mae'r gair, yn ogystal â'r frawdoliaeth naturiol a'r gymdogaeth dda a geir rhwng trigolion cynefin y bardd, yn drech na grymoedd gwladwriaethau a breniniaethau. Yn ôl Dilys Williams, chwaer Waldo, wrth sôn am yr 'arglwyddi geiriau', 'yma yn eu mysg hwy, frodorion Mynachlogddu, y cafodd y bachgen ei arwyr'.[51]

Ceir dieithrwch yn llinellau agoriadol y gerdd, a chynefindra a pherthyn yn y rhannau sy'n sôn am y march a'r gwartheg. Ac ar ôl i Waldo grwydro'n ôl i fro ei febyd yn ei ddychymyg yn yr ail ran hon, daw dieithrwch drachefn wrth iddo gofio amdano'i hun yn cael ei ddal gan niwl ar y mynydd:

> Unwaith daeth ysbryd cawr mawr i lawr
> Trwy'r haul haf, yn yr awr ni thybioch,
> Gan daro'r criw dringwyr oddi ar eu rhaffau cerdd.
> Nid niwl yn chwareu, na nos yn chwareu,
> Ond distawrwydd llaith, llwyd,
> Yr un sy'n disgwyl amdanom.
> Wele, fe ddaeth, heb ddod.
> Caeodd y mynyddoedd o boptu'r bwlch,
> Ac yn ôl, yn ôl
> Fel blynyddoedd pellhaodd y mynyddoedd
> Mewn byd oedd rhy fud i fyw.
> Tyfodd y brwyn yn goed, a darfod amdanynt
> Mewn byd oedd rhy fawr i fod.

Nid oes 'acw'. Dim ond fi yw 'yma'.

Fi

Heb dad na mam na chwiorydd na brawd,

A'r dechrau a'r diwedd yn cau amdanaf.

Pwy wyf i? Pwy wyf i?

Estyn fy mreichiau ac yno, rhwng eu dau fôn,

Arswydo meddwl amdanaf fy hun,

A gofyn gwaelod pob gofyn:

'Pwy yw hwn?'

Awgrymir mai plentyn oedd Waldo ar y pryd gan yr odli plentynnaidd ('ysbryd cawr mawr i lawr'), a hawdd credu mai ym Mynachlog-ddu y cafodd y profiad hwn, fel yr awgryma ei chwaer. Roedd Waldo yn chwech oed pan symudodd Edwal ac Angharad o Hwlffordd i Fynachlog-ddu, ac roedd yn ddeg oed pan symudodd y teulu i Landysilio, a phrofiad bachgen ifanc iawn a geir yn 'Cwmwl Haf'. Ni fyddai plentyn hŷn yn cael ei ddychryn gan brofiad o'r fath. Awgrymir hefyd fod y teulu'n gyflawn pan aeth ar goll yn y niwl – 'Heb dad na mam na chwiorydd na brawd' (Roger). Prin y byddai wedi llunio llinell o'r fath pe bai'n sôn am ddwy o'i chwiorydd yn unig, ar ôl marwolaeth Morvydd. Mae'r niwl hwn fel 'ysbryd cawr mawr' i'r plentyn: mae'n bresenoldeb arallfydol, goruwchnaturiol, brawychus, fel pe bai marwolaeth wedi dod – 'Wele, fe ddaeth, heb ddod' – neu ddiwedd y byd, a'r plentyn yn gorfod dod wyneb yn wyneb â Duw: 'Yn yr awr ni thybioch y daw Mab y Dyn' (Mathew 24:44). A hefyd, gorfod dod wyneb yn wyneb ag ef ei hun, heb ymgeledd, sicrwydd na gofal teulu. Mae ei fro wedi'i dileu ac mae ei deulu wedi'i ddileu. Heb fro a theulu, nid oes gan y plentyn y syniad lleiaf pwy ydyw – 'Pwy wyf i? Pwy wyf i?' Ac wedyn, mae'n colli ei hunaniaeth, ac mae'n edrych arno'i hun o'r tu allan, fel pe bai'n ddieithryn llwyr: 'Pwy yw hwn?' Mae wedi colli'i hunaniaeth, wedi colli'r ymdeimlad o berthyn, wedi colli sicrwydd.

Yna, yn rhan olaf y gerdd, daw'r ymdeimlad o berthyn yn ôl eto:

Sŵn y dŵr. Bracsaf iddo am ateb.

Dim ond y rhediad oer.

Trwy'r clais adref, os oes adref

Swmpo'r post iet, er amau,

Ac O! cyn cyrraedd drws y cefn,
Sŵn adeiladu daear newydd a nefoedd newydd
Ar lawr y gegin oedd clocs mam i mi.[52]

Mae'r plentyn ar goll o hyd, ac wedi llwyr ddrysu. Ni ŵyr a oes ganddo
gartref ai peidio: 'os oes adref', 'er amau'. Yna, mae'n clywed sŵn clocs
ei fam ar lawr y gegin ac mae'n gwybod ei fod wedi cyrraedd ei gartref, a
chyrraedd diogelwch, perthyn a chariad ar yr un pryd. Mae'n ddigwyddiad
ffrwydrol o orfoleddus i'r bachgen, ac i gyfleu hynny, ceir cyfeiriad Beiblaidd
grymus: 'Canys wele fi yn creu nefoedd newydd, a daear newydd' (Eseia
65:17). Symudwyd o dai estron ac anghyfarwydd Lyneham a'r cyffiniau i
dŷ cyfarwydd yn ardal y Preseli. Dyna gylch crwn. Pwysigrwydd cynefin a
sicrwydd cartref yw thema'r gerdd. Heb ddiogelwch, caredigrwydd a chariad
teulu a chartref, roedd y plentyn ar goll yn y byd. Ni wyddai pwy oedd, gan
fod dyn a'i gynefin a'i gartref yn un. Ond cwmwl haf oedd hwn, ennyd o
ofn, dryswch dros dro. Roedd y cartref yno o hyd.

Ni ddychwelodd Waldo i'w waith ar ôl i'r ysgol ailagor wedi'r gwyliau
hanner tymor ar Chwefror 25, 1947. Caewyd yr ysgol ar Fawrth 5 wrth i
aeaf gerwin 1947 gydio yn y wlad. Ailagorwyd yr ysgol union wythnos yn
ddiweddarach, ond ar Fawrth 17, bum niwrnod ar ôl i'r ysgol ailagor, yr aeth
Waldo yn ôl at ei waith, wedi iddo gael pwl o dostrwydd.[53] Tostrwydd neu
beidio, roedd Waldo erbyn hyn yn creu rhai o'i gerddi mwyaf. Lluniodd
dair cerdd arall am Gymru a Chymreictod ym 1947, 'Daear Cymru', a
gyhoeddwyd yn *Y Ddraig Goch* ar ddechrau Mai, 'Cymru'n Un', a gyhoeddwyd
yn rhifyn Awst 8 o'r *Faner*, a 'Cymru a Chymraeg', a gyhoeddwyd yn rhifyn
Tachwedd 26 o'r *Faner*. Cerdd weddol anadnabyddus yw 'Daear Cymru',
ac ni chynhwysodd Waldo mohoni yn *Dail Pren*. Seiliwyd y gerdd ar eiriau
Clement Attlee, Prif Weinidog Prydain ar y pryd: 'Some parts of Wales are
not too comfortable.' Dyma'r gerdd:

Nid mynyddoedd a chymoedd a dolydd:
  Y fraich a'u cododd i'r oesol fron
Trwy'r cenedlaethau, ac anwyr fyddem
  Pe peidiem â charu hon.

Os cyfyd llethrau lle ni safai cysur
   Ond yng nghwlwm yr amaeth[d]ai mân,
Angel sy'n ymgodymu â'r gymdeithas
   I'w bendithio'n ddiwahân.

Os oes anghyfannedd, ymyl dalen Duw,
   Gweunydd lle gwyrai'r hen froch gawr
Gan ddweud: Rwy'n edrych dros y bryniau pell
   Amdanat bob yr awr.

Dan haul a chwmwl ein profiad a'i prynodd.
   Rhed yr arial trwom ni
O'r fraich o danom, ac onid affwys
   Os peidiwn â'i hawlio hi.[54]

'Some parts' meddai Clement Attlee, ond mae Waldo yn gwrthod edrych ar ei wlad fel clwstwr o wahanol rannau a thirweddau. Un wlad yw hi, a'r amrywiaeth o fynyddoedd a chymoedd a dolydd, ucheldir a gwastatir, yn cyfrannu at yr undod. Amaethyddiaeth ac nid daearyddiaeth a greodd Gymru, ac amaethyddiaeth yn sicr a greodd warineb a brawdoliaeth ar lethrau'r Preseli, sef yr union lethrau yr oedd y Swyddfa Ryfel yn bygwth eu hawlio. Nerth bôn braich a llafur caled (y 'fraich') a wasgodd gynhaliaeth allan o'r ddaear gyndyn, nes i ddyn adael ei ôl ar y ddaear. Un 'oesol fron' yw'r ddaear, bron a fu'n maethu dyn drwy'r cenedlaethau, a bron yn yr ystyr o lethr hefyd, gan mai'r llethrau oesol hyn a fu'n cynnal amaethwyr bro'r Preseli. Llyfrgwn neu ddihirod ('anwyr') yn unig a wrthodai garu Cymru.

Caled fu'r ymdrech i amaethu tir anhydrin y Preseli, ond er mor anghysurus oedd y llethrau garw hyn, fe geid cysur yn amaethdai mân yr ardal, a'r amaethdai hyn yn gwlwm o frawdgarwch, ac yn llawn croesogarwch a charedigrwydd. Meddai Waldo wrth adolygu *Storïau'r Tir Coch*, D. J. Williams, yn y *Western Telegraph and Cymric Times* ym mis Mawrth 1942: 'ni raid dweud wrth y neb a ddarllenodd *Hen Wynebau* a *Storïau'r Tir Glas* pa beth yw ei weledigaeth: cymdeithas wâr, werinaidd, lle mae pob dyn yn ei ffordd ei hun yn frenin; lle mae'r ymdrech â natur am gynhaliaeth, er caledi mynych, yn ymdrech greadigol megis yr eiddo Jacob â'r angel pan waeddodd: "Ni'th ollyngaf oni'm bendithi."'[55] A dyna a geir yma. Angel yw'r ddaear sy'n ymgodymu â dyn, fel yr angel yn ymgodymu â Jacob, ac yn gwrthod gollwng ei afael ar ddyn nes bod dyn wedi bendithio'r ddaear â'i lafur. Dywedodd Waldo yr un peth yn union yn 'Preseli': 'Yn ymgodymu â daear ac wybren.' Ceir hanes Jacob yn ymgodymu â'r angel yn Genesis 32, a rhan o'r chweched adnod ar hugain a ddyfynnir yma: 'A'r angel a ddywedodd, Gollwng fi ymaith; oblegid y wawr a gyfododd. Yntau a atebodd, Ni'th ollyngaf, oni'm bendithi.'

Felly, mae ymdrech dyn i wareiddio'r ddaear yn fendith ac yn fyrdwn ar yr un pryd, fel ymdrech Dewi i aredig a ffrwythloni'r ddaear yn soned gyntaf 'Gŵyl Ddewi'. Bardd Genesis oedd Waldo. Credai mai trwy chwys ei lafur yr enillai dyn ei damaid, a bod gwaith corfforol yn waith bendithiol, buddiol, achubol. Manteisiai ar bob cyfle i weithio ar y tir ymhell i'w ganol oed, yn enwedig pan fethai gysgu. Trwy waith corfforol y sefydlid cyd-ddibyniaeth a brawdoliaeth rhwng amaethwyr ardal y Preseli. Anghytuno â'r hyn a ddywedodd Clement Attlee a wneir yn y gerdd hon. Nid yw daear Cymru *i fod* yn gysurus. Y mae dyn a daear i fod i ymgiprys â'i gilydd, gan mai trwy'r ymgiprys hwn y sefydlir perthynas agos, annatod rhwng y ddau.

Os oes anghyfannedd ynddi, os oes rhannau diffaith a diffrwyth yn y wlad, y mae rheswm am hynny. Arddull gywasgedig Waldo sydd ar waith yn y pennill hwn. Mae'r syniad o'r ddaear fel 'dalen Duw' yn cyfateb i'r ddelwedd o'r ddaear fel llyfr a geir yn llinell gyntaf 'Die Bibelforscher', 'Pwy fedr ddarllen y ddaear?' Mwy na thebyg mai syniad gwreiddiol ar ran Waldo yw'r syniad hwn, ond ceir yr un syniad yn union gan y diwinydd a'r cyfrinydd canoloesol Hugues de Saint-Victor, sef, mewn cyfieithiad i'r Saesneg o'r Lladin, 'the whole sensible world is like a kind of book written by the finger of God – that is, created by divine power – and each particular creature is somewhat like a figure, not invented by human decision but instituted by the divine will to manifest the invisible things of God's wisdom'. Rhannau annodweddiadol o Gymru yw'r rhannau anghyfannedd, oherwydd y mae'r Cymry wedi bod wrthi ers cenedlaethau yn trin y tir. Presenoldeb bygythiol a dinistriol yw 'cawr' yng nghanu Waldo, fel y 'cawr mawr' yn 'Cwmwl Haf', neu'r 'cawr yn yr hwyr ar ddi-hun' yn 'Rhodia, Wynt'. Cawr dig ('[b]roch') sydd yma. Nid yw tir anghyfannedd yn rhan o fwriadau Duw ar gyfer y ddaear, felly, tir ymylol ydyw, 'ymyl dalen Duw', yn hytrach na'r ddalen neu'r llyfr ei hun. Ymddengys mai duw rhyfel neu ysbryd militariaeth yw'r 'hen froch gawr'. Diffeithio ac anrheithio'r tir a wna byddinoedd a thanciau a ffrwydron, troi'r tir yn anghyfannedd, yn wahanol i amaethwyr Cymru, sy'n parchu'r tir ac yn ei ffrwythloni, gan gyflawni bwriad Duw ar gyfer dyn. Dyfyniad, dwy linell allan o un o emynau mwyaf adnabyddus Williams Pantycelyn, a geir ar ddiwedd y pennill: 'Rwy'n edrych dros y bryniau pell/Amdanat bob yr awr.' Bwriadodd Duw i ddyn fyw ar y ddaear, a byw'n un â'r ddaear, nid crwydro'r ddaear yn ddiamcan gan ddyheu am y byd a ddaw trwy'r amser, fel y gwnâi'r emynydd. Disgwylid i ddyn greu paradwys ddaearol cyn iddo gael mynediad i unrhyw baradwys nefol. Nid oes gan ryfelwyr barch at y byd a'r bywyd hwn, a rhaid felly fod eu bryd ar y byd a ddaw yn unig. Tra bo amaethwyr yn trin y bryniau a'r llethrau, edrych dros y bryniau a wna eraill. Nid yw rhyfel yn rhoi cyfle i ddyn fyw oes lawn ar y ddaear nac i feithrin perthynas â'r ddaear. Troi gweunydd, tir gweiriog naturiol, yn anghyfannedd a wna 'hen froch gawr' rhyfel.

Prynu'r ddaear â'i brofiad a wnaeth dyn, nid ei chael yn rhodd foethus, rwydd. Trwy ei chwys a'i lafur y prynodd dyn ddaioni'r tir, yn union fel yr oedd y llwyth cyntefig hwnnw '[y]n prynu cymorth daear â'u dawn' yn 'Geneth Ifanc', un arall o gerddi'r alltudiaeth. Breichiau cymdeithas, y breichiau nerthol sy'n trin picwarch a phladur, a chryman a rhaw, sy'n cynnal dyn. Pe na bai braich y gymdeithas yn cynnal dyn, byddai'n syrthio i bwll diddymdra.

Yn 'Cymru a Chymraeg', bygythir y cydymdreiddiad rhwng iaith a thir, cymathiad a gymerodd ganrifoedd i'w greu – 'Dyma'r mynyddoedd. Ni fedr ond un iaith eu codi.' Trwy droi'r tir a fu'n cynnal y Gymraeg erioed yn faes ymarfer tanciau, torrid y cwlwm rhwng iaith a thir, a gallai hynny beryglu'r Gymraeg:

> Merch perygl yw hithau, ei llwybr lle mae'r gwynt yn chwipio,
> Ei throed lle diffygiai, lle syrthiai, y rhai o'r awyr is.

Ac eto, diwedd gobeithiol, nodweddiadol o Waldo, sydd i'r soned:

> Hyd yma hi welodd ei ffordd yn gliriach na phroffwydi.
> Bydd hi mor ieuanc ag erioed, mor llawn direidi.[56]

Âi Waldo yn ôl i Gymru yn aml adeg gwyliau'r ysgol. Ym mis Awst 1947, anfonodd lythyr ar ffurf cywydd at D. J. Williams gyda nod post Ystradmeurig, Awst 25 neu 26, arno. Roedd y cywydd yn cofnodi taith fws drwy wahanol rannau o Gymru y bu arni yn ystod gwyliau'r haf hwnnw:

> Dyddiau'r haul, anrhydedder hwy.
> O'r wybren rhanna'r wobrwy.
> Deuthum, dros hen gymdeithas,
> Dros fur Ystrad Fflur a'i phlas.
> Heddiw ar hynt – haeddu'r haul
> A mwrdro lledr â mawrdraul.
> Euthum i ben Pumlumon –
> Wych le, gyda dwy ferch lon
> Ddoe. Ac echdoe, ar fy oes,
> Anadlwn yn Llanidloes.
> Mewn afon b[û]m yn nofio,
> A chael heb haint, bob braint bro –
> Rhy bell dychwelyd i'r bws
> Heb ateb gwodd D[ô]l Betws.
> A gawn-ni hyd ddydd Gwener
> Oedi'n taith, boed faith, boed fer?
> Diau, mewn tridiau daw'n tro
> Cewch weld wynepcoch
>   Waldo.[57]

Trwy gydol misoedd cyntaf 1948, roedd Waldo yn gymharol dawel fel bardd ac fel llythyrwr. Bu'n beirniadu dwy gystadleuaeth yn Eisteddfod Genedlaethol Pen-y-bont ar Ogwr y flwyddyn honno, cystadleuaeth y Ddychangerdd a chystadleuaeth y Cywyddau Digri, ond dyna swm a sylwedd ei gyfraniadau llenyddol yn ystod naw mis cyntaf y flwyddyn. Yna, ar ddechrau mis Hydref, cysylltodd â D.J. a Siân yn Abergwaun. Roedd ei ddwy flynedd yn Ysgol Lyneham ar fin dod i ben, ac nid oedd yn awyddus i ofyn am estyniad i'r cyfnod:

Mae gennyf ddosbarth dymunol iawn eleni eto, ond yr un hen gornel o'r rŵm mawr, ac rwy wedi blino arno. Rwy[']n meddwl yn aml am yr ymadrodd hwnnw yn araith Paul o flaen Agrippa: ni wnaed y pethau hyn mewn congl – a dyma fi ers dwy flynedd yn gorfod gwneud y cwbl mewn congl. Fodd bynnag dywedais wrthi eto am beidio [â]'m disgwyl yn y flwyddyn newydd. Rwy'n edrych ymlaen yn awr at y newid beth bynnag fydd hwnnw.[58]

Roedd bellach yn benderfynol o adael Lyneham a Lloegr. 'Gallwn roi i fyny fy swydd yma a bod yn barod i dderbyn swydd dros dro y munud y'm gelwid, ac yna ymsefydlu'n barahaol [sic] ymhen ysbaid,' meddai wrth D.J. a Siân, neu fe allai gael swydd 'mewn ysgol ramadeg a mynd wedyn mewn amser doeth i'r ysgol arall'.[59]

Roedd wedi gweld swydd athro mathemateg yn cael ei hysbysebu mewn ysgol fodern ym Morgannwg, ond roedd yn rhaid iddo fod wedi graddio yn y pwnc. 'Dyna drefn wedi mynd yn anhrefn,' meddai.[60] Cwynai hefyd am 'yr holl drefnu ar bapur sy'n fwrn ar wareiddiad'.[61] Ni chredai ei brifathrawes ei fod yn arbennig o effeithiol fel athro: 'Os na bydd y cwbl lawr ar fy llyfr a marciau fel traed brain gennyf ar lyfrau'r plant, nid yw Miss Webb yma'n credu fy mod yn gweithio. Gwyn eu byd y rhai ni welsant, ac a gredasant.'[62]

Bu'n cymryd rhan mewn sesiynau ymarfer corff mewn ysgol haf yn ystod haf 1948, er ei fod 'ryw ddeudde[n]g mlynedd yn hŷn na'r rhelyw oedd yn cymryd rhan'.[63] Disgwylid i athrawon a disgyblion gymryd rhan mewn sesiynau ymarfer corff yn y cyfnod hwnnw, a chaent dystysgrif i brofi iddynt fod ar gyrsiau o'r fath. Ond ar brynhawn olaf y sesiynau ymarfer, ddiwrnod cyn i'r ysgol dorri am yr haf, ac yntau'n methu cysgu'n dda ar y pryd, aeth i orwedd dan goeden o olwg pawb, a chuddio. Gobeithiai y gallai'r lliaws a gymerai ran yn yr ymarfer guddio'i absenoldeb. Ymhen ysbaid, sleifiodd o'i guddfan ac aeth am dro i'r wlad. Pan aeth yn ôl gyda'r nos, aeth yr hyfforddwr heibio iddo yn ei gar, ond ni ddywedodd ddim wrth Waldo na Waldo wrtho yntau. Gofynnodd Waldo iddo a gâi adael cyn y drafodaeth a oedd yn cau'r ysgol, gan fod arno eisiau cyrraedd Aberdâr cyn nos, a rhoddodd yr hyfforddwr ganiatâd iddo i wneud hynny. Ond ni chafodd Waldo ei dystysgrif! 'Beth gefais oedd nodyn yng nghylchlythyr y swyddfa fod rhaid i ddisgyblion ysgolion haf a chyrsiau athrawon fod yn bresennol yn yr holl weithrediadau onid e ni chaent eu cydnabod,' meddai wrth D.J. a Siân.[64]

Yn yr un llythyr dywedodd iddo fynd yr holl ffordd o Lyneham i ymweld â'i fodryb Mwynlan yng Nghrughywel. Teithiodd, ar gefn ei feic, 'i fyny dyffryn eang Gwy a drosodd i Wysg yn y Fenni'.[65] Ond nid oedd y beic yn gweithio 'yn rhy rwydd' y diwrnod hwnnw, a lluniodd Waldo englyn iddo:

> Ar y beic a chario'r bag, y whil mlaen,
>   Wel, ymhleth a llindag,
>   Yn cloi, yn troi mewn triag,
>   Y 'cones' a'r zones yn zigzag.[66]

Ar y ffordd yn ôl bu'n rhaid iddo ildio a dal y trên yn Reading, gan ei bod yn glawio'n drwm ar y pryd. Lluniodd gân ar y ffordd i fyny, meddai, a'i chondemnio ar y ffordd yn ôl, a chynhwysodd y 'gweddill' yn y llythyr, sef dau bennill. Teitl y gerdd oedd 'Dwy Goeden':

> Mae'r sêr i gyd ar goeden
> A Medi ydyw'r mis
> Y plŷg yr haul mawr aeddfed
> Ei ystwyth gainc yn is.
>
> Mae coeden hŷn: ni syfl hon.
> Pery'r llonyddwch mawr
> Nes syrth fel mesen i'r borfa
> Ryw eiliad byw, o'r Awr.[67]

Dyna gynsail y gerdd ddiweddarach 'Medi', hedyn y gerdd 'Yr Eiliad', a byddai'r ymadrodd 'llonyddwch mawr' hefyd yn ymddangos yn un o'i gerddi gwirioneddol fawr, 'Mewn Dau Gae', yn y dyfodol agos. Ond ar y pryd, cerdd amrwd, anorffenedig oedd 'Dwy Goeden', ac fe wyddai Waldo hynny. 'Nid yw'r mesur iawn gennyf at y syniad[,] dyna'r bai,' meddai ar ddiwedd ei lythyr.[68]

Naw diwrnod yn ddiweddarach, anfonodd lythyr arall at D.J. a Siân o Thickthorn, neu'r 'Dreindrwch' chwedl yntau. Roedd D. J. Williams wedi anfon copi o *Cerdd Dafod* Syr John Morris-Jones at Waldo, ac roedd yn falch o'i gael. Darllenodd gyda chryn ddiddordeb y paragraff am sain dywyll a sain eglur y llythyren 'y' mewn cynghanedd Lusg, yn enwedig gan iddo lunio cynganeddion o'r fath yn ei awdl 'Tŷ Ddewi', a rhoddodd enghraifft o hynny:

> Mae myn*ydd* fy myn*ydd*oedd
> A'i hug o rug fel yr oedd.

Traddododd John Morris-Jones gyfres o ddarlithoedd ar Gerdd Dafod yn ystod yr wythnosau cyntaf yr oedd Waldo yn fyfyriwr yn Aberystwyth, a bu'n gwrando ar y darlithoedd hynny.[69] Collfarnu'r math hwn o gynghanedd a wnaeth John Morris-Jones, fodd bynnag. '[Nid] oes yma odl i glust neb,' meddai awdur *Cerdd Dafod*, ond anghytuno â gosodiad Syr John a wnâi Waldo.[70]

Ar ôl rhai misoedd o dawedogrwydd, ar ddiwedd mis Mehefin 1948 anfonodd Waldo un o'i gerddi mwyaf at J. Eirian Davies, golygydd *Y Wawr*, sef cylchgrawn cangen Coleg Prifysgol Cymru, Aberystwyth, o Blaid Cymru. 'Wedi'r Canrifoedd Mudan' oedd y gerdd honno, ac ynddi mae Waldo yn canu clodydd tri Merthyr Catholigaidd. Mae'r tri, bellach, yn un â'r goleuni tragwyddol, a'u heneidiau yn sêr yn nhywyllwch y nos. Tyllau yn llen y nos sy'n gollwng rhyw fymryn o'r goleuni tragwyddol trwyddynt yw'r sêr-eneidiau hyn, fel y 'Rhwyll i'm llygaid yn y llen' yn 'Odidoced Brig y Cread' a 'seren saint' yn 'Almaenes':

> Maent yn un â'r goleuni. Maent uwch fy mhen
> Lle'r ymgasgl, trwy'r ehangder, hedd. Pan noso'r wybren
> Mae pob un yn rhwyll i'm llygad yn y llen.

'There *is* a Kingdom, the only real Kingdom, whose light is dimly refracted and seen in broken gleams in the kingdoms of this world,' meddai Oliver Tomkins yn yr ysgrif honno a gyhoeddwyd yn *The Presbyter*, 'Church and State in the New Testament', a syniad tebyg sydd gan Waldo yma.[71]

Enwir y tri merthyr:

> John Roberts, Trawsfynydd. Offeiriad oedd ef i'r tlawd,
> Yn y pla trwm yn rhannu bara'r unrhawd,
> Gan wybod dyfod gallu'r gwyll i ddryllio'i gnawd.

> John Owen y Saer, a guddiodd lawer gwas,
> Diflin ei law dros yr hen gymdeithas,
> Rhag datod y pleth, rhag tynnu distiau'r plas.

> Rhisiart Gwyn. Gwenodd am y peth yn eu hwyneb hwy:
> 'Mae gennyf chwe cheiniog tuag at eich dirwy',
> Yn achos ei Feistr ni phrisiodd ef ei hoedl yn fwy.

Mynach Benedictaidd oedd John Roberts, brodor o Drawsfynydd, Meirionnydd, protestant cyn ei dröedigaeth. Rhwng 1603 a 1610, bu'n gweinidogaethu i rai a oedd yn dioddef o'r pla yn Llundain ('Yn y pla trwm'). Cafodd ei arestio a'i alltudio o Loegr nifer o weithiau, ym 1605, er enghraifft, pan amheuid bod ganddo ran ym Mrad y Powdwr Gwn. Rhoddwyd ef ar brawf am deyrnfradwriaeth, a dienyddiwyd ef yn Tyburn, Llundain, ar Ragfyr 10, 1610. Saer coed oedd Nicholas Owen wrth ei alwedigaeth, a gŵr rhyfeddol o fyr y rhoddwyd y ffugenw 'Little John' iddo. Am ugain mlynedd bu'n adeiladu cuddleoedd ar gyfer offeiriaid mewn cartrefi lle'r oedd Catholigion yn byw. Am flynyddoedd bu'n gweithio yng ngwasanaeth yr offeiriad Iesuaidd Henry Garnet, ac fe'i derbyniwyd yn aelod o Gymdeithas yr Iesu fel brawd o leygwr. Cafodd ei arestio ym 1582 neu 1583, ac eto ym 1594, a'i arteithio, ond gwrthododd ddatgelu dim. Bu farw un ai ar Fawrth 2 neu Dachwedd 12, 1606, wedi iddo gael ei arteithio'n giaidd yn Nhŵr Llundain. Magwyd Richard Gwyn yntau fel Protestant, ond cafodd dröedigaeth i'r ffydd Gatholig, ac fel aelod o'r Eglwys Gatholig gwrthodai gydnabod hawl Elisabeth I o Loegr i deyrnasu. Cafodd ei erlid oherwydd ei deyrngarwch diwyro i'w ffydd. Ar ôl treulio pedair blynedd yn y carchar, fe'i dienyddiwyd yn Wrecsam ar Hydref 17, 1584.

Arteithiwyd y rhain i farwolaeth, ond roedd eu hochenaid cyn iddynt farw yn ffurfio ysgol y gallent ei dringo i gyrraedd 'Golgotha eu Harglwydd gwyn':

> Y diberfeddu wedi'r glwyd artaith, a chyn
> Yr ochenaid lle rhodded ysgol i'w henaid esgyn
> I helaeth drannoeth Golgotha eu Harglwydd gwyn.
>
> Mawr ac ardderchog fyddai y rhain yn eich chwedl,
> Gymry, pe baech chwi'n genedl.[72]

Fel 'Die Bibelforscher', roedd 'Wedi'r Canrifoedd Mudan' yn mynegi edmygedd Waldo o bobl neu garfanau crefyddol a oedd yn fodlon aberthu dros eu hegwyddorion a dioddef erledigaeth, artaith a marwolaeth yn enw eu ffydd. Roedd y merthyron Catholigaidd Cymreig yn ogystal â'r Tystion Iehofa o'r Almaen wedi herio'r wladwriaeth a gwrthod plygu i reolau a gorchmynion eu herlidwyr a'u carcharwyr er mwyn amddiffyn eu cydwybod unigol hwy eu hunain.

Cyhoeddwyd 'Yr Heniaith', cerdd genedlgarol arall, yn rhifyn Hydref 20, 1948, o'r *Faner*, a daeth yn un o gerddi mwyaf poblogaidd Waldo:

> Disglair yw eu coronau yn llewych y llysoedd
> A thanynt hwythau. Ond nid harddach na hon
> Sydd yn crwydro gan ymwrando â lleisiau
> Ar ddisberod o'i gwrogaeth hen;
> Ac sydd yn holi pa yfory a fydd,
> Holi yng nghyrn y gorllewinwynt heno –
> Udo gyddfau'r tyllau a'r ogofâu
> Dros y rhai sy'n annheilwng o hon.
>
> Ni sylwem arni. Hi oedd y goleuni, heb liw.
> Ni sylwem arni, yr awyr a ddaliai'r arogl
> I'n ffroenau. Dwfr ein genau, goleuni blas.
> Ni chlywem ei breichiau am ei bro ddiberygl
> Ond mae tir ni ddring ehedydd yn ôl i'w nen,
> Rhyw ddoe dihiraeth a'u gwahanodd.
> Hyn yw gaeaf cenedl, y galon oer
> Heb wybod colli ei phum llawenydd.
>
> Na! dychwel gwanwyn i un a noddai
> Ddeffrowyr cenhedloedd cyn eu haf.
> Hael y tywalltai ei gwin iddynt.
> Codent o'i byrddau dros bob hardd yn hyf.
> Nyni, a wêl ei hurddas trwy niwl ei hadfyd,
> Codwn, yma, yr hen feini annistryw.
> Pwy yw'r rhain trwy'r cwmwl a'r haul yn hedfan,
> Yn dyfod fel colomennod i'w ffenestri?[73]

Eglurodd Waldo ei hun ystyr y gerdd hon, ar gais ei ffrind Anna Wyn Jones, mewn llythyr dyddiedig Mawrth 16, 1967. Dyma'r ffordd yr esboniodd y pennill cyntaf:

Cymharu'r iaith Gymraeg rwyf â'r ieithoedd cydnabyddedig – y rhai sy'n gyfryngau i wladwriaethau'r byd. Yr urddas hynny ydyw pwynt y llinell gyntaf a'r ail linell: mae'r ieithoedd hyn yn ddisglair ynddynt eu hunain. Ond nid ydynt yn harddach na'r iaith Gymraeg, er bod honno bellach heb balas na thŷ o fath ond yn crwydro'r wlad yn dlawd, ond nid heb glywed lleisiau o'r amser a fu – rhai heddiw hefyd yn para'n ffyddlon iddi. Mae'r iaith Gymraeg fel rhai o'r arwyr dienw y sonnir amdanynt yn Hebreaid 11, y rhai nid oedd y byd yn deilwng ohonynt, yn crwydro mewn anialwch a mynyddoedd a thyllau ac ogofeydd y ddaear; ac wrth grwydro mae hi'n clywed y gorllewinwynt (hwnnw sy'n sgubo Cymru fwyaf) yn y tyllau a'r ogofeydd – a'r rheini fel cyrn iddo. Ac mae'r udo hwn yn ei gwawdio hi, ac yn mynegi teimlad dynion ati – y dynion sy'n annheilwng ohoni, fel roedd y byd yn annheilwng o'r arwyr uchod. Mae hi'n holi a all hi fyw.[74]

Cyfeirio y mae Waldo yn y gerdd at y ddwy adnod hyn yn Epistol Paul yr Apostol at yr Hebreaid yn y Testament Newydd: 'Hwynt-hwy a labyddiwyd, a dorrwyd â llif, a demtiwyd, a laddwyd yn feirw â'r cleddyf; a grwydrasant mewn crwyn defaid, a chrwyn geifr; yn ddiddim, yn gystuddiol, yn ddrwg eu cyflwr; (Y rhai nid oedd y byd yn deilwng ohonynt) yn crwydro mewn anialwch, a mynyddoedd, a thyllau ac ogofeydd y ddaear' (11:37–38).

Meddai ymhellach:

Cyfrwng yw iaith. Dweud am bethau. Mae ein sylw ar y pethau cyn inni sylwi ar y dweud. Cyfrwng i weld yw goleuni. Nid ydym yn gweld y goleuni, ond heb oleuni ni welem liw. Felly'r iaith ar y dechrau. Cyfrwng yw'r awyr i ddod â'r arogl inni. Mae'r awyr ei hun yn ddiarogl. Nid ydym yn sylwi arni. Felly'r iaith ar y dechrau. Blas hefyd. Heb ddwfr ein genau, ni byddai'r tafod a thaflod y genau'n cael blas ar ddim. Felly dwfr ein genau yw goleuni blas – trwyddo ef rym ni'n clywed blas, er nad oes blas ar y dwfr ei hun.

Roedd yr iaith yn gweithio'n rhy isymwybodol i gael ei gwerthfawrogi hyd nes y daethom i weld y perygl y mae hi ynddo. Y wedd waethaf ar y sefyllfa yw bod cymaint o'n gwlad bellach ddim yn sylweddoli beth y mae'r iaith Gymraeg yn olygu – mae hi wedi colli'r hiraeth amdani hefyd. Mae'r cantorion, y beirdd, yr areithwyr, y siaradwyr Cymraeg, wedi peidio yn y mannau hynny – sut y gallan nhw ailddechrau, mwy nag y gall ehedydd ddringo eto ar ôl dod i lawr os oes rhyw haen o awyr uwchben na all e ddim mynd trwyddo ('Rhyw ddoe dihiraeth a'u gwahanodd')? Dyw'r Gymru ddi-Gymraeg ddim yn gwybod ei cholled. Mae pump o synhwyrau, a chyfrwng arbennig i bob un. (Buom ar ôl tri: gweld, clywed arogl, clywed blas.) Cyfrwng i'r cyfan oedd yr iaith gynt, yn cyflwyno'r cyfan inni mor berffaith, fel nad oeddem yn sylwi arni ei hun – heb feddwl yr ail waith. Felly mae'r pum synnwyr gyda'i gilydd yn cyflwyno inni'r byd yn wrthrychol. Dyna fy ystyr i i'r 'pum llawenydd'.[75]

Ac mae'n cloi ei sylwadau gyda dadansoddiad o'r trydydd pennill:

> Na, meddwn i yn y trydydd pennill, does dim rhaid bod heb obaith. Fe fu'r iaith
> Gymraeg, trwy ei chwedlau a'i rhamantau, yn foddion i ddeffro cenhedloedd
> Ewrop a'u meithrin ymhell cyn iddynt gyrraedd eu hanterth (ffaith). Oes posib
> na all hi ddim ei hadfer ei hun, felly? Dweud yr wyf yn llinell 4 mai i'r Celtiaid
> mae'r gwledydd yn ddyledus am ddyfod sifalri. A'r teimlad hwn sy'n codi ynom
> ni at ein hiaith yn y niwl. Mae'r llys yn furddun, ond mae'r meini'n annistryw.
> Codwn y llys. Rhown wladwriaeth i Gymru, wedyn bydd urddas ar yr iaith,
> a bydd adferiad ar y wlad ym mhob cylch. Jeremeia, rwy'n meddwl, sy'n
> proffwydo am yr amser da i'r genedl yn y termau olaf hynny – y colomennod yn
> hedfan i'w ffenestri.[76]

Cyfeirio a wna'r ddwy linell olaf mewn gwirionedd at Eseia 60:8, 'Pwy
yw y rhai hyn a ehedant fel cwmwl, ac fel colomennod i'w ffenestri?' – nid at
Jeremiah. Dweud y mae Waldo yn 'Yr Heniaith', mewn cyfres o ddelweddau
cymhleth a llachar, mai'r iaith oedd craidd ein bodolaeth unwaith, a'n bod ni'r
Cymry yn ei chymryd yn ganiataol oherwydd ei bod yn iaith gref. Cymerid
yr iaith yn ganiataol yn y modd y cymerid goleuni ac awyr a lleithder ein
cegau yn ganiataol. Trwy'r iaith y gallem ddirnad y byd. Pan oedd y Gymraeg
yn iaith fyw ac yn brif iaith y wlad, ni sylwai neb arni, a dim ond ar ôl
iddi ddechrau cael ei pheryglu y dechreuwyd cymryd sylw o'i bodolaeth.
Iaith urddasol oedd hi, iaith llysoedd tywysogion Cymru ac iaith y beirdd
llys meistraidd a luniai gerddi mawl cywrain i'r tywysogion hynny. Adroddid
y cerddi mawl hyn mewn gwleddoedd mawreddog ar achlysuron o bwys,
a chlodforid y tywysogion am rinweddau fel haelioni, dewrder a'u gallu fel
arweinwyr. Cyfeirir at y traddodiad hwn yn y drydedd a'r bedwaredd linell yn
y pennill olaf, ond mae 'byrddau' hefyd yn cyfeirio at farchogion y Ford Gron
yn y chwedlau Arthuraidd. Cymru a'r iaith Gymraeg a roddodd y chwedlau
hyn i'r byd, a thrwy hynny, hybu datblygiad diwylliannol a llenyddol, neu
'ddeffroad', nifer o ieithoedd, y Saesneg a'r Ffrangeg yn enwedig, ymhell cyn
iddyn nhw gyrraedd eu hanterth fel ieithoedd. Mae'n drist ac yn rhyfedd o
eironig fod yr ieithoedd a gyfoethogwyd gan y Gymraeg yn awr yn ieithoedd
mawr, cryf, tra bo'r Gymraeg ei hun, a hithau yn ddirmygedig ac yn alltudiedig,
yn ymladd am ei bodolaeth.

Cyhoeddwyd soned Nadolig wych ganddo yn *Y Faner* ar drothwy

Nadolig 1948, 'Y Geni', ac eto, roedd y syniad o aberth a merthyrdod yn amlwg iawn yn y gerdd hon hefyd:

> Ni bu ond geni dyn bach, a breintio'r byd
>   I sefyll dan ei draed, a geni'r gwynt
> Drachefn yn anadl iddo, a'r nos yn grud,
>   A dydd yn gae i'w gampau a heol i'w hynt.
> Dim mwy na phopeth deuddyn – onid oes
>   I bryder sanctaidd ryw ymglywed siŵr,
> A hwythau, heb ddyfalu am ffordd y groes,
>   Yn rhag-amgyffred tosturiaethau'r Gŵr ...[77]

Lluniodd o leiaf ddwy gerdd arall yn ystod ei gyfnod yn Lyneham. Soned i'w arwr mawr Gandhi oedd un. Ni chyhoeddwyd mohoni ar y pryd, ond, yn ôl Waldo ei hun, '[c]anwyd y gân hon ar y ffordd adref i Lyneham ar ôl bod gydag Indiaid Llundain yng nghwrdd coffa Gandhi'.[78] Llofruddiwyd Gandhi ar Ionawr 30, 1948, a cherdd goffa iddo yw 'Eneidfawr'. Datblygodd Gandhi ddull di-drais o wrthwynebu gorthrwm gwladwriaethol. Gelwid y dull hwn o brotestio di-drais yn *satyagraha*. Credai Gandhi y gellid dymchwel llywodraethau, a hyd yn oed ymerodraethau, trwy weithredu anufudd-dod sifil ar raddfa eang; credai mewn gweithredu, ar yr amod fod y gweithredu hwnnw yn gwbl ddi-drais. Daeth yn arweinydd ar Blaid Genedlaethol y Cynulliad wedi iddo ddychwelyd i'r India o Dde Affrica, lle treuliodd ugain mlynedd fel cyfreithiwr, a darbwyllodd genedlaetholwyr i fabwysiadu polisi o anghydweithrediad ac anufudd-dod sifil di-drais yn y frwydr i sicrhau rhyddid ac annibyniaeth i'r India. Carcharwyd Gandhi droeon gan lywodraeth Prydain Fawr am ei ran mewn ymgyrchoedd di-drais yn erbyn cyfreithiau a pholisïau'r Ymerodraeth Brydeinig. Enillodd yr India ei hannibyniaeth ym 1947, ac yr oedd polisi Gandhi o weithredu anufudd-dod sifil ac o ymgyrchu torcyfreithiol di-drais yn allweddol yn y fuddugoliaeth. Dull heddychlon Gandhi o weithredu a edmygai Waldo yn anad dim:

> Eneidfawr, nid cawr ond cyfaill, a'i nerth yn ei wên yn dygyfor
> O'r gwaelod lle nid oes gelyn, yn tynnu trwy ruddin ei wraidd.
> Siriol wrth weision gorthrymder fel un a'[u] rhyddhâi o'u hualau
> A throednoeth trwy'u cyfraith y cerddodd i ymofyn halen o'r môr.[79]

Yn ystod cyfnod Lyneham hefyd y lluniodd 'Geneth Ifanc'. Rhyw ddeng milltir o bellter o Lyneham y mae pentref Avebury gyda'i gylch cerrig Neolithig, un o'r henebion cynhanesyddol pwysicaf a mwyaf trawiadol ym Mhrydain. Yn ymyl Avebury ceir safle Neolithig pwysig arall, ar Windmill Hill. Yn y safle hwn ar Windmill Hill ym 1929 y datgloddiodd yr archaeolegwr Alexander Keiller ysgerbwd plentyn, y tybid ar y pryd ei fod yn dyddio yn ôl i 'Tua 2500 C.C'.[80] Pan ddarganfuwyd yr ysgerbwd, credid mai ysgerbwd bachgen tua thair oed ydoedd. Rhoddwyd iddo'r enw 'Charlie', ac fel 'Charlie' y cyfeirir ato o hyd. Agorodd Alexander Keiller amgueddfa yn Avebury ym 1938 i arddangos ei ddarganfyddiadau archaeolegol, ac yno y cedwir yr ysgerbwd carreg hyd y dydd hwn. Dywedwyd wrth Waldo, ar un o'i ymweliadau â'r amgueddfa, mai ysgerbwd merch ddeuddeg oed ydoedd, ond ni ellir bod yn sicr bellach ai merch neu fachgen yw'r ysgerbwd. Tybir erbyn hyn hefyd mai rhyw bedair neu bum mlwydd oed oedd oedran y plentyn pan fu farw. Ysbrydolwyd Waldo i lunio'r gerdd 'Geneth Ifanc' ar ôl gweld yr ysgerbwd carreg yn Amgueddfa Avebury, ac oherwydd ei fod dan yr argraff mai merch a fu farw'n ddeuddeg oed oedd yr ysgerbwd carreg, y mae'r gerdd yn gerdd am yr 'eneth ifanc' ac am chwaer Waldo, Morvydd, ar yr un pryd:

> Geneth ifanc oedd yr ysgerbwd carreg.
> Bob tro o'r newydd mae hi'n fy nal.
> Ganrif am bob blwydd o'm hoedran
> I'w chynefin af yn ôl.
>
> Rhai'n trigo mewn heddwch oedd ei phobl,
> Yn prynu cymorth daear â'u dawn.
> Myfyrio dirgelwch geni a phriodi a marw,
> Cadw rhwymau teulu dyn.
>
> Rhoesant hi'n gynnar yn ei chwrcwd oesol.
> Deuddeg tro yn y Croeso Mai
> Yna'r cydymaith tywyll a'i cafodd.
> Ni bu ei llais yn y mynydd mwy.
>
> Dyfnach yno oedd yr wybren eang,
> Glasach ei glas oherwydd hon.
> Cadarnach y tŷ anweledig a diamser
> Erddi hi ar y copâu hyn.[81]

Credai Waldo fod rhai llwythau cyntefig yn bobl heddychlon a oedd yn gallu cyd-fyw â'i gilydd mewn cytgord, a dyna pam y dywed mai '[r]hai'n trigo mewn heddwch oedd ei phobl'.

Erbyn Rhagfyr 3 roedd Waldo yn anfon llythyr at D.J. a Siân o 7 Tower Street, Crughywel – cartref Mwynlan – ac eglurodd pam:

> Bydd yn dda gennych wybod rwy[']n si[ŵ]r i awdurdod addysg Sir Frycheiniog fy mhenodi heddiw yn – beth yw permanent supply yn Gymraeg – arglwydd raglaw neu rywbeth, ac rwy[']n dechreu yma yn Ionor gan imi roi rhybudd ymadael iddynt yn Lyneham ryw dair wythnos n[ô]l – rhybudd hir i weithredu ar ddiwedd y tymor fel Abraham gynt heb wybod i ba le yr oeddwn yn myned.[82]

Cael cyfle i feddwl a myfyrio, i greu barddoniaeth ac i ystyried ei ddyfodol a wnaeth Waldo yn Lloegr. Roedd yn hoff iawn o'i ystafell yn Thickthorn, fel y dywedodd wrth Anna Wyn Jones:

> ... rwy'n mwynhau yn fawr iawn yn f'ystafell cofiwch. Pam y mae'r Cymry'n sôn am ddistawrwydd llethol? Mae distawrwydd yn fy nyrchafu i, nid fy llethu. Yn Barrow End mae cerbydau[']n pasio o hyd ar y ffordd i Fryste, ond yma yn nwfn y wlad y mae'r cyfan mor ddistaw yr ydych yn teimlo eich bod ynghanol byd meddwl a dychymyg.[83]

Ac eto, nid meudwy anghymdeithasol mohono yn ystod y cyfnod hwn. Ar un adeg roedd ganddo ddosbarth dysgu Cymraeg yn Swindon. Roedd y Cylch Dysgu Cymraeg yn bodoli yn Swindon eisoes, ac ar ôl i rai aelodau o'r cylch glywed Waldo yn darlithio ar Ddafydd ap Gwilym yn y Cylch Barddoniaeth yn y Clwb Celf, fe'i gwahoddwyd i roi anerchiad yn y Cylch Dysgu. Traddododd Waldo ddarlith ar Dreftadaeth Cenedl gerbron aelodau'r Cylch, ac o ganlyniad i hynny, gofynnwyd iddo fod yn athro arnynt. Rhoddodd hynny syniad iddo ynglŷn â'i ddyfodol:

> Yr wyf wedi bod yn meddwl ar ôl cychwyn y dosbarth yma yn Swindon a chael hwyl arno sut beth fyddai mynd yn athro peripatetic i ddysgu Cymraeg mewn rhyw le fel Caerdydd neu Abertawe ar ddiwedd fy amser yma – sef y ddwy flynedd a addewais ac sydd yn gorffen ym mis Tachwedd ... Nid yw'n debyg gennyf y caf fy ysgol fy hunan eto, a chredaf fod mwy o ryddid ac annibyniaeth mewn swydd fel yna, na bod yn yr un ysgol o hyd.[84]

Ar Ragfyr 21 anrhegwyd Waldo â ches teithio mewn cyfarfod a gynhaliwyd yn Lyneham, ar achlysur ei ymadawiad â'r ysgol i weithio fel athro cyflenwi yng Nghymru.[85] Daeth cyfnod ei alltudiaeth i ben.

'Dewrder o dan dynerwch'
Blynyddoedd Erledigaeth
1949–1956

Y man hyn y mae'n hynod,
Mae'n llwm, mae'r bwm wedi bod.
'R[ô]l llawer hoe doe y daeth
Gan hela ei gynhaliaeth.
Aeth ymherodr y dodrefn
[Â]'m byd i gyd ar ei gefn ...

     Cywydd di-deitl

Roedd Waldo yn ôl yng Nghymru pan wawriodd y flwyddyn newydd. Aeth cyfnod o 'hir ddistawrwydd' heibio cyn y gallai gysylltu â D.J. a Siân.[1] Anfonodd lythyr at y ddau ar Orffennaf 24, 1949, o Old Pendre, 45 Garth Road, Llanfair-ym-Muallt, lle'r oedd yn lletya ar y pryd, wedi iddo gael swydd fel athro cyflenwi yn Ysgol Ramadeg Llanfair-ym-Muallt (Ysgol Uwchradd Llanfair-ym-Muallt wedyn). Roedd Waldo, yn ôl y llythyr, yn llawn cynlluniau. Gobeithiai fod ei gyfeillion yn Abergwaun yn parhau 'i goleddu'r bwriad o grwydro'r cyffiniau gyda mi rywbryd y mis nesaf'.[2] Dywedodd hefyd ei fod yn bwriadu mynd i Ysgol Haf Plaid Cymru yn Nyffryn Ardudwy, ac ymlaen wedyn i Eisteddfod Genedlaethol Meirionnydd yn Nolgellau, lle'r oedd yn beirniadu cystadleuaeth y Ddychangerdd.

Roedd cyflwr y Gymraeg yn Sir Frycheiniog wedi ei ddychryn:

Ni welais i'r iaith Gymraeg yn marw yn Sir Benfro, er ei gwaethed, fel y mae hi'n marw yn Sir Frycheiniog yma. Mae hi'n olygfa fawr, ac y mae'n ormod o gamp aros yma yn Llanfair heb fedru gwneud dim. Beth allwn i, ond cymryd dosbarthiadau WEA yn Llanwrtyd etc ac ni fyddai hynny'n ddigon i gyfiawnhau aros yma ... Lle mae trichwarter y pwyllgor yn Saeson, sut mae dweud wrthynt am werth ysgol Gymraeg? Rwy'n ymglywed [â] chyfnewidiad mawr hanesyddol yn mynd ymlaen, a neb sydd ynddo'n gwybod dim wrtho. Ar wah[â]n i hyn rwy[']n mwynhau'n llawer gwell yma y term hwn – ar ôl cael fy meic.[3]

Bu'n crwydro cryn dipyn wedi iddo gael ei feic, ac ar un o'r teithiau hynny cafodd 'gwmni un arall o'r staff yma, a darganfod ein bod yn perthyn o bell, Gwenlais Rees (domestic science yma), a'i gwreiddiau o Frynamman'.[4] Âi hefyd i dŷ Sylvester Rogers, athro Ffrangeg yr ysgol – 'nefol ddyn mewn nofel dda', chwedl Waldo amdano – a'i wraig Iorwen.[5] Roedd cael y cyfeillion newydd hyn yn welliant mawr yn ei hanes, yn enwedig gan fod Sylvester Rogers yn heddychwr fel yntau. 'Cyn hynny,' meddai, 'ni b[û]m mewn un tŷ yma o'r dydd y deuthum.'[6] Cyfnod o unigrwydd mawr iddo oedd y misoedd cyntaf a dreuliasai yn Sir Frycheiniog, a chyfnod o bryder hefyd, wrth iddo fyfyrio ar gyflwr y Gymraeg yno.

Yn unol â'i air, aeth i Ysgol y Blaid yn Nyffryn Ardudwy ac i'r Eisteddfod Genedlaethol yn Nolgellau ym mis Awst. Yn yr Ysgol Haf y cyfarfu â Bobi Jones am y tro cyntaf, a daeth y ddau yn gyfeillion. ''Roeddem ni'n dau yn cysgu mewn festri capel, ac yr oeddem oll yno yn foddfa o chwerthin drwy gydol yr adeg gyda'i storïau a'i englynion ar y pryd,' meddai Bobi Jones.[7] Cofiai Waldo am yr achlysur hwnnw hefyd. Ar noson gyntaf yr Ysgol Haf, gofynnwyd iddo adrodd rhai o'i englynion, ac adroddodd englyn cellweirus i feirdd y *vers libre* ymhlith eraill. Credai ei fod wedi peri gofid i Bobi Jones, fel un o feirdd y *vers libre*. 'Yr oedd fy englyn yn ffitio'n rhy dda,' meddai wrth D.J. a Siân.[8] Teimlai Waldo ei fod wedi brifo Bobi Jones, a chwiliodd am gyfle i wneud iawn am yr hyn a wnaethai trwy ddechrau siarad ag ef. Bu'r ddau'n siarad cryn dipyn â'i gilydd wedi hynny, 'ac rwy[']n meddwl ei fod yn un da,' meddai Waldo.[9] Sefydlwyd cyfeillgarwch hirbarhaol rhwng y ddau.

Un arall a gofiai Waldo yn Ysgol Haf Plaid Cymru ym 1949 oedd ei gyfaill J. Gwyn Griffiths, bardd, cenedlaetholwr a heddychwr fel yntau, ac Athro yn y Clasuron yng Ngholeg Prifysgol Cymru, Abertawe. 'Cofiaf ei weld yn cyrraedd Ysgol Haf Dyffryn Ardudwy a golwg wlyb, streifus arno ar ôl seiclo o ben-draw'r byd,' meddai.[10] Yn yr Ysgol Haf honno dadleuodd dau o'r cenedlaetholwyr, Trefor Morgan ac Ithel Davies, fod angen sefydlu mudiad gweriniaethol oddi mewn i Blaid Cymru, gan gyffroi awen gellweirus Waldo:

> Pan gyfyd Trefor fory – ac Ithel
> I'w gwaith o derfysgu,
> I Lundain 'r â'r rhain â'u rhu,
> Siôr Chwech sy'n siŵr o'i chachu.[11]

Achosai Waldo gryn dipyn o ddifyrrwch pan adroddai'r englyn yn awr ac yn y man, wedi Ysgol Haf 1949, gyda llinell glo wahanol, fwy gweddus a pharchus.

Erbyn Hydref 2, 1949, roedd Waldo yn cysylltu â D.J. a Siân o Western Slade, Oxwich, Reynoldston, Penrhyn Gŵyr, lle'r oedd yn lletya ar y pryd gyda J. Davies, ei briod a'u dau fab. Cysylltodd â'r ddau drannoeth y rali fawr a gynhaliwyd gan Blaid Cymru ym Machynlleth ar ddydd Sadwrn, Hydref 1, sef rali 'Senedd i Gymru o fewn pum mlynedd'. Daeth 4,000 o genedlaetholwyr ynghyd i'r rali, ac un o'r rhai a fu'n eu hannerch oedd D. J. Williams. Ymddiheurodd Waldo na allai ddod i'r rali, ond roedd rheswm da am hynny. Roedd ei gyfnod yn Ysgol Ramadeg Llanfair-ym-Muallt ar fin dod i ben, ond ni wyddai pa bryd yn union y byddai hynny'n digwydd:

> ... cyfrifwn i yn y gwyliau mai dydd Gwener diwethaf [Medi 30, 1949] fyddai fy niwrnod olaf yn Llanfair, neu yn Sir Frycheiniog beth bynnag, gan i'r sgrifennydd addysg ... yrru ataf ar ôl cael fy rhybudd ymadael, i ddweud fod tri mis o rybudd yn ddyledus ar ddiwedd tymor yr haf. Cymerais yn ganiataol wedyn fod rhaid imi weini i'r pwyllgor am fis arall ar ôl dod yn ôl. Fe ddywedodd Llywelyn Morgan yr hen bennaeth wrthyf am wneud yn siŵr ar y pen hwn; ond pan gefais ofynnod o'r swyddfa pa le i yrru fy nhâl Awst cymerais hyn fel dangoseg sicr fy mod i ddychwelyd am fis Medi. Fodd bynnag, a mi yn Rhosaeron ar fin dychwelyd i'm gwaith, dyma fy nghardiau yn dyfod gyda'm tâl am Awst. Fy nymuniad wedi disgyn arnaf braidd yn rhy sydyn. Euthum lan i Lanfair gyntaf i ymofyn fy mhethau ac i ganu'n iach i'r ysgol a oedd ynghanol chwyldro'r pennaeth newydd, a phawb yn edrych yn stresol iawn a minnau'n mawr lawenhau'n fewnol o fod allan ohoni i gyd.[12]

Nid yn Ysgol Ramadeg Llanfair-ym-Muallt yn unig y bu Waldo yn dysgu yn ystod y cyfnod byr hwn yn Sir Frycheiniog. Bu hefyd yn athro yn Ysgol Gynradd Llanfair-ym-Muallt. Un o'r rhai a'i cofiai yno yw gŵr o'r enw Jim Davies, o Lanfair-ym-Muallt yn wreiddiol, ond sydd yn byw yn Amwythig bellach. Er mor ifanc ydoedd ar y pryd, gadawodd ei athro gryn argraff arno, ac ar blant eraill:

> He looked quite old although he was quite young at the time. I was eleven years of age. I don't think he was used to the method of teaching used at the time. I can recall that he used to stand in the middle of the classroom amongst the desks, rather than sit behind a desk in the front of the classroom. He had no control over his pupils and his classes were in disarray. He used to try to teach us about the history and mythology of Wales, but this part of the country had long been anglicised and we found it difficult to comprehend his lessons or to respond to them. I remember he had a ferocious glare. He once took us to the playing fields at the Groe, to play football, but that turned out to be a disaster, a very disorganised affair. He came to school on a tandem, and we were always wondering who rode behind him, but we never saw anyone. We as children believed that he lived in a cave on Epynt Mountain. He was quite an eccentric character.[13]

Ie, gwahanol ac unigryw oedd Waldo i ddieithriaid.

Wedi iddo adael Llanfair-ym-Muallt, bu'n gweithio yng Ngwersyll Scurlage ym Mhenrhyn Gŵyr am rai wythnosau, hyd nes y caewyd y gwersyll am nad oedd y nifer priodol o weithwyr wedi dod ynghyd yno. Gwersyll amaethyddol ar gyfer ffoaduriaid o Ewrop a phobl ddigartref oedd y gwersyll hwn. Roedd Waldo wedi cydsynio i ymuno â gwersyll amaethyddol arall, yng Nghefn Mabli ar gyrion Caerdydd, ond gofynnodd J. Davies, ei letywr, iddo aros 'dros y tynnu tato a'r dyrnu', a phenderfynodd Waldo mai dyna a wnâi, gan fod J. Davies yn cynnig gwell telerau iddo nag a gâi yng Nghefn Mabli, ac roedd yn well o lawer ganddo fyw mewn tŷ nag mewn gwersyll.[14] Roedd digon o waith iddo am wythnos ar fferm Western Slade, hyd at ddiwedd yr wythnos gyntaf ym mis Hydref, ac wedyn bwriadai fynd yn ôl i Sir Frycheiniog, y tro hwn i Bontsenni, 'i edrych o gwmpas ac i feddwl pa beth a wnaf'.[15] Fodd bynnag, methodd ddychwelyd i Sir Frycheiniog ar ddiwedd ei wythnos waith ar fferm Western Slade, gan nad oedd y gwaith wedi ei orffen. 'Rwyf wedi mwynhau yma'n fawr iawn – a thrwy gael punt y dydd gydag ef, a thalu ond punt yr wythnos am fwyd a llety, a dim llawer o gyfle i wario arian – wel yr wyf mor abal ag erioed,' meddai wrth ei gyfeillion yn Abergwaun.[16]

Cyn diwedd mis Hydref roedd wedi cyrraedd Pontsenni, ac yno y bu'n byw ac yn gweithio ar fferm o'r enw Graig Goch. Bu'n gweithio 'ryw hanner fy amser ar y fferm hon a'r fferm nesaf ar y manglod am ryw dair wythnos ond wedi i'r gwaith hwnnw gwpla aros yn fy stafell a darllen, gan na chefais i ddim awen hyd yn hyn i sgrifennu dim,' meddai wrth D.J. a Siân ganol mis Tachwedd.[17] Ond roedd wedi mwynhau'r ysbaid hwnnw o ryddid yn fawr. Roedd Waldo wedi ymgeisio am swydd prifathro Ysgol Trecastell, wedi i'r prifathro ar y pryd ymddeol o'r swydd yng ngwanwyn 1949, yn ystod y cyfnod yr oedd yn byw ac yn gweithio yn Llanfair-ym-Muallt, ond ymgeisydd arall a'i cafodd. Fodd bynnag, gwrthododd yr ymgeisydd hwnnw ei chymryd, ddwywaith, ailhysbysebwyd y swydd, ac roedd Waldo yn ystyried ymgynnig amdani eilwaith. Byddai'n rhaid iddo, os oedd o ddifri yn golygu ailymgeisio am y swydd, gadw yn ôl 'fy meddwl isel o'r pwyllgor'.[18] Nid am ei fod wedi ymserchu yn yr ardal y bwriadai ymgynnig am y swydd, ond oherwydd y rhôi hynny gyfle iddo i wneud rhywbeth dros y Gymraeg, 'mewn man lle mae'n gyfyng iawn arni'.[19] 'We are all English now in SennyBridge [*sic*],' meddai rhywun wrth Waldo.[20] Ac os oedd yn bwriadu bwrw angor yn Sir Frycheiniog am blwc, roedd brwydr fawr yn ei wynebu:

> Mor awyddus ydynt i fod yn Saeson nid digon ganddynt alw eu plwyf yn Is Clyde-ach ond rhaid iddynt fynd a'i alw'n Slide-ach os clywsoch chi sut beth erioed. Ardal ddi-ddiwylliant hollol yw hi rwy[']n si[ŵ]r er na wn i ddim digon amdani i'w barnu mor bendant efallai. Yr oedd pedwar o fechgyn Trecastell yn y cwrt yr wythnos diwethaf am ymosod ar ferch ifanc.[21]

Lletyai gyda Jack a Maggie Joseph yn Graig Goch, ac roedd aelod lleol o'r Cyngor Sir wedi dweud wrth Jack Joseph y golygai wneud ei orau i gael prifathrawiaeth Ysgol Trecastell i Waldo. Cododd hynny ei obeithion, a disgwyliai gael y swydd, er na fyddai'n siomedig ychwaith pe na bai'n ei chael. Gwyddai ar yr un pryd y gallai fod yn swydd anodd oherwydd bod 'pethau wedi mynd mor bell'.[22] 'Ffolog fach o ardal yw hi, ond mae'n debyg y bydd y plant yn iawn,' meddai, i geisio'i gysuro'i hun.[23] Os na châi'r swydd, roedd yn ystyried treulio blwyddyn yn Ffrainc, cyn dod yn ôl ac ymgartrefu yn rhywle.

Yn ystod y cyfnod hwn bu'n darllen cryn dipyn o Almaeneg a phrynodd gopi ail-law o *Purgatorio* Dante yn Ninbych-y-pysgod, sef ail ganiad ei epig fawr, *Divina Commedia*. Bu'n ceisio darllen y gerdd yn y gwreiddiol gyda chymorth cyfieithiad Cymraeg Daniel Rees – brodor o Sir Benfro – yn *Dwyfol Gân Dante* a geiriadur Eidaleg bychan. Cwynodd fod Cymraeg Daniel Rees yn 'rhyfedd ac ofnadwy', ond roedd 'wedi cael cryn fwynhad wrth rodio fel hyn rhwng y ddau Ddan – Dan Felinucha a Dan Te'.[24]

Wedi iddo fethu cael prifathrawiaeth Trecastell, dychwelodd i Sir Benfro, yn ddi-swydd. Un o ganlyniadau gweithio a byw yn y Sir Frycheiniog Saesneg ei hiaith a Seisnigaidd ei hagwedd oedd peri i Waldo glosio fwyfwy at Blaid Cymru. Parhaodd ei gefnogaeth i Blaid Cymru ar Awst 30, 1951, pan gymerodd ran mewn protest a drefnwyd gan y Blaid yn Nhrawsfynydd. Wedi i'r Weinyddiaeth Ryfel gyhoeddi ei bod am feddiannu chwe mil o aceri i'w hychwanegu at y gwersyll milwrol yn Nhrawsfynydd, aeth trigain aelod o Blaid Cymru i Drawsfynydd ac eistedd ar y ffordd a arweiniai at y fynedfa i'r gwersyll. Rhwystrwyd lorïau a cherbydau rhag cael mynediad i'r gwersyll o fore hyd hwyr. Ymhlith y protestwyr hyn yr oedd Gwynfor Evans, D. J. Williams, J. E. Jones, Ysgrifennydd Plaid Cymru, y Parchedig Dewi W. Thomas – a Waldo. Hawdd y gallai Waldo ymuno yn y brotest o'i wirfodd, fel cenedlaetholwr a heddychwr, ac yn enwedig o gofio beth a ddigwyddodd i dir amaethyddol Castellmartin yn ei sir enedigol ddau ddegawd a rhagor ynghynt.

Anfonodd Waldo lythyr byr o 6 Tower Hill, Hwlffordd, at D. J. Williams a Siân, ar Dachwedd 28, 1951, ac ynddo englyn a luniodd ar ei ffordd i Dyddewi, er bod y llinell gyntaf yn hollol wallus, ac er nad oedd iddo deitl. Ond, mewn gwirionedd, bardd mud oedd Waldo ar ddiwedd y 1940au a dechrau'r 1950au. Un gerdd yn unig o'i waith a gyhoeddwyd ym 1949, sef ei soned i T. Gwynn Jones ar gyfer rhifyn coffa arbennig o'r *Llenor* a neilltuwyd iddo, ac ni chyhoeddwyd yr un gerdd o'i eiddo ym 1950. Lluniodd un englyn arall o leiaf, yn ychwanegol at yr englyn di-deitl, sef 'Beirniadaeth', englyn yn dychanu W. J. Gruffydd am feirniadu cerddi Bobi Jones yn hallt yng nghystadleuaeth Cyngor y Celfyddydau yng Ngŵyl Prydain, 1951. Cyhoeddwyd yr englyn yn

Y Faner ym mis Gorffennaf, a chyfeirir ynddo at y ffaith fod W. J. Gruffydd newydd gyfieithu pamffledyn ar ran y Bwrdd Nwy:

> Paragraffwaith poer Gruffydd – yn weddus
> I weinyddiaeth danwydd:
> Llawer gwell ganddo fo fydd
> Y Bwrdd Nwy na'r beirdd newydd.[25]

Ciliai ei awen ar adegau o ansefydlogrwydd yn ei fywyd, ac ni ddychwelai nes iddo gael rhyw fath o sicrwydd neu sefydlogrwydd i'w fyd drachefn. Ond nid ansefydlogrwydd yn unig a gyfrifai am ei fudandod yn ystod y cyfnod hwn. Y byd a'i bethau a'i blinai, wrth i ryfel arall ddod i herio'i heddychiaeth. Daeth yr adeg iddo weithredu ei egwyddorion, a ffrwyth myfyrdod oedd y mudandod.

Pasiwyd deddf ym 1947 a hawliai fod pob gŵr ifanc rhwng 17 a 21 oed yn gorfod treulio blwyddyn gyfan yn y Lluoedd Arfog, ond erbyn 1949 roedd y cyfnod wedi ei ymestyn i ddeunaw mis. Ym mis Hydref 1950, wedyn, estynnwyd y cyfnod hwn o hyfforddiant milwrol i ddwy flynedd. Roedd rheswm am hynny. Ar Fehefin 25 y flwyddyn honno, ymosododd Gogledd Corea ar Dde Corea. Gweriniaeth ddemocrataidd a geid yn Ne Corea, a gweriniaeth gomiwnyddol yng Ngogledd Corea. Cefnogid Gogledd Corea gan Weriniaeth Pobl Tsieina a'i llywodraeth gomiwnyddol, a chefnogid De Corea gan y Cenhedloedd Unedig. Am dair blynedd a rhagor, bu brwydro blin a gwaedlyd rhwng y ddwy ochr, gyda rhai o wledydd y Cenhedloedd Unedig, Unol Daleithiau America yn bennaf, a Phrydain a gwledydd y Gymanwlad, yn ymladd o blaid De Corea, a Tsieina yn ymladd ar ochr Gogledd Corea. Ac er mwyn sicrhau cyflenwad digonol o filwyr Prydeinig i ymladd ar ochr De Corea yr estynnwyd y cyfnod o wasanaeth cenedlaethol o ddeunaw mis i ddwy flynedd. Yn nhyb Waldo, gorfodaeth filwrol, yn anad un dim arall, a ddangosai drylwyred a chadarned oedd gafael y wladwriaeth ar yr enaid unigol ac ar y gydwybod unigol. Hyn oedd y sbardun iddo weithredu, ond y tu ôl i'w fwriad a'i benderfyniad i wrthsefyll camwri gorfodaeth filwrol, roedd blynyddoedd o ymbaratoi ar gyfer ei safiad.

Nid heddychwr cadair freichiau oedd Waldo. Heddychiaeth oedd y nwyd mawr llywodraethol yn ei fywyd. Yr egwyddor o frawdoliaeth oedd y gwaed yn ei wythiennau, y mêr yn ei esgyrn, yr anadl yn ei ysgyfaint. Heddychiaeth a brawdoliaeth oedd ei enedigaeth-fraint. Etifeddodd yr egwyddor gan ei rieni, ei dad yn enwedig. Yn y dechreuad yr oedd y diwedd. Derbyn yr enedigaeth-fraint honno a wnaeth Waldo, nid ei gwrthod. Ni allai wneud dim byd arall. Gwyddai fod calon y gwir gan ei rieni a'i ewythr Gwilamus. I raddau, paratoad ar gyfer safiad mawr ei fywyd oedd ei fagwraeth, ac roedd y safiad hwnnw, ar ddechrau'r 1950au, ar fin digwydd. Roedd tynged Waldo yn ei enw hyd yn oed. Un o hoff awduron J. Edwal Williams oedd Ralph Waldo Emerson, ac un o'i hoff lyfrau oedd *Poems of R. W. Emerson* yng nghyfres 'The Canterbury Poets' dan olygyddiaeth gyffredinol William Sharp. O ran hynny, enwyd Roger, brawd Waldo, ar ôl Roger Williams, y diwinydd piwritanaidd a aned yn Llundain ond a ymfudodd i America. Roedd yn ymgyrchydd brwd o blaid rhyddid crefyddol ac roedd hefyd yn gryf o blaid datgysylltiad y wladwriaeth a'r Eglwys. Bu'n ymgyrchu yn ogystal o blaid hawliau brodorion America.

Credai Ralph Waldo Emerson yn rhyddid yr unigolyn. Ceisid rheoli'r unigolyn gan gymdeithas, gan ddeddfau a chan lywodraethau. Credai Emerson fod gan bob unigolyn hawl i fyw ei fywyd ei hun, meddwl ei feddyliau ei hun a ffurfio'i farn ef ei hun am y byd a'r betws. Ni ddylai dyn gydymffurfio â'r sefydliadau a geisiai reoli ei fywyd. Ni allai Emerson oddef rhagrith na rhwysg ym myd crefydd. 'He saw through the ceremonies that had grown up in the church that the spirit was not within, and he could not countenance a sham,' meddai Walter Lewin yn ei gyflwyniad i *Poems of R. W. Emerson*.[26] Rhwydd y gallai Edwal Williams gytuno â hynny.

Mae J. Edwal Williams wedi marcio sawl cerdd a sawl darn neu linell yn ei gopi ef o *Poems of R. W. Emerson*, ac mae'r cerddi a apeliai ato yn rhai diddorol. Roedd 'The Problem' yn un o'i hoff gerddi. Yn honno, ceir ymosodiad ar grefydd gyfundrefnol a mawl i fyd natur:

> I like a church; I like a cowl;
> I like a prophet of the soul;
> And on my heart monastic aisles
> Fall like sweet strains, or pensive smiles:
> Yet not for all his faith can see
> Would I that cowlèd churchman be.
> Why should the vest on him allure,
> Which I could not on me endure? ...

Out from the heart of nature rolled
The burdens of the Bible old;
The litanies of nature came,
Like the volcano's tongue of flame ...[27]

Cerdd arall sydd wedi cael ei marcio'n drwm yw 'Politics', yn enwedig y ddwy linell

Fear, Craft and Avarice
Cannot rear a State[28]

a diweddglo'r gerdd, sy'n nodi mai yn y cartref y mae'r wladwriaeth berffaith, y senedd berffaith a'r weriniaeth berffaith, ac mai sefydliad cymdeithasol yw'r Eglwys yn ei hanfod:

When the Church is social worth,
When the state-house is the hearth,
Then the perfect State is come,
The republican at home.[29]

Yn y tŷ roedd gwlad.

Roedd enw canol Emerson yn ddigon tebyg i Walt i alluogi Edwal Williams i dalu teyrnged i ddau o'i arwyr ar yr un pryd, trwy enwi ei fab yn Waldo. Ac fe roddodd Goronwy yn enw canol iddo i fawrygu bardd o athrylith a sathrwyd dan draed gan Eglwys Loegr. Roedd gan Edwal Williams gopi o *The Poems of Walt Whitman*, un arall o lyfrau'r gyfres 'The Canterbury Poets'. Roedd y llyfr hwn eto wedi ei farcio'n drwm. A llyfr arall o'i eiddo, eto yn yr un gyfres, oedd *Songs of Freedom*, sef blodeugerdd o ganeuon radicalaidd a sosialaidd eu naws a gondemniai anghyfiawnderau cymdeithasol a gwleidyddol o bob math. Unwaith yn rhagor, roedd Edwal Williams wedi nodi pa gerddi a pha ddarnau oedd ei ffefrynnau. Roedd cerdd John Greenleaf Whittier, 'Clerical Oppressors', yn sicr wedi ei gynhyrfu. Cerdd yw hon am gyfarfod o blaid caethwasiaeth a gynhaliwyd yn Charleston, De Carolina, ym 1835. Yn bresennol yn y cyfarfod hwnnw roedd nifer o glerigwyr, a phob un o'r rhain o blaid cadw caethweision. Ymosod ar y rhagrithwyr hyn a wneir yn y gerdd, ac roedd y digwyddiad hwnnw yn Charleston, i Edwal Williams, yn enghraifft arall o fethiant crefydd gyfundrefnol i sylweddoli mai arddel brawdoliaeth oedd un o hanfodion pennaf crefydd a bywyd fel ei gilydd. Roedd Whittier yn ei tharanu hi:

> Just God! – and these are they
> Who minister at Thine altar, God of Right!
> Men who their hands with prayer and blessing lay
> On Israel's Ark of light!
>
> What! preach and kidnap men?
> Give thanks, – and rob Thy own afflicted poor?
> Talk of Thy glorious liberty, and then
> Bolt hard the captive's door? ...
>
> Woe, then, to all who grind
> Their brethren of a common Father down!
> To all who plunder from the immortal mind
> Its bright and glorious crown.[30]

Cerdd arall a apeliai at Edwal Williams oedd 'On the Capture of Certain Fugitive Slaves near Washington' gan James Russell Lowell, yn enwedig y pennill hwn:

> Though we break our fathers' promise, we have nobler duties first;
> The traitor to Humanity is the traitor most accursed;
> Man is more than Constitutions; better rot beneath the sod,
> Than be true to Church and State while we are doubly false to God![31]

Tuedd canu protest o'r fath yw proffwydo dyfodol gwell i'r ddynoliaeth, ac efallai mai darllen y flodeugerdd hon, neu glywed adrodd darnau ohoni, a roddodd i Waldo yr optimistiaeth broffwydol a geir yn niweddglo sawl cerdd o'i eiddo. Nodweddiadol o'r math hwn o ganu yw cerdd Thomas Cooper, 'Chartist Song', gyda'i phennill olaf yn darogan gwell byd a gwell bywyd:

> The time shall come when earth shall be
> A garden of joy, from sea to sea,
> When the slaughterous sword is drawn no more,
> And goodness exults from shore to shore.

Toil, brothers, toil, till the world is free –
Till goodness shall hold high jubilee![32]

Fel y tad, felly'r mab. Trwy'i fywyd bu Waldo yn ddarllenwr mawr, ond nid darllen er mwyn difyrrwch neu ddiddanwch yn unig a wnâi, ond darllen i atgyfnerthu'i ffydd, i borthi ei heddychiaeth, i gryfhau ei gredoau a'i ddaliadau. Rhywbeth i'w ymarfer, nid rhywbeth i'w arddel, oedd heddychiaeth iddo; nid rhywbeth i'w gredu yn unig ond rhywbeth i'w weithredu yn ogystal. Llawlyfrau a phamffledi ymarferol oedd cyfran sylweddol o lyfrgell bersonol Waldo.

Un o lyfrau Waldo oedd *The Power of Non-Violence* gan Richard B. Gregg, a gyhoeddwyd ym 1935, a'i gyflwyno i Gandhi. Pobl addfwyn yw heddychwyr, pobl dosturiol, gydymdeimladol, a phobl ysbrydol hefyd yn aml. Credai Waldo yn naioni cynhenid a sylfaenol dyn, a bod systemau a sefydliadau, gwladwriaethau a llywodraethau, yn ceisio difa'r daioni hwnnw. Rhaid felly oedd gwrthwynebu'r gwladwriaethau a'r llywodraethau hyn. Meddai Richard B. Gregg:

> Despite all war clouds and war mongers there is an infinite fund of kindness, generosity and good will in people of all kinds everywhere, in every nation, needing merely to be implemented and provided with a means of action in order to begin now to create a new and finer world. If people can only devise suitable instruments for good will, the world can move forward with amazing rapidity. The energy is there, waiting for an engine. Non-violent resistance is the long desired implement.[33]

Roedd Waldo wedi dweud wrth Llwyd Williams ym 1939 mai un o achosion ei salwch ym 1935 oedd y ffaith iddo geisio ei orfodi ei hun i fod yn ddewr, hynny yw, troi ei natur gynhenid dyner ac addfwyn yn natur galetach, fwy ystyfnig – 'Dewrder o dan dynerwch' Dewi Sant, a'r 'nerth yn ei wên' Gandhi. Yn ôl Richard B. Gregg, rhaid i heddychwyr fagu dewrder, a myfyrio ar rinweddau pennaf ac uchaf bywyd yn eu brwydr i atal rhyfeloedd:

> Since cowardice is worse even than violence, special care must be taken to develop fearlessness. One great help in developing courage is a regular daily period of

meditation upon the unity of the human race and upon principles which endure among the human race despite bad fortune, injuries or death – such living principles as truth, love, humility, trust, mutual aid, work, self-sacrifice, simplicity and generosity. Such meditation develops and strengthens the feeling of the reality of human unity, ideals and principles – a reality more complete and enduring than the life of any individual. A person with a strong conviction of such realities is fearless.[34]

Un arall o lyfrau Waldo oedd *Christian Pacifism Re-examined* gan Cecil John Cadoux, llyfr grymus a gyhoeddwyd ym 1940. Un o'r rhesymau pam y condemniai ryfel ac y pleidiai heddychiaeth oedd yr elfen o lwfrdra a berthynai i'r holl broses o ryfela, yn enwedig rhyfela modern, a byddai Waldo yn llwyr gytuno ag ef. Un o gamweddau mwyaf rhyfel oedd lladd sifiliaid:

It has been pleaded that this killing of civilians is not deliberate, but truly incidental (like the accidental destruction of innocent lives in the quelling, say, of a violent riot), that what is aimed at is not their bodies and homes but buildings of military importance adjoining their homes, and that therefore warning is frequently given before a bombardment begins, so that noncombatants may have an opportunity of taking refuge from the peril. The plea of incidentality has in this case rather more justification than when applied to the killing of combatants: but when a man takes a course which he knows perfectly well is in practice bound to involve certain consequences, he accepts responsibility for those consequences, however "incidental" they may in strict theory be. Furthermore, the usages of modern warfare (as seen in China, Spain, Poland, and now Finland also) are such that the distinction between incidental and intentional damage shrinks to vanishing point; and for all practical purposes the destruction of countless civilian lives is as deliberate as it was aforetime in the sacking of a town, the main difference being that it is more efficiently carried out from a distance.[35]

Nid gollwng bomiau o'r awyr oedd yr unig fygythiad i sifiliaid cyffredin:

A less spectacular though sufficiently terrible weapon in modern warfare is that of preventing the enemy-country from obtaining food-supplies. The true nature of this weapon is largely concealed by the deceptive impersonality of its use. No individual or definable group of individuals in the one country actually and personally starves any individual or definable group of individuals in the other country. It needs an effort of the imagination to enable us to realize what a food-blockade really means in

practical experience. It means the necessity in countless homes of watching beloved
children going daily undernourished, getting stunted in growth, falling ill, and in
many cases dying; it means watching the sick becoming weaker and weaker through
the impossibility of giving them the nourishment they need; it means watching aged
parents dying-off prematurely through sheer debility and powerlessness against the
assaults of illness and advancing age.[36]

Dyma un o'r pethau a gondemniodd Waldo yn ei ddatganiad o flaen y
tribiwnlys yng Nghaerfyrddin ym mis Chwefror 1942: 'But modern warfare,
and blockade in particular, I consider detestable, for it takes the bread out of
the mouths of children, and starves to death the innocence of the world', a
dyna fyrdwn ei gerdd 'Y Plant Marw'.

Roedd gan Waldo gryn feddwl o lyfr Max Plowman, *The Faith Called
Pacifism*, a gyhoeddwyd ym 1936. Marciodd sawl rhan o'r llyfr a thanlinellodd
rai brawddegau. 'Max Plowman, rwy'n meddwl a ddywedodd y dylai
heddychwr ddal ei ffydd i fyny mewn ofn a dychryn, canys ni ŵyr yr awr
na'r sut y'i profir,' meddai wrth lunio portread o D. J. Williams.[37] Yn ôl Max
Plowman, llofruddiaeth gyfreithlon yw pob rhyfel, ac o gofio mai ym 1936
y cyhoeddwyd y llyfr, dair blynedd cyn i'r Ail Ryfel Byd dorri, y mae iddo
gywair proffwydol:

> From being a trial of strength between contending armies, war has been
> transformed into licensed massacre. We may and do disguise the fact intentionally
> by lugging out and parading the old paraphernalia at romantic shows like Trooping
> the Colour, the Aldershot Tattoo, the Royal Military Tournament, and the Air
> Force Display; but war in modern practice remains plain and simple massacre, as
> every honest fighting man is willing to confess. This is not a matter of opinion.
> The evidence is not from the lips of pacifists and cranks, but from the highest
> military and scientific authorities in Europe – actually those who have the job in
> hand. They state quite clearly that in the next war there cannot be any distinction
> made between the civil and military population: they frankly confess that the job
> will involve the wholesale slaughter of women and children in their homes by
> means of incendiary and poison bombs. If this is not massacre the word has no
> meaning. We are forewarned, though not forearmed.[38]

'War has now become the exhibition of the destructive power of science, a
power that is increasing every day,' meddai.[39]

Gwyddai Waldo, fel y gwyddai Max Plowman, mai peiriannau a dyfeisiau gwyddonol oedd y gwir ymladdwyr a'r gwir laddwyr ymhob rhyfel, a phan gyfunid deddfau a dur, sef y deddfau hynny a orfodai ewyllys y wladwriaeth ar ei deiliaid, a dur a haearn yr arfau hynod ddinistriol a roddid at eu gwasanaeth, gellid lladd miloedd yn rhwydd. Meddai Max Plowman:

> Man cannot live at the mercy of destructive science. He must regain control of the machine. To do this we have got to prefer to be whole men and cease from acting as if we were merely the intelligences of the machines. The day of electrically controlled instruments of destruction operated at vast distances, involving no risk to the destroyer, is already foreseen. Against such engines, to what purpose shall we offer our lives as means of defence? And is the whole purpose of life to be given over to the discovery of means to make life on this planet impossible?[40]

Roedd Max Plowman ei hun wedi ymuno â'r fyddin ar un adeg, nes iddo sylweddoli un diwrnod nad yn y fyddin yr oedd ei le, a bod yn rhaid iddo ei gael ei hun yn rhydd o'i chrafangau. Roedd Waldo wedi tanlinellu'r frawddeg ganlynol: 'I felt I had received a free pardon from spiritual death.'[41] Tanlinellodd hefyd y cwestiwn hwn gan Plowman: 'Who has the right to put individual consciousness out of commission?'[42] Rhan arall o'r llyfr a oedd wedi apelio'n fawr at Waldo yw'r rhan sy'n trafod y dychymyg fel modd i ddeall a chydbrofi dioddefaint eraill, ac fel cyfrwng hefyd i uniaethu ag eraill, a'r uniaethu hwnnw yn esgor ar dosturi a chydymdeimlad. Marciwyd y darn canlynol ganddo:

> Imagination is consciousness in activity. It is the means by which man possesses the supernatural power of doing unto others as he would they should do unto him. Imagination is far more than the power to see ourselves as others see us. That is mere self-awareness. Imagination involves love and understanding. It is the power of perceiving the truth, and then loving it. In the highest exercise of Imagination we become what we behold: by it man is transformed into the Divine Image. Imagination is the power by which Englishmen enter into the hearts and minds of Germans, and feel as Germans feel and think as Germans think, while at the same time they remain Englishmen, and have equal capacity to feel as Frenchmen feel and think as Frenchmen think. It is the power by which natural instinct is sublimated and put in its place of delightful service to an appreciative master. It is the power, the only power, by which jealousy can be truly overcome; for it is the power by which we can see another in his personal identity and so seeing him, put him before ourselves, not in canting humility, but in sincere love and admiration.[43]

Adleisio Max Plowman yr oedd Waldo pan ddywedodd 'I believe all men to be brothers and to be humble partakers of the Divine Imagination that brought forth the world, and that now enables us to be born again into its own richness, by doing unto others as we would have others do unto us' o flaen y tribiwnlys yng Nghaerfyrddin ym mis Chwefror 1942. Yr oedd o fewn gallu'r dychymyg i greu awen 'adnabod' ac i hyrwyddo brawdgarwch rhwng dynion:

> This power to stop and think is the first motion of the only power that is going to rid us of war; for, without it, our minds run into instinctive generalizations, and the instincts are the centres of fear. Basically, we fear everything that is not ourselves, or that we cannot incorporate into ourselves. Thus, Germans are Germans, and Japanese Japanese, and so long as they remain thus generalized they represent instinctive forces that cannot but be feared. Only when they become individualized and seen as men of like passions with ourselves – only as we enter imaginatively into their lives and partake of their natures, do they cease to be instinctive forces to be feared: only as we realize them imaginatively can social relations between them and ourselves take place. Instinctively they represent difference: imagination is required to reveal likeness or brotherhood; and the most blessed truth of Socialism is this doctrine of the universal brotherhood of man, in which national differences and distinctions are transcended and fundamental humanity is asserted. But we must discover the truth of this doctrine in its particularity before we can give it general validity, and the first step in that direction is the imaginative act of an individual.[44]

Un o'r nifer helaeth o bamffledi a oedd yn rhan o lyfrgell bersonol Waldo oedd *Through Chaos to Community?* gan John MacMurray, un o bamffledi'r gyfres 'Peace Aims Pamphlets' a gyhoeddid gan y Cyngor Heddwch Cenedlaethol yn Llundain. Roedd Waldo wedi tanlinellu brawddegau olaf y paragraff hwn sy'n sôn am yr angen am chwyldro rhyngwladol i sefydlu brawdoliaeth fyd-eang, fel yr unig fodd i roi terfyn ar ryfel:

> But ours is a world-revolution, and that is something new in history. The Russian revolution was national; so was the Nazi revolution in Germany. But the second was the opposite of the first, and draws its meaning from its predecessor. The clash of these two opposite revolutions – the positive and the negative – is the meaning of this war; and this makes the total revolution of our time *not* national,

but international; a revolution which does not set two factions of one nation in conflict, but sets nation against nation. And a world-revolution moves towards world-unification. What has produced it is that the separate national forms of the common life can no longer support the common life of each nation. In all lands the common life has been invaded by forces from beyond the national borders. What happens under alien skies spells happiness or misery, frustration or fulfilment for ourselves and those we love. Only a world tradition, a world-wide community of social habit can provide the stable framework within which the common life can escape disaster anywhere. This is the end towards which the world revolution drives. Whether it will need a world government I do not know; it will certainly need world institutions of some sort. But the main point is that these can only function properly, if at all, so far as they are the expressions of a common way of life throughout the world. The great issue of our time – and the issue that is least regarded – is how there can be produced, throughout the whole world, a common habit of daily life.[45]

Roedd gan Waldo hefyd nifer o lyfrau a phamffledi am Gandhi. Edmygai ddewrder Gandhi ac edmygai ei ddull di-drais o wrthsefyll gorthrwm ac anghyfiawnder gwladwriaethol, sef *satyagraha*. Rhoddodd Gandhi yr egwyddor hon o *satyagraha* ar waith yn y frwydr i ennill annibyniaeth yr India ac yn yr ymgyrch o blaid hawliau Indiaid De Affrica yn erbyn gormes trefedigaethwyr Prydeinig. Credai Gandhi y gellid dymchwel llywodraethau, a hyd yn oed ymerodraethau, trwy weithredu anufudd-dod sifil ar raddfa eang; credai mewn gweithredu, ar yr amod fod y gweithredu hwnnw yn llwyr ddi-drais. Golygai *satyagraha* undod rhwng meddwl, geiriau a gweithred, yr egwyddor y dylai gair a gweithred fod yn gyfwerth â'i gilydd.

Fel Gandhi, ni chondemniai Waldo unigolion am ganiatáu i'r wladwriaeth eu hawlio a'u rheoli. Beio systemau a sefydliadau a wnâi'r ddau, a beio llywodraethau, nid collfarnu unigolion, ac y mae'n sicr y byddai Waldo yn cytuno â'r hyn a ddywedodd Gandhi wrth Raglaw'r India yn ôl un arall o'i lyfrau, *Mahatma Gandhi's Ideas* gan C. F. Andrews:

Some of my Indian friends charge me with camouflage when I say that we need *not* hate Englishmen while we *may* hate the system that they have established. I am trying to show them that one may detest the wickedness of a brother without hating him. Jesus denounced the wickedness of the Scribes and Pharisees, but he did not hate them. He did not enunciate this law of love for the man and hate for the evil in man for himself only, but he taught the doctrines for universal practice. Indeed, I find it in all the Scriptures of the world.

I claim to be a fairly accurate student of human nature and vivisector of my own failings. I have discovered that man is superior to the system he propounds. And so I feel that you as an individual are infinitely better than the system you have evolved as a corporation ... Here in India you belong to a system that is vile beyond description. It is possible, therefore, for me to condemn the system in the strongest terms, without considering you to be bad and without imputing bad motives to every Englishman.[46]

Dylanwad mawr arall ar Waldo oedd Henry David Thoreau, yr awdur, y bardd, y naturiaethwr a'r athronydd o America. Gwrthododd Thoreau dalu chwe blynedd o drethi i'r llywodraeth mewn protest yn erbyn y rhyfel rhwng Mecsico ac America ac yn erbyn caethwasiaeth. Nid oedd lle i lywodraethau anfoesol neu ormesol ym mywydau dynion, yn ôl Thoreau. Ym 1849 cyhoeddodd draethawd yn dwyn y teitl *Civil Disobedience*, gan ddadlau ynddo o blaid hawl yr unigolyn i herio gwladwriaethau anghyfiawn. Roedd gan Waldo nifer o bamffledi yn y gyfres 'Classics of Non-violence' a gyhoeddid gan Undeb y Llw o Blaid Heddwch, a'r pamffledyn cyntaf yn y gyfres oedd *Civil Disobedience* gan Henry David Thoreau. Dywedodd Thoreau yn *Civil Disobedience* ei fod yn llwyr o blaid y datganiad 'That government is best which governs least', ond aeth gam ymhellach na hynny trwy ddweud: 'That government is best which governs not at all.'[47] Hyd nes y byddai gwladwriaethau yn cydnabod hawliau'r unigolyn, ni fyddai iddynt unrhyw ddiben neu werth: 'There will never be a really free and enlightened State, until the State comes to recognise the individual as a higher and independent power, from which all its own power and authority are derived, and treats him accordingly.'[48] Aeth Thoreau i'r carchar yn hytrach na thalu ei drethi i'r llywodraeth.

Darllenai Waldo lyfrau a phamffledi am heddychiaeth yn gyson o ganol y 1930au ymlaen. Lluniodd gerddi i wrthdystwyr a merthyron yn ystod y 1940au: Tystion Iehofa, y merthyron Catholigaidd Cymreig a Gandhi. Carcharwyd y rhain i gyd oherwydd eu daliadau a'u credoau, dienyddiwyd rhai, llofruddiwyd Gandhi. Pwysleisio'r diffyg ynddo ef ei hun a wnâi'r rhain, er iddo ymddangos o flaen y tribiwnlys i wrthwynebwyr cydwybodol yng Nghaerfyrddin ym 1942, i leisio'i heddychiaeth ar goedd. Ond ni chafodd ei garcharu am ei safiad. Ffordd Waldo o baratoi ar gyfer safiad o ryw fath oedd y cerddi hyn i bobl a wrthodai blygu i'r drefn, ac a ddewisai gosb yn hytrach na chyfaddawdu â'u herlidwyr. Roedd John Roberts Trawsfynydd yn flaenllaw yn ei feddwl yn ystod y cyfnod hwn o ymbaratoi seicolegol a meddyliol ar gyfer ei wrthdystiad. Ef oedd y merthyr cyntaf i gael ei enwi yn 'Wedi'r Canrifoedd Mudan'. Caiff ei enwi hefyd mewn llyfr nodiadau bychan o eiddo Waldo. Ceir yn y llyfr hwn lawer o ffeithiau am lenorion ac arweinwyr crefyddol a gwleidyddol yr ail ganrif ar bymtheg, nifer o ddyfyniadau o *Llyfr y Tri Aderyn*, Morgan Llwyd, a nifer o nodiadau amrywiol a gwasgarog eraill. Ac ynghladd yng nghanol yr holl nodiadau hyn, ceir cerdd i ddau ferthyr, John Roberts, mab fferm y Rhiw-goch ('Rhiwgoch' yn y gerdd), Trawsfynydd, a John Penry, Cefn-brith, ym mhlwyf Llangamarch, Sir Frycheiniog, y merthyr Protestannaidd a ddienyddiwyd ar Fai 29, 1593:

> Wele'r ddau Ioan, er rhwyg eu hoes,
> Un ym mhob carfan, yn cario'r groes.
>
> Un, cyn ei losgi, yn codi ei lef
> Am Lusern ei Arglwydd i'w werin Ef.
>
> Un, er y crocbren, yn dyfod o'i rawd
> I rannu Bara i gleifion tlawd.
>
> Dau o'r un grefydd bur heb rwysg
> Dan ddyrnod yr un sofraniaeth frwysg;
>
> Dan olau'r un seren, uwch y rhith,
> Sy'n arddel y Rhiwgoch a Chefn Brith.
>
> Duw ni cheidw i blaid o'i blant
> Y dwfn dosturi sy'n nerthu'r sant.
>
> Pan ddysgo'r pen gan y galon a'i llên,
> Rhyfedd mor rhyfedd 'newydd' a 'hen'.[49]

Ac yn y cwpled clo, ceir cyfeiriad at *Llyfr y Tri Aderyn*: 'Na sonia am lawer o grefyddau. Hen a newydd, a phobun yn barnu ei gilydd. Nid oes un grefydd a dâl ddim, ond y creadur newydd. Ac nid oes ond un drws i mewn yno, a hwnnw yw'r ail-enedigaeth yn Enw Crist.'[50] Y Golomen sy'n llefaru'r geiriau hyn yn *Llyfr y Tri Aderyn*, ac yn eu llefaru fel ateb i gwestiwn yr Eryr: 'beth a dybygi di am holl opiniynau a chrefyddau y Twrciaid, a'r Papistiaid, a'r Protestaniaid, a'r Lwtheraniaid, a'r Calfinistiaid, a'r aneirif eraill o secti yn yr oes yma?'[51] Roedd Waldo bellach yn pregethu goddefgarwch. Roedd yn edmygu'r merthyron Catholigaidd yn ogystal â'r Bibelforscher, oherwydd eu dewrder a'u hymlyniad llwyr wrth eu cred, yn wyneb digofaint a dioddefaint. Nid y grefydd ei hun oedd yn bwysig, ond, yn hytrach, yr hyn a wnâi dyn â'i grefydd. 'Dau o'r un grefydd bur' oedd y Protestant John Penry a'r Pabydd John Roberts, a'r grefydd bur honno oedd crefydd y galon, nid crefydd y pen. 'Gochel ffluwch o wybodaeth yn y pen heb nerth yn y galon a phurdeb yn y bywyd,' meddai'r Golomen eto.[52] Cristnogaeth oedd crefydd y ddau; yr un oedd yr adeilad, ond eu bod yn edrych ar Dduw drwy ffenestri gwahanol yn yr adeilad hwnnw.

Er i'r Ail Ryfel Byd beri llawer o wewyr meddwl i Waldo, ac er iddo ganu rhai o'i gerddi mwyaf yn ystod blynyddoedd tywyll y rhyfel hwnnw, teimlai'n waeth adeg Rhyfel Corea, yn ôl ei dystiolaeth ef ei hun:

> Rown i'n teimlo mwy o ddiymadferthedd ynghylch Corea na allem ni 'neud dim byd. Cywilydd mawr o'dd arna'i – euogrwydd; nid euogrwydd dirprwyol dros Loegr na Chymru, ond euogrwydd personol. Ro'dd e'n fy nghâl i lawr ... Ambell i fore nawr, ro'n i bron â ffaelu mynd mas i'r stryd o'r stafell lle'r own i yn Hwlffordd ... ac fe benderfynes i wneud y gwrthdystiad hyn – er bod tipyn o amser cyn i hwnnw ddod yn effeithiol. Ro'n i'n teimlo'n well, rwy'n siŵr. Ro'n i'n teimlo nawr ynghylch Corea nad oedd canu ddim gwerth – roedd rhaid gwneud rhywbeth arall.[53]

Penderfynodd weithredu'n uniongyrchol yn erbyn y rhyfel, ac yn erbyn gorfodaeth filwrol, trwy beidio â thalu ei dreth incwm. Fel athro cyflenwi, câi ei dreth ei thynnu o'i gyflog yn y gwraidd, yn ôl y cynllun talu wrth ennill. Rhoddodd y gorau i'w waith fel athro cyflenwi wedi iddo adael Llanfair-ym-Muallt ym mis Hydref 1950, ac o 1951 ymlaen, hyd at 1963, bu'n gweithio'n achlysurol fel athro dosbarthiadau nos dan adain Adran Efrydiau Allanol Coleg Prifysgol Cymru, Aberystwyth. Câi ei gyflog yn llawn gyda'r swydd hon, heb i'r dreth gael ei thynnu o'i gyflog, ac felly gallai ddal ei afael ar ei arian heb orfod talu ceiniog o dreth incwm.

Hysbysodd yr awdurdodau ei fod yn gwrthod talu'i dreth incwm fel protest yn erbyn gorfodaeth filwrol. Eglurodd pam y penderfynodd weithredu yn y dull hwn yn ei ysgrif 'Pam y Gwrthodais Dalu Treth yr Incwm', a gyhoeddwyd yn *Y Faner*, Mehefin 20, 1956. 'I mi, yr oedd gwrthod talu'r dreth incwm pan ddechreuais wneud hynny ryw bum mlynedd yn ôl yn weithred hollol syml, yn weithred ynddi-ei-hun, yn ymateb personol i sefyllfa, ac allan o euogrwydd y cododd,' meddai.[54] Roedd Corea yn parhau o ddydd i ddydd, meddai, oherwydd bod awdurdod yn gweithredu, ac oherwydd bod awdurdod yn gweithredu, roedd pobl yn anghofio am y rhyfel, a hynny am na theimlai neb gyfrifoldeb moesol amdano:

> Yr oedd Corea yn mynd ymlaen o ddydd i ddydd am yr un rheswm ag yr aethai Belsen ymlaen: am fod awdurdod yn gweithredu a phobl yn anghofio. Teimlwn mai ein Belsen ni oedd Corea. Belsen America a Lloegr a Chymru. Teimlwn gywilydd hyd drymder calon, 'ond pa beth a allem ni wneud?' oedd ymateb pawb. Nid ymdeimlent ag un rheidrwydd moesol am y rhyfel.[55]

Yn ôl Waldo: 'Trwy'r ddeddf orfodaeth filwrol, yr oedd rhyfel Corea yn y rhan waethaf ohono – y rhan weithredol – wedi goresgyn cartrefi Cymru.'[56] Caethiwo a wnâi pob gwladwriaeth, parlysu'r ewyllys a hawlio cydwybod yr unigolyn.

Prinhaodd y llythyrau at D.J. a Siân o 1950 ymlaen, gan ei fod bellach yn byw yn Sir Benfro ac yn gweld y ddau yn weddol gyson. Yn 6 Tower Hill, Hwlffordd, y trigai o hyd ar ddechrau 1952. Ym mis Mai 1952 bu'n aros gyda'i fodryb Elizabeth – roedd hi'n ormod o deyrn, meddai Waldo, iddo'i galw yn 'Anti Lisi' – yn Rhosaeron, Erw Terrace, Porth Tywyn. Hi oedd gweddw Levi Williams, brawd tad Waldo; Elizabeth Watkins, o gylch Llandysilio, cyn priodi. Bu Levi farw ym 1937. 'Ymerodres' o fenyw oedd ei fodryb Elizabeth, a oedd yn 83 ar y pryd. Nid oedd mewn cyflwr i ofalu amdani ei hun, yn ôl Waldo, ond mynnai lynu wrth ei hannibyniaeth orau y gallai, 'ac y mae'r nodwedd hon,' meddai Waldo, 'i'w phriodoli iddi golli ei thad yn blentyn, a'i mam yn orweddog yn y gwely o'r cof cyntaf ganddi – ac i'w modryb ei magu a chael arian gan y plwyf am wneud, a'i holl freuddwyd yn blentyn, meddai hi, oedd dod yn ddigon hen i ennill'.[57] Yn ystod ei arhosiad gyda'i fodryb, llwyddodd i sleifio i lyfrgell Abertawe, a darllenodd *The Condition of Man*, Lewis Mumford, yno.

Wedi i Waldo roi'r gorau i ddysgu ym mis Hydref 1950, a dechrau gweithio i'r Adran Efrydiau Allanol ym 1951, rhoddodd y gorau i farddoni hefyd, am y tro, o leiaf, fel y gallai ganolbwyntio ar ei swydd newydd ac ar ei brotest yn erbyn swyddogion y dreth incwm. Lluniodd swp o gerddi gwirioneddol bwysig yn ystod y 1940au, cyhoeddodd y rhan fwyaf o'r cerddi hynny yn *Y Faner*, a dechreuodd rhai o aelodau mwyaf amlwg y byd llenyddol sylweddoli bod bardd o gryn athrylith wedi codi yng Nghymru. Un o'r rheini oedd Saunders Lewis, y beirniad cyntaf, ar ôl E. Prosser Rhys a Wil Ifan – a T. H. Parry-Williams yn *Elfennau Barddoniaeth*, efallai – i gydnabod pwysigrwydd Waldo fel bardd ar ddu a gwyn. Tynnodd Saunders Lewis sylw at ragoriaeth a moderniaeth 'Wedi'r Canrifoedd Mudan' yn ei golofn 'Cwrs y Byd' yn rhifyn Rhagfyr 20, 1950, o'r *Faner*, ar ôl i'r ddau fardd J. M. Edwards a T. Glynne Davies honni mai peth prin oedd moderniaeth mewn barddoniaeth Gymraeg gyfoes, mewn trafodaeth ar y radio. Anghytuno â safbwynt y ddau a wnaeth Saunders Lewis, a dyfynnodd 'Wedi'r Canrifoedd Mudan' yn ei chrynswth i brofi bod barddoniaeth fodern 'yn beth sydd, ac y sydd yn ddidwyll', a bod y fath beth â barddoniaeth fodern i'w chael yn y Gymraeg yn ogystal ag yn y Saesneg ac ieithoedd eraill.[58] Rhoddodd Saunders Lewis glod aruchel i'r gerdd:

> Os mynnwch chwi ddeall "barddoniaeth fodern", rhowch heibio sôn am *vers libre*
> – mae'r ffasiwn yn wir eisoes wedi dechrau troi yn ei erbyn – a rhowch heibio
> sôn mor gaddugol niwlog am sumbolaeth. Ymrowch i astudio rhuthmau, aceniad
> llinellau cerdd Waldo Williams; yna astudiwch ei chystrawen hi a'i geirfa hi, y
> modd y symudir o eirfa ddiriaethol i eirfa haniaethol, o eirfa siarad i eirfa myfyrdod.
> Chwiliwch beth sy'n arbennig ynddi. Deliwch ar bethau pendant. Darllenwch hi'n
> uchel yn fynych fynych, nes bod yr ambell odl fewnol a phroest a'r aml naid yn y
> meddwl yn eu datguddio'u hunain i chwi.[59]

'Mae'n drychineb, mae'n gwneud drwg pendant ac amlwg i dwf beirdd ifainc Cymraeg, nad oes gennym ni gasgliad o holl ganu R. Williams Parry a chasgliad o holl gerddi Waldo Williams,' meddai Saunders Lewis drachefn.[60] Dyna'r tro cyntaf i unrhyw lenor neu feirniad yngan enw Waldo ar yr un anadl ag enw R. Williams Parry.

Heriwyd sylwadau Saunders Lewis gan J. M. Edwards yn rhifyn Ionawr

3, 1951, o'r *Faner*, mewn ysgrif yn dwyn y teitl 'S.L. a Barddoniaeth Fodern'. Condemniodd gerdd Waldo. 'A chaniatáu bod yn bosibl gwneud rhyw ystyr o'r llinell gyntaf, beth ar wyneb y ddaear a ddigwyddodd yn yr ail?' gofynnodd, gan gyfeirio at y pennill hwn:

> Y diberfeddu wedi'r glwyd artaith, a chyn
> Yr ochenaid lle rhodded ysgol i'w henaid esgyn
> I helaeth drannoeth Golgotha eu Harglwydd gwyn.[61]

Eglurodd Saunders Lewis ystyr y llinell i J. M. Edwards:

> Y mae'r tair llinell yna mor blaen a seml â brawddeg mewn llyfr hanes ar farwolaeth merthyron. Disgrifiant ddiberfeddu'r merthyron ar ôl eu llusgo i Tyburn ar glwyd, ac ar ôl eu harteithio; yna dyry'r merthyron ochenaid olaf, rhoi anadliad olaf a marw, ac (yn ôl y syniad cyffredin) try'r ffun olaf yn ysgol i'r enaid esgyn arni i'r nefoedd, sef "helaeth drannoeth Golgotha eu Harglwydd". Ni welaf i beth sy'n anodd i'w ddeall yma, yn enwedig gan un sy'n honni ei fod wedi dysgu cymaint gan T. S. Eliot a Dylan Thomas.[62]

Roedd cael geirda gan neb llai na Saunders Lewis yn hwb aruthrol i Waldo fel bardd.

Un arall i sylwi ar athrylith Waldo oedd J. E. Caerwyn Williams, darlithydd yn yr Adran Gymraeg ym Mangor. Roedd Caerwyn Williams wedi paratoi casgliad teipiedig o waith Waldo, ar ôl iddo godi'r cerddi o wahanol bapurau a chylchgronau, a dywedodd Cassie Davies wrtho fod gan D. J. Williams gasgliad da o waith y bardd. Anfonodd gopi o'i gasgliad ef ei hun o gerddi Waldo at D.J., a gofynnodd iddo a fyddai'n fodlon iddo fenthyca copïau o'r cerddi nad oeddynt ganddo. 'Gresyn,' meddai, gan adleisio geiriau Saunders Lewis, 'na ellid darbwyllo Waldo Williams i gyhoeddi cyfrol o'i waith. Deallaf fod R.W.P. newydd gydsynio i gyhoeddi cyfrol.'[63]

Gwyddai Caerwyn Williams mai D. J. Williams, yn anad neb, oedd y person mwyaf cymwys i ddarbwyllo Waldo i gyhoeddi ei gerddi. Bachodd yntau'r abwyd. Gofynnodd i Kate Roberts, perchennog Gwasg Gee, a fyddai ganddi ddiddordeb mewn cyhoeddi cyfrol o gerddi gan Waldo, ond roedd D.J. wedi camamseru ei gais yn ddybryd. Addawodd y câi Gwasg Gee gyhoeddi popeth o'i eiddo ar ôl iddo gyhoeddi *Storïau'r Tir Du* gyda Gwasg

Aberystwyth, ond aeth yn ôl ar ei air, a rhoddodd ei lyfr o atgofion, *Hen Dŷ Ffarm*, i Wasg Aberystwyth eto i'w gyhoeddi, yn hytrach nag i Wasg Gee. Pwdodd Kate Roberts wrtho, ond arni hi ei hun, i raddau, yr oedd y bai. Roedd D. J. Williams wedi rhoi ei lyfr *Mazzini* i Kate Roberts i'w gyhoeddi, ond dywedodd hi wrtho na fyddai modd ei gyhoeddi am flynyddoedd lawer, oherwydd bod y wasg yn mynd trwy gyfnod anodd. Yn wir, anogodd Kate Roberts ef i gyhoeddi *Mazzini* gyda gwasg arall. Tybiai D. J. Williams, o'r herwydd, mai'r peth doethaf fyddai peidio â gwthio *Hen Dŷ Ffarm* ar Kate Roberts. Brathodd Kate Roberts yn ôl. Er iddi sôn am anawsterau cyhoeddi gyda D.J., roedd yn barod i wneud eithriad gyda phobl fel Saunders Lewis, R. Williams Parry ac yntau. 'Os ydych yn credu ei bod hi'n rhy anodd i ni gyhoeddi eich llyfr chwi, sut felly yr oeddech yn argymell llyfr Waldo arnom?' gofynnodd i D. J. Williams, braidd yn syn.[64]

Y gwir yw, ni fynnai Kate Roberts gyhoeddi cyfrol o waith Waldo. Ar ôl iddi hi a'i gŵr, Morris T. Williams, cyd-berchennog Gwasg Gee hyd at ei farwolaeth annhymig ym 1946, geisio dwyn perswâd ar R. Williams Parry i gyhoeddi ail gyfrol o'i farddoniaeth am flynyddoedd lawer, roedd y bardd, o'r diwedd, a henaint yn cau amdano ac yn cymylu'i feddwl, wedi cydsynio. Roedd Kate Roberts ar ben ei digon, ac ni fynnai fawr ddim i'w wneud â chyfrol Waldo, hyd yn oed pe bai Waldo yn cydsynio i roi cyfrol iddi. Credai mai anwastad oedd gwaith Waldo, er ei fod yn ysbrydoledig yn ei bethau gorau. Gwyddai D. J. Williams fod Waldo yn gyfysgwydd ag R. Williams Parry, ac ni allai ddeall agwedd Kate Roberts o gwbl:

> Ynglŷn â'r hyn a ddywedech, fy mod i wedi eich argymell i gyhoeddi llyfr Waldo ond heb roi fy llyfr fy hun i chi, mae'r rheswm am hynny'n weddol amlwg i mi. Mi wn yn bendant am werth arhosol caneuon Waldo, yn enwedig, wedi eu cael yn gasgliad gwerthfawr, trefnus, fel y bu fy lwc yn ddiweddar drwy garedigrwydd mawr Mr J. E. Caerwyn Williams. Fe saif y cerddi hyn, er eu bod yn gwbl wahanol, gredaf i, gyda gweithiau Williams-Parry [*sic*], yn bethau mawr ein cyfnod ni, ac o ganlyniad, yn gaffaeliad i ba gyhoeddwr bynnag a'u caffo.[65]

Fodd bynnag, ni ddaeth dim o'r bwriad i gyhoeddi cyfrol o waith Waldo – am y tro.

Ddiwedd 1953 roedd Waldo yn anfon llythyr at D.J. a Siân o fferm Great

Harmeston, Johnston, nid nepell o Hwlffordd, i ddymuno'n dda i'r ddau ar gyfer y flwyddyn newydd, 1954. Yn Great Harmeston yr oedd ei gyfeillion newydd, James a Winnie Kilroy, yn byw, ac y mae i'r rhain le anrhydeddus yn hanes Waldo. Crynwyr oedd Jim a Winnie Kilroy, ac addolent yn Nhŷ Cwrdd y Crynwyr yn Aberdaugleddau. Erbyn 1953 roedd Waldo ei hun wedi ymuno â'r Crynwyr, a dyna sut y daeth i gysylltiad â Jim a Winnie Kilroy. Yr oedd dau beth yn ffydd y Crynwyr a apeliai'n fawr at Waldo, er nad oedd y pethau hyn yn perthyn i'r Crynwyr yn unig, sef 'y Goleuni oddi mewn, a'r ymarfer o ddistawrwydd yn y cwrdd addoli'.[66] Roedd y Crynwyr hefyd yn llwyr wrthwynebus i ryfel.

Ar ddechrau'r 1950au, nid oedd gan Waldo unrhyw wir gartref sefydlog, gan mai darlithio yma a thraw a wnâi dan nawdd Adran Efrydiau Allanol Aberystwyth. Daeth Jim a Winnie Kilroy i'r adwy. Rhoesant gartref parhaol iddo, gan neilltuo dwy ystafell ar ei gyfer, yn rhad ac am ddim. Symudodd Waldo i fyw yno ar Fedi 12, 1953, a bu yno am saith mlynedd, hyd at 1960, pan symudodd y teulu i dŷ cyngor yn Johnston i fyw. Cafodd Waldo bob croeso yng nghartref Jim a Winnie, a bu'r ddau yn fawr eu gofal amdano. Bu'r ddau yn gyfeillion ffyddlon, caredig a chydymdeimladol i Waldo.

Ganed James Kilroy yn Blackburn ym 1919, yn fab i Martin a Catherine Kilroy, y ddau ohonynt yn blant i ymfudwyr Gwyddelig. Cafodd fagwraeth dlawd, gan fod y tad yn diota, a'r fam yn gorfod ymdopi â magu tri phlentyn. Pan ddaeth yr Ail Ryfel Byd, cofrestrodd Jim Kilroy fel gwrthwynebydd cydwybodol. Fe'i magwyd yn y ffydd Gatholig, ond gadawodd yr Eglwys Gatholig ac ymunodd â Chymdeithas y Cyfeillion. Fe'i carcharwyd ddwywaith am wrthod cyflawni gwasanaeth milwrol, yn Walton yn Lerpwl i ddechrau, yna fe'i dedfrydwyd i ddeuddeng mis o garchar. Treuliodd gyfran o'r deuddeng mis yn Wormwood Scrubs yn Llundain, a chyfran yng ngharchar Wandsworth, eto yn Llundain. Ar ôl iddo ddod allan o'r carchar, aeth i weithio ar y tir, gyda'r 'Kent War Agricultural Executive Committee'. Yn Nhŷ Cwrdd y Crynwyr yn Blackburn y cyfarfu â'i wraig, Winnifred Eccles, hithau hefyd yn heddychwraig. Priodwyd y ddau ym mis Medi 1947. Roedd mam Jim wedi marw ers deng mlynedd a rhagor pan briododd Winnie, a gwrthododd y tad fynd ar gyfyl y briodas. Roedd gan Jim chwaer-efeilles, a throdd hithau ei chefn arno hefyd. Ganed Winnie yn Blackburn ym 1923, a Bedyddwyr oedd ei theulu. Ar ôl y rhyfel, parhaodd Jim i weithio ar y tir, ac ym 1951 symudodd ef a Winnie a'u plentyn cyntaf, Alice, i fferm Great Harmeston, Johnston, yng ngogledd Sir Benfro.

Ganed Alice ar ddydd Gŵyl Ddewi, 1951, a hi sy'n cofio Waldo orau. Ychydig fisoedd oed oedd ail blentyn Jim a Winnie Kilroy, Catherine, pan aeth Waldo i fyw gyda'r teulu. Ganed y trydydd plentyn, Martin, ym 1958, bron i bum mlynedd ar ôl i Waldo ddod i fyw gyda'r teulu, ac, yn naturiol, nid oes ganddo ddim cof amdano. Mae gan Cathy Kilroy, ar y llaw arall, frith gof ohono:

> I recall balding, spiky hair, and the suitcase. And also the two rooms he lived in at
> the back of Harmeston. And the swarm of bees in the chimney in one of them.
> I remember he did buy us gifts (toys) – but I'm hazy on what they actually were.
> Dolls? Maybe the baby leopard stuffed toy (which I have). I do recall going to
> visit him on my own in his flat in Neyland after he left Harmeston, and painting a
> picture from his front window. I would have been eight or nine.

Yn ôl Alice, prynodd Waldo ddol yr un i'r ddwy chwaer, ac roedd gan y plant feddwl y byd ohono.[67]

Un arall o ffyddloniaid Tŷ Cwrdd y Crynwyr yn Aberdaugleddau oedd Steffan Griffith, a ddaeth yn gyfaill i Waldo. Yn wir, ar wahoddiad Steffan Griffith yr aeth Waldo i Dŷ Cwrdd y Cyfeillion yn Aberdaugleddau yn y lle cyntaf. Câi groeso mawr ar ei aelwyd ef a'i briod Clem yn Neyland. Meddai Steffan Griffith:

> Ni siaradai Waldo yn y Cyfarfod Addoli mor gyson ag y dymunem. Gwelsom
> ef sawl gwaith yn y Cyfarfod, yn tynnu ei sbectol o un boced, a'i destament o
> boced arall, ac yna'n prysuro i fodio'i ffordd at ryw fan arbennig yn yr Ysgrythur;
> ond hwyrach na ddôi gair o'i ben. Dro arall, codai i ddadlennu rhyw syniad
> yn yr Hen Destament ('roedd yn hoff iawn o'r Proffwydi) gan daflu goleuni ar
> broffwydoliaeth neu gymeriad. Weithiau, caem syniadau o weithiau Tolstoi,
> Berdyaev, Sartre, Barth neu o athroniaeth rhyw ddiwinydd. Ond 'chlywsom ni
> rioed air ganddo mewn Cyfarfod Addoli am faterion y dydd.[68]

Roedd Waldo yn bwriadu treulio diwrnod neu ddau yng Nghlunderwen, meddai yn y llythyr hwnnw a anfonodd at D.J. a Siân ddiwedd 1953, i ddymuno Blwyddyn Newydd Dda i'r ddau, er na fyddai'n dda gan D. J. Williams glywed hynny, gan y byddai'n esgeuluso'i ddyletswyddau fel Llywydd Cangen Abergwaun o Blaid Cymru trwy fethu bod yn bresennol yng nghyfarfod Pwyllgor y Blaid a oedd i'w gynnal ar yr union adeg honno. Roedd yn wyrth, ar lawer ystyr, fod y llythyr wedi cyrraedd cartref y ddau, rhif 49 ('saith seithwaith'), y Stryd Fawr, Abergwaun, gan mai ar ffurf englyn yr oedd y cyfeiriad ar yr amlen. Roedd angen mathemategydd a bardd o bostmon i ddatrys y pôs:

> Abergwaun, beth sy blaenach, Stryd Uchel
> Er ys tro dewch bellach
> Saith seithwaith – O syth sothach
> Tŷ D.J. Hwrê ŵr iach.[69]

Anfonodd lythyr arall o Great Harmeston at D.J. a Siân ar Fawrth 18, 1954. Cafodd ergyd, meddai, wedi iddo ddarllen yn *Y Faner* mai Ebrill 5 oedd dyddiad cau derbyn y cyfansoddiadau llenyddol ar gyfer Eisteddfod Genedlaethol Ystradgynlais, ac yntau wedi meddwl mai ym mis Mai y byddai'r dyddiad cau. Roedd wedi bwriadu cystadlu am y Gadair yn Ystradgynlais, gydag awdl er cof am ei gyfaill Idwal Jones, ond er bod y dyddiad cau yn gynt nag y disgwyliai, bwriadai o hyd gystadlu am y Gadair y flwyddyn honno, a rhoi popeth arall, ac eithrio'r darlithio, o'r neilltu. Ni ddaeth i ben â llunio'r awdl, ar y testun 'Yr Argae', ond goroesodd un rhan ohoni, sef y gerdd 'Gyfaill, Mi'th Gofiaf'.

Erbyn yr ail wythnos ym mis Mehefin roedd Waldo yn aros yn Rhosaeron, yn gofalu am ei nai David, neu Dai, mab hynaf ei frawd, Roger. Roedd Dai wedi symud o Fronysgawen, ei gartref yn Efail-wen, i gartref ei fodryb Gwladys yn Rhosaeron, i gael llonydd i astudio ar gyfer ei arholiadau uchaf yn yr ysgol. Roedd Gwladys ei hun wedi mynd i Wdig, i aros gyda Dilys, a gobeithiai Waldo y byddai'n aros gyda'i chwaer am beth amser, gan nad oedd yn gryf ei hiechyd. Bwriadai Waldo aros yn Rhosaeron hyd at ddiwedd Mehefin, pan fyddai ei nai wedi gorffen ei arholiadau uchaf. Roedd ar ei ben ei hun yn Rhosaeron pan astudiai ar gyfer ei arholiadau flwyddyn ynghynt, a'u methu, a dyna pam yr arhosodd Waldo gyda'i nai ym mis Mehefin 1954, i fod yn gefn, yn gymorth ac yn gwmni iddo. Yn anffodus, bu farw Gwladys yng nghartref Dilys a Benni ac Elsie Lewis ar Orffennaf 2, 1954.

Roedd Waldo wrthi hefyd, ar y pryd, yn paratoi ar gyfer mynd i Iwerddon i ddysgu'r Wyddeleg. Y cynllun yn wreiddiol oedd croesi i Iwerddon ar Fehefin 20, gyda'i gyfaill Rhys Dafis Williams, Llansadwrn, ond bu'n rhaid iddo gladdu'r syniad am y tro i ofalu am Dai. Rhoddodd J. E. Caerwyn Williams lawlyfr dysgu Gwyddeleg iddo ar fenthyg, ac aeth Waldo drwyddo i gyd, gan esgeuluso popeth, i'w astudio. Roedd yr ardd a'i chyffiniau yn Rhosaeron yn anialwch, ac er bod Waldo wedi prynu carreg hogi i'w thrin, roedd eto i ddechrau ar y gwaith.

Tra oedd Waldo yn gofalu am rai aelodau o'i deulu ac yn ystyried trin yr ardd yn Rhosaeron, roedd storm yn codi. Ar ôl bron i bedair blynedd o fethu torri ystyfnigrwydd Waldo, penderfynodd swyddogion y dreth incwm fod yr amser i weithredu wedi dod. Daeth y beilïaid i Great Harmeston a chipio llawer o'i eiddo oddi arno, gwerth £41.16 swllt, ar Dachwedd 4, 1954. Roedd colli ei eiddo yn ergyd drom iddo. Aeth yn isel ei ysbryd. Mater o anghenraid, mater o egwyddor, oedd y brotest hon o'i eiddo, ond profiad annifyr a thorcalonnus iddo oedd gorfod gwylio dieithriaid yn hawlio ei eiddo, yn union fel yr oedd gwladwriaethau yn hawlio enaid a chydwybod eu deiliaid. Ac eto, gallai weld yr ochr ddigri i'r sefyllfa. Anfonodd gywydd at D.J. a Siân y diwrnod ar ôl i'r beilïaid ysbeilio'i ddwy ystafell yn Great Harmeston:

> Y man hyn y mae'n hynod,
> Mae'n llwm, mae'r bwm wedi bod.
> 'R[ô]l llawer hoe doe y daeth
> Gan hela ei gynhaliaeth.
> Aeth ymherodr y dodrefn
> [Â']m byd i gyd ar ei gefn;
> Oddi eithr er budd athro
> Mae'r llyfrfa'n gyfan dan do,
> Rhesymol aros yma
> Mae'r llestri er y ffi ffa
> A'r dillad wedi eu gadael
> A'r plu a'r gwely ar gael.
> Hyll fwlch dwy ystafell fad
> Gwael dwll, ond gwely a dillad

A llun Gwynn, llun a ganai
'Beili tew i bilio tai,'
Do, aeth i'r siop [â] phopeth
O le'r dreng i dalu'r dreth.
Nis gwn beth ddaw yn ei sgil
Mi dagaf heb im degil.
Dyro Thankyou Dreth Incwm
[Â]'r iaith fain, gwrhâ i'th fwm.[70]

Disgrifiwyd yr achlysur hwnnw gan Waldo ei hun mewn adroddiad a ymddangosodd yn *Y Cymro* ar Chwefror 23, 1956. Anfonwyd yr adroddiad i'r *Cymro* gan J. Gwyn Griffiths flwyddyn a thri mis ar ôl i'r beiliaid ddwyn ymaith eiddo Waldo:

Disgrifiodd y bardd i mi ymweliad y bwmbeil[i]od [â]'i gartref. Cymerwyd ei ddodrefn i gyd, ac eithrio gwely a bwrdd a chadair. Cymerwyd y linolewm oddi ar y llawr a'r glo o'r cwtsh glo; a hyd yn oed y glo o'r bocs ger y t[â]n.

"Uchaf[b]wynt y driniaeth hon," meddai Mr. Williams wrthyf yn ei ddull hanner-direidus, "oedd cais y prif feili ar ôl iddo rolio'r linolewm yn daclus; gofynnodd imi am ddarn o gordyn i glymu'r rh[ô]l!" Dywedodd iddo golli ei feic hefyd – offeryn pwysig yn ei olwg, oblegid ar hwn yr [â]i i'w ddosbarthiadau. Mae un o'r rhain ym Mynachlog Ddu, sef taith o bum milltir ar hugain.[71]

Yn wir, bu Jim a Winnie Kilroy yn dipyn o gefn i Waldo yn ystod y cyfnod anodd hwn, fel y tystia Alice, eu merch:

Waldo had two adjoining rooms at Great Harmeston which were fairly separate from the rest of the house and one of the rooms had an outside door. The second room was full of books which were important to Waldo and they were all moved into the main house and my parents pretended they were theirs so the bailiffs wouldn't take them. Other stuff was taken and put in a sale. My mother bought back as much of Waldo's belongings as she could.

Prynwyd llawer o eiddo Waldo yn ôl iddo hefyd gan aelodau eraill o Gymdeithas y Cyfeillion.

Cyfnod anodd i Waldo oedd hanner cyntaf y 1950au, o'r eiliad y dechreuodd swyddogion y dreth incwm ei erlid. Er hynny, llwyddodd i lunio rhai cerddi, a bu'n ddigon gweithgar gyda Phlaid Cymru hefyd. Ym 1952, ymddangosodd un o'i gerddi gorau, 'Pa Beth yw Dyn?', yn rhifyn mis Awst o gylchgrawn Plaid Cymru, *Y Ddraig Goch*. Cynhaliodd y Blaid rali ym Mhencader, Sir Gaerfyrddin, ar Fedi 27, 1952. Dadorchuddiwyd maen yno ac arno'r geiriau 'Hen Ŵr', sef yr hen ŵr a ddywedodd wrth Harri II mai'r Cymry yn unig a fyddai'n atebol am y cornelyn hwn o'r ddaear, a chyhoeddwyd blodeugerdd fechan, *Camre Cymru: Cerddi'r Rali*, dan olygyddiaeth Bobi Jones, ar gyfer yr achlysur. Cyfraniad Waldo i'r flodeugerdd oedd cyfres o hir-a-thoddeidiau, 'Bydd Ateb'. Yn *Y Ddraig Goch* hefyd ym 1952 y cyhoeddwyd erthygl Waldo, 'Gyda Ni y Mae'r Drydedd Ffordd', yn rhifyn mis Mehefin. Meddai yn yr erthygl honno:

> Nid oes inni ymwared oddi wrth ymgiprys y ddau allu mawr y sydd ond trwy lynu wrth hen athroniaeth hanes ein cenedl. Gyda ni y mae'r drydedd ffordd, ac nid yw hi'n gyfaddawd rhwng y ddwy arall ond yn feirniadaeth wreiddiol arnynt. Un cawr yw gallu a chanddo gynllun gwahanol ar gefn pob llaw. Ymdrech rhyddid a brawdoliaeth drwy'r byd yw ymdrech Plaid Cymru.[72]

Ystyr y term 'y drydedd ffordd' fel arfer yw ffordd newydd o synio am wleidyddiaeth, dewis rhyw ddull canol o wleidydda sy'n gyfaddawd rhwng gwleidyddiaeth adain dde a gwleidyddiaeth adain chwith, ond gan mai sefydlu rhyddid a brawdoliaeth drwy'r byd oedd nod Plaid Cymru yn ôl Waldo, nid oedd cyfaddawd i fod.

Cynhaliwyd rali arall gan Blaid Cymru yng Nghilmeri ar Fedi 25, 1954. Gofynnwyd i dri bardd lunio englyn yr un i'w rhoi ar dorchau y bwriedid eu gosod ar golofn Llywelyn, a'r tri bardd yn cynrychioli tair sir. Dewiswyd Waldo i gynrychioli Sir Benfro, a hwn oedd ei englyn:

> Dy gwymp a'n gwnaeth yn gaethion, – dy ryddid
> A roddaist i'n calon;
> O'r graith fawr, daw'r gwŷr o'th fôn,
> O Dywysog, dy weision.[73]

Cyhoeddwyd soned o'i waith yn *Y Faner* ym mis Rhagfyr 1954, 'Nadolig', ond byddai'r soned honno yn dod yn fwy adnabyddus dan deitl gwahanol, 'Yn Nyddiau'r Cesar', yn y man.

Lluniodd hefyd adroddiad ar rali a gynhaliwyd gan y Blaid yn Llanuwchllyn, Meirionnydd, ac fe'i cyhoeddwyd yn *Y Ddraig Goch* ym mis Hydref 1955. Bu'n gweithredu fel Llywydd Cangen Abergwaun o'r Blaid am blwc yn ystod y cyfnod hwn, hyd nes iddo benderfynu ymddeol o'r llywyddiaeth ym 1954. Lluniodd gwpled cywydd, ac englyn i gofnodi'r achlysur, gan gyfeirio ynddo at Teifryn Michael, Ysgrifennydd y Gangen, a D. J. Williams:

Heddiw'n llai, y ddoe'n Llywydd;
Y ddoe'n rhwym a heddiw'n rhydd.

Y sgwâr-fanwl Sgrifennydd – a D.J.'n
 Gwneud y job 'da'i gilydd.
 Dwedaf 'nawr – da, da fy nydd,
 Abergwaun [b]u ar gynnydd.[74]

Roedd Waldo hefyd yn beirniadu rhai cystadlaethau yn yr Eisteddfod Genedlaethol yn ystod y cyfnod hwn. Beirniadodd gystadleuaeth yr englyn digri yn Eisteddfod Genedlaethol Aberystwyth ym 1952, a chystadleuaeth y cywydd ysgafn yn Eisteddfod Genedlaethol y Rhyl flwyddyn yn ddiweddarach. Cymerai ran hefyd mewn cynadleddau ac ysgolion haf.

Cafodd Waldo gyfle i roi helynt yr atafaelu heibio iddo pan lwyddodd, o'r diwedd, i gyrraedd Iwerddon, ond heb ei gyfaill Rhys Dafis Williams. Croniclodd y daith mewn cywydd yn dwyn y teitl 'Y Daith (Ar y Beic i Spideal, Mehefin 1955)'. Cyrhaeddodd Iwerddon ddydd Iau, Mehefin 23, ac ar ôl aros am ddwy noson mewn pentref ar gyrion tref Galway, teithiodd ar ei feic i gyfeiriad An Spidéal ar gyrion y Gaeltacht, lle cynhelid cyrsiau dysgu Gwyddeleg bob haf oddi ar 1910:

Iau diwethaf y deuthum
Ac ar y beic gyrru y bûm
O'r môr draw islaw Roslêr,
A synnwn, cyn nos Wener,
Hen dref ar orllewin draeth –
Galway – â'm "Buddugoliaeth".[75]

Un o feiciau'r cwmni Victory oedd beic Waldo, ond ni chafodd fawr o fuddugoliaeth ar y tywydd:

Fehefin, ni fihafiaist,
Mae'n deg im gwyno, myn diaist.
Cawswn – a phwy nas ceisia –
Rwydd daith ar y priffyrdd da
Pe baet heb law ond cawod,
Yn fis fel y dylet fod.
Iau diwethaf y deuthum,
Ac ar y beic gyrru y bûm.
Nofio ymlaen yn fy mhlét
A'm teirgier tua'm target
Dan law mân, mân nas mynnwy',
Dan lam o wynt, dan law mwy
A ffoi rhag cysgod ffawydd –
Dwy gawod dan gysgod gwŷdd.[76]

Ar ôl iddo deithio ar ei feic ar draws de Iwerddon i gyd, bellach roedd y Gaeltacht – cadarnle'r Wyddeleg – yn nesáu, er mawr lawenydd i'r teithiwr blinderus. Ac wrth iddo gyrraedd y Gaeltacht, canai'r ehedydd – symbol o obaith a dadeni ym marddoniaeth Waldo – uwch y wlad:

A'm hwyneb-wynt mwy ni bu,
Ond o'r chwith deuai'r chwythu.
Awel braf yn chwilio brig
Y corwair rhwng y cerrig,
A chaeau bach, ac uwchben
Yr ehedydd ar aden.
Uwch y bau clywch y buan;
Am Gaeltacht, Connacht y cân,
Yn rhoddi gras trwy'r asur
Ar noeth bau yr heniaith bur
Ac am awyr bur y bau
Min Iwerydd, man orau.[77]

Fodd bynnag, ei siomi yn y Gaeltacht a gafodd Waldo. Bu'n chwilio am Destament Newydd Gwyddeleg yn Galway un dydd Sadwrn, ond methodd gael un. Wedi bod yn An Spidéal am fis a rhagor, daeth i sylweddoli, er mawr ofid iddo, mai llusgo byw yr oedd yr Wyddeleg yn Iwerddon:

Mae'r iaith yn wan, ond yn dal, fel y tân yng ngwaelod y lludw tyweirch. Mae pobl Connemara'n dweyd fod y Gwyddelod yn dirmygu eu hiaith. Mae llawer o'r Gwyddelod cyffredin yn edrych arni fel cyfrwng y deallusion i ormesu'r lleill. Mae'r Dail yn sôn am ddod allan â llawlyfr yn cynnwys brawddegau fel 'I must have notice of that question', fel y gallant roi ambell lwyaid o halen yn y cawl fel hyn. Does nemor neb yn medru'r iaith yno ar [ô]l deng mlynedd ar hugain o'i dysgu yn yr ysgolion a'i gwneud yn gyfrwng addysg hefyd. Dywedodd bachgen oedd yn aros yma y dysgid pynciau trwy'r Wyddeleg yn ei ysgol ef, ond pan roddais lyfr syml iddo i'w gyfieithu ni wn[â]i fawr ohono.[78]

Er bod cyflwr yr Wyddeleg yn peri pryder iddo, wythnosau cyffrous a diddorol oedd yr wythnosau hynny a dreuliodd yn An Spidéal. Cafodd y fraint o gyfarfod ag un o arweinwyr Gwrthryfel y Pasg ym 1916, y gwleidydd a'r gwladweinydd Éamon de Valera, gŵr a fyddai'n cael ei ethol yn Arlywydd Iwerddon ymhen rhyw bedair blynedd. Roedd ŵyr ac wyres i de Valera yn aelodau o ddosbarth Waldo yn yr ysgol haf yn An Spidéal, a dyna pam yr oedd de Valera wedi dod yno. 'Gofynnodd De Valera i mi pwy noswaith a geid yr *is* Gwyddeleg yn Gymraeg ac yr oedd wrth ei fodd gydag Ys truan o ddyn wyf i, gan fod truan a dyn bron yn Wyddeleg hefyd.'[79] Yn nosbarth Waldo yn An Spidéal hefyd yr oedd wyrion ac wyresau i Eoin MacNeill, Cadeirydd y Gwirfoddolwyr Gwyddelig adeg Gwrthryfel y Pasg. Cafodd Waldo gyfle i ailgyfarfod â de Valera pan aeth yng nghwmni tair myfyrwraig o Goleg Bangor i weld tŷ Patrick Pearse ym mhentref Ros Muc yn Connemara. Roedd de Valera yno ar yr union adeg yr aeth Waldo a'r tair myfyrwraig i'w weld.

'Credaf mai fi yw'r unig berchen lamp beic yn Connemara, ac agos i'r siopwr dorri ei galon wrth ei werthu i mi,' meddai Waldo wrth D.J. a Siân.[80] Teimlai yn hunangyfiawn iawn y noson honno, meddai, 'ond wrth ddod lawr o gefn y beic sylwais fod y golau wedi diffodd'.[81]

Adroddodd stori'r lamp wrth T. Llew Jones, a rhoddodd yntau ei liw ei hun iddi:

Un noson pan oedd ef yn teithio ar ei feic yng ngorllewin yr ynys, a hithau wedi mynd braidd yn hwyr, fe alwodd mewn siop yn rhyw bentre bach, i brynu lamp beic. Yr oedd wedi trefnu cyrraedd cartref rhyw ffrindiau iddo y noson honno, ond ofnai y byddai hi wedi mynd yn dywyll ac yn hwyr cyn iddo wneud hynny.

Yr oedd y siopwr yn y pentre bach yn serchog, a chyn bo hir yr oedd y ddau'n cael sgwrs ddifyr a diddorol. Ymhen rhyw awr! – dyma Waldo'n gofyn iddo a oedd ganddo lamp beic i'w gwerthu. Dywedodd y siopwr fod ganddo lamp. Dywedodd Waldo fod arno awydd prynu un gan fod taith bell o'i flaen y noson honno. Ond dywedodd y siopwr nad oedd angen lamp arno. Hawliai nad oedd hi'n mynd yn nos o gwbwl yn y rhan honno o orllewin Iwerddon yr amser hwnnw o'r flwyddyn – sef canol haf. Ond daliodd Waldo at ei fater a dweud ei fod am brynu'r lamp ond nid oedd dim yn tycio – 'roedd y siopwr wedi penderfynu nad oedd arno mo'i heisiau! Wedyn dyma Waldo yn ei atgoffa mai siopwr oedd, ac mai ei ddyletswydd oedd gwerthu lamp iddo os oedd yn dewis prynu un. Ond mynnodd y siopwr mai ei ddyletswydd ef fel cyfaill a Christion oedd peidio â gwerthu iddo rywbeth nad oedd arno mo'i angen. Y diwedd fu i Waldo orfod ymadael heb ei lamp![82]

Yn wir, yn Iwerddon y cafodd Waldo rai o'i brofiadau rhyfeddaf, a chofiai W. R. Evans ddwy o straeon Waldo a oedd yn ymwneud â'r ynys yr oedd mor hoff ohoni. Stori am siopwr arall oedd un o'r straeon hyn:

Bu allan yn Iwerddon rywbryd, yn crwydro o gwmpas, o le i le, ar ei feic. Gofynnodd i ryw siopwr a gâi orffwys a chysgodi tipyn o dan ryw feranda a oedd o flaen ei siop. Rhoed caniatâd iddo wneud hynny. Ond yn ddiweddarach yn y nos cafodd y Gwyddel ryw achos i ddrwgdybio Waldo, a daeth allan gan bwyntio dryll ato yn fygythiol. Disgwyliai Waldo gael ei saethu yn y fan a'r lle, a meddyliai fod y cwbwl i gyd yn rhyfedd o ddirybudd. Yr unig eiriau a ddaeth allan o enau Waldo, y diniweitiaf o blant dynion, ac a fuasai yn heddychwr argyhoeddedig ar hyd ei fywyd, oedd –
    "Give me a few yards. Give me a sporting chance."
    Rywsut fe gafodd faddeuant, ar y telerau ei fod yn symud oddiyno [sic] ar unwaith![83]

Stori amdano'n dychwelyd o Iwerddon i Gymru oedd y llall:

Dywedodd wrthyf ei fod wedi gwario ei geiniog olaf. Pan oedd ar y llong fe deimlodd eisiau bwyd, ac nid oedd y ffaith fod pawb arall o'i gwmpas yn bwyta ac yfed, yn gwella pethau o gwbl. Yn sydyn fe gofiodd fod ganddo werth swllt a chwech o stampiau post yn ei waled. Penderfynodd werthu'r rheiny am naw ceiniog er mwyn cael cwpaned o de. Aeth o gwmpas, gan gynnig y fargen i hwn a'r llall – ond yr oedd pawb yn drwgdybio'r stampiau a drwgdybio Waldo – ac ni phrynodd neb! Pan oedd yn adrodd yr hanesyn hwn wrthyf, nid meddwl am y caledi a wnâi, na thosturio wrtho'i hunan, ond cael ei oglais gan y ffaith fod pobl yn gallu drwgdybio pethau cwbwl ddi-dwyll fel stampiau post! Mae gen i ddigon o ffydd yn y ddynoliaeth i gredu y byddai yno ddigon o bobol i dalu am ei fwyd pe bai wedi cyfaddef fod newyn arno. Ond ni fynnai Waldo gardod.[84]

Er iddo golli ei eiddo bron i gyd, ac er i Ryfel Corea ddod i ben ym 1953, roedd gorfodaeth filwrol yn parhau i fod mewn grym, a pharhaodd protest Waldo o'r herwydd. Ar ôl i'r beiliaid gipio'r rhan fwyaf helaeth o'i eiddo ym mis Tachwedd 1954, daeth cais am daliad arall, ond gwrthod talu a wnaeth eto, a bu'n rhaid iddo ymddangos gerbron Comisiynwyr y Dreth Incwm ym mis Chwefror 1956. Mae'r llythyr swyddogol a oedd yn ei wysio i ymddangos gerbron y Comisiynwyr, dyddiedig Ionawr 23, 1956, wedi goroesi:

> Inland Revenue v Yourself
> 1955 I No 6029
>
> Dear Sir,
> Your letter of the 20th instant had been passed to this Department for attention.
> An order was made by Master Diamond on the 11th January 1956 for judgment in this action for the amount claimed and costs. If you wish to appeal against the order of the Master this must be done by the issue and service of Notice of Appeal which is returnable before the Judge in Chambers. Such appeal must be brought within 5 days after the decision complained of but leave may be given to extend the time and the following words should be included in the Notice of Appeal "And that the time for appealing against the said order may be extended until after the hearing of this Appeal" ... When the Appeal has been entered and listed a copy of the Notice must be served on the Solicitor to the Commissioners for Inland Revenue. It should be pointed out that on the hearing of the Appeal you will have to attend personally on the day of the hearing.[85]

'Gwrthodaf dalu'r Dreth Incwm tra bo gorfodaeth filwrol ar Gymru a thra bo'r Llywodraeth yn dal i wario mor wallgof ar baratoadau rhyfel,' meddai wrth y Comisiynwyr.[86]

Yn ôl *Y Cymro*:

> Wedi hyn daeth ymhen amser alwad am daliad arall. Pan wrthododd y bardd y tro hwn, gofynnodd am gael cyflwyno ei achos mewn llys cyhoeddus. Ni chaniatawyd hyn. Galwyd Mr. Williams yn hytrach i ymddangos yn Llundain ger bron y Meistr Diamond, a dywedwyd wrtho nad oedd ganddo hawl i wrandawiad cyhoeddus.

Dyfarnodd y Meistr Diamond yn erbyn cais Mr. Williams i gael ei ryddhau ar dir cydwybodol. Gwnaeth yn eglur iddo fod yn rhaid iddo dalu. Gwnaeth Mr. Williams yntau ddatganiad pellach ei fod yn gwrthod talu. Gan nad oes ganddo ddodrefn bellach pa fodd y gorfodir ef? A yrrir y bardd i garchar oherwydd ei wrthodiad?

Mae wedi apelio yn y cyfamser, yn erbyn dyfarniad y Meistr Diamond. Y cam nesaf fydd ei ymddangosiad o flaen y Barnwr Pierce [*sic*] yn yr Uchel Lys yn Llundain.[87]

Cofnododd Waldo ei hun yr hyn a ddigwyddodd pan ymddangosodd gerbron y Barnwr Pearce yn ei ysgrif 'Pam y Gwrthodais Dalu Treth yr Incwm', a ymddangosodd yn rhifyn Mehefin 20, 1956, o'r *Faner.*

Wrth apelio o flaen y Barnwr Pearce, cynigiais ystyriaeth gyfreithiol. Cynigiais fod Siartr y Cenhedloedd Unedig a'r Cytundeb ynghylch Hil-laddiad yn meddu safon cyfraith gydwladol a bod cyfraith rhwng y gwledydd yn ymestyn hefyd hyd at y deiliad unigol, a bod llywodraeth Prydain wedi torri'r gyfraith hon, ac felly wedi torri'r cytundeb â mi yn bersonol, a'm bod yn dwyn y torcytundeb hwn i'r man priodol – llys gwlad.[88]

Cadwyd cofnod o'r achos gwreiddiol gan Dilys Williams, chwaer Waldo:

The defence was that the demand was contrary to equity and natural law, in view of agreements entered upon by the government, such as the Convention for the Prevention of Genocide, and the Charter of the United Nations, which are binding upon it in its relation to the subjects of the realm no less than in its relation to the parties concerned. The judge accepted this as a protest but maintained that disagreement with a government on [a] point of policy could in no way justify the refusal to pay income tax. The applicant deemed that it was [not] just a protest but a claim for justice issuing in his view from the breach of contract, in which he was included as an injured party and that in view of the obvious public appeal which this case possessed, he asked that it be thrown to open court. Justice Pearce found no warrant for this procedure, much as it appealed to him in view of the interesting value of the applicant's views.

P.[earce]: What is genocide?

W.[aldo] W.[illiams]: Mass-killing in modern warfare amounts to genocide.

W.W.: Onid oes hawl gennyf i ofyn am gyfiawnder i'm hachos?

W. C. Davis (Bargyfreithiwr y Comisiynwyr): Nid yw'r gyfraith o angenrheidrwydd yn gyfystyr â chyfiawnder.

Applicant in his opening remarks referred particularly to the Korean war, where the government was supporting a form of warfare not only abhorrent to public opinion in this country, but also contrary to the intent of agreement they had made, and it appeared to him that in circumstances like this the individual should obtain redress in a court of law for being held by force in an unjust position.

P.: Protest.

W.W.: No, breach of contract.

P.: Your views would be more swiftly ventilated on a political platform than in a law court.[89]

Fel hyn y mae Waldo yn cloi 'Pam y Gwrthodais Dalu Treth yr Incwm':

Y peth sydd yn peri pryder yw enfawredd y broblem yn ymyl bychander y cyfraniad ... Mae hir arfer ag amodau'n gwareiddiad wedi sugno'r dychymyg allan o'n hymennydd, hyd na allwn feddwl am yr amodau newydd. Ac y mae uchafiaeth y wladwriaeth arnom yn mynd yn anferth ... Dyma un o oesoedd y rhew mawr – gall gorchymyn llywodraeth ein rhewi pan ddaw'r adeg.

Nid oes dim a'n rhyddha ond yr ymateb rhwng personau. Y mae tynerwch at ddioddefiannau eraill yn arweinydd trwy fannau sydd yn ddyrys i'r rheswm oni ddeffroir ef gan y dychymyg.

Ni wna dim y tro ond inni wynebu ein heuogrwydd a'i droi'n gydwybod, a chydwybod yn gyfrifoldeb. Yna try ein cyfrifoldeb yn weledigaeth. Ond hyn sydd yn anodd gennym.[90]

Ym mis Mai 1956, ychydig wythnosau cyn y cyhoeddwyd 'Pam y Gwrthodais Dalu Treth yr Incwm' yn *Y Faner*, traddododd Waldo anerchiad rhyfeddol o rymus o flaen y Gymdeithas Heddwch yn ystod Cynhadledd Undeb Bedyddwyr Cymru yng Nghapel y Tabernacl, Abergwaun. 'Brenhiniaeth a Brawdoliaeth' oedd testun ei anerchiad, a'r hyn a olygai wrth 'frenhiniaeth' oedd 'yr elfen orfodol, yr uchafiaeth ymarferol ar ei deiliaid sydd yn gyffredin i bob gwladwriaeth ac yn hanfodol i'n syniad amdani'.[91] Ac meddai:

Oherwydd yr elfen orfodol hon, yn dywedyd Gwna, Dos, Tyred, Tâl ac weithiau Taw, y mae'r wladwriaeth yn wahanol i'r gymdeithas yn ei dehongliad o'r

gair Perthyn. Fel aelod y mae dyn yn perthyn i'w gymdeithas, ond pan ddelo'r
argyfwng sydd yn dadlennu'r gwirionedd, fel eiddo y mae dyn yn perthyn i'r
wladwriaeth. A chan fod y gwladwriaethau yn rhannu'r byd rhyngddynt, nid oes
gan ddyn ddewis ond bod yn eiddo ac yn wrthrych i frenhiniaeth. Dygymydd
dynion â'r sefyllfa hon trwy wneuthur y wladwriaeth yn eu meddwl yn un â'r
gymdeithas, neu'n well byth yn un â hwy eu hunain.[92]

Felly, eiddo'r wladwriaeth yw dyn. Y mae Waldo wedyn yn dyfynnu
Berdyaev:

Gwelai ef y tu ôl i frenhiniaeth y demtasiwn fwyaf yn hanes y ddynoliaeth, ac sydd
yn ei gorllwyn hi trwy'r oesoedd – y demtasiwn olaf a chyfrwysaf a osododd Satan
gerbron yr Iesu. A'i phrif gyfrwystra heddiw, medd ef, yw ei hypnosis, y caethiwed a
rydd ar feddyliau ei deiliaid, yn peri iddynt ymgolli yn y gwrthrych a'u trechodd nes
teimlo eu dyrchafu wrth gael eu darostwng a'u mawrygu wrth gael eu bychanu.[93]

Cyfeiria, yng nghwrs ei anerchiad, at y pumed llyfr yn rhan gyntaf nofel
Dostoevsky, *Y Brodyr Karamazov*, 'Y Pen Chwiliadur':

... y mae addfwynder y Carcharor wedi cario ar huotledd y Penchwiliadur, ac
wedi ei yrru yn ôl o ddehongli ei gymhellion i gydnabod ei ysbrydiaeth – y
gelyn-ddyn a wna hyn. Ac onid bywyn brawdoliaeth yw'r addfwynder hwn? O
flaen brawdoliaeth y mae brenhiniaeth yn cael ei barnu. Myn brenhiniaeth, er
ein hapusrwydd ni a'i hwylustod hithau, ddwyn y ddawn ofnadwy oddi arnom,
a'n cymhwyso at ei maintioli a'n hystumio at ei dibenion, ond brawdoliaeth yw
ceidwad ein dynoliaeth annibynnol. Hi yw sylfaen ein rhyddid, canys ganed ni yn
ddibynnol ar ein gilydd ac yn y berthynas honno y canfyddwn ein hawliau. Os
credwn mai tadolaeth Duw sydd uchaf yn y nefoedd, pa fodd yr amheuwn mai
brawdoliaeth dyn sydd ddyfnaf ar y ddaear?[94]

Brawdoliaeth yw'r unig rym a all drechu'r wladwriaeth, gan mai
brawdoliaeth, yn un peth, sy'n gwarchod annibyniaeth yr unigolyn:

Lle mae brenhiniaeth yn rhannu'r byd rhwng ei chyfryngau, y mae brawdoliaeth
yn ei uno â'i hysbryd. Lle mae brenhiniaeth yn gafael ar ddyn yng ngrym
awdurdod a thraddodiad, y mae brawdoliaeth yn ei gynnal yn ei anian. Y mae
brawdoliaeth yn ehangach ac yn ddyfnach na brenhiniaeth, ac y mae'n rhaid barnu
brenhiniaeth gerbron brawdoliaeth.[95]

Yng nghanol ei helyntion gyda swyddogion y dreth incwm, daeth un peth arall i aflonyddu arno. Ceisiodd ei gyfaill J. Gwyn Griffiths ei wthio i gyhoeddi cyfrol o'i gerddi. Gwyddai na fyddai Waldo yn cyhoeddi casgliad o'i waith hyd nes y byddai'n dechrau gwrthod talu ei dreth incwm, gan y teimlai mai peth llwfr a rhagrithiol i'w wneud oedd canu am ei heddychiaeth yn hytrach na gweithredu ar ei heddychiaeth. 'Yr oeddwn yn teimlo nerth beirniadaeth Gandhi ar Tagore: "Yr wyt yn rhoi inni eiriau yn lle gweithredoedd",' meddai Waldo.[96] Roedd Waldo bellach wedi gweithredu, ac wedi dioddef, gan i'r bwmbeilïaid ddwyn ei eiddo oddi arno. Yn nhyb J. Gwyn Griffiths, nid oedd gan Waldo esgus na rheswm bellach dros beidio â chyhoeddi cyfrol o'i waith.

J. Gwyn Griffiths a wthiodd y cwch i'r dŵr:

> Anodd oedd cael y bardd i symud o gwbl. Derbyniais innau gasgliad a wnaed gan yr Athro Caerwyn Williams, Bangor. Ychwanegais ato y casgliad a wneuthum innau, ac anfonais y cyfan, ar ôl trefnu'r cerddi, at Wasg Gomer, a oedd wedi cytuno ers amser maith i gyhoeddi'r gwaith. Llwyddais ar ôl dygn berswâd, i gael rhyw 'O.G.' ['o'r gorau'] lled wannaidd gan y bardd ei hun.[97]

Methodd J. Gwyn Griffiths yn lân â chael Waldo i gymryd diddordeb yn y gyfrol, a beiai'r cynnwrf gyda'r dreth incwm am hynny. Cysodwyd y casgliad yn gyflym iawn gan Wasg Gomer, nes procio Waldo i ddweud mai 'sprinters' oedd y wasg, nid 'printers'. Ond pan welodd broflenni'r gyfrol, 'mae'n debyg iddo sylweddoli'r sefyllfa ryfedd, sef bod cyfeillion iddo wedi cymryd y cyfrifoldeb am ei waith llenyddol yn union fel pe bai wedi ymadael â'r fuchedd bresennol!'[98]

Gwrthododd Waldo adael i'r wasg fwrw ymlaen â'r gwaith. Gohiriodd y cyhoeddi. Eglurodd pam y gwnaeth hynny mewn llythyr at J. Gwyn Griffiths a'i briod, Kate Bosse-Griffiths, ar Fehefin 19, 1956. Diolchodd i J. Gwyn Griffiths 'am roi cychwyn i'r llyfr', ond ni allai ei gyhoeddi at yr Eisteddfod Genedlaethol yn Aberdâr, gan fod ganddo ddau neu dri o bethau ar y gweill, a rhaid oedd eu cwblhau ar gyfer y gyfrol.[99] Nododd un rheswm arall yn ogystal:

> Rhaid imi ddweud nad swildod sydd wedi fy nghadw rhag cyhoeddi, ond beirniadaeth sydd gennyf ar yr oes hon, y gwareiddiad hwn, a'r wlad hon yn

enwedig. Gormod o eiriau, rhy fach o weithredoedd. Gormod o 'Sut enjoioch chi'r bregeth?' Nid dyna'r ysbryd o gwbl yn fy marn i, ac y mae'n bwyta Cymru'n fyw.[100]

Roedd rheswm arall hefyd. Ofnai y gallai'r llyfr frifo teimladau pobl, yn enwedig aelodau o'i deulu ef ei hun:

> Pe bai fy nai Dafydd, er enghraifft, yn y fyddin ac yng Nghyprus neu'n rhywle arall, byddai gweld fy holl bropaganda wedi ei gasglu'n llyfr, a'r llyfr hwnnw yn cael ei ganmol gan bobl, yn ddim ond pentyrru'r chwerwder. Fel y mae, y mae tristwch mawr i mi ynglŷn â'r cyhoeddi.[101]

Roedd J. Gwyn Griffiths wedi rhoi ei deitl ei hun i'r llyfr, 'Y Tŵr a'r Graig a Cherddi Eraill', ond nid dyna'r teitl a fynnai Waldo:

> Am deitl y llyfr, *Dail Pren* yw'r teitl sydd gennyf yn fy mhen ar ei gyfer ers blynyddoedd. Ydych chi'n cofio Keats yn dweud fod rhaid i farddoniaeth ddyfod fel y mae'r pren yn rhoi allan ei ddail? Ac wrth gwrs, y mae cyfeiriad yma hefyd at 'iacháu'r cenhedloedd'. Ac uwchlaw'r bwlch rhwng Parc y Blawd a Weun Parc y Blawd y mae'r pren sydd â'i lun i fod ar glawr papur y llyfr. Caiff ffrind i mi, D. J. Morris, ei dynnu, gobeithio.[102]

Ac mewn llythyr arall at J. Gwyn Griffiths, proffwydodd y câi'r llyfr ei gyhoeddi at y Nadolig:

> Y siriol impresario – Aber Dâr
>   Di-bryderon fyddo.
> A Nadolig uwch brig bro
> Cawn ni weld canu
>   Waldo.[103]

Aeth Waldo wedyn ati o ddifri i baratoi ei gyfrol ar gyfer y wasg, a chafodd lawer o gymorth gan D. J. Williams i ddwyn y maen i'r wal. Ailwampiodd ei awdl 'Tŷ Ddewi' yn llwyr ar gyfer y gyfrol. Darllenodd y fersiwn diwygiedig o'r awdl i D.J. ym mis Medi:

> Waldo yn dod i mewn amser te neithiwr fel dyn wedi ei feddiannu yn ei awydd i ddarllen y caniad olaf yn ei awdl ddiwygiedig i Dyddewi y bu gennyf i law yn ei

pharatoi yn ei ffurf gyntaf i Eisteddfod Gen. Abergwaun 1936 pan oedd Waldo ei hun yn sâl heb fodd gwybod ble'r oedd o gwbl. Mae'r awdl hon fel y mae bellach yn debyg o gael ei chydnabod yn un o orchestion yr iaith Gymraeg yn ôl fy marn i.[104]

Erbyn Medi 19 roedd Waldo wedi llunio fersiwn newydd sbon o'i awdl 'Tŷ Ddewi':

Waldo yma nos Lun rhwng 8 a 9 ac yn darllen awdl Tŷ Ddewi, y tri chaniad, yr un mesur â'r Haf [awdl fuddugol Eisteddfod Genedlaethol Bae Colwyn, 1910, gan R. Williams Parry], o'r dechrau drwyddi mewn afiaith ysbrydoledig – dagrau angerdd yn llenwi ei lygaid am funud wedi gorffen a chymerodd beth amser iddo i'w adfeddiannu ei hun – i dân athrylith ei fron ddyhuddo. Gwelais hyn rai troeon o'r blaen ganddo. Roedd yn orfoleddus fodlon ar ei waith – a hawdd y gallai fod gan ei fod wedi cyflawni gorchest dros ei genedl; rhoi iddi drysor yn ôl fy marn i a bery tra pery'r iaith.[105]

Bron i fis yn ddiweddarach, galwodd Waldo ar D.J. a Siân ar y ffordd i gyfarfod blynyddol yr Urdd yn Ysgol Ramadeg Abergwaun. Yn ôl dyddiadur D.J.:

Achwynai ar y ffordd i lawr i'r sgwâr yn arwain ei feic a finnau'n cerdded yno i ddal y bws fod Gwyn Griffiths yn gwthio gormod arno ynglŷn â chyhoeddi ei waith, gan fynd yn ormodol â'r gweithrediadau o'i ddwylo. Dywedais innau na allwn i lai na chytuno â'r cyfan a wnaeth Gwyn a'i edmygu am hynny – a gofyn eto fel y gwneuthum ar de y Sul cynt, – a fyddai ef yn debyg o fod wedi cyhoeddi ei waith yn awr o gwbl oni bai am yr hyn a wnaeth Gwyn. Edrychodd arnaf yn wyllt fel petai am fy nharo; yna trodd ar ei sawdl a chydio yn ei feic. 'Alla i ddim diodde peth fel hyn. Rwy i'n mynd adre,' mynte fe, ac adref yr aeth ar ei feic i fyny heibio i'n tŷ ni yn High Street. Nid dyna'r tro cyntaf i fi weld Waldo'n fflachio'n ffrochwyllt fel hyn heb lawer o eisiau pan fynnwn i anghytuno ag ef ar rywbeth ynglŷn â'i waith weithiau ... Mae ei deimladau'n angerddol danbaid ar rai pethau fel hyn. Proffwyd ydyw nid meidrolyn.[106]

Roedd Waldo yn beio J. Gwyn Griffiths yn ormodol yn ôl D. J. Williams:

... oni bai am Gwyn, y mae'n amheus a welid llyfr o waith Waldo byth yn argraffedig yn ei ddydd ef. Er blynyddoedd o ymbil a pheri iddo golli ei dymer yn go ddrwg unwaith neu ddwy bu fy ymdrechion i i gyd yn ofer i geisio'i berswadio i gyhoeddi ei lyfr. Gwyn Griffiths a Caerwyn Williams a'i gwnaeth hi yn y diwedd.[107]

Ar Hydref 16, roedd D. J. Williams yn dal i feddwl am Waldo a'i gyfrol:

A mynd yn ôl at Waldo – dadleuai ef yn wastad yn erbyn cyhoeddi ei waith, am fod gormod o lyfrau yn cael eu cyhoeddi'n barod, rhywbeth iddo ef ei hun ydoedd ei farddoniaeth. Yn ddiweddarach mynnai gyflawni gweithred o brotest cyn cyhoeddi ei waith. Fe'i gwnaeth drwy herio'r Llywodraeth a pheidio â thalu ei dreth incwm fel protest yn erbyn rhyfel, a'r beil[i]aid yn gafael yn ei eiddo. Trosedd Gwyn yw brysio ei gamau, gan y golygai ef yn awr gyhoeddi ei farddoniaeth yn ei amser da ei hun, meddai ef.[108]

Ar Hydref 17, derbyniodd lythyr gan Waldo a hwnnw'n egluro holl hanes ei fwriad i gyhoeddi cyfrol o'i gerddi er pan oedd Linda yn fyw. Meddai D.J.:

Dadleuai fel arall wrth Siân a fi o hyd – nad oedd ei farddoniaeth ef na'r un llyfr arall yn werth i'w gyhoeddi. Yn awr, â'r weithred o brotest wedi ei chyflawni teimla fod ei farddoniaeth bellach yn rhywbeth heblaw teimladrwydd mewn geiriau. Mae'n arswydus o onest, ond heb fod bob amser yn ddealladwy i'w gyfeillion.[109]

Roedd D. J. Williams braidd yn annheg â Waldo. Teimlai fod Waldo yn chwilio am unrhyw esgus dan haul i beidio â chyhoeddi ei gyfrol o farddoniaeth, ond roedd Waldo wedi cyflwyno ei safbwynt yn ddigon clir a diamwys yn y llythyr hwnnw y cyfeiriai D.J. ato:

Eich cwestiwn imi oedd a fuaswn wedi meddwl am gyhoeddi fy ngwaith oni bai i Gwyn ei gasglu. Wrth gwrs yr oeddwn i wedi meddwl. Wedi trafod y peth gyda Linda sawl gwaith, a phan oedd hi yn yr ysbyty un tro pan oeddwn i'n meddwl ei bod yn dechrau gwella, gwneuthum gasgliad o nifer o ganeuon wrth eu teitlau a fuasai'n gwneud llyfr o tua 60–70 td. er mwyn eu cyhoeddi a'u cyflwyno iddi pan ddeuai hi allan.

Wedi iddi farw, nid oeddwn yn teimlo am rai blynyddoedd y gallwn gyhoeddi fy ngwaith am dro ond deuthum i feddwl eto am wneud, dim ond imi ysgrifennu awdl eto yn gyntaf. Wedyn, pan ddaeth Rhyfel Corea, chwi wyddoch fel yr oeddwn i'n teimlo am fy nghaneuon heddwch. Yr oeddwn i'n teimlo y byddai eu cael gyda'i gilydd mewn llyfr yn ofnadwy, yn rhagrithiol, yn annioddefol heb fy mod yn gwneud ymdrech i wneud rhywbeth heblaw canu am y peth hwn. Rhoddais hyn yn rheswm i chi, ond nid oeddech yn ei werthfawrogi, ac yr un fath, Gwyn. Nid wyf yn dweud y dylech gydfynd â mi, ond dylech ddeall y safbwynt. Wedi imi wneud cymaint ag a fedrwn fel protest, teimlais y gallwn gyhoeddi fy llyfr, a dywedais wrth Gwyn y gwnawn cyn diwedd y flwyddyn. Dywedodd ef fod rhaid ei gael allan mor fuan ag y medrid. Gofynnais iddo i aros am fod rhai pethau pwysig gennyf nad oeddynt yn barod. Caneuon personol, meddwn. Ond nid oedd yn deall; ymlaen ag ef. Yr anhawster oedd imi ganu fy nghaneuon serch i Linda yn Saesneg, ac yr oedd rhaid imi gael peth amser i ystyried beth a wnawn am hyn.[110]

Dywedodd fod y casgliad gyda'r argraffydd, a hyd y gwyddai Waldo, byddai'r llyfr wedi ei gyhoeddi heb iddo gael cyfle i ddarllen y proflenni hyd yn oed. Roedd J. Gwyn Griffiths wedi cynnwys rhai cerddi yn y cysodiad cyntaf yr oedd Waldo yn bendant am eu diarddel. Ac roedd ganddo gerddi newydd sbon un ai wedi eu cwblhau neu ar y gweill, ac ni allai feddwl am gyhoeddi llyfr heb gynnwys y cerddi newydd hyn. Pan gafodd Waldo broflenni'r llyfr i'w ddwylo, cafodd fraw. Dywedodd wrth y cyhoeddwyr am beidio â gwneud dim byd pellach â'r gyfrol nes y byddai ef ei hun wedi llunio fersiwn newydd ohoni ar gyfer ei chyhoeddi.

O'r diwedd, wedi llawer o ffraeo a ffrwydro, cyhoeddwyd *Dail Pren* ar drothwy Nadolig 1956. Nid rhyfedd bod Waldo wedi gofidio cymaint am y cysodiad cyntaf. Ni lwyddodd J. E. Caerwyn Williams na J. Gwyn Griffiths i ddod o hyd i rai cerddi a oedd eisoes wedi ymddangos mewn print. Roedd cerddi eraill ym meddiant Waldo na welsant olau dydd erioed o'r blaen, er enghraifft, 'O Bridd', 'Geneth Ifanc', 'Oherwydd ein Dyfod', 'Tri Bardd o Sais a Lloegr', 'Odidoced Brig y Cread', 'Eneidfawr', 'Yr Hen Fardd Gwlad', 'Mewn Dau Gae', a nifer o gerddi eraill.

Cyhoeddwyd 'Mewn Dau Gae', fodd bynnag, yn rhifyn Mehefin 13, 1956, o'r *Faner*, pan oedd Gwasg Gomer yn Llandysul wrthi'n gweithio ar y gyfrol. Hon oedd un o gerddi gwirioneddol fawr Waldo, ac ni allai ddychmygu gweld cyfrol o'i waith yn cael ei chyhoeddi a'r gerdd hon heb fod ynddi. Yn 'Mewn Dau Gae' y rhoddodd Waldo fynegiant i'r weledigaeth honno a gafodd yn y bwlch rhwng Weun Parc y Blawd a Pharc y Blawd ar dir y Cross pan oedd tua phedair ar ddeg oed. Ynddi hefyd y ceir cip ar frawdoliaeth naturiol y gymuned amaethyddol gyd-ddibynnol y magwyd Waldo ynddi wedi i'w deulu symud o Hwlffordd i Fynachlog-ddu:

> Nes dyfod o'r hollfyd weithiau i'r tawelwch
> Ac ar y ddau barc fe gerddai ei bobl,
> A thrwyddynt, rhyngddynt, amdanynt ymdaenai
> Awen yn codi o'r cudd, yn cydio'r cwbl,
> Fel gyda ni'r ychydig pan fyddai'r cyrch picwerchi
> Neu'r tynnu to deir draw ar y weun drom.
> Mor agos at ein gilydd y deuem –
> Yr oedd yr heliwr distaw yn bwrw ei rwyd amdanom.[111]

Cwynodd rhai o ddarllenwyr *Y Faner* fod y gerdd yn dywyll iddynt, ac anfonodd Waldo eglurhad arni i'r *Faner*, bron i ddwy flynedd yn ddiweddarach. Ac meddai wrth gloi:

> I mi, prif neges y gân hon, 'Mewn Dau Gae', yn nhermau'r funud hon, yw bod y Welch Regiment yng Nghypros o hyd, a chyhyd ag y bôm yn goddef gorfodaeth filwrol ein caethion ni ydynt. Pa beth a wnawn? Dyna paham yr oeddwn am egluro'r gân.[112]

Roedd ôl brys ac esgeulustod ar yr argraffiad cyntaf o *Dail Pren*, ac nid rhyfedd hynny o ystyried y straen a'r pwysau a oedd ar Waldo ar y pryd. Roedd yr atalnodi yn flêr ac yn gamarweiniol drwy'r llyfr. Ceid enghreifftiau o anghysondebau yma a thraw, 'ymhob' ac 'ym mhob', er enghraifft. Cafwyd sawl cam-brint yn y gyfrol, fel 'A dawn llon eneidiau'n llu' yn lle 'A daw'n llon eneidiau'n llu' yn 'Tŷ Ddewi'.[113] Aeth un cam-brint drwy sawl argraffiad o *Dail Pren*, heb ei newid, 'Mae casgliad Lefi, a'r fân lythyren/Rwymodd rhyw anghelfydd daw' yn lle 'Rwymodd rhyw anghelfydd law' yn 'Yr Hen Fardd Gwlad'.[114] Achosodd un cam-brint gryn dipyn o ddadlau ac ymrafael am flynyddoedd helaeth wedi i'r llyfr ymddangos, sef 'ei' yn y llinell 'Mor agos at ei gilydd y deuem' yn 'Mewn Dau Gae'. Y mae copi cymen o'r gerdd yn llawysgrifen Waldo ei hun wedi goroesi, ac 'ein gilydd' a geir yn y copi hwnnw, nid 'ei gilydd'; 'ein gilydd' a argraffwyd yn *Y Faner* yn ogystal: yn

Dail Pren y digwyddodd y gwall.[115] Roedd rhai llinellau hefyd yn brin o sillaf, fel 'Ban a llym uwchben [y] lli' yn 'Y Tŵr a'r Graig'.[116]

Ôl brys neu beidio, cafodd y gyfrol dderbyniad gorfoleddus gan y Cymry llengar. Er enghraifft, Euros Bowen, a adolygodd y gyfrol yn *Y Ddraig Goch*. Canolbwyntiodd, yn bennaf, ar arwyddocâd y gair 'awen' ym marddoniaeth Waldo. 'Y Tŵr a'r Graig' oedd 'cerdd fawr y gyfrol', meddai, ac roedd y gyfrol ei hun gyfuwch â *Caniadau*, T. Gwynn Jones, *Yr Haf a Cherddi Eraill*, R. Williams Parry, ac *Ysgubau'r Awen*, Gwenallt.[117] 'Nid gormod menter yw dweud y bydd *Dail Pren* yn siŵr o brofi'n un o lyfrau barddoniaeth pwysicaf, ac anwylaf, y ganrif,' meddai Alun Llywelyn-Williams yn *Lleufer*.[118] Yn wahanol i Euros Bowen, roedd Alun Llywelyn-Williams o'r farn fod cerddi rhydd Waldo yn rhagori ar ei gerddi hir cynganeddol. Roedd ei ddyfarniad terfynol yn un diamwys:

Pa le bynnag y trown yn y gyfrol hon, gwelwn law gelfydd meistr ar ei grefft, aeddfedrwydd profiad, delfrydiaeth aruchel a llawenydd tawel. Llyfr i'w drysori ac i ymhyfrydu ynddo yw *Dail Pren*, gan un o feirdd praffaf a siriolaf ein cenhedlaeth ni.[119]

Roedd sylwadau Pennar Davies yn *Y Faner* yn fwy beirniadol, ac eto yr oedd yn llawn sylweddoli bod cyfrol o bwys wedi cael ei chyhoeddi:

Cyn cyhoeddi'r casgliad clywn rai'n amau a fyddai llond llyfr o gerddi Mr. Williams yn cadarnhau'r clod a enillasai ychydig o ddarnau gwych iddo ymhlith beirniaid a llenorion o dan eu hanner cant. Wele ateb cyflawn i'r amheuwyr: saif Waldo Williams yn ddiogel yng nghwmni dethol beirdd myfyrdod y ganrif.[120]

Yn rhyfedd iawn, nid oedd Pennar Davies yn rhestru 'Mewn Dau Gae' 'gyda goreuon y gyfrol'; yn un peth, nid oedd 'sôn am "ddagrau fel dail pren" yn ddull boddhaol o gyfleu'r gwirionedd y gall iachâd ddyfod trwy gystudd'.[121] Condemniodd rai cerddi, fel 'Soned i Bedlar', 'Yr Hwrdd' a 'Mowth-organ', ond, ar y llaw arall, roedd rhai cerddi'n hawlio eu cynnwys mewn unrhyw gasgliad neu flodeugerdd o farddoniaeth orau'r oes, fel 'Y Tangnefeddwyr', 'Yr Hen Allt', 'Adnabod' a 'Brawdoliaeth' – 'cerddi a leisia hiraeth y fendigaid werin ac undod cariad dyn a mawredd Duw'r cyfannwr'.[122]

'Gobeithiaf,' meddai Waldo, 'y bydd *Dail Pren* yn gymorth ymarferol i'm cenedl yn nyryswch yr oes hon.'[123] Y dail oedd y cerddi, y pren oedd pren brawdgarwch: 'a dail y pren oedd i iacháu y cenhedloedd'. Yr oedd gair a gweithred yn un yn y gyfrol, ond roedd gorfodaeth filwrol yn parhau i fod mewn grym. Cadoediad yn y frwydr yn erbyn gorfodaeth filwrol oedd y gyfrol, nid diwedd y rhyfel.

'Daw'r golau'n hardd drwy'r glyn erch'
Blynyddoedd Buddugoliaeth
1957–1971

Mynych rwy'n syn. Pa olau o'r tu hwnt
  Eglurodd Grist i'w etholedig rai
Pan oedd ein byw yn farus ac yn frwnt
  Heb fawr o'i fryd na'i ddelfryd ar ein clai?

'Llandysilio-yn-Nyfed'

'Ydiwrnod y daeth y llyfr ni chefais ddim gwefr oddi wrtho,' meddai Waldo mewn llythyr at Bobi Jones ym mis Rhagfyr 1956; teimlai mai 'dyma sydd gennyf am fy mlynyddoedd[:] can tudalen o farddoniaeth a heblaw hynny fawr o ddim'.[1] Ysgrifennu ato i'w longyfarch ar gyhoeddi *Dail Pren* yr oedd Bobi Jones, ond annigonol oedd y gyfrol yng ngolwg Waldo ei hun. Roedd hefyd yn y llythyr awgrym fod Waldo yn teimlo nad oedd wedi cyflawni digon mewn bywyd, o safbwynt ei heddychiaeth yn enwedig, er ei fod wedi protestio yn gyhoeddus agored yn erbyn y rhyfel yng Nghorea, ac yn erbyn defnyddio cyfran o'i enillion ef i gynnal y rhyfel hwnnw. Roedd y brotest honno i barhau, oherwydd, yn syml, roedd gorfodaeth filwrol yn parhau i fod mewn grym.

Er bod Waldo yn teimlo braidd yn rhwystredig ar ôl iddo gyhoeddi *Dail Pren*, dyfarnwyd canpunt o wobr iddo, yn sgil cyhoeddi'r gyfrol, am ei gyfraniad i lenyddiaeth Gymraeg gan Gyngor Celfyddydau Prydain Fawr. Cyflwynwyd y siec iddo y tu allan i siop Green yr Ironmonger yn Hwlffordd. Er mor ysgafn oedd poced Waldo, ni fynnai gadw'r arian. Trefnodd i gyfarfod â Syr Ben Bowen Thomas, Cadeirydd Gweithredol UNESCO ar y pryd, a rhoddodd yr arian i gyd iddo, fel cyfraniad tuag at hyrwyddo heddychiaeth fyd-eang trwy gyfrwng addysg, gwyddoniaeth a'r celfyddydau. Gweithred nodweddiadol ohono oedd y weithred ddyngarol ac anhunanol hon.

Byw ar ei nerfau yr oedd Waldo ar ôl iddo gyhoeddi *Dail Pren*. Roedd yn aros i'r storm nesaf godi. Yn llenyddol, roedd yn gymharol dawel arno ar ôl iddo gyhoeddi *Dail Pren*. Ym mis Hydref 1956, lluniodd nifer o englynion unodl i longyfarch ei hen gyfaill D. J. Williams, pan glywodd fod Prifysgol Cymru yn golygu dyfarnu gradd Doethur mewn Llên er anrhydedd iddo ym 1957. Hwn oedd yr englyn cyntaf:

> D. J. Wiliam, hawddamor! – Wedi hir,
> Wedi hwyr yn flaenor,
> Mewn steil, gyda mwy mewn stôr,
> Di aethost ar enw Doethor.[2]

Bu'n beirniadu cystadleuaeth y ddychangerdd yn Eisteddfod Genedlaethol Llangefni ym mis Awst 1957, ac adolygodd ddau lyfr yn yr un flwyddyn. Un o'r rhain oedd cyfrol gyntaf Bobi Jones, *Y Gân Gyntaf*. Roedd Waldo yn hael ei ganmoliaeth iddi. Roedd diweddglo'r adolygiad, gyda'i gyfeiriadau at gerddi teuluol Bobi Jones ac at ei ddyngarwch, ac at goed a grym y dychymyg, yn arwyddocaol iawn:

> Yn hytrach nag adolygu'r llyfr, cymerais rai o gerddi'r bardd er mwyn dangos natur
> ei ganu, ac enghraifft neu ddwy o'i 'bethau od' i ddwyn y natur honno i'r amlwg.
> Canu hen bethau y mae, a bywyd dyn ifanc, ei serch, ei grefydd, ei wladgarwch;
> canu'r teulu, ei hoffter o'i gyd-ddynion, bob yn un ac un, a'r caeau, a'r brwyn a'r
> waun, a'r wenynen a'r gleren a'r chwilen yn cael eu rhan, a'r adar a'r coed. 'It can't
> be a novel,' meddai George Moore am *Ulysses*; 'there isn't a tree in it.' Nid felly
> *Y Gân Gyntaf*. Mae'r llyfr yn llawn o bethau byw, a thrwyddo y peth mwyaf byw
> – dychymyg yn adnewyddu byd.[3]

Rhwng 1956 a 1958 roedd Bobi Jones yn ddarlithydd yng Ngholeg y Drindod yng Nghaerfyrddin ac yn byw yn Nhre-Ioan, Caerfyrddin, gyda'i briod, Beti. Câi Waldo lawer o gwmni'r ddau yn ystod y cyfnod hwn, fel y cofiai Bobi Jones:

Yn ystod y ddwy flynedd cwta y buom yng Nghaerfyrddin, bu Waldo yn aros gyda ni am un noson bob wythnos ar ei ffordd yn ôl o'i ddosbarth yn Nhalgarreg. Cymeriad mytholegol yw ef bellach. Gofynnodd un plentyn bychan iddo untro: 'Syr, iefe athro go iawn ŷch chi?' Hawdd y gellid cydymdeimlo â'r dryswch. Daeth ef yn gyfaill agos inni y pryd hynny er ein bod eisoes yn ei adnabod (a hawdd oedd ei adnabod) gan ei fod yn dod o'r un pentref â Beti. Byddem yn trafod tipyn gydag ef ar farddoniaeth, crefydd (yn arbennig gwaith Berdyaev), a'r helyntion ysmala personol a oedd ganddo yn fath o *repertoire* diderfyn. Un o'r colledion pennaf pan ddaeth yn amser inni ymadael â Chaerfyrddin oedd colli'r gymdeithas reolaidd hon.[4]

Er iddo golli'r gymdeithas reolaidd honno â Waldo, esgorodd y golled ar un peth cadarnhaol iawn. '[A]llan o'r sgwrsio hwn euthum ati i sylfaenu'r Academi Gymreig er mwyn estyn y cymdeithasu,' meddai Bobi Jones.[5] Cysylltodd â nifer o lenorion pennaf y cyfnod i'w gwahodd i gyfarfod yn Aberystwyth, a chynhaliwyd y cyfarfod cyntaf yng ngwesty'r Marine, Aberystwyth, ar Ebrill 3, 1959. Felly, roedd gan Waldo, yn ddiarwybod iddo ef ei hun, ran amlwg yn y gwaith o sefydlu'r Academi Gymreig.

Ysgogwyd Waldo i ganu drachefn ym 1958, ond ar raddfa fechan. Lluniodd rai englynion da yn ystod y flwyddyn. Englynwr achlysurol – a byrfyfyr gan amlaf – oedd Waldo, ac ni roddodd yr un englyn o'i waith yn *Dail Pren*. Anfonodd un o'i englynion gorau, 'Pa Bryd?', at Rachel Mary Davies o Abertawe, aelod blaenllaw a gweithgar o Blaid Cymru a ffrind agos i Waldo, ym mis Medi. Mae'r englyn hwnnw yn crynhoi holl ddaliadau a holl ddelfrydau Waldo: yr angen am gydymddiriedaeth a chydweithredu rhwng pob aelod o'r ddynoliaeth, maddeugarwch a thosturi, y gred mai un teulu yw teulu dyn, y syniad bod angen chwyldroi dull y gwledydd o lywodraethu a seilio'r holl syniad o reoli gwlad ar yr egwyddor o frawdgarwch, ac, i gloi, fod Duw yn arddel pob cartref. Y ddelwedd o dŷ sy'n rhoi undod clòs a diwastraff i'r englyn: 'teulu', 'adeiladu', 'tŷ':

Ymddiried, cydweithredu, – a maddau
 A meddwl fel teulu;
 Hyd wledydd, adeiladu,
 A'n Tad yn arddel ein tŷ.[6]

Enillodd T. Llew Jones, un o gyfeillion agos Waldo, Gadair Eisteddfod Genedlaethol Glynebwy ym 1958, am ei awdl 'Caerllion-ar-Wysg'. Ymgom rhwng tad, hen bennaeth o Frython, a'i fab yw'r rhan fwyaf o'r awdl. Mae'r mab yn cael ei lygad-dynnu gan y ffordd Rufeinig o fyw tra bo'r tad yn ceisio'i annog i fod yn deyrngar i'w lwyth ei hun ac i drin y Rhufeiniaid fel gelynion iddo, yn hytrach na chael ei hudo gan fywyd lliwgar a chyffrous y gaer. Yr oedd i'r awdl alegorïaidd hon arwyddocâd cyfoes. Cynrychiolai'r hen bennaeth y diwylliant Cymraeg a'r hen ffordd wledig, Gymreig o fyw, cynrychiolai'r gaer Rufeinig y bywyd dinesig, Seisnig, a chynrychiolai mab y pennaeth y genhedlaeth ifanc a gâi ei llygad-dynnu a'i meddiannu gan y bywyd hwnnw. Cynhaliwyd cyfarfodydd yn Sir Aberteifi i ddathlu buddugoliaeth T. Llew Jones yng Nglynebwy, a lluniodd Waldo englyn iddo ar gyfer y cyfarfod a gynhaliwyd yn Neuadd Pantycelyn yn Aberystwyth. Rhoddodd Waldo ei awgrymiadau alegorïaidd ef ei hun i'r englyn. Cyfystyr oedd yr Ymerodraeth Rufeinig â'r wladwriaeth fodern, a sylweddolodd Waldo hefyd fod i'r awdl arwyddocâd cyfoes, ac fel hyn y cyfarchodd T. Llew Jones, a oedd yn brifathro Ysgol Gynradd Tre-groes, Sir Aberteifi, ar y pryd:

> Yr hen dwyll i brynu dyn – yw hawddfyd
> A golud y gelyn;
> Fardd Tre-groes, dy oes dy hun
> Yw dydd hirloes dy ddarlun.[7]

Roedd un digwyddiad doniol ynglŷn ag Eisteddfod Genedlaethol Glynebwy wedi goglais synnwyr digrifwch Waldo. Enillwyd Coron yr Eisteddfod gan Llewelyn Jones – Llew arall – ac aeth y si ar led rai wythnosau cyn cynnal yr Eisteddfod mai'r ddau 'Lew' hyn oedd prifeirdd Glynebwy. Lluniodd Waldo englyn Saesneg i gofnodi'r digwyddiad anffodus hwnnw:

> Ebbw Vale, the hub village, – well done, you.
> Who'll deny one adage?
> Unlucky Lion leakage:
> Two have come out of a cage.[8]

Yn gynnar yn y flwyddyn newydd, cafodd Waldo gyfle i gyfarch cyfaill arall iddo. Ddiwedd 1958, penodwyd W. R. Evans yn brifathro Ysgol

Gymraeg y Barri. Bu'n brifathro Ysgol Gynradd Bwlch-y-groes, Llanfyrnach, o fis Hydref 1938 hyd at ddiwedd 1958, ac eithrio cyfnod o bum mlynedd yn y Lluoedd Arfog adeg yr Ail Ryfel Byd. Cynhaliwyd cyfarfod ffarwelio iddo ym Mwlch-y-groes ar Ionawr 16, 1959, ac roedd cyfraniad Waldo i'r achlysur yn un nodedig, fel y cofiai W. R. Evans ei hun:

> Dichon mai Waldo a goronodd y cyfan, trwy adrodd o'i go gywydd hir (dros 160 llinell) at yr achlysur. Byddai'n adrodd rhyw chwe llinell, yna petruso, gan symud o gwmpas y llwyfan, a rhoi twc sydyn i'w drowsus, ac yna ymlaen at y cymal nesaf. 'Roedd y gynulleidfa'n edrych yn hurt arno, ond yn gwrando fel y bedd. 'Roedd fy ffiol innau yn gwbwl lawn. O'r braidd y mae angen yr hunangofiant hwn, gan i Waldo amlinellu hanes fy mywyd i gyd yn y cywydd campus hwnnw. Mae un pwynt pwysig i'w bwysleisio yn y cyswllt hwn. Gan fod Waldo a minnau yn ffrindiau mor agos, fe ddisgwyliech iddo rigymu'n ysgafn yn ei gyfarchiad. Ond na, ni wnâi hynny'r tro i Waldo. Rhaid oedd llunio cywydd crefftus, yn null yr hen gywyddau mawl. Dim ond y gorau oedd yn ddigon da i'w gyfeillion.[9]

Yn y cywydd hwnnw, soniodd Waldo am y triawd brawdol a arferai gwrdd yn rheolaidd â'i gilydd yn y 1930au i farddoni a thrafod barddoniaeth – Waldo, E. Llwyd Williams a W. R. Evans:

> A ni a Llwyd yn y llên
> Diddiwedd ydoedd awen,
> Eiddo'i gilydd y golud,
> Rhannem a chyfannem fyd
> Pair Ceridwen dadeni,
> Boddhad wrth ei thrybedd hi,
> Oedd hael yn ei gŵydd o hyd
> Frawddeg dy gyfarwyddyd.[10]

A soniodd am yr eisteddfod honno a oedd wedi ysgogi Waldo i lunio'i englynion 'Dinistr yr Offerynnau':

> Oet heinyf a ni'n ifainc
> Ag organ geg â'r gain gainc.
> Dagrau ar dannau ar d'ôl
> A phrennau offerynnol.

> Ym Molestn oet. Malaist naw
> Â'th delor o nyth dwylaw.
> Ochain rhwth a chŵyn i'r wasg,
> Egrfryd crythorion deigrfrasg.
> Yna taflwyd trwy'r clwydi
> Offeryn dawn fy ffrind i.[11]

Ym mis Chwefror 1959, cyfarfu Waldo â rhywun a fyddai'n chwarae rhan bwysig iawn yn ei fywyd yn ystod y blynyddoedd i ddod, sef y Chwaer Bosco (Nora Gabriel Costigan), prifathrawes Ysgol y Fair Ddihalog yn Hwlffordd. Aeth y Chwaer Bosco, ynghyd â lleian arall, y Chwaer Ignatius, i wrando ar Bob Owen Croesor yn darlithio yn neuadd hen ysgol Tasker yn Hwlffordd. Er mai yn Saesneg y darlithiai, prin y gallai'r ddwy Chwaer ei ddeall:

> Ond fe ddaeth awr gollyngdod, a ninnau ar fedr sgleifio allan wedi sobri erbyn hyn – a chan deimlo nad oeddem fawr elwach o fod yn y ddarlith. Ond safai gŵr yn ein llwybr, ei lygaid sionc y tu ôl i bâr o sbectol hen ffasiwn yn pefrio o lawenydd. Ysgydwodd law, a gofyn a oeddem ni'n dysgu Cymraeg. Fe alwodd ef Gymro arall ato, a'i gyflwyno fel 'Williams'. Dyn tawel, a swil ei wên oedd hwn. Wedi sgwrs fe [d]refnwyd i ni ymuno â dosbarth Cymraeg 'Williams', a gwrddai yn yr Ysgol Eilradd ym Mhrendergast, Hwlffordd, nos Fawrth. Wedi hyn y daethom i wybod mai 'D.J. Abergwaun' oedd gŵr y sbectol a Waldo y 'Williams'.[12]

Ymunodd y ddwy Chwaer â dosbarth Waldo, ond gan nad oedd ond pump wedi ymuno, gwrthodwyd rhoi caniatâd i Waldo gynnal ei ddosbarth yn yr ysgol yn Hwlffordd. Aeth aelodau'r dosbarth ati i ganfasio i chwyddo'r rhif, ond er i eraill ymuno ag ef, buan y ciliodd y rheini hefyd. Cynigiodd Waldo ddysgu ffyddloniaid y dosbarth yn ddi-dâl, ond roedd yn rhaid cael man cyfarfod arall. Cynigiodd y Chwaer Bosco ystafell yn Ysgol y Fair Ddihalog ar gyfer y dosbarth o bump. A hynny a fu.

Roedd Waldo, yn ôl y Chwaer Bosco, yn athro penigamp:

> Anodd rhoi bys ar guddiad cryfder Waldo fel athro, a'i allu i ennyn ynom ddiddordeb yn y diwylliant Cymraeg, ac i'n hybu i ddysgu'r iaith. Nid drwy bregethu'r neges, nac ychwaith drwy unrhyw ddull uniongyrchol y gwnaeth hyn. Rhaid mai ein heintio â'i gariad at Gymru a Chymraeg a wnaeth.
>
> Un didwyll a charedig oedd Waldo bob amser – a'r dosbarth mewn cyd-ymdeimlad

Linda, yr ail o'r chwith, a Waldo ym mhriodas Roger, brawd Waldo, ac Edith, ym mis Gorffennaf 1934.

Linda: 'Hi fu fy nyth, hi fy nef.'

LINDA.

Hı fu fy nyth, hi fy nef,
Fy nawdd yn fy nau addef.
Ei chysur, yn bur o'i bodd,
A'i rhyddid, hi a'u rhoddodd.
Hi wnaeth o'm hawen, ennyd,
Aderyn bach uwch drain byd,
Awel ei thro, haul ei threm,
Hapusrwydd rhwydd lle'r oeddem.
Fy nglangrych, fy ngalongref,
Tragyfyth fy nyth, fy nef.

Mehefin 1943.

Cywydd Waldo er cof am Linda, wedi'i argraffu ar gerdyn bychan.

High above the Great West Road,
Where the larks in summer time
Sing, and past the last abode
Holiday making parties climb.
There the Cherhill White Horse stands
Art of ancient heads and hands.

There the newer monument
Pierces summer's azure sky.
Wind and rain do not relent,
But when the tower's stones shall lie
O'er the sword on either hand.
Still that ancient Horse shall stand.

Waldo. G. Williams.

Cerdd Saesneg Waldo i Geffyl Gwyn Cherhill a Chofeb Lansdowne. Ar gefn y llun ysgrifennodd Waldo 'for Gordon, with Best Wishes Dec 20 1948'.

'Charlie', sef ysgerbwd carreg yr 'eneth ifanc'.

Weun Parc y Blawd, fferm y Cross, Clunderwen.

O ba le'r ymroliai'r môr goleuni
Oedd a'i waelod ar Weun Parc y Blawd a Parc y Blawd?
Ar ôl imi holi'n hir yn y tir tywyll,
O b'le daeai, yr un a fu erioed?
Neu pwy, pwy oedd y saethwr, yr eglurwr sydyn?
Bywiol heliwr y maes oedd rholiwr y môr.
Oddifry awch y chwibanwys gloywbib uwch callestr y
          cornicyllod
Dygai i mi y llonyddwch mawr.

Rhoddai winc i mi'r cyffro lle nad oedd
Ond cyffro meddwl yr haul yn mydru'i les,
Yr eithin aeddfed ar y cloddiau'n clecian,
Y brwyn lu yn breuddwydio'r wybren las.
Pwy sydd yn galw pan fo'r dychymyg yn dihuno?
Cydwybod, cerdd, daunara, wele'r bydysawd.
Pwy sydd yn ymguddio ynghanol y geiriau?
Yr oedd hyn ar Weun Parc y Blawd a Parc y Blawd.

A phan fyddai'r cymyl lan mawr ffrodur a phleserin
Yn goch gan heulwen hwyrol tymestl Iachawdl
daw yr yn ymn o'i masam a ranrai'i neunyrys
Yr oedd can y gosget a dysfoder fel dysfoder dislawnyrys.
Pwy sydd ynghanol y rhwysg a'i rhemp?
Pwy sydd yn sefyll oce yn cynnwys?
Iyst fol tepl, cof fol cof, hoedl fol hoedl,
Tawel ostegur helbul hunan.

Nes dyfod o'r hollfyd weithian i'n tawelwch
Ac ar y sṯac tare fe gerddai ei boll,   (M.D.G)
A llonyddfat, rhyngddynt, amdanynt ymdaerai
Awen yn codi o'i cudd, yn cydio'r cwbl,
Iel cydx ni'r ychydig pan fyddai'r y cyrch picwerchi
'Neu, tynnu'r ts deis draw ar y weun drom.
Mor agos at ein gilydd y deuem —
Yr oedd yr heliwr distaw yn bwrw ei rwyd
          amdanom

O, trwy aloaedd y gwraed ar y gwellt a throwyd
          goleuni y galar
Pa chwiban nas clywai ond myuwes? O, pwy oedd?
Tryllus pob traha, shelur pob trywydd,
Hai! y dihanqur o'r byddinoedd
Yn chwiban adrabod, adrabod nes bod adrabod
daur oedd cydvraid calonnau wedi eu shew rhyn.
Yr oedd rhyw fryn honnau'n torri tva'r nefoedd
Ac yn ayrtis'n ôl a'n dagrau fel dail pren.

Am hyn y myfyriai'r dydd dan yr haul a'r cwmwl
A'r nos trwyi celloedd i'u maurfrig qwenys
Mor llonydd ydynt a buddau a'b banoll
Dros Weun Parc y Blawd a Parc y Blawd heb ludd,
A'n gofael ar y gwrthrych, y peri'r laun pobl.
Dian y daw'r dorhau, a pha aus yw hi
Y daw'r heruss, daw'r heliwr, daw'r heuliwr
                    i'r bwlch,
Daw'r Brenin Alltud a'r brwyn yn holltir

Jim Kilroy yn sefyll o flaen Great Harmeston.

Waldo gyda Jim Kilroy, Alice a Catherine, ym mis Mai 1957.

Waldo gydag Alice a Catherine
Kilroy, a Martin yn faban.

Winnie gydag Alice a Catherine
yn Ninbych-y-pysgod.

Anfonodd Waldo sawl cerdyn a sawl llythyr o Iwerddon at deulu Great Harmeston.

Waldo gyda'i gyd-ddysgwyr ar gwrs dysgu Gwyddeleg yn An Spidéal ym mis Mehefin 1955.

'Ymrysonem ras anardd,/ Âi'n garchar i bedwar bardd': Waldo fel aelod o dîm Ymryson y Beirdd Sir Benfro, gyda dau o'i gyfeillion pennaf yn y llun. O'r chwith i'r dde: E. Llwyd Williams, T. Llew Jones, Sam Jones, y BBC, a Waldo.

Waldo a'i gyfaill mawr W. R. Evans. Prin iawn yw'r lluniau o'r ddau gyda'i gilydd.

Llun arall o Waldo a W. R. Evans, a chwaer W. R. Evans yn y canol rhwng y ddau.

A Vote for Waldo

IS A

Vote for Wales

Published by Eirwyn Charles, Election Agent, Glasfryn, Trevine, and Printed by C. J. Thomas & Sons Ltd., Western Telegraph Offices, Bridge Street, Haverfordwest.

Taflen etholiadol Waldo adeg Etholiad Cyffredinol 1959.

Dear Electors.

I am sorry I may not be able to visit your immediate neighbourhood in the short time left. I will gather my message under three heads.

Peace.

If you elect me, I will call for unilateral nuclear disarmament as a moral lead by Britain. One H-bomb would kill hundreds of thousands and make monstrosities of children yet unborn. But there is a new spirit abroad. Let us seize the occasion.

Self Government for Wales.

We can afford it. We are 5% of the population of Britain. We produced last year 99% of the tinplate, 89% of the sheet steel, 29% of the crude steel, 12% of the coal, 40% of the aluminium. Our national product was £780,000,000, and our contribution to government funds £220,000,000.

It is the duty of every nation to govern itself. We could make Wales a really modern country producing, for example, motor vehicles and agricultural machinery. We could find work for more people, raise our standard of living, and brighten our social life with a greater variety of occupations.

Plaid Cymru wants to encourage co-operation in agriculture; and in the industries, to give the workers a share in the control. All this would mean better prospects for young people in their own land, more happiness in work, and safer retirement (New Zealand, with two-thirds our population, gives a retirement pension of £8 a week for man and wife).

I believe that Self government would invigorate our national culture, and contribute to the British Commonwealth and the world.

Pembrokeshire.

My native county. I would urge now such matters as the processing of Pembrokeshire timber in Pembrokeshire; the spending of more money on land improvement and rural amenities, the encouragement of the tourist industry in our beautiful county, and an inquiry into the state of the fishing industry.

Dywed Plaid Cymru y dylai Prydain roi arweiniad moesol trwy ymwrthod â'r arf niwclar. Dywed hi mai dyletswydd cenedl yw ei llywodraethu ei hun. Mae gan Gymru gyfoeth mawr. Gallai hi wneud y defnydd priodol ohono a gwneud bywyd yn llawnach a hapusach i bawb. Byddai hunan lywodraeth yn deffro ein hegni creadigol yn llawnach ac yn rhoi nerth newydd i'n hen ddiwylliant.

The two major parties in Westminster are ruled by party machines that allow their members little freedom.

A VOTE FOR PLAID CYMRU WILL BE A VOTE FOR DEMOCRACY.

Yours sincerely,

Waldo Williams.

Llun a dynnwyd ar gyfer ymgyrch etholiadol Waldo fel ymgeisydd Plaid Cymru yn Sir Benfro.

Waldo a'i chwaer Dilys.

Waldo, y trydydd o'r dde, ym mhriodas David, mab Roger, a Cecilia, Medi 25, 1964.

Waldo, yn sefyll ar y chwith, gyda disgyblion Ysgol yr Enw Sanctaidd, Abergwaun. Tynnwyd y llun ym 1966.

Plant Ysgol Gynradd Wdig gyda'u hathro.

Waldo â'i law ar garreg goffa Llywelyn ap Gruffudd, yn ystod y rali wrth-Arwisgo yng Nghilmeri, ddydd Sadwrn, Gorffennaf 26, 1969.

Y Dderwen Gam ar lan afon Cleddau.

Waldo.

llwyr ag ef. [Â] Waldo yn drist ac yn isel ei ysbryd, felly hefyd aelodau'r dosbarth; ond â Waldo yn ei afiaith, mawr fyddai'r hwyl a'r sbri.[13]

Roedd swyddogion y dreth incwm yn parhau i'w erlid. Ar ôl i'r beilïaid atafaelu llawer o'i eiddo ym mis Tachwedd 1954, roedd Waldo o hyd yn gwrthod talu ceiniog o dreth incwm. Roedd ei ddyled i goffrau'r wlad yn graddol gynyddu. Ychwanegwyd at y cymhlethdod pan ddaeth Rhosaeron yn eiddo iddo ar ôl marwolaeth Gwladys ym mis Gorffennaf 1954. Golygai hyn fod gan Waldo eiddo y gallai swyddogion y dreth incwm ei ddwyn oddi arno, ac er mwyn osgoi hynny, rhoddodd Rosaeron i Dilys. Rhoddodd hithau'r tŷ ar y farchnad. Erbyn 1956 roedd Waldo, unwaith yn rhagor, mor dlawd â llygoden eglwys, ac ym mis Awst y flwyddyn honno, fe'i gwnaed yn fethdalwr. Yna, ym 1959, digwyddodd rhywbeth hollol annisgwyl. Penderfynodd sefyll fel ymgeisydd Plaid Cymru yn Sir Benfro yn yr Etholiad Cyffredinol a oedd i'w gynnal ym mis Hydref. Gan na châi methdalwyr sefyll fel ymgeiswyr etholiadol yn ôl y gyfraith, bu'n rhaid i eraill dalu ei ddyledion i'r dreth incwm, ynghyd â'r llog ar y ddyled honno. Lai nag wythnos cyn cyfarfod mabwysiadu Waldo yn swyddogol fel ymgeisydd Plaid Cymru yn yr etholiad, ar ddydd Sadwrn, Medi 26, ymddangosodd gerbron Uchel Siryf Sir Benfro, Cyrnol George Trevor Kelway, yn Hwlffordd i gael ei ryddhau yn ffurfiol o'i fethdaliadaeth.

Roedd penderfyniad Waldo i sefyll fel ymgeisydd Plaid Cymru yn Sir Benfro wedi cyffroi D. J. Williams hyd at orfoledd calon:

> Newyddion braf a ddaeth i'm bro, Waldo yn dod yma neithiwr i ddweud y
> boddlonai ef i fod yn ymgeisydd dros y Blaid yn Sir Benfro – hyn yn gwneud
> bywyd yn werth ei fyw eto, wedi'r hir ymofidio beth a ellid ei wneud i ddeffro'r
> bobl. I Dduw bo'r diolch.[14]

Anfonodd D.J. lythyr at nifer o genedlaetholwyr i'w hysbysu bod Waldo wedi bodloni i gael ei enwebu fel ymgeisydd Plaid Cymru yn ei sir ei hun. Yn naturiol, roedd D.J. yn bresennol mewn cyfarfod arbennig a gynhaliwyd ddiwedd Awst:

> Bardd a gweledydd ydyw Waldo fel sy'n hysbys ddigon; a rhoddodd y ffaith iddo
> ef dderbyn yr alwad hon, yn bennaf oll fel mater o gydwybod ac o ddyletswydd
> tuag at Gymru yn y cyfwng presennol, lawenydd ac ysbrydoliaeth i bob Cymro a

Chymraes gywir yn yr Etholaeth. Cymaint oedd y balchder fel y daeth nifer luosog o bobl ynghyd ar fyr rybudd i gyfarfod cyhoeddus yn Abergwaun i gefnogi ei weithred ddewr ac i wrando cenadwri groyw y Llywydd, Mr. Gwynfor Evans, ar yr achlysur.[15]

Gan mai ar Hydref 8 y bwriedid cynnal yr etholiad ei hun, cwta bythefnos oedd gan Waldo ar ôl i genhadu ac i ganfasio. Nododd hynny yn ei daflen etholiadol, a gyhoeddwyd gan ei asiant, Eirwyn Charles. Cyflwynodd ei neges dan dri phen: heddwch, hunanlywodraeth i Gymru, a Sir Benfro. O safbwynt ei sir enedigol, credai fod angen prosesu coed Sir Benfro yn y sir ei hun, a bod angen gwario arian i wella cyflwr y tir. Roedd hefyd o blaid hybu twristiaeth yn y sir, a chredai fod angen cynnal ymchwiliad i gyflwr y diwydiant pysgota. Slogan etholiadol Waldo oedd 'A vote for Waldo is a vote for Wales.'[16] Crynhowyd ei bolisïau yn y Gymraeg:

Dywed Plaid Cymru y dylai Prydain roi arweiniad moesol trwy ymwrthod â'r arf niwclar. Dywed hi mai dyletswydd cenedl yw ei llywodraethu ei hun. Mae gan Gymru gyfoeth mawr. Gallai hi wneud y defnydd priodol ohono a gwneud bywyd yn llawnach a hapusach i bawb. Byddai hunan lywodraeth yn deffro ein hegni creadigol yn llawnach ac yn rhoi nerth newydd i'n hen ddiwylliant.[17]

Ymgeisydd annisgwyl oedd Waldo, a dweud y lleiaf. Dyma'r gwrth-wladwriaethwr mawr yn ymgeisio am sedd yn senedd y wladwriaeth. Gweledydd, nid gwleidydd, oedd Waldo; cyfrinydd ac nid arweinydd; tangnefeddwr ac nid seneddwr. Ac eto, roedd y weithred o sefyll yn enw Plaid Cymru yn Etholiad Cyffredinol 1959 yn weithred symbolaidd ddewr. Roedd yn safiad yn erbyn drygioni ac anghyfiawnder y wladwriaeth. Cynnal rhyfeloedd ac ecsbloetio gwledydd a wnâi gwladwriaethau. Gwyddai nad oedd ganddo'r mymryn lleiaf o obaith i ennill y sedd, er iddo gael hunllef un noson ei fod wedi ei ethol. Wrth Jim a Winnie Kilroy y dywedodd hyn. Roedd Waldo wedi cael braw.

Bu'n annerch mewn cyfarfodydd yma a thraw yn Sir Benfro, a châi ei heclo a'i herio gan y dorf yn aml. Roedd gan Cassie Davies gof byw am un o gyfarfodydd etholiadol Waldo:

... yr atgof pennaf sydd gen i am Waldo yw'r noson cyn etholiad cyffredinol 1959 pan oedd e'n annerch cyfarfod yn Abergwaun fel ymgeisydd dros Blaid Cymru, a rhai o weithwyr Trecŵn wedi dod yno. Fûm i erioed mewn cwrdd politicaidd fel hwn ac ni chlywais yn fy myw anerchiad tebyg i'r un a gaed gan Waldo, yn banorama gwych o gyflwr y byd mawr, ymhell uwchlaw deall mwyafrif y gynulleidfa. Ond daeth uchafbwynt y cyfarfod pan wahoddodd y Cadeirydd J. J. Evans, Tŷ Ddewi [prifathro Ysgol Dewi Sant], gwestiynau o'r llawr. Dyma un o griw Trecŵn yn gofyn, "*Is it true that the candidate is a conscientious objector?*" J.J. wedi ei gynhyrfu, "*You ought to be ashamed of yourself asking such a question.*" Waldo ar ei draed. "Gad i fi ddelio ag e." Yna mewn llais tawel a mwynder trist y pellter ynddo – "*Will you please repeat your question?*" Erbyn hyn, 'doedd yr holwr ddim mor falch o'i gwestiwn, ond dyma un yn ei ymyl yn rhoi cymorth cyfamserol, "*He wants to know whether you are a conscientious objector.*" Edrychodd Waldo yn hir allan trwy'r ffenest, mor hir nes imi gredu ei fod wedi anghofio'r cwrdd, yna trodd ei olygon at y bechgyn yn y cefn ac wedi ennyd arall o fyfyrdod, "*Yes,*" meddai, a dim un gair arall. Am ryw reswm fe gafodd yr un gair hwn effaith syfrdanol ar bawb. Ond daeth Trecŵn yn ôl eto, "*If you got into power, what would you do to a place like Trecŵn?*" J.J. wedi gwylltu, "*Close it down, of course.*" Os do fe, dyma hi'n dipyn o hylabalŵ o brotest wrth weld eu bywoliaeth yn diflannu mor sydyn, ac allan â'r giwed i'r sgwâr gan daflu *squibs* a chadw twrw. Roedd yn rhaid i Waldo fynd mlaen i gwrdd arall ac aeth y llwyfan gydag e', bob un ond fi.[18]

Er bod D. J. Williams wedi datgan ei edmygedd o benderfyniad Waldo i sefyll fel ymgeisydd seneddol yn enw Plaid Cymru, nid oedd yn gwbl hapus â'i agwedd at yr etholiad. Ni chredai fod Waldo wedi gweithio'n ddigon caled ymlaen llaw:

Teimlo nad yw Waldo yn manteisio'n ddigonol ar bob cyfle yn y Wasg a ffurfio pwyllgorau, i beri i bobl weithio a dadlau eu hunain ar bethau, yr wyf i. Unigoliaethwr (individualist) yw Waldo – gwreiddiol a didaro ei ffordd. Ond peth i'r dorf yw Etholiad, a rhaid derbyn hynny a gweithredu arno – neu ei gadael hi. Taflu arian i'r gwynt a cholli'r frwydr cyn dechrau ei hymladd hi yw peidio â chydnabod hyn. Penderfynu ysgrifennu ato i geisio ei argyhoeddi o hyn – ar berygl ei ddigio, rwy'n ofni, gan ei fod yn ystyfnig a sensitif iawn ei natur. Ond y mae'r etholiad yn rhy bwysig i gellwair â hi.[19]

Synnwyd llawer fod Waldo wedi llwyddo i ennill 2,253 o bleidleisiau i Blaid Cymru yn yr etholiad, ac mae'n sicr mai arwydd o barch pobl ei sir ei hun ato a rwydodd gynifer o bleidleisiau iddo.

Roedd un peth arall yn peri pryder i Waldo hyd at ddiwedd y 1950au, yn ychwanegol at ei frwydr yn erbyn swyddogion y dreth incwm. Roedd y pryder hwnnw yn ymwneud ag un o'i hoff lecynnau ac un o'i hoff olygfeydd, a gallai'r rhai a oedd mewn grym, unwaith yn rhagor, ladd rhyfeddod a difa harddwch, yn union fel yr oedd y Weinyddiaeth Ryfel wedi ysbeilio tir amaethyddol mewn rhai mannau yn Sir Benfro. Yn ôl Dilys:

> Pan oedd ystafell gan Waldo yn swyddfa Mr. Philipps-Williams yn Hwlffordd, fe fyddai'n cerdded liw nos hyd at gapel Mill Inn – ar y ffordd i Drwyn Picton. Roedd y capel ar agor nos a dydd yr adeg hynny, ac fe fyddai Waldo'n gorwedd ar y meinciau yno nes byddai'r wawr ar dorri, ac yna'n cerdded ymlaen at y dderwen gam ... i weld a chlywed "oyster catchers" a "sand curlews" yn codi gyda'r wawr.[20]

Ger Trwyn Picton, islaw pentref y Rhos, y saif y dderwen gam. Roedd Waldo wrth ei fodd yn eistedd dan y dderwen gam, yn gwylio piod y môr a phibyddion gylfinog yn codi ar lasiad y dydd, ac yn chwibanu canu. Lluniodd Waldo ddwy gerdd am y dderwen, ac ymhen rhai blynyddoedd, eglurodd yn union beth a'i cyffrôdd i ganu amdani:

> Bwriadu gwneud argae i gau ar ran uchaf Aber Dau Gleddau yr oeddid, ond, trwy lwc, nid oedd digon o arian yn dod ar gyfer y cynllun. Dim ond am y chwibanwyr y cofiwn erbyn hyn. Maent yn codi yn un haid (gallwn feddwl). Mae eu cân ar doriad gwawr yn ddigon o ryfeddod. Cerddais lawer tro drwy'r nos i fod yna mewn pryd i'w chlywed – pum milltir a hanner o Hwlffordd.[21]

Un o'r pum disgybl y dysgai Waldo'r Gymraeg iddynt yn Ysgol y Fair Ddihalog oedd ei gyfaill mawr Jim Kilroy. Nid oedd pob un o'r pump yn bresennol bob amser, ac fe gofiai'r Chwaer Bosco am Waldo yn sôn am y chwibanwyr a'r dderwen gam:

> Un noson a neb ond y Chwaer Ignatius, Jim a mi yno, daeth Waldo i mewn. Edrychodd o gwmpas, ac eistedd heb yngan gair, ei ben i lawr ar ei freichiau ar y bwrdd. Tawelwch y bedd nes i Waldo ymsythu'n sydyn a gofyn – 'Jim, do you like mud?' Rhythodd Jim arno – ond dyna Waldo yn ei flaen yn rhannu â ni y syniadau oedd wedi bod yn gafael ynddo ar y ffordd i'r dosbarth. Aeth ati i sôn am ryfeddodau llaid – ac am foch yn ymollwng ynddo – yn enwedig dan goed deri. A sôn am laid, gwell oedd ganddo weld yr aber o'r 'dderwen gam' ger y fan lle

bu fferi gynt rhwng Landshipping a thir Castell Picton a'r môr ar drai – a'r llaid
yn y golwg. Hoff ganddo oedd adrodd fel yr arferai gerdded yn oriau mân y bore
o Hwlffordd i lawr at y fan honno. Nepell o'r aber yr oedd capel bach Millin a'i
ddrws ar fythol agor. Âi Waldo i mewn a gorwedd ar ei hyd ar un o'r meinciau nes
iddi ddechrau glasu. Yna codai, a mynd i wrando'r chwibanwyr gloywbib yn eu
cynefin – y llaid ger y dderwen gam. Ond ryw ddiwrnod fe fu mor ffôl â sôn am ei
loches yng nghapel Millin wrth rywun a âi heibio iddo ar y ffordd. A'r tro nesaf fe
gafodd ddrws y capel bach dan glo.[22]

Yn 'Y Dderwen Gam', un o'r ddwy gerdd, dychmygir bod llyn yn
gorchuddio'r llaid, gan ddifa cynefin yr adar a lladd eu cân. Ymchwydd eu
cân, fel y dywedir yn yr ail gerdd, oedd y llanw a godai fad yr haul, ond dim
ond drych llonydd, marwaidd y llyn a geir bellach:

> Yma bydd llyn, yma bydd llonydd,
>> Oddi yma draw bydd wyneb drych;
> Derfydd ymryson eu direidi,
>> Taw eu tafodau dan y cwch.
>
> Derfydd y llaid, cynefin chwibanwyr
>> Yn taro'r gerdd pan anturio'r gwawl,
> A'u galw gloywlyfn a'u horohïan,
>> A'u llanw yn codi bad yr haul.[23]

Ceir yr un delweddau yn union yn y gerdd arall, 'Dan y Dderwen
Gam':

> Rwy'n dod o hyd ac o hyd cyn y bo'n rhy hwyr, i weld
> Y môr yn rhedeg i fyny'r afon. Yn grych ei wallt
> Mae e'n dod bob nos a dydd, a hi yn ei gwyrdd, neu'r gold
> Ond bydd cau'r drws yn ei wyneb a bydd taro'r tair bollt
> A diwedd ar eu chwarae: cellwair y cuddio a'r cael,
> Gwthio'n eu hôl rhwng y deri ei fflydoedd bach copor,
> Plethu'r gwymon trwy'r egroes, ei hongian o hoel i hoel,
> Pa sgafalwch bynnag i'r serch sy yng nghalon y môr.
> Cyn y tawo dan y cwch eu tafodau sionc a'u sigl
> Cerddaf eto'r milltiroedd, liw nos, hyd y dderwen gam

> I glywed dros draeth y wawr lawer gloywlais a chwibanogl.
>
> O! mwy hylif na heli'n dod i'r oed yw llanw y gerdd.
>
> Mae e'n codi bad yr haul. Mae e'n cuddio ein llaid llwm.
>
> Daw serch yr eigion i chwarae trwy ein calonnau gwyrdd.[24]

Ni ddaeth dim o'r bwriad i godi argae i gau ar ben uchaf yr aber i gronni dŵr y ddwy Gleddau, a mater o orfoledd oedd hynny i Waldo. Ym 1959, enillodd Bobi Jones wobr gan Gyngor Celfyddydau Prydain Fawr am ei gyfrol *Rhwng Taf a Thaf*, ac anfonodd Waldo lythyr ato o Lythyrdy Hwlffordd i'w longyfarch ar ei gamp:

> Eisteddais ar y sêt wrth y bont newydd gynnau i gael cip ar yr afon wrth ddarllen
> y papur a llawenychais am fuddugoliaeth yr afonydd, yn gyntaf y llywodraeth yn
> gwrthod awdurdodi rhoi argae ar draws dauGleddau; ac yn ail dwy Daf yn ennill
> canpunt iti eto.[25]

Nid oedd y flwyddyn newydd, 1960, yn argoeli'n dda i Waldo. Ar Ionawr 17, bu farw ei hen gyfaill, E. Llwyd Williams. Anfonodd Waldo lythyr at Eiluned, gweddw Llwyd, a'u merch, Nest, i gydymdeimlo â'r ddwy yn eu profedigaeth ar Ionawr 18, o Great Harmeston. 'Collais gyfaill agos agos,' meddai.[26] Lluniodd Waldo bortread o'i gyfaill ddwy flynedd cyn ei farwolaeth, a daeth i gof y blynyddoedd cyffrous hynny yn y 1930au pan arferai'r tri chyfaill ddod ynghyd i farddoni, i gystadlu ac i drafod barddoniaeth:

> Yr oedd ein diddordeb mewn barddoni yn cyflym ddyfnhau, a'n cyfeillgarwch
> hefyd. Yng nghyfnod eisteddfod fawr Clunderwen daeth Wil Glynsaithmaen
> (W. R. Evans) i wneud tri ohonom. Cystadlai Llwyd a Wil yn fwy na mi, ac nid
> oeddynt byth yn fodlon imi beidio â chynnig ... Yr oeddem bron yn gwybod
> gwaith ein gilydd. Daeth Wil a mi'n gyfarwydd â'r arwyddion fod Llwyd yn
> gwerthfawrogi ergyd – y gwrid yn gyntaf, yna'r wên a'r edrychiad byw yn y llygaid
> golau.[27]

Lluniodd hefyd gywydd i'w goffáu. Darllenodd ddetholiad o'r cywydd mewn cwrdd coffa i Llwyd a gynhaliwyd yn Rhydwilym ar Chwefror 5, 1960. Ceir llinellau sy'n llwythog o ystyr yn agoriad y cywydd wrth i Waldo ymbil ar Dduw am ei gariad a'i gymorth ar adeg o brofedigaeth ddofn:

Mae'r holl iaith os marw yw Llwyd?

Nid yw brawddeg ond breuddwyd,

A'r niwl oer ar y waun lom

Os trengodd ystyr rhyngom.

Duw glân, Tad y goleuni,

Dyro'n ôl Dy wawr i ni.

Dy galon yw D'ogoniant,

E dardd serch yn Dy wraidd sant.

Uwch ein clai Dy serch a'n clwm,

Iach y cydi uwch codwm.

Trig ynom trwy'r gwahanu

A thro ein taith i'r un Tŷ.[28]

Breuddwyd a niwl – peth cwbl ddisylwedd a diddim yw bywyd o golli Llwyd, ond gall goleuni ac ymgeledd Duw adfer ystyr i fywyd drachefn, a chysuro ac iacháu'r galarwyr. Duw yw'r goleuni gwaredigol sy'n treiddio trwy dywyllwch y golled a'r galar. Yna, mae Waldo yn sôn am addfwynder a lledneisrwydd Llwyd:

Oedd im frawd heb ddim o frith,

Addfwynder oedd ei fendith.

Llwyd, Nos da! Lledneisied oedd,

Goludog a gŵyl ydoedd.

Ynddo, nodd y winwydden

Yn ddilys ewyllys wen;

Eang a mwyn rhyngom oll,

Dygai'r cynhaeaf digoll ...[29]

Yn ei bortread o Llwyd, soniodd Waldo am fachgendod ei gyfaill, pan oedd Llwyd 'yn ei wythcae o fyd, ymhlith campau eraill yn marchogaeth y gaseg gwta mewn cylch, yna'n mentro i Allt Cila[u] Fawr yn ddychymyg i gyd, ac i lawr i lannau Cleddau, i Rydwilym, ac i Bwll Diferynion'.[30] Cyfeirio at gerdd Llwyd, 'Lan (enw'r Hen Gartref)', yr oedd Waldo yn y portread. Ynddi ceir y llinellau hyn:

Bûm yn byw yma unwaith

Lan

> Mewn wythcae o fyd ...
> Marchogwn gaseg gwta
> Mewn cylch ...[31]

Cyfeirir at gerdd Llwyd yn y cywydd coffa yn ogystal:

> Fy hiraethlef ar frithlawr,
> Llwyd, cêl fardd Allt Cilau Fawr.
> Golau a draidd i'w gwlad rith,
> Aeth o'r haul ei hathrylith,
> Ac oddi cartref hefyd
> Aeth cu fab Wythcae o Fyd.[32]

Mae'r cywydd yn diweddu ar nodyn gobeithiol a gwaredigol, wrth i oleuni Duw ddisgleirio drwy dywyllwch Glyn Cysgod Angau, wrth i'r cof drechu angof ac wrth i awen Llwyd oresgyn amser. Cyferchir Llwyd yn uniongyrchol bersonol yn y diweddglo, a hynny am y tro cyntaf yn y cywydd. Gwrthrych trydydd person – a gwrthrych marw – yw Llwyd yn y cywydd hyd at y rhan olaf, ond enaid byw a gyferchir yn y diweddglo, gan fod goleuni Duw a disgleirdeb cof wedi ennill y fuddugoliaeth ar angau a thywyllwch:

> Mad enaid, gad im d'annerch.
> Daw'r golau'n hardd drwy'r glyn erch.
> Caf dy falm mewn cof di-feth,
> Cyfyd brig haf dy bregeth
> I ganu byth 'Gwyn eu byd
> Y rhai addfwyn.' Ireiddfyd
> Pregeth loyw, pur gathl eos.
> Llawn o Nef yw llwyn y nos:
> Ynddi mae d'awen heno.
> Tywynna'r fraint, taena'r fro.[33]

Gadawodd Waldo Great Harmeston ym 1960, pan symudodd Jim a Winnie Kilroy a'r plant o'r fferm i dŷ cyngor ym mhentref Johnston. Aeth i fyw at ei chwaer Mary i 1 Ffordd Plasgamil, Wdig, a hwn fyddai ei gyfeiriad parhaol am y pum mlynedd i ddod. Nid bod lletya yn Wdig yn ddelfrydol, fel yr eglurodd wrth Rachel Mary Davies:

Bob ail wythnos mae hi waethaf arnaf, dosbarthiadau ym Mhenfro'r Doc, Clynderwen, Talgarreg a Thyddewi ac fe welwch nad yw Goodwick yn gallu gweithredu o gwbl fel canolfan rhwng y rhain. Yn wir mae cynddrwg [â] hyn: ni allaf ddod yn ôl yma o Dyddewi gan fod y bws olaf o Dyddewi i Wdig yn gadael am 5.30! Yr wyf wedi cynnyg am stafelloedd a bythynnod yn agos i Hwlffordd ond heb ddim llwyddiant eto. Er hyn y mae'r gwaith yn mynd yn bur dda, mae'r dosbarthiadau yn gwmni da eleni eto. Yr oedd yn ddrwg gennyf golli bwthyn bach yn Tiers Cross ar ôl dod ar y rhestr fer! ... Daw rhywbeth cyn hir.[34]

Ond roedd cartref arall yn disgwyl Waldo erbyn diwedd 1960. Gan nad oedd ganddo eiddo y gallai'r awdurdodau ei gipio oddi arno bellach, roedd Waldo yn wynebu cyfnod o garchar. Roedd arno ddyled o £15.4c i'r dreth incwm, a gwrthodai dalu'r un geiniog ohoni. Ar ddydd Llun, Medi 5, ymddangosodd Waldo gerbron Llys yr Ynadon yn Hwlffordd. Gofynnodd Clerc y Llys, J. Eaton-Evans, iddo a oedd ganddo ddigon o arian i dalu'r ddyled. Atebodd Waldo y gallai dalu'r ddyled pe dymunai wneud hynny, ond gwrthodai. Ceisiodd y Clerc ei berswadio i dalu, a rhoddodd ychydig funudau iddo i ystyried y mater, ond gwrthodai Waldo symud modfedd. Fe'i dedfrydwyd i chwe wythnos o garchar. Roedd Dilys yn y llys, i fod yn gefn i'w brawd, a phan gynigiodd hen gyfaill ysgol i Waldo, Garfield Williams, dalu ei ddyled ar ei ran, dywedodd Dilys mai dyna'r peth olaf a fynnai. 'It would upset him terribly if someone did pay and he has made this clear to all his friends,' meddai.[35] Anfonwyd Waldo i garchar Abertawe.

Edmygwyd Waldo gan lawer am ei safiad dewr a diwyro, ac nid y rhai a gytunai â'i egwyddorion a'i amcanion yn unig a'i hedmygai. Er nad oedd yn cytuno â'i ddulliau na'i ddaliadau, roedd un o golofnwyr sefydlog y *Western Telegraph*, 'Artemus', yn llawn edmygedd ohono:

I do not agree with his views, and neither do I agree that he is serving any useful purpose in the manner of his protests, but I applaud his moral courage and example. For one man, to set his face against the law and against the Crown, and to sacrifice himself in order to preserve a happiness and peace of mind, is something that is rare today. How many of us, who may criticise his views, would demonstrate the same tenacity of purpose, if our views and opinions were imperilled? How many of us would go to prison just for the sake of a belief or a principle?[36]

Ond nid oedd pob Cymro yn ei edmygu'n llwyr. Un o'r rhai a anghytunai â'i safiad oedd Saunders Lewis, a gredai mai trwy drais yn unig y gellid rhyddhau Cymru o grafangau Lloegr. Meddai, mewn llythyr at D. J. Williams, bedwar diwrnod ar ôl i Lys yr Ynadon yn Hwlffordd ddedfrydu Waldo i chwe wythnos o garchar:

> Mae'n enbyd o ddrwg gennyf am Waldo Williams. Mae e'n gwneud drwg mawr
> – mae e'n rhoi'r argraff i'r di-Gymraeg mai pobl gysetlyd, od, yn chwilio am
> gyfle i fynd i garchar yw'r cenedlaetholwyr Cymreig. Bu'r *Western Mail* yn fwyn
> anghyffredin tuag ato, ac wrth gwrs y mae'r Llywodraeth eisoes wedi penderfynu
> rhoi diwedd ar gonsgripsiwn. Yn fy marn i y mae'r heddychwyr wedi gwneud
> mwy na'u siâr o niwed i Blaid Cymru.[37]

Bedair blynedd ynghynt, roedd Saunders Lewis wedi dweud wrth D. J. Williams y byddai wedi ceisio darbwyllo Waldo i dalu ei ddyled i'r dreth incwm pe bai'n ei adnabod yn well.

Aeth un o ohebwyr *Y Cymro* i weld Waldo yn Wdig ar ôl iddo gael ei ryddhau o garchar Abertawe ym mis Hydref. Roedd Waldo yn ei chanol hi ar y pryd yn beirniadu rhai o gynhyrchion barddonol yr Ŵyl Gerdd Dant, a oedd i'w chynnal yn Llandysul y diwrnod canlynol. 'Yr oeddwn wrth fy modd yn mynd yno, yr oeddwn wrth fy modd yno, ac yr oeddwn wrth fy modd yn dod adref oddi yno,' meddai Waldo wrth y gohebydd.[38] Ni chwynai ddim am fywyd y carchar. Cafodd fwyd da yno, a châi dri llyfr yr wythnos i'w darllen. Roedd o'r farn nad oedd wedi dioddef digon yn y carchar, ac roedd yn gofyn iddo'i hun: 'Ai bod yng ngharchar ynteu allan yn ceisio cenhadu a fyddai orau?'[39] Yr hyn a boenai Waldo bellach oedd y bom niwclear:

> Mae Waldo yn erbyn ei chadw. Hoffai pebai ganddo ryw weledigaeth sut i
> brotestio'n effeithiol yn ei herbyn. Ond nid yw mor si[ŵ]r y buasai protest fel a
> wnaeth yn erbyn gorfodaeth filwrol yn ateb y diben.[40]

Fe gyrhaeddodd Waldo yr Ŵyl Gerdd Dant yn Llandysul. Un o'r rhai a gofiai'r achlysur hwnnw oedd ei gyfaill J. Tysul Jones, er iddo ddweud mai ym mis Tachwedd y cynhaliwyd yr ŵyl:

Amgylchiad arall a gofiaf yw Gŵyl Cerdd Dant yn Neuadd Llandysul ym mis Tachwedd 1960. Yr oedd y neuadd yn orlawn ar hyd y dydd, a'r diwrnod garw, gwlyb yn cadw mwy nag arfer y tu mewn i'r adeilad. Yng nghyfarfod yr hwyr, galwyd ar y beirniad, Waldo Williams, i draddodi ei feirniadaeth ar y Soned deyrnged i'r diweddar T. Ll. Stephens, Talgarreg. Yr oedd amheuaeth a fyddai ef yno, oherwydd ychydig ddyddiau cynt y daeth allan o garchar Abertawe. Pan ymddangosodd ar y llwyfan, cododd y gynulleidfa ar ei thraed, curo dwylo'n ddi-stop, a rhoi croeso tywysogaidd i ŵr a ddioddefodd o'i wirfodd oherwydd ei argyhoeddiadau ... Y derbyniad gorfoleddus hwn a gafodd Waldo yw'r atgof cliriaf sydd gennyf am yr Ŵyl Gerdd Dant gofiadwy honno.[41]

Anfonwyd Waldo i'r carchar drachefn ym mis Chwefror 1961, eto am chwe wythnos. Y tro hwn, fe'i hanfonwyd i garchar Ashwell Road, Oakham, Rutland. Rhaid oedd dathlu dydd ei ryddhau o'r carchar, ar ddydd Gŵyl Fair, Mawrth 25, ag englyn:

> Siŵr le yn y sir leiaf – heb un cwrt
>   Hyd ben cwarter gaeaf.
>   Yma â'm pâl mi dalaf:
>   Ŵyl Fair Mawrth, o'm plwyf rhwym af.[42]

Yn ystod y cyfnod anodd hwn o erledigaeth a chosbedigaeth, roedd Iwerddon yn cynnig dihangfa a noddfa iddo. Roedd Waldo wedi cwympo mewn cariad â'r wlad, ei phobl a'i hiaith gysefin oddi ar iddo ymweld â'r ynys am y tro cyntaf tua 1938. Cofiai'r Chwaer Bosco am rai o'i ymweliadau ag Iwerddon, sef ei mamwlad hi ei hun. Un noson ym mis Mehefin 1959, ac yntau ar ganol gwers gyda'i ddisgyblion yn Hwlffordd, penderfynodd godi ei bac a'i heglu hi am Iwerddon:

Hanner ffordd drwy'r dosbarth, fe gododd Waldo a dweud ei fod yn mynd yn gynnar i ddal y llong ganol nos o'r Harbwr (Harbwr Abergwaun) i Rosslare. Ymhen pythefnos cawsom hanes ei helyntion yn yr hen wlad. Roedd yn gobeithio cael aros yn y Coleg Gwyddeleg (Rinn O gCuanach) ger Dungarv[a]n. Felly cafodd y trên chwech y bore o Rosslare, ac wrth aros am y bws i'r coleg, gorweddodd ar sedd wrth yr orsaf, a chysgu. Daeth plismon heibio, a'i ddeffro a'i gynghori i 'symud ymlaen'. 'Ond,' ychwanegodd Waldo, 'fe ddaeth hen gi crwydrol ata i, a'm gwynto, ac ysgwyd ei gynffon. Gwell crebwyll gan y ci na'r plismon'. Ond chwarae teg i'r heddwas, roedd Waldo heb ei eillio ac yn gwisgo'i gôt lwyd – adnabyddus yng Nghymru. Ac nid y plismon yn unig a dwyllwyd. Fe dwyllwyd pennaeth y Coleg hefyd, oherwydd chafodd Waldo mo'i groesawu yno chwaith. Ni chwynodd, ond chwilio ffon a chrwydro swydd Waterford. Ar ei deithiau cafodd garedigrwydd mawr, a gwneud llu o ffrindiau o blith y werin.[43]

Gofidiai'r Chwaer Bosco a'r Chwaer Ignatius na chawsant gyfle gan Waldo i wneud trefniadau ar gyfer ei ymweliad ag Iwerddon. Ac yn ôl y Chwaer Bosco eto:

> ... hynny a'n hybodd ni i ofyn i'r Tad Patrick Fenton ei groesawu i'r Coleg ym Maynooth y flwyddyn ganlynol. A'r flwyddyn wedyn (1960) fe arhosodd Waldo am dair wythnos gyda'r Tad Fenton – Gwyddeleg oedd ei famiaith – ac wedi hynny fe dreuliodd Waldo rai wythnosau yn nhŷ Mrs. Murphy, chwaer y Tad Fenton yn Ventry, Swydd Kerry. Gwyddeleg oedd iaith yr aelwyd yno, ac felly fe gafodd Waldo gyfle hwylus i wella ei afael ar yr iaith. Roedd y teulu hwn yn annwyl iawn gan Waldo, a chadwyd y gyfathrach agos rhyngddynt ar hyd y blynyddoedd.[44]

Aeth Waldo yn gyfeillgar iawn â'r Tad Patrick Fenton (Pádraig Ó Fiannachta), bardd ac ysgolhaig Gwyddeleg o'r radd flaenaf. Treuliodd rai blynyddoedd yng Nghymru, yn derbyn hyfforddiant i fod yn offeiriad, o 1947 ymlaen, a dychwelodd i Iwerddon ym 1959, ar achlysur ei benodi yn Athro ar Wyddeleg Cynnar yng Ngholeg Maynooth yn swydd Kildare ym 1960. Darlithiai yn y Gymraeg yn ogystal. Ym 1961 roedd y bardd W. Rhys Nicholas, brodor o Sir Benfro, yn casglu deunydd ynghyd ar gyfer blodeugerdd o waith beirdd Sir Benfro yn unig. Yn naturiol, bwriadai Rhys Nicholas gynnwys nifer o gerddi gan Waldo yn y flodeugerdd. Roedd wedi bwriadu cynnwys rhai o gerddi *Dail Pren* ynddi, ond ni fynnai Waldo hynny, ac anfonodd gerddi newydd at y golygydd, gan gynnwys ei gywydd marwnad i E. Llwyd Williams a'i gywydd i W. R. Evans ar achlysur ei ymadawiad â Bwlch-y-groes am y Barri. O gartref Mr a Mrs Thomas Murphy yn Ventry, Swydd Kerry, y gohebai Waldo â Rhys Nicholas, a hynny ym mis Mai 1961. Roedd copïau o'r cywyddau i Llwyd Williams a W. R. Evans gan Rhys Nicholas, oherwydd iddo ef ei hun eu cyhoeddi yn ei golofn yn y *Cardigan and Tivyside Advertiser*, a gresynai Waldo na allai anfon rhai cerddi cymharol newydd at Rhys Nicholas o Iwerddon bell. Byddai wedi hoffi cynnwys ei gerdd am y dderwen gam yn y flodeugerdd. 'Bûm yn treio cofio cân a wneuthum i afon Cleddau pan oedd sôn am argae arni, ond nid wyf yn ei chofio'n ddigon da nac yn cofio pa le mae hi yn iawn imi gael dweud wrth fy chwiorydd,' meddai Waldo wrth Rhys Nicholas mewn llythyr ato o Ventry ar Fai 24, 1961.[45] Cyhoeddwyd y flodeugerdd, *Beirdd Penfro*, ym mis Gorffennaf 1961.

Ni allai D. J. Williams ddeall y dynfa tuag at Iwerddon a deimlai Waldo. Credai D.J. mai gartref yng Nghymru yr oedd ei le, yn ymgyrchu dros Blaid Cymru ac yn ymladd o blaid yr iaith. Yn ôl cofnod yn ei ddyddiadur gogyfer â diwedd Mawrth a dechrau Ebrill 1961:

> Siomedig o glywed Waldo'n sôn am fynd draw i Iwerddon dros yr haf yma i ddysgu Gwyddeleg, y gŵyr lawer ohoni yn barod – a chymaint o'i angen yn Sir Benfro i gynnal cyrddau ac agor llygaid y bobl ... Nid oes ond rhyw hanner dwsin o gyrddau'r Blaid wedi eu cynnal yma er dydd yr Etholiad ... Mae dosbarthiadau nos gan Waldo yn ystod y gaeaf yn rhwystr iddo fynd i gyrddau. Ac yn awr eto a'r haf o'n blaen mae'n sôn am fynd i Iwerddon ... Ond bydd yn rhaid i fi siarad ag ef y tro nesaf y cwrddwn ni.[46]

Erbyn diwedd 1960, roedd y Llywodraeth wedi penderfynu diddymu gorfodaeth filwrol. Ym mis Tachwedd y flwyddyn honno y gwysiwyd y dynion olaf i'r fyddin i gyflawni gwasanaeth milwrol gorfodol. Ar ddiwrnod olaf y flwyddyn daeth y diddymiad i rym yn swyddogol. Ond byddai rhai o'r gwŷr ifainc a yrrwyd i'r fyddin cyn dyddiad y diddymiad yn gorfod aros yn y fyddin tan fis Mai 1963. Felly, roedd Waldo wedi penderfynu parhau â'i brotest hyd nes y câi'r milwr olaf ei ryddhau, ac fe wnaeth hynny am bron i dair blynedd. Ym mis Ebrill 1962, eglurodd ei safbwynt a'i sefyllfa mewn llythyr at Bobi Jones, pan oedd ar fin gadael Wdig i aros gyda'r ddau genedlaetholwr pybyr Trefor a Gwyneth Morgan yn Ystradgynlais:

> Rwy'n meddwl mai rhywbryd yn yr hydref y bydd diwedd y gwasanaethu milwrol gorfodol, a hyd y pryd hynny rwy'n cadw ymlaen gyda'r brotest fel y dywedais wrthynt o'r dechrau. Mi wn fod hyn yn edrych yn ddeddfoldeb dwl o'r tu allan, ond o'r tu mewn y mae'n rhywbeth hollol wahanol. Ond y mae'n fy nghadw yn [ô]l yn awr gyda'm trefniadau. Nid wyf yn credu y bydd rhaid imi fynd i garchar eto. O leiaf cefais bedwar rhybudd o bryd i'w gilydd i dalu – y ddau o Hwlffordd

yn rhoi pythefnos rwy'n meddwl a'r ddau o'r canolfan yn Sussex yn rhoi deg diwrnod, ond gan na ddigwyddodd eto yr hyn a fygythiant, mae'n edrych i mi nad oes dim rhagor i fod.[47]

Gyda'i brotest yn erbyn gorfodaeth filwrol bellach ar fin dirwyn i ben, dechreuodd Waldo feddwl am fynd yn ôl i ddysgu, yn ei sir ei hun o ddewis. Bwriadai gadw un o'i ddosbarthiadau nos yn unig, sef ei ddosbarth yn Nhalgarreg, ar yr amod y cynhelid y dosbarth hwnnw bob pythefnos, ac nid bob wythnos. Ond gwyddai Waldo y gallai ei ddau garchariad weithio yn ei erbyn, 'yn enwedig mewn ysgol gynradd lle hoffwn i fynd,' meddai wrth Bobi Jones.[48]

Felly, daeth cyfnod Waldo fel athro ysgolion nos i ben. Bu'n cynnal ei frwydr undyn yn erbyn y Llywodraeth am bedair blynedd ar ddeg, a thrwy gydol y cyfnod anodd hwnnw bu'n cynnal dosbarthiadau nos mewn amryw byd o leoedd, a chymerai ran gyson a blaenllaw mewn ysgolion haf ac ysgolion undydd, a oedd mor boblogaidd yn ystod y cyfnod. Nodwyd eisoes fod Cassie Davies, yn rhinwedd ei swydd fel Arolygydd Ysgolion, yn gyfrifol am drefnu cyrsiau'r Weinyddiaeth Addysg i ddisgyblion y chweched dosbarth a gynhelid yn hen blas y Cilgwyn yng Nghastellnewydd Emlyn, a bod Waldo ar frig y rhestr ganddi i ddarlithio yn y cyrsiau hynny. Lluniodd Waldo gywydd i Cassie Davies, i ddiolch iddi am drefnu'r cyrsiau hyn ac am roi cyfle i bawb a gymerai ran ynddynt gymdeithasu gyda'r nos. 'Mae'r Gymdeithas yn eich cyrsiau wedi bod yn ysbrydiaeth i mi ac i bawb ohonom yr wyf yn si[ŵ]r,' meddai Waldo wrth Cassie Davies ym mis Medi 1958, a lluniodd gywydd bychan tri phennill iddi.[49] Dyma ddau o'r penillion hynny:

> Y cyfaill cu, diffuant
> A phen euraid plaid y plant,
> Ym mhyrth oes â'th gymorth hael –
> A godaist dŷ i'n gadael?
> Pa briodoldeb hebot?
> A gwyn fyd y byd y bôt ...
>
> Cynnes Gymräes reiol,
> Cymry cryf a dyf yn d'ôl,

Cennin Pedr dy fedr di-fost;

Deuwell bywyd, lle buost,

O lendid a ffyddlondeb

Merch ei gwlad yn anad neb.[50]

Eto ym 1958, mewn amgylchiadau economaidd dyrys ar y pryd, roedd Waldo yn cymryd rhan mewn ysgol undydd arall:

Y mae lle i ofni y bydd y cyfnewidiadau diwydiannol a chymdeithasol sydd yn awr yn digwydd yng Ngorllewin Cymru yn cael effaith niweidiol ar ein dosbarthiadau yn y parthau Cymraeg hyn. Ond er cymaint y mae eu meddyliau wedi ymgolli ym mhroblemau diweithdra, fe drefnodd Cangen Pontarddulais, drwy ei hysgrifennydd diflino, Miss E. B. Lewis, ddwy Ysgol Undydd, a Chymry o fri yn darlithio iddynt … yn yr ail Ysgol, darlithiodd Waldo Williams ar "Y Gynghanedd".[51]

'Y Gynghanedd', mewn gwirionedd, oedd un o'i hoff bynciau fel darlithydd mewn ysgolion undydd ac ysgolion nos. Credai'n gryf ynddi. 'Bydd hi byw tra pery'r iaith, yn ddigon byw ac ar raddfa ddigon eang i gynnal llenyddiaeth fyw,' meddai yn un o'i ddarlithoedd.[52] Roedd perthynas agos, meddai, rhwng y gynghanedd a theithi'r iaith. Credai fod y gynghanedd yn hanfodol i farddoniaeth. 'Yr ydym yn teimlo wrth ddarllen gwaith bardd mawr fod athrylith yr iaith yn ei mynegi ei hunan drwyddo ac y mae hyn yn wir iawn am y gynghanedd yn nwylo bardd mawr,' meddai.[53]

Roedd Waldo yn deall y gynghanedd i'r dim. Gwyddai beth oedd ei gwerth a gwyddai beth oedd ei swyddogaeth. Gallai ddadansoddi effeithiau'r gynghanedd yn fedrus; er enghraifft, yr ymdriniaeth ganlynol ag un o gwpledi Dafydd ap Gwilym yn ei ddarlith 'Y Gynghanedd Yfory':

Dychmygwch meddai Dafydd ap Gwilym wrth ganu marwnad Gruffudd ab Adda o Bowys

Bod yn galw is afalwydd

Eos yn nos ac yn nydd.

a bod saethydd gwyllt yn dod heibio a'i ladd,

a heb loyw degan blodeugoed.

Beth yw'r swyn? Mae'r gynghanedd Lusg, a'r gynghanedd Sain wedyn, yn mynd yn un â'r ystyr, yr ystyr yn mynd yn ddyfnach oherwydd hynny – y galw yn parhau

yn afalwydd, a'r cytbwysedd rhwng yn nos ac yn nydd yn pwysleisio'r parhad,
a'r odl rhwng eos a nos yn ategu'r teimlad sydd ynom ynglŷn â'r aderyn hwn
yn ei gysylltu â'r nos yn bennaf. Pethau syml yn cael eu defnyddio'n effeithiol.
Fy mhwynt yw ni byddai'r gwyrthiau hyn yn bosibl, onibae am naturioldeb y
gynghanedd yn yr iaith.[54]

Yn ôl pob tystiolaeth, gallai Waldo fod yn ddarlithydd ysbrydoledig
ar brydiau, yn graff, yn dreiddgar ac yn ddeallus ei sylwadau, ond gallai
hefyd fod yn ddi-drefn ac yn aneglur, yn enwedig pan na fyddai wedi
paratoi'n ddigon trylwyr ymlaen llaw. Arferai D. J. Williams fynychu rhai
o'i ddarlithoedd. Gallai D.J. fod yn hynod o ddiflewyn-ar-dafod am ei
gyfaill ar adegau:

> Dosbarth olaf y tymor gan Waldo. Triniaeth fanwl a goleuedig a hynod
> dreiddgar ganddo ar nofel Kate Roberts *Y Byw sy'n Cysgu*. Pan fo Waldo wedi
> paratoi ymlaen llaw y mae'n ddiguro. Ond fe ddaw ysywaeth heb baratoi fawr;
> a hynny'n diflasu'r dosbarth. Darlithiwr i ddosbarth anrhydedd disglair mewn
> Prifysgol ydyw Waldo mewn gwirionedd, nid ydyw'n llwyddiant, a bod yn onest,
> mewn dosbarth allanol o bobl gymharol anghyfarwydd â Llenyddiaeth fel y mae'r
> mwyafrif. Mae gan Waldo ei syniadau a'i safonau ei hunan ar bopeth, anodd ei
> ddeall a'u derbyn gan eraill, ar adegau, mae'n wir – ond nid oes newid arno. Cyll
> ei dymer yn wyllt weithiau, fel y gwnaeth yma heno, a madael yn bwt, os dadleuir
> ag ef. Oherwydd hyn rwy'n credu ei fod weithiau wedi gwneud cam â rhai o'i
> gyfeillion gorau fel â D. T. Jones, Cyfarwyddwr Addysg diweddar y Sir, a hefyd â
> Gwyn Griffiths a Caerwyn Williams parthed cyhoeddi ei lyfr ... Fel Crynwr o ran
> ei ddaliadau ni chred ychwaith mewn propaganda dros wahanol achosion. Yn ôl
> ei ddadl yma neithiwr, y mae'r goleuni mewnol gan rai yn reddfol, a heb fod gan
> eraill, ac ni ellir ei drosglwyddo'n effeithiol i neb. Yn ôl hyn gellid meddwl ei fod
> yn dipyn o Galfin, er na chredaf y cytunai ef â hynny chwaith. Bardd a chyfrinydd
> â thragwyddol heol athrylith yw Waldo ymhob dim. Eto, y mae'n un o ragorolion
> y ddaear yn ddi-os.[55]

Er i Waldo amau a gâi swydd fyth ar ôl bod yn y carchar, bu'n ffodus.
Wedi iddo roi'r gorau i'w swydd fel athro dosbarthiadau nos ym 1963, cafodd
swydd yn yr Ysgol Gatholig, Babanod a Chynradd, yn Noc Penfro, a bu
yno am ddwy flynedd. Bu hefyd am gyfnod byr yn athro yn Ysgol Gynradd
Barham, Tre-cŵn. Yna, aeth i Ysgol yr Enw Sanctaidd yn Abergwaun, ac fel

athro yn yr ysgol honno y cofir amdano yn bennaf yn ystod y cyfnod hwn yn ei fywyd, cyfnod y cyfnos.

Ar Fawrth 8, 1965, anfonodd Waldo lythyr at Bobi Jones o Wdig, ac meddai:

Cefais fy symud i'r Ysgol Gatholig yn Abergwaun, dechreuais ddysgu yno heddiw a chael fy mod yn dysgu Cymraeg drwy'r ysgol. Nid oes dim llyfrau nac offer yma ar gyfer hynny – ond y tape a recordiau caneuon – ac y mae'r prifathro, Kennedy, Gwyddel o Gaerdydd yw e ... mae e'n awyddus cael fy rhestr o'r gofynion cyn diwedd yr wythnos. Pedwar dosbarth sydd yma yn rhedeg o 25 i 30 o ran nifer.[56]

Erbyn canol 1965 roedd Waldo yn rhentu bwthyn o'r enw Westfield Cottage, ar gyrion Pont Fadlen, yn ymyl Hwlffordd, ac yn rhannu'i amser rhwng y bwthyn a thŷ ei chwaer Mary yn 1 Ffordd Plasygamil, Wdig. Un diwrnod daeth Dilys a ffrind iddi i dwtio rhyw ychydig ar y bwthyn, ac wrth i'r ddwy sgwrsio yn y gegin, clywodd Waldo, o ystafell arall, un ohonynt yn dweud: 'He's very active for his age.' Lluniodd englyn Saesneg cellweirus am yr hyn a glywodd:

On my own, Oh! I manage. – I prepare
  A repast with courage.
  I live, active for my age,
  In a cute little cottage.[57]

Bellach, a *Dail Pren* wedi agor llygaid ei gyd-wladwyr i fawredd ei gerddi, roedd galw mawr am Waldo i feirniadu yn yr Eisteddfod Genedlaethol. Bu'n beirniadu cystadleuaeth y Goron yn Eisteddfod Genedlaethol Llanelli a'r Cylch ym 1962, yn ogystal â beirniadu cystadleuaeth y Gerdd Goffa i E. Llwyd Williams yn yr un Eisteddfod. Flwyddyn yn ddiweddarach roedd yn beirniadu cystadleuaeth y Goron eto, y tro hwn yn Eisteddfod Genedlaethol Llandudno a'r Cylch. Ym 1967 fe'i gwahoddwyd i feirniadu cystadleuaeth y Gadair yn Eisteddfod Genedlaethol Sir Feirionnydd, a gynhaliwyd yn y Bala, a bu'n beirniadu cystadleuaeth y Goron eto yn Eisteddfod Genedlaethol y Barri a'r Fro flwyddyn yn ddiweddarach. Bu hefyd yn beirniadu mân gystadlaethau eraill yn y Brifwyl yn ystod y 1960au.

Bu'n brysur fel cyfieithydd hefyd ar ddechrau'r 1960au. Ym 1963 cyhoeddwyd ei gyfieithiad o *Hen Dŷ Ffarm* D. J. Williams, dan y teitl *The Old Farm House*, fel rhan o gynllun UNESCO i gyfieithu rhai o gampweithiau ieithoedd lleiafrifol, fel y gallai gwledydd yr ieithoedd mwyafrifol ddod i ddeall cenhedloedd llai yn well. Roedd y cynllun wrth fodd calon Waldo. Ym 1963 hefyd y perfformiwyd cyfieithiad Waldo o ddrama Jean-Paul Sartre, *Les Mouches*, dan y teitl *Y Cilion*, yn Theatr Dewi Sant yn Nhyddewi ym mis Rhagfyr.

Ym 1964, cafodd gyfle arall i ogoneddu a dyrchafu D. J. Williams fel llenor pan drefnwyd cyfarfod arbennig i anrhydeddu ac anrhegu D.J. a Siân yn Ysgol Haf Plaid Cymru yn Abergwaun y flwyddyn honno. Lluniodd Waldo gywydd yn arbennig ar gyfer yr achlysur, ac fe'i darllenodd yn y cyfarfod anrhegu. Un o'r rhai a oedd yn bresennol yn y cyfarfod hwnnw oedd Dafydd Iwan:

> Mae gen i syniad mai Plaid Cymru oedd yn trefnu'r cyfarfod, a galwyd ar Waldo i ddod i'r llwyfan i ddarllen cywydd a gyfansoddwyd ganddo yn arbennig ar gyfer yr achlysur. Cofiaf yn iawn fel y bu raid inni ddisgwyl am hydoedd er mwyn i Waldo dreiglo'i ffordd yn araf, fel pe na bai am gyrraedd, drwy'r dorf i ben y llwyfan. Wedi cyrraedd, yr arweinydd yn ei dywys at y meic ... ac yna'r seremoni o fynd drwy ei bocedi, yn gyntaf i ddod o hyd i'r cywydd, ac, wedi dod o hyd i hwnnw, i chwilio am ei sbectol. Erbyn i Waldo ddechrau darllen, roedd y gynulleidfa wedi rhyw ddechrau lled-chwerthin (yn gyfeillgar) am ei ben, a'r bardd yn rhyw hanner [p]orthi'r difyrrwch drwy oedi mwy nag oedd raid. Am ei fod yn gwrthod closio at y meic, prin y clywem ef, ond rhywsut daeth y berl o gwpled [b]ythgofiadwy fel taranfollt o'r nef:
>
> > Pen-y-berth, y berth lle bu
> > Disgleirwaith *England's Glory*.
>
> Darllenwr sâl oedd Waldo, a pharablwr aneglur, ond deallais y cwpled syfrdanol hwn ar unwaith, ac nid anghofiaf fyth yr ebychiad o chwerthiniad a ddaeth o'i enau yntau cyn i'r dorf ymateb i athrylith y dweud gyda bonllefau o gymeradwyaeth.[58]

Roedd y cwpled a ddyfynnwyd gan Dafydd Iwan yn cyfeirio at y weithred o losgi cytiau a defnyddiau ar safle'r Ysgol Fomio ym Mhenyberth yn Llŷn ym mis Medi 1936 gyda matsys England's Glory gan y tri chenedlaetholwr D. J. Williams, Saunders Lewis a Lewis Valentine. Yn ôl y cywydd:

Bu rownd ar bererindod,
Er mwyn hyn, i'r mannau od,
I'r gell, i'r llinell a'r llestr,
Fe fu yno yn fenestr.
Mewn amarch am y nawmis
Teulu'r praw fu'n talu'r pris:
Tri enaid o'u rhaid a'i rhodd
Am loywem a oleuodd
Benyberth, y berth lle bu
Disgleirwaith *England's Glory.*
Trywas gynt i herio'i sgorn
Yn wyrf wlatgar fel utgorn
Yn dweud Deffro trwy'r bröydd,
Galwad wen fel golau dydd.[59]

Ym 1965, cyhoeddwyd *D. J. Williams Abergwaun: Cyfrol Deyrnged*, dan olygyddiaeth J. Gwyn Griffiths, a chyhoeddwyd cywydd Waldo, yn ogystal â chyfraniad arall ganddo, sef 'Braslun' o D.J., yn y gyfrol.

Bron i flwyddyn ar ôl i Waldo ddarllen ei gywydd yn yr Ysgol Haf, roedd D. J. Williams yn cofio am y cyfarfod teyrnged hwnnw yn Abergwaun, wrth sôn am ginio anrhydedd arall a oedd i fod i ddod i'w ran, a'r cinio hwnnw, yn ôl D.J., yn ddim byd ond esgus dros beidio â gweithio a gweithredu ar ran Plaid Cymru. Ar yr un pryd, roedd braidd yn llawdrwm ar Waldo:

... Y Pwyllgor Rhanbarth o'r blaen, Mai 15, y dydd yr aeth Siân i'r ysbyty, a finnau'n methu bod ynddo, wedi trefnu cinio anrhydedd i fi yn y Fishguard Bay Hotel. Trois hwn i lawr yn bendant, gan deimlo mod i wedi cael llawer mwy na'm haeddiant yn barod o anrhydeddau. Ni chafodd neb erioed ei anrhydeddu'n fwy teilwng, neu'n annheilwng, nag a gefais i y llynedd yn Abergwaun yn Ysgol Haf y Blaid. A dyna'r llyfr teyrnged yna sydd yn yr arfaeth gan yr Academi eto'n fy aros!!

Teimlo mai ffordd rwydd o ddod ma's ohoni trwy beidio â gwneud dim dros yr achos ydoedd y ginio yma ...

Cynnig ein bod ni'n ffurfio panel y wasg ond Waldo'n bendant yn erbyn. Eisiau cychwyn papur ein hunain yn y Sir sydd, meddai ef. Waldo'n gallu bod yn gyndyn o anymarferol yn ei syniadau. Os na fyn Waldo wneud rhywbeth y mae ganddo ddawn ryfeddol i lunio rhes o'r rhesymau mwyaf direswm i'w gyfiawnhau ei hun. Yn lle cytuno i fynd ma's gydag Eirwyn Charles a finnau mewn ymgyrchoedd gwerthu pamffledi etc. drwy y Sir ar ôl Etholiad 1959 ac yntau'n ymgeisydd, gwrthodai'n bendant wneud dim, gan roi ym mhennau pobl eraill fel y bardd Jâms Nicholas mai ofer oedd y peth.[60]

Bron drwy gydol ail hanner y 1960au, bu Waldo yn dysgu yn Ysgol yr Enw Sanctaidd. Yn ôl tystiolaeth Waldo ei hun, roedd dysgu yn ormod o straen iddo. Roedd newydd ddathlu'i ben-blwydd yn drigain oed pan ddechreuodd ddysgu yn Ysgol yr Enw Sanctaidd. Arno ef ei hun yr oedd y bai am ei ludded, yn ôl D. J. Williams:

> ... Waldo yn ôl ei dystiolaeth gyson yn lladd ei hun yn y ffordd y mae wedi gymryd [*sic*] o ddysgu'r cyfan ar lafar i'r plant. Ni thynn neb o'i ben nad ef sy'n iawn. Nid oes modd i gael ganddo wneud dim dros y Blaid, ond dod i bwyllgorau'n go dda: ond gall fod yn dra anymarferol yno ar droeon. Mae Waldo'n ddi-os, yn un o'r goreuon o ddynion, ond ni fynn rannu ei brofiadau ysbrydol, cyfriniol o gwbl, gallwn feddwl, ond â'i gyd-gyfrinwyr yn eu cyfarfodydd bob Sul yn Milffordd, bob bore Sul, wedi cerdded dros 7 milltir yno – o bosib. Caiff ei gario'n ôl.[61]

Ac eto, roedd Waldo yn ffefryn mawr gan y plant, ac nid rhyfedd hynny. Gallai dreiddio i mewn i fyd plant. Dymuniad Waldo, ar ôl iddo roi'r gorau i gynnal dosbarthiadau allanol, oedd dysgu plant mewn ysgolion cynradd. Roedd plant ysgolion cynradd yn meddu ar y diniweidrwydd cynhenid hwnnw nad oedd y byd, gyda'i systemau a'i wladwriaethau, eto wedi ei lygru a'i hagru. Eden cyn y Cwymp oedd byd plentyndod. Un dirgelwch mawr ynglŷn â Waldo oedd y ffaith y gallai'r gŵr hynod ddwfn a hynod ddeallus hwn siarad uwch pennau pobl yn aml, ond gallai ymostwng at lefel plant yn rhwydd. Calon plentyn ac ymennydd oedolyn oedd ganddo.

Meddai'r Chwaer Bosco:

> Fe gefais rai manylion gan Sister M. Berchmans am Waldo yn dysgu'r babanod. Hi oedd â gofal y babanod lleiaf pan oedd Waldo wrthi nerth braich ac ysgwydd yn gweithio er hyrwyddo'r iaith Gymraeg yn Ysgol yr Enw San[c]taidd, Abergwaun. Cyrhaeddai Waldo'r ysgol bob bore a thwr o blant o'i gwmpas – tri neu bedwar ohonynt bob ochr iddo wedi llwyddo i gael gafael yn ei ddwylo a'i lewysau; a phob un wrth ei fodd. Pan ymddangosai Waldo yn yr ystafell ddosbarth byddai gorfoleddu mawr, ac anodd iawn oedd cadw'r plant bach yn eu lle gan mor awyddus oeddynt i weld pa ryfeddod newydd a oedd ganddo ar eu cyfer. Braidd yn anghyffredin oedd ei gyfarpar, yn cynnwys wigwam lliwgar, efallai, mygydau

gwahanol, llestri te, pypedau. Unwaith fe gyrhaeddodd yn llwythog dan faich o bapurau newydd. Wedi clirio'r llawr fe'u lledodd hwy arno. Yna fe alwodd ar un o'r plant pum mlwydd ato, a'i wisgo mewn crys gwyn hir. Bu tawelwch mawr, a'r plant yn dyfalu'n dawel beth a ddeuai nesaf. Yna fe'u trefnwyd hwy – yr holl ddosbarth – i rolio peli o'r papur. Taflodd Waldo ei bêl ef at y bachgen â'r crys gwyn. 'Roedd y wers wedi dechrau. Taflu peli at y dyn eira![62]

Roedd y Nadolig yn amser arbennig i Waldo a'r plant:

> Weithiau byddai gwobrau am ymdrechion arbennig – losin wedi'u rhannu rhwng plant y dosbarth i gyd – toffis blasus mewn papur euraid, ac mor falch oedd y plant o'u cael! Adeg arbennig iawn oedd y Nadolig, a dewisai Waldo bob amser gael cinio gyda'r babanod, ar waethaf taer erfyniadau'r plant iau arno ddod atynt hwy. Ond fe geisiai gadw'r ddysgl yn wastad drwy ymweld â hwy o bryd i'w gilydd yn ystod hwyl a sbri eu parti hwy. Yn naturiol, mynnai gyfrannu at y wledd, ac fe gymerai ran yn yr holl chwaraeon. 'Roedd e'n olau gan lawenydd ar yr adegau hyn.[63]

Erbyn dechrau 1969, roedd Waldo wedi blino ar ddysgu'r Gymraeg fel ail iaith i blant bach, neu efallai, ac yntau bron yn 65 oed, ei fod wedi blino yn gyffredinol. Aeth i weld y Chwaer Bosco yn Hwlffordd rywbryd yng ngwanwyn 1969:

> ... ac wedi ysbaid o ddistawrwydd fe eglurodd reswm ei ymweliad gan gyfaddef ei fod wedi blino dysgu Cymraeg fel ail iaith. Cofiwch ei fod dros drigain oed ar y pryd; peth arall oedd yn ei gorddi oedd y byddai'n siomi staff a phlant yr ysgol Gatholig yn Abergwaun. Wedi trafod y sefyllfa am dipyn roedd e'n barod i drefnu newid i'r ysgol yn Wdig. Wedi cytuno ar hynny roedd Waldo wedi dianc o'i bryder a dod yn ôl ato'i hun, yn llawn hwyl a sbri gan fy nifyrru â storïau o'i gyswllt ag ysgolion yn yr hen ddyddiau. Roedd e'n chwerthin gymaint fel nad oeddwn yn gallu cael pwynt yr hanes bob amser. Roedd Waldo'n hapus y prynhawn hwnnw a hyd y cofiaf dyna'r tro olaf iddo ddod i'r Cwfaint yn Hwlffordd.[64]

Ar ddiwedd y 1960au a dechrau'r 1970au, roedd Waldo yn dechrau colli cyfeillion a pherthnasau. Ddeuddydd cyn y Nadolig ym 1968, bu farw bardd yr oedd gan Waldo edmygedd di-ben-draw ohono. Gwenallt oedd hwnnw.

Roedd gan Waldo gerdd iddo yn *Dail Pren*, 'Bardd'. Edmygai Gwenallt am dri pheth yn ôl y gerdd honno: ei genedlaetholdeb ('Mae gennym fardd i ganu rhyddid Cymru'), ei safiad fel gwrthwynebydd cydwybodol adeg y Rhyfel Byd Cyntaf ('Y nosau a'r dyddiau dwfn y dug ei enaid/Anrhydedd craith carcharor Crist'), a'i newydd-deb a'i wreiddioldeb fel bardd ('na alw'n dywyll, lygad diog,/Ddisgleirdeb gweddnewidiad iaith').[65]

Aeth Waldo i angladd Gwenallt gyda D. J. Williams. Yn fuan iawn wedi hynny, lluniodd soned i'w goffáu:

> Crych fu ei ganu; yn y gwaelod, crwn;
>   Bethesda a gynhyrfid i'n hiacháu.
> Ym mhoethni'r brwydro dros ein tegwch twn,
>   Amynedd y gelfyddyd sy'n boddhau.
> Harddwch arswydus 'purwr iaith ei lwyth,'
>   Rhoes angerdd dan ei bron a nerth i'w braich
> A gosod dirfod yn y meddwl mwyth.
>   Gwrolodd y Gymraeg i godi ei baich.
> Nid rhyfedd hyn. Cafodd yr ennyd awr
>   Nad oes mo'i dirnad, a'r dychymyg drud
> A wêl yn hen wrthebau plant y llawr
>   Y Breichiau praff yn crynu o dan y byd
> Gan bryder santaidd; a'i ddyheu a roes
> I Frenin Nef yn marw ar y Groes.[66]

Canu 'crych' oedd barddoniaeth Gwenallt, canu garw, caled, realaidd, ac nid canu llyfn, telynegol ac ystrydebol; ac eto, canu 'crwn' oedd y canu hwn yn y bôn, canu ac iddo ddyfnder a chyfanrwydd, a seiliau cadarn mewn celfyddyd ac mewn bywyd. Yna ceir cyfeiriad at Ioan 5:2–4: 'Ac y mae yn Jerusalem, wrth farchnad y defaid, lyn a elwir yn Hebraeg, Bethesda, ac iddo bum porth; Yn y rhai y gorweddai lliaws mawr o rai cleifion, deillion, cloffion, gwywedigion, yn disgwyl am gynhyrfiad y dwfr. Canys angel oedd ar amserau yn disgyn i'r llyn, ac yn cynhyrfu y dwfr; yna yr hwn a elai i mewn yn gyntaf ar ôl cynhyrfu y dwfr, a âi yn iach o ba glefyd bynnag a fyddai arno.' Roedd barddoniaeth Gwenallt yn farddoniaeth a allai iacháu a glanhau trwy ddadlennu llygredd a phechadurusrwydd dyn yn ffyrnig o onest. 'Harddwch arswydus' oedd i farddoniaeth Gwenallt: barddoniaeth gywrain, gelfydd, grefftus, ond barddoniaeth frathog, finiog, filain ar yr un pryd. Yma ceir cyfeiriad at linell W. B. Yeats, 'A terrible beauty is born' yn 'Easter, 1916'. Gwenallt hefyd yw 'purwr iaith ei lwyth', cyfeiriad at 'Little Gidding', *Four Quartets*, gan T. S. Eliot:

> Since our concern was speech, and speech impelled us
> > To purify the dialect of the tribe
> > And urge the mind to aftersight and foresight,
> Let me disclose the gifts reserved for age
> > To set a crown upon your lifetime's effort.

Er mai Eliot a boblogeiddiodd y syniad a'r dywediad 'To purify the dialect of the tribe', aralleirio llinell gan y bardd Ffrangeg symbolaidd Stéphane Mallarmé yn ei soned 'Le Tombeau d'Edgar Poe' a wnaeth mewn gwirionedd, sef y llinell 'Donner un sens plus pur aux mots de la tribu' ('I roddi ystyr burach i eiriau'r llwyth').

Erbyn diwedd 1969 roedd iechyd Waldo ei hun yn dechrau dirywio. Ym mis Tachwedd 1969 cafodd lawdriniaeth ar y prostad. Bu'r llawdriniaeth honno yn llwyddiannus a dechreuodd wella. Yna, ar ddechrau 1970, cafodd strôc, a bu yn Ysbyty Sant Thomas, Hwlffordd, am fisoedd, trwy'r rhan fwyaf o 1970. Un o'r rhai a gysylltodd â Waldo yn ei waeledd oedd Ioan, mab Wilhelmina (Minnie). Ei fodryb Mwynlan a ddywedodd wrtho am dostrwydd Waldo. Ceisiodd godi calon ei ewythr. '[I]t's good to know that you are recovering, and that you have already reached the stage where you can walk a little,' meddai mewn llythyr ato ym mis Ebrill 1970.[67] Ond ym mis Ionawr 1971 cafodd strôc waeth o lawer a effeithiodd yn drwm ar ei leferydd.

Roedd byd Waldo yn dechrau chwalu. Bu farw ei frawd Roger ar ddiwrnod olaf 1969, ac ar ddechrau'r flwyddyn newydd, ar Ionawr 4, bu farw D. J. Williams, un o'i gyfeillion agosaf a gwarcheidwad ei drysorau. Prynodd Waldo dŷ yn Hwlffordd ym 1970, ond ni chafodd gyfle i fynd i fyw ynddo. Gwyddai y byddai'n rhaid iddo ymddeol rywbryd, ac y byddai'n rhaid iddo gael cartref sefydlog. Cyn hynny, prin fod angen cartref arno. Tai ei gyfeillion oedd ei gartref, ac roedd ganddo gyfeillion ymhob rhan o Gymru, cyfeillion a oedd yn fwy na pharod i roi pryd o fwyd a gwely am y nos iddo, fel y crwydrai o le i le. Roedd yn cario cês bach brown i ble bynnag yr âi, ac ymhlith llawer o drugareddau yn y cês hwnnw roedd Waldo yn cadw ei byjamas. Ond bellach, Ysbyty Sant Thomas yn Hwlffordd oedd ei gartref sefydlog.

Âi llawer o gyfeillion a pherthnasau Waldo i'w weld yn yr ysbyty yn Hwlffordd. Roedd Anna Wyn Jones a'i theulu yn crwydro rhannau o Sir Aberteifi a Sir Benfro, ar fymryn o wyliau, ym mis Awst 1970. Aeth i weld Waldo yn yr ysbyty, ac anfonodd lythyr ato ar ôl yr ymweliad. 'Er na wyddem ddim yn bendant am eich hanwylderau [sic] ers blwyddyn a'i bod yn ddrwg iawn gennym glywed am eich treialon, yr oedd yn dda dros ben clywed eich bod wedi gwella mor dda ar [ô]l yr "operation" ac wrthi'n gwella eto,' meddai.[68] Cydymdeimlodd ag ef ar 'golli brawd eleni [sic] a dyna'ch cyfaill D.J. hefyd'.[69]

Un o'r rhai a ofalai amdano, yn driw i'r diwedd, oedd y Chwaer Bosco. Meddai am fisoedd olaf Waldo:

> Dyna oedd ei gyflwr yn ei afiechyd olaf ac yntau yn methu symud na siarad. Ymwelai ei chwaer, Dilys, ag ef, ac fe ddywedodd hi wrthyf, os oedd Waldo yn ddibynnol arni hi am help i liniaru ychydig ar ei galedi corfforol, 'roedd hithau yn derbyn cysur ysbrydol ganddo ef, hyd yn oed yn ei fudandod. Ar wahân i Dilys, dangosai llawer o bobl 'gonsarn' tadol dros Waldo. Y cyntaf a ddaw i'm cof yw Mr Teifryn Michael, gŵr didwyll, hoffus. Llithrai'n dawel i mewn ac allan o Ward C, gan wneud popeth posibl er lliniaru caledi'r claf. Fe ddywedodd wrthyf unwaith, 'Mae Waldo wedi newid Ward C', a dyna'n union yr hyn yr oedd wedi ei wneud. Fe dyfodd rhyw gyfeillgarwch ac agosatrwydd rhyfeddol rhwng y cleifion a staff y ward a'r ymwelwyr; a 'Waldo' oedd Waldo i bawb. Fe fyddai pawb yn cynnig ei dipyn Cymraeg iddo, pe na bai ond 'Bore da', ac fe wenai yntau ei wên ryfeddol o gymeradwyaeth. Plentyn oedd, yn chwarae gêm ac yn ei mwynhau. Mor gyfarwydd y deuthum â'r cyfarchiad tyner, 'Waldo bach'.[70]

Cyflawnodd y Chwaer Bosco weithred rasol:

> Eleni 'Pitran Patran' oedd y darn prawf i ddysgwyr ar raglen Eisteddfod yr Urdd. 'Roedd y plant yn Ysgol y Fair Ddihalog yn ei hoffi'n fawr iawn. Buont yn crefu arnaf am ganiatâd i fynd i Ysbyty St Thomas i adrodd y gerdd wrth Waldo. 'Roeddwn i'n ofni'r effaith a gâi hyn arno, ond credai'r nyrs yn y ward y byddai'n syniad da, gan eu bod hwy wedi gweithio'n galed iawn i'w ddysgu – 'yn union fel

y dymunai Waldo'. Nid anghofiaf i'r profiad hwnnw fyth – y bechgyn a'r merched o gwmpas y gwely, a Waldo yn ceisio mynegi ei werthfawrogiad – a dyna brofiad nad â'n angof gan y plant chwaith.[71]

Aeth J. Tysul Jones hefyd i'w weld:

Yn yr Ysbyty yn Hwlffordd, ac yntau yn ei wely, y clywais ef ddiwethaf yn adrodd wrthyf y soned yr oedd wedi ei hanfon i Mr. Bedwyr Lewis Jones ar gyfer *Cerddi 1970*. Cefais anhawster i ddeall pob gair o'r soned fel yr adroddai hi, ond wedi cyrraedd adref i Landysul cefais gyfle i weld copi o'r soned cyn i'r llyfr gael ei argraffu yng Ngwasg Gomer, y soned "Llandysilio-yn-Nyfed". Bûm yn ei gwmni fwy nag unwaith wedyn, ond dyna'r tro olaf i mi gael ei glywed yn ymdrechu adrodd un o'i gerddi wrthyf, a mawredd ei bersonoliaeth yn tywynnu drwy'r soned.[72]

Roedd y soned honno, 'Llandysilio-yn-Nyfed', yn un o gerddi grymusaf Waldo.

> Mynych rwy'n syn. Pa olau o'r tu hwnt
>   Eglurodd Grist i'w etholedig rai
> Pan oedd ein byw yn farus ac yn frwnt
>   Heb fawr o'i fryd na'i ddelfryd ar ein clai?
> Rwy'n cofio fel yr aem i ddrws y tŷ
>   Pan ganai cloch y llan am flwyddyn well;
> Roedd mwynder Maldwyn eto ar Ddyfed gu
>   Pan âi'r dychymyg ar ei deithiau pell
> Yn nhrymder nos. Gwelem y fintai fach
>   Heb ddinas camp yn ieuo'r byd yn un,
> Ac yn eu plith gwelem yn glaerwyn iach
>   Yn wenfflam gan orfoledd Mab y Dyn
> Dysilio alltud na chwenychai'i sedd
> Ym Meifod gynt, rhag gorfod tynnu cledd.[73]

Sant o'r seithfed ganrif oedd Tysilio, mab Brochfael Ysgithrog, Tywysog Powys, yn ôl traddodiad. Dywedir iddo wrthod olynu ei dad fel Tywysog Powys, 'rhag gorfod tynnu cledd', fel y dywedir yn y soned. Addysgwyd Tysilio gan abad o'r enw Gwyddfarch ym Meifod ym Maldwyn. Gadawodd

Feifod a threuliodd saith mlynedd ar lannau afon Menai, gan sefydlu eglwys Llandysilio yno, yna dychwelodd i Feifod i olynu Gwyddfarch fel abad. Enwyd Ynys Dysilio yn afon Menai ar ei ôl yn ogystal â sawl eglwys yng Nghymru, gan gynnwys Llandysilio-yn-Nyfed. Ymhlith y seintiau yr oedd Waldo yn byw o hyd.

Ac aeth ei gyfaill W. R. Evans i'w weld yn yr ysbyty:

> Misoedd trist oedd misoedd olaf Waldo, ac yntau'n gorwedd yn Ysbyty Sant Thomas yn Hwlffordd. Yr oedd ei feddwl o hyd yn fyw iawn, ond peth torcalonnus i'w ffrindiau oedd methu deall ei leferydd. Ar ôl un achlysur felly, fe'i cefais hi'n anodd iawn mynd i'w weld, er fy mod yn gweithio o fewn ergyd carreg iddo. 'Rwy'n teimlo'n euog iawn am hynny, ond 'roedd gweld athrylith fawr fel Waldo yn ddileferydd yn torri fy nghalon. Efallai fy mod wedi bod yn rhy agos ato am flynyddoedd i ddygymod â'r pellter newydd hwn. Un bore ym Mai, daeth fy nghydweithiwr, Teifryn Michael (a bu hwnnw yn rhyfedd o ffyddlon iddo yn ei waeledd), i ddweud ei fod yn ofni fod y gŵr mawr hwn ar ben. Llwyddais i fagu digon o wrhydri i fynd at ei wely, er ei fod yn anymwybodol erbyn hyn. Yr awr olaf oedd hi. Yno, wrth ei wely, yr oedd y ffyddloniaid, Dilys ei chwaer, Benni Lewis, wrth gwrs (yno ymhob cyfyngder), a'r Chwaer Bosco, prifathrawes Ysgol y Catholigion, Hwlffordd.[74]

Bu farw Waldo ar Ddydd Iau Dyrchafael, Mai 20, 1971, yn Ysbyty Sant Thomas, Hwlffordd. Daeth bywyd un o'r beirdd mwyaf a welodd Cymru erioed i ben ei rawd; ac os oedd Waldo yn fardd mawr, roedd yn ddyn mwy. Rhyw fath o sant modern oedd Waldo. Byd y seintiau oedd ei fyd yntau. Trwy ryw anghaffael, trwy ryw dro annisgwyl neu ryw ffawd wyrgam, trosglwyddwyd gŵr a oedd yn preswylio yn Oes y Saint i ganol Oes y Bom, a chasâi yr hyn a welai. Gŵr anfydol, gŵr anfaterol, syml ei foes a'i fyw, a gŵr a gredai mewn ymgodymu â'r ddaear i ennill ei fara beunyddiol, oedd y gŵr hwn, fel y seintiau cynnar. Canodd awdl gyfan i Ddewi Sant, a Dewi, ac nid ei gadeirlan, oedd gwir destun yr awdl honno. Canodd am Ddewi a seintiau eraill mewn cerddi eraill yn ogystal. Ar derfyn ei yrfa, bwriadai Waldo lunio awdl i Badrig Sant, nawddsant Iwerddon, y wlad yr oedd ganddo gymaint o feddwl ohoni. Aeth i'r Llyfrgell Genedlaethol yn Aberystwyth i olrhain hanes Padrig, ond ni lwyddodd i ysgrifennu'r awdl.

Roedd Waldo yn ymwybodol iawn mai sir y seintiau oedd ei sir enedigol.

Pan ofynnwyd iddo gyfrannu i'r rhaglen 'Molawd Penfro', sef pasiant adrannau ac aelwydydd yr Urdd yn Sir Benfro, a oedd i'w berfformio yn Eisteddfod Genedlaethol yr Urdd yn Abergwaun ym 1951, yn ôl at seintiau'r sir yr aeth Waldo. Lluniodd ddwy gerdd i 'Oes y Seintiau', a cherdd arall, gymharol hir, ar y mesur moel, sef 'Ymddiddan rhwng Dewi, Teilo a Cholman', tri o seintiau'r sir. Ac meddai Teilo yn y gerdd:

> Gwynfyd i mi yw'r cwlwm rhyngom oll,
> Dewi, heb guddio'r galon, rwyf yn diolch
> I Dduw am Samson ac amdanat ti.
> A'r dydd o'r blaen, wrth ddod trwy Gernyw'n ôl
> Gwelais y groes a dorrodd Samson ar
> Y maen uwchlaw Tre-gaer, y dydd y daeth
> Cannoedd at Grist yng ngŵyl y duwiau Gau.[75]

Y llinell allweddol yma yw 'Gwynfyd i mi yw'r cwlwm rhyngom oll', llinell sy'n crynhoi holl athroniaeth Waldo mewn ychydig eiriau. Y mae ei edmygedd o'r seintiau cynnar yn amlwg yn yr ail gân i 'Oes y Seintiau':

> Hyd y glannau, a thrwy'r goedwig
>   Aent â'r addfwyn lais ar led;
> Mabinogi'r Iesu a draethent,
>   Lle crwydrent, safodd Cred.
>
> Goferydd Ei gariad oedd eu llwybrau.
>   Cysegr Iddo yw pob man
> Y safodd sant gan ddwedyd: 'Wele,
>   Yma mae lle i'm llan'.
>
> Mawr y clirio, adeilio, cloddio
>   Ar ôl galw ei help ynghyd:
> Rhoddes fel yng ngardd y mynaich
>   Ddwy fraich i weddi ei fryd.
>
> Gorffen cau, ymado'r cymorth;
>   Trwy'r distawrwydd, dringo i'r Nef
> Ddeugain nydd a nos awyddfryd
>   Ei weddi a'i ympryd ef.

Yn ei gell fe gasglodd inni
  Drysor gwiw nas bwyty'r gwyf,
Ac o'i gae, trwy nerth annistryw,
  Gwinwydden Duw a dyf.[76]

Claddwyd gweddillion Waldo ym mynwent Capel y Bedyddwyr, Blaenconin, ar Fai 24, gyda'i rieni a Linda, yn yr un bedd. Roedd y teulu oll ynghyd unwaith yn rhagor. Gwasanaethwyd yn yr angladd gan Byron Evans, gweinidog Blaenconin ar y pryd. Yn briodol, o ran cynnwys ac o ran cysylltiad, canwyd emyn o waith E. Llwyd Williams i ddechrau:

O! Rho dy fendith, Nefol Dad,
  Ar holl genhedloedd byd,
I ddifa'r ofnau ymhob gwlad
  Sy'n tarfu hedd o hyd ...

Rho i wirionedd heol glir
  Drwy ddryswch blin yr oes,
A chluded ffyrdd y môr a'r tir
  Ddatguddiad gwell o'r Groes.

Rhag troi y byd yn anial gwyw,
  Rhag llygru nwyd a greddf,
Rho inni'r ddawn i fentro byw
  A chariad inni'n ddeddf ...

Rhag gwasgar mwy dy deulu Di,
  A chwalu'r byd â chas,
Cysegra ein brawdgarwch ni
  Â holl ddoethineb gras.[77]

Yna, yn briodol eto, darllenwyd y Gwynfydau yn Efengyl Mathew, a phedair adnod o Lyfr y Datguddiad, a'r ail o'r pedair yn cynnwys y geiriau 'a dail y pren oedd i iacháu y cenhedloedd'. Darllenwyd teyrnged gan y bardd James Nicholas, un o gyfeillion Waldo. Roedd y deyrnged honno yn un iasol, yn enwedig y brawddegau agoriadol:

Talwn deyrnged heddiw i fywyd gŵr arbennig iawn – cyfaill annwyl, bardd mawr, a dyn mawr. Yn wir dyma yn ddiau gennyf y dyn mwyaf y cefais i y fraint o'i adnabod. Yr oedd yn fawr yn ei allu treiddgar, y gallu hwnnw a welsom yn dadansoddi natur y drwg yn ein byd; yr oedd yn fawr yn ei gydymdeimlad â dynion o bob gradd, ac yr oedd yn fawr yn yr athrylith greadigol a ddatguddiai ar adegau o gyffro mawr yn ei fywyd. Diolchwn i Dduw amdano. Rhodd Duw ydoedd ef i'n cenedl ni, a hynny mewn awr argyfyngus yn ein hanes.[78]

Clowyd y gwasanaeth gyda'r emyn a luniodd Waldo ar achlysur canmlwyddiant dinistrio Eglwys Sant Brynach, Cwm-yr-eglwys, mewn storm. Yn yr emyn hwn eto, yr oedd sôn am y Seintiau, ac un yn enwedig:

> Arglwydd, bugail oesoedd daear,
>   Llwyd ddeffrowr boreau'n gwlad,
> Disglair yw dy saint yn sefyll
>   Oddi amgylch ein tref-tad.
> Rhoist i ni ar weundir amser
>   Lewych yr anfeidrol awr;
> Ailgynheuaist yn ein hysbryd
>   Hen gyfathrach nef a llawr ...
>
> Rhoddaist Frynach inni'n fabsant,
>   Cododd groes uwchben y don;
> Storm o gariad ar Golgotha
>   Roes dangnefedd dan ei fron.
> Frynach Wyddel, edrych arnom,
>   Llifed ein gweddïau ynghyd,
> Fel y codo'r muriau cadarn
>   Uwch tymhestloedd moroedd byd.[79]

O'r teulu gwâr ac egwyddorol a diwylliedig hwnnw a drigai yn Elm Cottage gynt, dim ond y ddwy chwaer, Mary a Dilys, a oedd ar ôl. Collodd Mary ei gŵr, Jac, ar y diwrnod cyntaf o Ebrill, 1957, a bu Waldo yn byw gyda hi yn weddol reolaidd ar ôl i Jim a Winnie Kilroy adael Great Harmeston. Collwyd Morvydd, y ferch ddisglair honno, yn greulon o annhymig, pan oedd rhyfel yn rhuo drwy wledydd y byd. Ni ellir dirnad byth yr effaith ddirdynnol a gafodd marwolaeth Morvydd ar Waldo. Bu'n absennol o Ysgol Brynconin, ysgol ei dad, am dri mis a rhagor ym 1915, y flwyddyn y bu farw Morvydd, a threuliodd gyfran o'r amser hwnnw ym Mhen'rallt Lodge ym

Mangor, mewn ymdrech i fwrw'i alar am ei chwaer. Bu farw Linda hefyd, y ferch addfwyn, siriol honno, yn llawer rhy ifanc, pan oedd rhyfel barbaraidd arall yn prysur droi'r byd yn un fynwent. Colled annirnadwy arall. Dioddefodd Waldo golledion personol o fewn ei deulu ef ei hun, a cholledion amhersonol o fewn teulu'r ddynoliaeth. Roedd y modd y cadwodd ei ysbryd, a chadw ei ffydd yn Nuw ac yn y ddynoliaeth, yn rhyfeddod, yn wyrth. Ond roedd gan Waldo ffynhonnell o nerth cuddiedig ym mhlygion dwfn a chymhleth ei bersonoliaeth hawddgar a heriol, caredig ac ystyfnig. Ar ôl i'w hiechyd ddirywio'n raddol yn ystod y 1960au, ar Hydref 22, 1971, ychydig fisoedd ar ôl marwolaeth Waldo, bu farw Mary hefyd. Bellach, dim ond Dilys a oedd ar ôl.

Ar ôl marwolaeth ac angladd Waldo, dechreuodd y teyrngedau gyrraedd, a dechreuodd y peiriant atgofion droi. Roedd llun ohono yn gwisgo'i gôt law enwog ar dudalen flaen rhifyn Mai a Mehefin 1971 o'r *Ddraig Goch*. 'Iddo ef, un o'r gwyrthiau mwyaf yw fod pobl yn gallu cysylltu â'i gilydd mewn rhwymau cymdeithasol sydd yn gadarnach na dur er eu bod yn anweledig,' meddai'r papur amdano.[80] Un o'r teyrngedau mwyaf annisgwyl iddo, ac un o'r teyrngedau grymusaf yn ei ffordd ei hun, oedd yr hyn a ddywedodd yr hen gyfaill 'Artemus' amdano yn y *Western Telegraph*:

> Some agreed with his views – others disagreed – but there were none who would speak ill of him as a man, none who could charge him with malice or an unkind action. Waldo was a man of true scholarship and intellect. He rose above the pursuit of money and worldly goods. He lived only to think well, to act with sincerity and transparent honesty, and to feast on the treasures of literature ... He was trusting – and sincere – and courageous. He would have been burned at the stake rather than renounce his convictions, and the beliefs he held dear ... He stood alone against all the majesty and the force of the law ... In many respects Waldo Williams was a man who walked alone.[81]

Roedd enaid Waldo, bellach, yn un â'r goleuni.

Wrth Fedd Waldo

(Mynwent Blaenconin, Gorffennaf 1, 1998;
claddwyd mam a thad Waldo, Waldo ei hun,
a'i briod Linda yn yr un bedd.)

i Islwyn John

Mae'r ddau'n eu hangau'n un. Er eu gwahanu
    a'u rhwygo ar wahân, gan drugarhau
wrthynt, bu angau yma'n ailgyfannu
    eu priodas a'u cymdeithas hwy ill dau.

Yma y ceidw Linda'r hen ffyddlondeb,
    wedi'r blynyddoedd hir, yn ddiwahân
â'r bardd a welai lendid drwy greulondeb,
    ac ym Mlaenconin mae aileni cân.

Yma mae'r pridd yn aelwyd i'r ddynoliaeth;
    mewn bedd rhy fach i bedwar y mae byd;
yma mae teulu'n Deulu pob brawdoliaeth,
    yn geraint i'r dyngarwyr oll i gyd;

ac yma yn y bedd mae cymun byw
rhwng gŵr a gwraig, rhwng dyn a dyn, a Duw.

                           A.Ll.

Maen Coffa Waldo

Ar faen oer ein canrif ni, ar golofn
   Mor galed â'r bryntni
  Rhwng dyn a dyn, d'enw di
  A dorrwyd gan Dosturi.

A.Ll.

Nodiadau

Pennod 1: Blynyddoedd Magwraeth, 1914–1917

[1] T. R. Williams, 'Y diweddar Dafydd Williams, Rhosaeron', *Y Piwritan Newydd*, cyf. V, rhif XLVII, Mai 1908, t. 69.

[2] Ibid.

[3] Ibid.

[4] Ibid.

[5] Ibid., tt. 69–70.

[6] Ibid., t. 70.

[7] Ibid.

[8] 'Llandissilio: Death', *The Welshman*, Mai 8, 1908, t. 5.

[9] E. Llwyd Williams, 'Dynion yn Galw', *Hen Ddwylo*, 1941, t. 24.

[10] Ibid. Adroddir y stori am y llythyr yn *Hen Ddwylo* yn ogystal.

[11] D. Owen Griffiths, *Meillion a Mêl Gwyllt o Faes Gwilamus gyda Threm Arno Yntau*, diddyddiad, tt. 9–10.

[12] Ibid., t. 4.

[13] Ibid., tt. 4–5.

[14] Ibid., t. 6.

[15] W. Gwilamus Williams, *Hanes Eglwys Blaenconin, Sir Benfro*, 1898, tt. 54/59.

[16] *Meillion a Mêl Gwyllt o Faes Gwilamus gyda Threm Arno Yntau*, t. 8.

[17] Ibid.

[18] Ibid., t. 15.

[19] Ibid., t. 16.

[20] Ibid., t. 13.

[21] W. Gwilamus Williams, 'Mêl Gwyllt', ibid., t. 23.

[22] W. Gwilamus Williams, 'Eangach Gorwel', ibid., t. 33.

[23] W. Gwilamus Williams, 'I Forfydd', ibid., t. 35.

[24] D. Owen Griffiths, ibid., t. 9.

[25] Ibid.

[26] W. Gwilamus Williams, 'Mêl Gwyllt', ibid., t. 23.

[27] D. J. Michael, 'Allan o Adroddiad Eglwys Blaenconin am y Flwyddyn 1920', ibid., tt. 20–21.

[28] Ibid., t. 21.

[29] Ibid.

30   Tystlythyr John Price i J. Edwal Williams, Mehefin 6, 1898, Casgliad David Williams.

31   Tystlythyr J. Cocker i J. Edwal Williams, Tachwedd 14, 1888, Casgliad David Williams.

32   J. Edwal Williams, 'The Brunswick Dynasty', *The Cardiff Times and South Wales Weekly News*, Tachwedd 28, 1885, t. 5.

33   'Denbigh County School', *Denbighshire Free Press*, Rhagfyr 9, 1899, t. 8: 'The resignation of Mr J. Edwal Williams, the assistant master at the school, was received. He stated that he had been appointed headmaster under the Haverfordwest School Board and hoped the Board would accept his resignation and allow him to take up his duties at once'; 'County School', *The North Wales Times*, Rhagfyr 29, 1900, t. 7.

34   'Coleg y Gogledd: Arholiad am Ysgoloriaethau', *Y Gwyliedydd*, Medi 30, 1896, t. 5.

35   Tystlythyr George W. Roome i J. Edwal Williams, Rhagfyr 7, 1914, Casgliad David Williams.

36   'Extracts from Testimonials', Casgliad David Williams.

37   J. Edwal Williams, 'Yr Adeg Bresennol', *Seren Cymru*, Tachwedd 6, 1885, t. 6.

38   Ibid.

39   Ibid.

40   Ibid.

41   J. Edwal Williams, 'Tuag at Gymru Fydd: Ystyriaethau ac Appel gan Edwal', *Seren Cymru*, Ebrill 20, 1894, t. 4.

42   Ibid.

43   Ibid.

44   Ibid.

45   Ibid.

46   Ibid.

47   Ibid.

48   Ibid.

49   Ibid., *Seren Cymru*, Ebrill 27, 1894, t. 3.

50   Ibid.

51   J. Edwal Williams, 'To the Editor of the "Welshman"', *The Welshman*, Ebrill 5, 1895, t. 6.

52   Ibid.

53   Ibid.

54   Ibid. Mae'r llythyr Cymraeg yn dilyn y llythyr Saesneg yn syth, o dan yr un pennawd â'r llythyr Saesneg, 'To the Editor of the "Welshman"'.

55   Ibid.

56   J. Edwal Williams, 'Fy Ngweledigaeth', *Seren Cymru*, Gorffennaf 31, 1885, t. 5.

57   'Bangor: Wedding', *Carnarvon and Denbigh Herald and North and South Wales Independent*, Mehefin 8, 1900, t. 5.

58   Henry Jones, *Old Memories*, Golygydd: Thomas Jones, 1923(?), tt. 11–12.

59   Ibid., tt. 13–14.

60   Ibid., t. 10.

61   Ibid., tt. 10–11.

62   Ibid., tt. 16–17.

63   Ibid., t. 104.

64   Ibid., t. 121.

65   Ceir manylion a gwybodaeth am linach Angharad ar ochr ei mam yn ysgrif werthfawr Huw Walters, 'Waldo a'r Wythïen Fawr', *CMWW*, tt. 84–95; cyhoeddwyd yr ysgrif yn wreiddiol yn *Y Genhinen*, cyf. 27, rhif 4, Gaeaf 1977.

66   Waldo Williams, 'Beirniadaeth ar Ddetholiad o Ganeuon Digrif, Eisteddfod Genedlaethol Bangor (1943)', *WWRh*, t. 144; cyhoeddwyd yn wreiddiol yn *Cyfansoddiadau a Beirniadaethau Eisteddfod Genedlaethol Bangor (1943)*.

67   Waldo Williams, 'Cymru'n Un', *DP*, t. 93.

68   John Jones, 'Pen blwydd cyntaf Morfydd, merch Edwal ac Angharad Williams, ysgolfeistr, Pendergast [*sic*], Haverfordwest', *Gwalia*, Ebrill 7, 1903, t. 5.

69   Mwynlan Mai Edmond, 'More Recollections', llythyr at Dilys Williams, Rhagfyr 23, 1977, Casgliad David Williams.

70   Cafwyd y ffeithiau o sawl ffynhonnell ddibynadwy, gan gynnwys y Beibl teuluol. Fel arfer, nodir mai ym 1876 y ganed Angharad, mam Waldo, ond ym 1875 y ganed hi.

71   Mwynlan Mai Edmond, 'More Recollections', llythyr at Dilys Williams, diddyddiad, Casgliad David Williams.

72   Mwynlan Mai Edmond, llythyr at Steffan Griffith, Mai 14, 1974, Casgliad David Williams.

73   Mwynlan Mai Edmond, llythyr at Dilys Williams, Mawrth 10 [dim blwyddyn], Casgliad David Williams.

74   Mwynlan Mai Edmond, 'Some More Recollections', llythyr at Dilys Williams, diddyddiad, Casgliad David Williams. Adroddir fersiwn arall o'r stori yn y llythyr a anfonodd Mwynlan at Steffan Griffith.

75   Mwynlan Mai Edmond, llythyr at Steffan Griffith, Mai 14, 1974.

76   Ibid.

77   Mwynlan Mai Edmond, llythyr at Dilys Williams, Mawrth 9, 1972, Casgliad David Williams.

78   'Haverfordwest School Board', *The Pembrokeshire Herald and General Advertiser*, Chwefror 27, 1903, t. 3.

79   'Haverfordwest School Board', ibid., Ebrill 29, 1904, t. 2.

80   'Haverfordwest School Board', ibid., Mai 27, 1904, t. 4.

81   'Haverfordwest School Managers', ibid., Tachwedd 24, 1905, t. 2.

82   'Haverfordwest Schools', ibid., Hydref 18, 1907, t. 3.

83   'Haverfordwest Schools', ibid., Medi 10, 1909, t. 3.

84   'Haverfordwest', ibid., Tachwedd 25, 1910, t. 2.

85   Llawysgrif LlGC 20882C, llythyr oddi wrth Waldo Williams at E. Llwyd Williams, Tachwedd 17, 1939.

86   Ibid.

[87]   J. Edwal Williams, 'Cawl Balfour a'i Gwmpeini', *Y Piwritan Newydd*, cyf. II, rhif XVII, Tachwedd 1905, t. 11.

[88]   Ibid.

[89]   Ibid.

[90]   J. Edwal Williams, 'Cawl Balfour a'i Gwmpeini', ibid., cyf. II, rhif XVIII, Rhagfyr 1905, t. 12.

[91]   J. Edwal Williams, 'Etholiad 1906', ibid., cyf. III, rhif XX, Chwefror 1906, t. 15.

[92]   Ibid., tt. 15–16.

[93]   Ibid., t. 16.

[94]   Ibid. Dyfynnir yma linellau o gerdd Elfed, 'Rhagorfraint y Gweithiwr'. J. Edwal Williams a italeiddiodd 'i gyd'.

[95]   J. Edwal Williams, 'Llef yn Llefain', ibid., cyf. III, rhif XXII, Ebrill 1906, t. 43.

[96]   Ibid.

[97]   Ibid.

[98]   Ibid., t. 44.

[99]   J. Edwal Williams, 'Golud Gwlad', ibid., cyf. V, rhif XLIV, Chwefror 1908, t. 15.

[100] Ibid., t. 16.

[101] J. Edwal Williams, 'Hanner Awr gyda Myfyr Emlyn', ibid., cyf. III, rhif XXX, Rhagfyr 1906, t. 162. Llinell agoriadol soned Waldo 'Cymru a Chymraeg', *DP*, t. 100, a ddyfynnir yma.

[102] J. Edwal Williams, 'Iddo Ef', ibid., cyf. IV, rhif XXXIV, Ebrill 1907, t. 43.

[103] 'H.M.I. Report', Casgliad David Williams. Dyfynnir gan B. G. Owens yn 'Waldo Williams a'r Preseli', *CMWW*, t. 79; cyhoeddwyd yr ysgrif yn wreiddiol yn *Seren Gomer*, Gaeaf 1978. Y gwreiddiol cywirach a ddyfynnir yma.

[104] Dilys Williams, 'Waldo Williams: Ychydig Ffeithiau', *Y Traethodydd*, cyf. CXXVI, rhif 540, Hydref 1971, t. 205.

[105] Waldo Williams, 'Yr Iaith a Garaf', *The Dragon*, cyf. L, rhif 1, Tymor Gŵyl Fihangel, 1927, t. 32; fe'i ceir hefyd yn Llawysgrif LlGC 20867B, tt. 8–9.

[106] Waldo Williams, 'Braslun', *WWRh*, t. 251; cyhoeddwyd yn wreiddiol yn *D. J. Williams Abergwaun: Cyfrol Deyrnged*, Golygydd: J. Gwyn Griffiths, 1965.

[107] Waldo Williams, 'Dychweledigion (neu air dros Shir Bemro)', Llawysgrif LlGC 20867B, tt. 26–28. Y mae'r ddwy linell 'A gwn yn gywir ar ei ach/Genhedliad yr Iberiad bach' a ddyfynnir gan Waldo yma – ond nid yn hollol gywir – yn adleisio cwpled o eiddo R. Williams Parry, sef 'A gwn yn gymwys ar fy ach/Genhedliad yr Iberiad bach', a dyna pam y rhoddodd Waldo ddyfynodau o gylch y ddwy linell. Ymddangosodd y gerdd sy'n cynnwys y cwpled, 'Yr Iberiad', yn *The Welsh Outlook*, cyf. 1, rhif 11, Tachwedd 1914, t. 476, ond ni chynhwyswyd y pennill sy'n cynnwys y cwpled yng nghyfrol gyntaf R. Williams Parry, *Yr Haf a Cherddi Eraill* (1924). Yn *The Welsh Outlook* y gwelodd Waldo 'Yr Iberiad' yn sicr. Yr awgrym yw mai disgynnydd i'r Iberiaid, sef y bobl bryd tywyll a byr o gorffolaeth a drigai ym Mhrydain cyn dyfodiad y Celtiaid i'r ynysoedd hyn, yw Jac Sali, Parc-y-bryst, ac fel yr

Iberiaid, yr oedd yn un â natur ac yn un â'r cread, yn gyfriniol ac yn ysbrydol ei olwg ar fywyd, ac nid yn faterol. Pobl gyntefig a drigai yn ne-ddwyrain Sbaen, ar Benrhyn Iberia, oedd yr Iberiaid yn wreiddiol, a thrigent mewn cymunedau hunangynhaliol, cydweithredol, nodwedd a fyddai'n sicr wedi apelio at Waldo. O'r drydedd ganrif cyn Crist ymlaen, meddiennid rhannau o Benrhyn Iberia gan Gelt-Iberiaid, cymysgedd o Geltiaid ac Iberiaid. Dylid nodi hefyd mai enw Llychlynaidd yw Angl (Angle) yn y trydydd pennill, sef pentref pysgota wedi ei leoli ar benrhyn cul yn ne-orllewin Sir Benfro.

108 Dyfynnir yn ChANG, t. 19; cyhoeddwyd yr adroddiad gwreiddiol yn *The Narberth, Whitland and Clynderwen Weekly News*, Tachwedd 26, 1931.

109 Waldo Williams, 'Gyda Ni y mae'r Drydedd Ffordd', *WWRh*, t. 299; cyhoeddwyd yn wreiddiol yn *Y Ddraig Goch*, cyf. XXIV, rhif 6, Mehefin 1952.

110 Ibid., t. 301.

111 E. Llwyd Williams, *Crwydro Sir Benfro*, 1, 1958, t. 84.

112 'Local News: Educational Success', *Haverfordwest and Milford Haven Telegraph*, Awst 12, 1914, t. 2. Ceir yr un manylion yng ngholofn 'Do You Know?' y papur, t. 3.

113 'Local News: Obituary', ibid., Mawrth 24, 1915, t. 2.

114 Mwynlan Mai Edmond, llythyr at Dilys Williams, Mawrth 10 [dim blwyddyn], Casgliad David Williams.

115 Gw. '"Dyn Od ar y Ffordd"', Dewi W. Thomas, *CMWW*, t. 26; cyhoeddwyd yr ysgrif yn wreiddiol yn *Y Genhinen*, cyf. 21, rhif 3, Haf 1971.

116 Waldo Williams, 'Sgwrs â T. Llew Jones', *WWRh*, t. 98; sgwrs radio a ddarlledwyd ym 1965 oedd hon, ac fe'i cyhoeddwyd yn *Bro*, Ionawr 1978, ac yna yn *CMWW*.

117 Dilys Williams, 'Waldo Williams: Ychydig Ffeithiau', t. 206.

118 Waldo Williams, 'Rhydybedne', Llawysgrif LlGC 20867B, t. 2.

119 Waldo Williams, 'Byd Mawr y Plentyn Bach', Llawysgrif LlGC 20867B, tt. 80/82. Dilëwyd trydydd pennill gwreiddiol y gerdd, pennill y ceir dau fersiwn ohono o leiaf, a'r ddau wedi eu hysgrifennu ar draws ei gilydd. Rhai llinellau a geiriau yn unig sy'n ddarllenadwy, ond dyma un pennill posibl:

A sawl sgw[â]r bach oedd yno'n gudd?
Sawl triongl a ganfyddwn
Pe[d] aech [â]'r bachyn canol bant?
A dyna'r fan lle byddwn,

A'r trydydd pennill hwn yn arwain at y pedwerydd pennill, 'Bob amser cinio wrth y ford', ac yn y blaen. Ceir hefyd yn y trydydd pennill a ddilëwyd y llinell gyntaf hon, 'Fe welwn wedyn fod sawl sgw[â]r', a thrydedd linell arall, 'A heb y bachyn canol 'co'. Yn y gornel dde ar frig tudalen 82 ceir y pennill cyflawn hwn, heb unrhyw awgrym o'i le yn y gerdd:

Ped aech [â]'r pedwar bachyn 'co
O gonglau'r sgw[â]r i bant
Fe gawsech sgw[â]r sy llai ei faint
Yn sefyll ar ei gant.

Gan fod yr ail bennill yn arwain yn naturiol ac yn ddiatalnod at y trydydd pennill yn y fersiwn gorffenedig, ni ellir cynnwys y pennill hwn fel trydydd pennill.

Dilëwyd y pennill olaf gwreiddiol hwn:

> Mi gymrais wedyn Higher Maths
> Trwy'r ysgol i'r pen draw,
> Ond ble mae swyn y bachau mwyn
> Ac O, ble mae y naw?

Dilëwyd hefyd linell gyntaf arall ganddo, 'Mi gymrais Mathemateg, do'. Gan nad oedd lle i'r pennill olaf diwygiedig ar dudalen 82 yn y llawysgrif, ysgrifennwyd ef ar frig tudalen 80.

[120] J. Edwal Williams, 'Llythyr', *CDWW*, tt. 225–226. Yn ôl nodyn gan James Nicholas, golygydd *CDWW*, daeth y llythyr i'w law drwy Dilys, chwaer Waldo, ynghyd â'r nodyn canlynol: 'Cefais y llythyr hwn – copi llawysgrifen mam o lythyr 'nhad i Waldo – rhwng tudalennau ei Beibl hi ychydig fisoedd wedi marw Waldo.' Fodd bynnag, cefais weld copi o'r llythyr gwreiddiol yn llawysgrifen Angharad Williams gan David Williams, a newidiais ddau beth. Yn y llythyr gwreiddiol, 'Keep all the windows of soul and body open, let the vivifying *winds* have access' a ysgrifennodd Angharad, nid 'Keep all the windows of soul and body open, let the vivifying *words* have access', a hefyd 'We are glad and proud of you' a geir yn y llythyr gwreiddiol, nid 'We are proud of you'. Dylid nodi mai defnyddio'r symbol am 'and' (&) a wneir yn y llythyr gwreiddiol, ond cadwyd yma at yr 'and' ysgrifenedig a geir yn *CDWW*.

[121] Waldo Williams, 'Geneth Ifanc', *DP*, t. 23.

[122] Waldo Williams, [Heb Deitl], *DP*, t. 64.

[123] David Williams, 'Y Rhieni', *Y Traethodydd*, cyf. CXXVI, rhif 540, Hydref 1971, t. 208.

[124] Dyfynnir yn *ChANG*, t. 8; cyhoeddwyd y deyrnged hon yn ddienw yn *The Narberth, Whitland and Clynderwen Weekly News*, Chwefror 22, 1934, yn union wedi marwolaeth J. Edwal Williams.

[125] 'Mr. John Gibson Knighted', *The Cambrian News and Merionethshire Standard*, Ionawr 8, 1915, t. 6.

[126] David Williams, 'Y Rhieni', t. 208.

[127] Waldo Williams, 'Barddoniaeth T. E. Nicholas', *WWRh*, tt. 225–226; cyhoeddwyd yn wreiddiol yn *Y Cardi: Cylchgrawn Cymdeithas Ceredigion*, Gŵyl Ddewi, 1970.

[128] Ibid., t. 226.

[129] Waldo Williams, 'Sgwrs â T. Llew Jones', t. 98.

[130] T. Llew Jones, 'Cofio Waldo', *CMWW*, t. 19; cyhoeddwyd yn wreiddiol yn *Y Genhinen*, cyf. 21, rhif 3, Haf 1971.

[131] Edward Carpenter, *The Healing of Nations and the Hidden Sources of their Strife*, 1915, t. 32.

[132] Ibid.

[133] Ibid., t. 37.

[134] Ibid., t. 154.

[135] Ibid., t. 151.

[136]   Ibid., tt. 151–152.

[137]   Waldo Williams, 'Pa Beth yw Dyn?', *DP*, t. 67.

[138]   Edward Carpenter, *The Healing of Nations and the Hidden Sources of their Strife*, tt. 211–212.

[139]   Ibid., tt. 224–225.

[140]   Waldo Williams, 'Cyfeillach', *DP*, t. 72.

[141]   Edward Carpenter, *The Healing of Nations and the Hidden Sources of their Strife*, tt. 212–213.

[142]   Ibid., t. 216.

[143]   Edward Carpenter, *Towards Industrial Freedom*, 1917, t. 8.

[144]   Ibid., t. 20.

[145]   Ibid., tt. 90–91.

[146]   Ibid., tt. 91–92.

[147]   Edward Carpenter, *Civilisation: its Cause and Cure and Other Essays*, 1889, tt. 8–9.

[148]   Ibid., t. 92.

[149]   Edward Carpenter, *England's Ideal*, 1887, t. 3. Ceir y llyfr, gyda llofnod J. Edwal Williams arno, yng Nghasgliad David Williams.

[150]   Thomas Carlyle, *On Heroes, Hero-Worship, and the Heroic in History*, 1841, tt. 3–4. Trwy Robert Rhys cefais olwg ar y rhestr o lyfrau a ddarganfuwyd ar y diwrnod olaf o Fai 1978 mewn cwpwrdd yn ffermdy Thickthorn, Preston, Lyneham, ger Swindon, lle bu Waldo yn lletya pan oedd yn athro yn Ysgol Gynradd Lyneham. Yn eu plith yr oedd *On Heroes, Hero-Worship, and the Heroic in History* a *Past and Present*. Llyfr arall a ddarganfuwyd yn Thickthorn oedd *Walt Whitman* (1926) gan John Bailey.

[151]   Waldo Williams, 'Y Tangnefeddwyr', *DP*, t. 41.

[152]   Mae copi Angharad o *Sartor Resartus* ym meddiant David Williams. Ceir cyfeiriad at y llyfr – '"Do thy duty," said Carlyle; "thy next duty will become the clearer"' – yn y llythyr o eiddo Waldo a gyhoeddwyd yn *The Western Telegraph and Cymric Times*, Ionawr 2, 1941. Gw. 'Conscience and Truth', *WWRh*, t. 285.

[153]   Waldo Williams, [Heb Deitl], *DP*, t. 64.

[154]   Dyfynnir gan D. Jacob Davies yn ei adroddiad 'Seiat i'r Beirdd yng ng[ŵ]yl Coleg y Drindod', *Y Cymro*, Ebrill 8, 1965, t. 20.

[155]   'Tomfool', 'The A B C of Magic: Y is for Yggdrasil', yn llyfr lloffion Angharad Williams, Casgliad David Williams.

[156]   Thomas Carlyle, *On Heroes, Hero-Worship, and the Heroic in History*, tt. 32–33. Cyfeirir at Yggdrasil yn *Past and Present*, 1843, t. 47, yn ogystal:

> For the Present holds it in both the whole Past and the whole Future; – as the LIFE-TREE IGDRASIL, wide-waving, many-toned, has its roots down deep in the Death-kingdoms, among the oldest dead dust of men, and with its boughs reaches always beyond the stars; and in all times and places is one and the same Life-tree.

[157]   Waldo Williams, *DP*, t. 120; un arall o lyfrau Thomas Carlyle a ddarganfuwyd yn Thickthorn oedd *Arbeiten und Nicht Verzweifeln* (1902), ac enw Waldo yn unig y tu mewn iddo.

[158]   G. Peredur Jones, 'Immortalia', yn llyfr lloffion Angharad Williams, Casgliad David Williams.

[159] Waldo Williams, 'Y Tŵr a'r Graig', *DP*, t. 39.

[160] Waldo Williams, 'Preseli', ibid., t. 30.

[161] E. Llwyd Williams, *Crwydro Sir Benfro*, 1, t. 75.

[162] W. R. Evans, *Fi yw Hwn: Hunangofiant*, 1980, t. 10.

[163] Waldo Williams, 'Eglurhad ar "Mewn Dau Gae"', *WWRh*, t. 88; ymddangosodd yr eglurhad yn wreiddiol yn *Y Faner*, Chwefror 13, 1958.

[164] Waldo Williams, 'Cysegrleoedd', Llawysgrif LlGC 20867B, tt. 10–11.

Pennod 2: Blynyddoedd Addysgiaeth, 1917–1927

[1] Public Record Office, Llundain, ED35/3397, llythyr oddi wrth Glerc y Llywodraethwyr at Adran Gymraeg y Bwrdd Addysg, Tachwedd 4, 1911.

[2] Abel J. Jones, *John Morgan, M.A. First Headmaster of Narberth County School: "A Man Elect of Men"*, 1939, t. 26.

[3] Ibid., t. 51.

[4] Ibid., t. 52.

[5] Ibid., tt. 59–60.

[6] Ibid., tt. 60–61.

[7] Ibid., tt. 24/56. Shakespeare a ddywedodd 'There is some soul of goodness in things evil' (*Henry V*) ac Edmund Burke (1729–1797) a ddywedodd 'I do not know the method of drawing up an indictment against a whole people' ('Speech on Conciliation with America').

[8] Ibid., t. 30.

[9] Ibid.

[10] Ibid.

[11] Cassie Davies, *Hwb i'r Galon*, 1973, t. 118.

[12] D. Tecwyn Lloyd, '"Yn Olau gan Lawenydd"', *CDWW*, tt. 66–67.

[13] J. Edwal Williams, 'No More War: an Epistle to All whom it may Concern (and the Subject Concerns All)', *The Pembrokeshire Telegraph*, Awst 2, 1922, t. 2. Rwy'n ddyledus i David Williams ac i Alun Ifans am dynnu fy sylw at yr erthygl hon. Anfonodd y naill gopi o'r erthygl wreiddiol ataf, ac anfonodd y llall lungopi ohoni ataf.

[14] Ibid.

[15] Ibid.

[16] Ibid.

[17] Ibid.

[18] Waldo Williams, 'Sgwrs â Bobi Jones', *WWRh*, tt. 92–93; cyhoeddwyd y sgwrs yn wreiddiol yn *Yr Arloeswr*, rhif 2, Calan 1958.

[19] Cassie Davies, *Hwb i'r Galon*, t. 59.

[20] Ibid., t. 63.

[21] Iorwerth C. Peate, *Rhwng Dau Fyd: Darn o Hunangofiant*, 1976, t. 63.

[22] Gwilym James, 'Post-war Aber', *The College by the Sea (A Record and a Review)*, Golygydd: Iwan Morgan, 1928, t. 145.

23 Cassie Davies, *Hwb i'r Galon*, t. 61.

24 Ibid., tt. 61–62.

25 Ibid., t. 62.

26 Iorwerth C. Peate, *Rhwng Dau Fyd*, t. 69.

27 D. Gwenallt Jones, *Cofiant Idwal Jones*, 1958, t. 79.

28 J. Tysul Jones, 'Atgofion', *Y Genhinen*, cyf. 21, rhif 3, Haf 1971, t. 122.

29 Gwilym James, 'Post-war Aber', t. 147.

30 Iorwerth C. Peate, *Rhwng Dau Fyd*, t. 68.

31 Waldo Williams, 'Portread o Idwal Jones', *WWRh*, t. 241; cyhoeddwyd yn wreiddiol yn *Y Genhinen*, cyf. 21, rhif 3, Haf 1971.

32 D. Gwenallt Jones, *Cofiant Idwal Jones*, t. 93.

33 Gwilym James, 'Post-war Aber', tt. 150–151.

34 Waldo Williams, 'Harmony', *WWRh*, tt. 6–7; cyhoeddwyd yn wreiddiol yn *The Dragon*, cyf. XLIX, rhif 1, Tymor Gŵyl Fihangel, 1926.

35 Meddai Ralph Waldo Emerson yn 'The Over-soul', *Essays: First Series*, 1841:

> The Supreme Critic on the errors of the past and the present, and the only prophet of that which must be, is that great nature in which we rest, as the earth lies in the soft arms of the atmosphere; that Unity, that Over-soul, within which every man's particular being is contained and made one with all other; that common heart, of which all sincere conversation is the worship, to which all right action is submission; that overpowering reality which confutes our tricks and talents, and constrains every one to pass for what he is, and to speak from his character, and not from his tongue, and which evermore tends to pass into our thought and hand, and become wisdom, and virtue, and power, and beauty. We live in succession, in division, in parts, in particles. Meantime within man is the soul of the whole; the wise silence; the universal beauty, to which every part and particle is equally related; the eternal ONE. And this deep power in which we exist, and whose beatitude is all accessible to us, is not only self-sufficing and perfect in every hour, but the act of seeing and the thing seen, the seer and the spectacle, the subject and the object, are one.

36 Ceir llun o Waldo yn *The College by the Sea*, gyferbyn â thudalen 280, ynghyd ag aelodau eraill o Bwyllgor yr Undeb Dadleuon, yn ystod sesiwn 1926–1927, blwyddyn gyntaf bodolaeth yr undeb. Y mae Waldo yn sefyll ar y dde yn y rhes ôl. Yn y canol yn y rhes ôl saif Sydney Herbert, darlithydd mewn Gwleidyddiaeth Ryngwladol ac wedyn mewn Hanes yn Aberystwyth. Atgynhyrchwyd y llun yn *Bro a Bywyd: Waldo Williams*, 1996, t. 14, ond, yn gamarweiniol, dywedir mai llun o ddosbarth Hanes Coleg Prifysgol Cymru, Aberystwyth, ydyw. Mae Waldo yn crybwyll Sydney Herbert yn ei lith olygyddol yn rhifyn Tymor y Grawys 1927 o *The Dragon*. Gw. *WWRh*, tt. 16 a 17.

  Nodir y gwahanol ddadleuon y cymerodd Waldo ran ynddynt, mewn rhyw ffordd neu'i gilydd, yn *ChANG*. Er enghraifft, ar Dachwedd 4, 1924, yn un o gyfarfodydd yr Undeb Gwleidyddol, siaradodd Waldo o'r llawr mewn dadl ar y pwnc 'This house would welcome the application to the mining industry of the provisions contained in the Coal and Power report'; siaradodd eto ar Dachwedd 11 ar y testun 'The Conservative victory constitutes a grave menace to the country', ac yng nghyfarfod yr Undeb Gwleidyddol ar Hydref 10, 1925, Waldo a eiliodd, ar ran y Clwb Llafur, y gwrthwynebiad i'r cynnig 'that the doctrine of class war is detrimental to the best interest of the community'. Cymerai ran hefyd yn nadleuon y 'Lit. and Deb.' ac yn nadleuon achlysurol y Gymdeithas Geltaidd. Diddorol nodi iddo siarad yn erbyn y cynnig 'fod cadw iaith yn anhepgor i ddiwylliant cenedl' yn un o gyfarfodydd y Gymdeithas Geltaidd, ym mis Tachwedd 1925. Gw. ymhellach ChANG, tt. 28–30.

37   Waldo Williams, 'Harmony', WWRh, t. 7.

38   Ibid., t. 8.

39   Waldo Williams, 'Myfyriwr yn Cael Gras a Gwirionedd', Llawysgrif LlGC 20867B, tt. 6–7.

40   Idwal Jones, 'The Examination System in Wales', The Welsh Outlook, cyf. 11, rhif 7, Gorffennaf 1924, t. 194.

41   Ibid.

42   Gw. ChANG, t. 18.

43   Waldo Williams, 'Y Nefoedd', Y Faner, Chwefror 4, 1926, t. 5. Ceir y gerdd hefyd yn Llawysgrif LlGC 20867B, tt. 19–20, gyda rhai mân wahaniaethau rhyngddi a fersiwn Y Faner, sef, llinell 4, 'Ar ôl tramwyo'r anial mawr'; llinell 6, 'Lle ni bydd dim ond haf o hyd'; llinell 7, 'Lle ni bydd oerfel noeth y gaeaf'; llinellau 23–24, 'Ar delyn aur; fe weda'i hyn:/'Sai'n well 'da fi ga'l whisl dùn'.

44   'T.O.', 'Y Nefoedd', Y Faner, Mawrth 4, 1926, t. 5.

45   Ibid.

46   Ibid.

47   Waldo Williams, 'Y Nefoedd', Y Faner, Mawrth 18, 1926, t. 5.

48   Idwal Jones, 'Mr Idwal Jones yn Traethu Ymhellach', ibid. Hefyd cyhoeddwyd parodi ar 'Nefoedd Waldo' gan William Francis Hughes, Bontuchel, Rhuthun, yn Y Faner, Ebrill 15, 1926, t. 5. Dyma ddau bennill yn unig:

>   Syniad rhyfedd yw y nefoedd
>   'N[ô]l dychymyg doniol dyn;
>   Lluniai Nefoedd trwy'r canrifoedd
>   At ei ffansi ef ei hun ...
>
>   Gwlad heb sports na phapur newydd;
>   Gwlad heb gardiau na ph[ê]l droed;
>   Gwlad heb altrans yn y tywydd.
>   Gwlad a phawb yn unemploed! ...

49   Waldo Williams ac Idwal Jones, 'A Pembrokeshire Poet', WWRh, t. 5; cyhoeddwyd yr adolygiad yn wreiddiol yn The Narberth, Whitland and Clynderwen Weekly News, Mawrth 25, 1926.

50 Waldo Williams, 'Y Saboth yng Nghymru', *The Dragon*, cyf. XLIX, rhif 1, Tymor Gŵyl Fihangel, 1926, t. 24. Ceir copi arall o'r gerdd yn Llawysgrif LlGC 20867B, t. 22, dan y teitl 'Yn Gymaint ...', gyda'r amrywiadau canlynol: llinell 2, 'Am borfa las'; llinell 5, 'Plant bach yn dihuno'n y bore'; llinell 7, 'A chware hyd y strydoedd cul'; llinell 10, 'am Gyfaill Plant'.

51 Waldo Williams, 'Y Parchedig E. Llwyd Williams, Rhydaman', *WWRh*, t. 245; cyhoeddwyd yn wreiddiol yn *Seren Cymru*, cyf. LXXXVI, rhif 5226, Mawrth 28, 1958.

52 Ibid.

53 Waldo Williams, 'Gweddi Cymro', *Y Ddraig Goch*, cyf. 1, rhif 8, Tachwedd 1926, t. 6. Y mae cryn dipyn o wahaniaeth rhwng fersiwn *Y Ddraig Goch* o'r gerdd a'r fersiwn a geir yn Llawysgrif LlGC 20867B, tt. 56–59. Dyma'r amrywiadau: llinell 12, 'i ddarn o'i wlad'; llinell 14, 'Hyd yma'; llinell 18, 'y publicanod hyn'; llinell 20, 'ymysg dy saint'; llinell 21, 'Ni welir fi'; llinell 22, 'Byth, byth yn nwylo dy Bolîs'; yna ceir cwpled nad yw i'w gael yn *Y Ddraig Goch*: 'Rwy'n cadw'r Ddeddf, rwy'n moli Mamon,/Ac nid wyf byth yn ffaglu samon'; llinell 23, 'Seliaf fy ffydd'; llinell 24, 'Ac yn enwedig masnach Sasnach'; llinell 29, 'Mae dy Gyfiawnder'; llinell 32, 'Lleddaist Connolly'; llinell 34, 'Sy'n gomedd iti dreth ei serch'; llinellau 35–38, 'Gan gadw breuddwyd yn ei galon./A dal ni'n awr trwy'n holl dreialon./Bydd di yn Deyrn â heyrn yn handi/At hen gyfrinydd dwl fel Gandhi'; llinell 41, 'A diolch am dy fod yn darian'; llinell 44, 'Yn chwysu oriau maith bob dydd'; llinell 45, 'nes tyr y wawr'; llinell 47, 'O Arglwydd'; llinell 48, 'Am dy Drugaredd ar dy blant'.

Ceir pennill olaf gwahanol yn Llawysgrif LlGC 20867B:

> A derbyn fi yn ufudd was
> Er mor annheilwng yw fy nhras.
> Eiddot yw'r gallu yn oes oesau.
> Amen. (*Fe gwyd oddi ar ei goesau.*)
> 'Wel, cofia fod yn barod, Gwenno,
> I ginio'r Cymrodorion heno.'

54 Adroddiad Edward Edwards, Gorffennaf 20, 1927, yn llyfr lloffion Angharad Williams, Casgliad David Williams.

Pennod 3: Blynyddoedd Prentisiaeth, 1927–1934

1 Mair Garnon James gyda Jon Meirion Jones, *Ody'r Teid yn Mynd Mas?*, 2013, t. 43.

2 Ibid., t. 44.

3 Cyhoeddwyd y gerdd yn *Y Faner*, Medi 13, 1927, t. 5. Ceir fersiwn arall o'r gerdd yn Llawysgrif LlGC 20867B, tt. 35–37, ond rhai mân wahaniaethau yn unig a geir rhwng y ddau. Yn naturiol, fersiwn *Y Faner* a geir yma. Dyma'r amrywiadau a geir yn Llawysgrif LlGC 20867B: llinell 1, ni roir prif lythyren i 'drafeilwr'; llinell 2, 'A sugned i wala fan hyn'; llinell 3, 'Ma'r wenyn yn crwydro'n ysbeilwr'; llinell 4, 'gamil gwyn'; llinell 6, 'A dryched trw'r bwlch'; llinell 7, 'os na welith e'r Nefodd'; llinell 10, 'Ddar buodd dyn dierth co'; llinell 13, 'A ma'r perci'n drichid 'run mor ifanc'; llinell 15, 'Sach bod mwy o ragwts'; llinell 16, 'Na phan we'; llinell 18, 'ar y cloddie'n llon'; llinell 25, 'A ma'r Fŵel yn codi yn

y pellter'; llinell 26, 'Yn gwilied dros y wlad yn i grym'; llinell 27, 'Arhosed damed bach, drafeilwr drafeilwr, shwrne to – hei, drafeilwr!'; llinell 29, 'Ma trafeilwr'; llinell 30, 'Arian, moethe mowr, plesere pell'; llinell 32, 'A 'welith e ddim byth'; llinell 33, 'Ond yn hongian ma'r hen iet ddioglyd'; llinell 35, 'A'i physt yn mynd o hyd yn fwy mwsoglyd'.

Llinellau 11/16, 'Heni ... Hoffi': yn *Y Faner*, 'heni' heb brif lythyren a geir, a gallai hynny fod yn gam-brint. Yn Llawysgrif LlGC 20867B, ''heni' a geir, sef sillgoll o flaen 'h' fechan. Nid ffurf dafodieithol ar 'hynny' yw 'heni' yn sicr, oherwydd fe geir y ffurf honno yn llinell 11, 'o achos hinny'. Rhaid felly mai dau hen gymeriad, a dau grefftwr, yr oedd Waldo yn eu hadnabod yn ei blentyndod oedd y rhain. Cf. E. Llwyd Williams, *Crwydro Sir Benfro*, 1, t. 83:

Pan oeddwn i'n blentyn yn y pentref [Llandysilio] y prif atyniadau oedd gweithdy'r saer, efail y gof, siop Heni'r cobler a siop Annie John. Cawsem sbarion coed i'w naddu gan Hoffi'r Saer, Ned y Gof a asiai ein cylchau, Heni a ofalai fod gennym glocs esmwyth ...

Ceir cyfeiriad at Hoffi yn D. Owen Griffiths, *Meillion a Mêl Gwyllt o Faes Gwilamus gyda Threm Arno Yntau*, t. 12, lle dyfynnir dwy linell 'a geir mewn c[â]n i Nani Harri, hen wraig hynod, uchel ei chloch, a gwarchodyddes deddf a threfn yn Eglwys Blaenconin', sef 'O 'roedd ofn llygaid Nani/Arnom blant yng Nghapel Hoffi'. Mewn gwirionedd, Gwilamus oedd awdur y pennill, ac fe'i ceir mewn cerdd ganddo ('G.' – 'Clynderwen') yn *Papur Pawb*, Gorffennaf 1, 1899, t. 1. Enwir Hoffi a Chapel Hoffi fwy nag unwaith yn y gerdd, 'Nani', dan y pennawd 'Canu Glan Conin', er enghraifft:

Baptis' selog iawn oedd Nani,
Selog iawn dros Gapel Hoffi
Ac yr oedd yn mawr edmygu
Y gweinidog Mr Riffi.

Yr oedd pawb yn edrych fyny
Ar weinidog Capel Hoffi,
Yr oedd ganddo wyneb beauty,
A chymeriad fel goleuni.

[4] Waldo Williams, 'Preseli', *DP*, t. 30.

[5] E. Prosser Rhys, 'Led-led Cymru', *Y Faner*, Medi 13, 1927, t. 5.

[6] D. J. Williams, *Annwyl D.J.: Detholiad o'r ohebiaeth rhwng D. J. Williams, Kate Roberts a Saunders Lewis*, Golygydd: Emyr Hywel, 2007, t. 54, llythyr oddi wrth D. J. Williams at Kate Roberts, Mehefin 18, 1928. Ceir hefyd yr amrywiadau llafar hyn i'r bedwaredd linell: 'Ai tri ydi'r blydi Blaid?' ac 'Ai ni'n tri yw'r blydi blaid?'. Dydd Llun oedd Mehefin 18, 1928. Cynhaliwyd y cyfarfod 'nos Sadwrn diwethaf', felly, ar ddydd Sadwrn, Mehefin 16, y cynhaliwyd y cyfarfod.

[7] Dyfynnir yn *ChANG*, tt. 30–31; cyhoeddwyd yn wreiddiol yn *The Narberth, Whitland and Clynderwen Weekly News*, Mai 23, 1929. Llythyr a gyhoeddwyd yn y wasg bedwar diwrnod cyn Etholiad Cyffredinol 1924 oedd 'the Zenanieff letter', neu, yn hytrach, 'the Zinoviev

letter'. Honnai'r papurau fod y llythyr hwn wedi'i anfon gan gynrychiolwyr o'r Undeb Sofietaidd ym Moscow at Blaid Gomiwnyddol Prydain Fawr, yn galw am i gomiwnyddion Prydain greu cynnwrf cymdeithasol mawr. Arwyddwyd y llythyr gan Grigory Zinoviev, swyddog ar ran yr Undeb Sofietaidd. Credir mai ffug oedd y llythyr, a'i fwriad oedd peri niwed i'r Blaid Lafur.

8   Papurau D. J. Williams yn y Llyfrgell Genedlaethol, P2/35/16, llythyr oddi wrth Waldo Williams at D. J. a Siân Williams, Tachwedd 30, 1928.

9   Ibid.

10   Ibid. Cerdd gan Robert Browning yw 'Abt Vogler', ac ynddi mae hen gerddor yn bwrw trem yn ôl ar ei fywyd ac yn sylweddoli nad yw wedi cyflawni yr hyn y gallasai fod wedi ei gyflawni.

11   Ibid.

12   Llawysgrif LlGC 20867B, t. 132. Casgliad o gerddi o waith Waldo yn ei lawysgrifen ef ei hun yw Llawysgrif LlGC 20867B. Ceir y cerddi hyn i gyd mewn un llyfr nodiadau. Ar y dudalen gyntaf rhoir enw i'r casgliad, 'Odlau Idwaldo/sef ambell donc gan Waldo Williams ac ambell dinc gan Idwal Jones', gyda'r cyflwyniad hwn: 'Nid i'r doeth a'r deallus y cyflwynir y Llyfr Hwn', ond dilëwyd 'ac ambell dinc gan Idwal Jones' yn ogystal â'r cyflwyniad, gan awgrymu mai cerddi Waldo Williams ei hun yn unig a gynhwyswyd yn y llyfr. Dilëwyd un gerdd â marciau pensil yn gyfan gwbl yn y llyfr, sef 'Gadael Col.', gan awgrymu, efallai, mai Idwal Jones oedd ei hawdur, neu, o bosibl, oherwydd mai cywaith rhwng y ddau gyfaill oedd y gerdd.

Cynhwyswyd holl gerddi'r llawysgrif hon yn yr 'Atodiad' a geir yn *ChaNG*, ond dilyn fy narlleniad a'm dehongliad i fy hun o'r cerddi yr wyf yma, ar ôl i mi brynu copi clir iawn o'r llawysgrif gan y Llyfrgell Genedlaethol yn Aberystwyth. Cyhoeddwyd rhai o'r cerddi mewn gwahanol bapurau a chylchgronau.

Mae rhai o'r cerddi yn perthyn i gyfnod Waldo yng Ngholeg Prifysgol Cymru, Aberystwyth, sef 1923–1927. Roedd Waldo yn barddoni yn y coleg, penillion ffwlbri a phenillion ysgafn gan mwyaf, cerddi digon tebyg i'r cerddi a geir yn Llawysgrif LlGC 20867B. Ceir yn y llawysgrif enghraifft o ganu cynganeddol Waldo, ei ymdrech gyntaf oll i lunio englyn, efallai, sef yr englyn di-deitl sy'n diweddu fel hyn:

Swmansir am samonsa –
Nid yw'n deg na digon da ...

a'r englyn 'Cwyn Cyfaill', y ceir iddo'r diweddglo hwn:

Swmansir am samonsa –
Diaw, ydi e digon da?

Anghywir hollol yw'r llinell glo yn yr enghraifft gyntaf, a chynghanedd braidd-gyffwrdd, cysgod egwan o gynghanedd, a geir yn llinell olaf yr ail englyn. Trwy oddefiad yn unig y mae'n gynghanedd. Ar ben hynny, y mae'n fyr o sillaf a cheir y bai Proest i'r Odl ynddi. Cafodd Waldo drafferth i lunio llinell glo i'r englyn, oherwydd y mae wedi rhestru'r cytseiniaid o dan y llinell olaf (n d n d g n d g n d) yn yr enghraifft gyntaf, i archwilio'i chywirdeb. Sylweddolodd nad oedd yn gywir a rhoddodd 'X' gyferbyn â hi. Y llinell glo wreiddiol yn yr ail enghraifft uchod oedd 'Ydi e digon da?', llinell waeth o lawer na 'Diaw, ydi e digon da?' hyd yn oed.

Hefyd ceir englyn yn dwyn y teitl 'Bardd-rin' yn y llawysgrif. Ym 1929 y cyhoeddodd Timothy Lewis – 'Timothëus-Ap-Lewys-Ap-Lol' yn yr englyn – ei lyfr *Beirdd a Bardd-rin Cymru Fu*. Darlithydd yn yr Adran Gymraeg yn Aberystwyth oedd Timothy Lewis, ond ysgolhaig diofal a chyfeiliornus ydoedd. Anghytunai â Syr John Morris-Jones ynghylch ei ddadansoddiad o gyfundrefn farddol y Cymry, ac yn enwedig ei ddamcaniaethau ynghylch tarddiad mesurau Cerdd Dafod. Ym 1929 hefyd y cyhoeddwyd *Ceiriog* gan Saunders Lewis, cyfrol y cyfeirir ati yn y gerdd ddychanol fechan 'Adduned'. Felly, y mae'r llawysgrif yn cyrraedd y flwyddyn 1929 o leiaf.

Ym 1930 y cyhoeddwyd 'Ymadawiad Cwrcath', sef parodi Waldo ar 'Ymadawiad Arthur', awdl T. Gwynn Jones. Cyhoeddwyd 'Ymadawiad Cwrcath' yn rhifyn Tymor Gŵyl Fihangel o *The Dragon*. Ym 1930 hefyd y sefydlwyd y cylchgrawn poblogaidd *Y Ford Gron*, a dechreuodd Waldo gyfrannu iddo ar unwaith. Ymddangosodd nifer o gerddi Llawysgrif LlGC 20867B yn *Y Ford Gron*, 'Mowth-Organ' ('Rondo' yn LlGC 20867B), 'Y Cantwr Coch', 'Yr Uch-Gymro', 'Wrth Helpu i Gario Piano' a 'Rhesymau Pam' ym 1930 yn unig. Nid yw hyn yn golygu mai ym 1930 y lluniwyd y cerddi hyn, ond rhaid ystyried y posibiliad ei fod wedi llunio un neu ddwy o'r cerddi yn ystod y flwyddyn honno. Cyhoeddwyd 'Yr Hen Allt' a 'Cofio' yn *Y Ford Gron* ym 1931, ac ni chynhwysir y naill na'r llall yn Llawysgrif LlGC 20867B. Felly, gwaith a luniwyd hyd at y flwyddyn 1929, yn sicr, neu 1930, o bosibl, a geir yn Llawysgrif LlGC 20867B, a gellir ei ddyddio, felly, ond braidd yn betrusgar, fel dogfen sy'n cynnwys cerddi a luniwyd gan Waldo rhwng 1923 a 1930. Yn sicr, nid yw'n hŷn na 1930.

Os bwriadai Waldo gyhoeddi 'Odlau Idwaldo' fel casgliad o'i waith ef a gwaith Idwal Jones ar ddechrau Llawysgrif LlGC 20867B, erbyn iddo gyrraedd diwedd y llyfr yr oedd wedi newid ei feddwl. Ar dudalen olaf ond un Llawysgrif LlGC 20867B, sef tudalen 132, ceir teitl newydd i'r casgliad, 'Canu trwy'r Cwlwm gan Waldo Williams', ac yna enwir y chwe adran y cyfeirir atynt yn y testun.

Bu'r llawysgrif ar goll am flynyddoedd lawer. Ar ddiwedd y 1940au, gwelodd yr addysgwraig a'r genedlaetholwraig Cassie Davies (1898–1988) y llawysgrif wreiddiol yn Hoplas, cartref Willie Jenkins, a gwnaeth gopi cyflawn ohoni. Yn ôl Cassie Davies:

> Mi fyddwn i'n galw'n fynych ar fy nheithiau o gwmpas gwaelod Sir Benfro yn y gwesty hyglod "Great Wedlock" a gedwid gan chwaer i Dr. William Thomas, ein Prif-Arolygydd ni. Mewn ffermdy yn y fro, un a gedwid gan berthynas iddynt, y bu Waldo yn aros pan nad oedd ei iechyd yn dda yn y tri-degau, ac yno y cefais i afael ar drysor – copi-bwc o ddarnau a gyfansoddodd Waldo yn ystod ei gyfnod ar y fferm, yn ei lawysgrif [*sic*] ef ei hun. Trwy ddirgel ffyrdd, fe gefais i fenthyg y trysor hwn a'i gop[i]o bob gair.

'Ambell Atgof am Waldo', Cassie Davies, *CDWW*, t. 35. Gw. yn ogystal hunangofiant Cassie Davies, *Hwb i'r Galon*, t. 118.

Fodd bynnag, nid 'yn y tri-degau' y casglodd Waldo ei gerddi ynghyd. Yn anffodus, roedd adysgrifiadau Cassie Davies o'r cerddi yn wallus iawn mewn mannau, yn enwedig lle'r oedd ysgrifen Waldo ar ei gwaethaf. Gelwid y copi hwn yn Llawysgrif Hoplas, a hwn a astudid gan ysgolheigion a beirniaid, hyd nes i Mrs Bella Jenkins, Dinbych-y-pysgod, gyflwyno'r llawysgrif wreiddiol i'r Llyfrgell Genedlaethol.

[13] Llawysgrif LlGC 20867B, t. 112.

[14] Ibid.

[15] Ibid.

[16] Ibid., tt. 112–113.

[17] Ibid., t. 71. Teitl y gerdd yn wreiddiol oedd 'Preliwd gan y Dihennydd Gerddor Tragwyddol'.

[18] Ibid.

[19] Ibid., tt. 71/75.

[20] Ibid., t. 75.

[21] Waldo Williams, 'Y Methiant', ibid., llinellau 6–8, t. 94.

[22] Ibid., llinellau 12–14.

[23] Ibid., llinellau 17–18, t. 95.

[24] Ibid., llinellau 21–26.

[25] Ibid., llinellau 27–28.

[26] Ibid., llinellau 36–38, t. 96.

[27] Ibid., llinellau 45–46.

[28] Ibid., llinellau 53–57, t. 97.

[29] Ibid., llinellau 57–69.

[30] Ibid., llinell 70, t. 98.

[31] Ibid., llinellau 77–87.

[32] Ibid., llinellau 60, 90–91, tt. 97/98.

[33] Ibid., llinellau 91–93, tt. 98–99.

[34] Ibid., llinell 105, t. 99.

[35] Ibid., llinell 109.

[36] Ibid., llinellau 115–116, t. 100.

[37] Ibid., llinellau 108–130.

[38] Ibid., llinellau 147–150, t. 103.

[39] Ibid., llinellau 150–156.

[40] Waldo Williams, 'Cân Bom', DP, t. 86.

[41] Waldo Williams, 'Y Methiant', llinellau 156–159.

[42] Ibid., llinellau 169–176, t. 104.

[43] Ibid., llinellau 188–192, t. 105.

[44] Ibid., llinellau 220–227, t. 107.

[45] Ibid., llinell 231.

[46] Ibid., llinellau 238/241, t. 108.

47 Ibid., llinellau 255–256, t. 109.

48 Ibid., llinellau 265–268.

49 Ibid., llinellau 269–271, t. 110.

50 Waldo Williams, 'Epilog', ibid., t. 111.

51 Waldo Williams, 'Pe Gallwn', ibid., tt. 49–51.

52 Waldo Williams, 'Cerdd Olaf Arthur ag Ef yn Alltud yn Awstralia', ibid., tt. 79/81/83.

53 Waldo Williams, 'Sgwrs â Bobi Jones', t. 92.

54 Waldo Williams, 'Môr o Gân', *Y Faner*, Tachwedd 22, 1927, t. 5; ceir y gerdd yn ogystal yn Llawysgrif LlGC 20867B, tt. 61–63, a mân wahaniaethau yn unig a geir rhwng y ddau fersiwn. 'A chymyl anobaith' ac 'ar hyd yr ystrydoedd' a geir yn yr ail bennill yn Llawysgrif LlGC 20867B.

55 Waldo Williams, 'Dameg Arall at y Lleill', *WWRh*, t. 276; cyhoeddwyd yn wreiddiol yn *Yr Efrydydd*, cyf. IV, rhif 5, Chwefror 1928.

56 Ibid.

57 Ibid.

58 Ibid.

59 Ibid., t. 277.

60 Ibid.

61 Ibid., t. 278.

62 Ibid., t. 279.

63 Waldo Williams, 'Llofft y Capel', Llawysgrif LlGC 20867B, tt. 15–16.

64 Waldo Williams, 'Gwrando'r Bregeth', ibid., t. 23.

65 Waldo Williams, 'Chware Plant', ibid., tt. 3–4. Teitl y gerdd yn wreiddiol oedd 'Cerdd yr Hen Sgwlyn'.

66 Waldo Williams, cerdd ddi-deitl, ibid., tt. 4–5.

67 Waldo Williams, 'Geneth Ifanc', *DP*, t. 23.

68 Waldo Williams, 'Y Darten Fale', Llawysgrif LlGC 20867B, tt. 92–93.

69 Waldo Williams, 'Hiraeth', 'Canu Cynnar Waldo', Casgliad David Williams, tt. 1–2.

70 Waldo Williams, 'Yr Hen Le', ibid., t. 2.

71 Ibid., t. 3.

72 Ibid., t. 4.

73 Ibid.

74 Waldo Williams, 'Mewn Dau Gae', *DP*, t. 26.

75 Waldo Williams, 'Y Dderwen Gam', *Cerddi '69*, Golygyddion: Gwilym Rees Hughes ac Islwyn Jones, 1969, t. 72.

76 Waldo Williams, 'Yr Hen Le', t. 3.

77 Waldo Williams, 'Efe', 'Canu Cynnar Waldo', t. 5.

78 Ibid.

79 Ibid.

80 Ibid., t. 6.

81   Ibid., t. 6+1.

82   Waldo Williams, 'Ei Hiraeth Ef', ibid., t. 7+1.

83   Ibid., t. 8+1.

84   Ibid., t. 9+1.

85   Ibid., t. 11+1.

86   Waldo Williams, 'Er ei Fwyn', ibid., t. 12+1.

87   Waldo Williams, 'Y Duw Unig', ibid., dim rhif tudalen.

88   Waldo Williams, 'Wrth Helpu i Gario Piano', *Y Ford Gron*, cyf. 1, rhif 1, Tachwedd 1930, t. 18. Ceir copi o'r pennill hefyd yn Llawysgrif LlGC 20867B, t. 130. Teitl y pennill yn Llawysgrif LlGC 20867B yw 'Nodyn wrth Helpu i Gario Piano'.

89   Waldo Williams, 'Mowth-organ', *Y Ford Gron*, cyf. 1, rhif 1, Tachwedd 1930, t. 11. Cynhwyswyd y gerdd hefyd yn Llawysgrif LlGC 20867B, t. 65, dan y teitl 'Rondo' ('Tonc' oedd y teitl yn wreiddiol). Cynhwyswyd y gerdd yn *DP* hefyd, t. 53, ac mae fersiwn *Y Ford Gron* a fersiwn *DP* yn cyfateb yn llwyr i'w gilydd. Ceir rhai gwahaniaethau rhwng fersiwn *Y Ford Gron* a *DP* a fersiwn Llawysgrif LlGC 20867B. 'Harlech – neu'r Nefol Gor-gan' oedd y drydedd linell yn Llawysgrif LlGC 20867B yn wreiddiol, cyn i Waldo'i diwygio, fel ag y mae yma, ac y mae'r ail bennill yn y llawysgrif yn bur wahanol i fersiynau *Y Ford Gron* a *DP*:

> 'Dwy'i ddim yn gerddor o gwbwl,
>   Ond carwn dy glywed yn awr,
> Dy wefusau ar hyd y rhes ddwbwl,
>   A dy sawdwl yn curo'r llawr.

'Ond carwn weld yn awr' oedd ail linell y pennill uchod yn Llawysgrif LlGC 20867B yn wreiddiol.

90   W. R. Evans, 'Atgofion', *CMWW*, tt. 36–37; cyhoeddwyd yr ysgrif yn wreiddiol yn *Y Traethodydd*, cyf. CXXVI, rhif 540, Hydref 1971.

91   Waldo Williams, 'Sgwrs â T. Llew Jones', t. 101.

92   Waldo Williams, 'Cofio', *Y Ford Gron*, cyf. 1, rhif 11, Medi 1931, t. 6; *DP*, t. 78. Fersiwn *Y Ford Gron* a ddyfynnir yma. Yn fersiwn *DP* o'r gerdd, 'Un funud fach' a geir yn llinell gyntaf y pennill cyntaf, ac 'Un funud fwyn' yn yr ail linell. Yn llinell olaf y trydydd pennill, 'amdanynt 'nawr' a geir yn *DP*, ac yn y pedwerydd pennill, 'oeddynt hwy' ac 'arnynt mwy' a geir. Yn ail linell y pennill olaf, ''nabod chwi bob un' a geir yn *DP*.

93   Waldo Williams, 'Bargen i Bawb o Bobl y Byd', *WWRh*, t. 33; cyhoeddwyd yr ysgrif yn wreiddiol yn *Y Ford Gron*, cyf. 1, rhif 4, Chwefror 1931.

94   Ibid., t. 35.

95   Waldo Williams, 'Soned i Bedlar', *Y Ford Gron*, cyf. 1, rhif 5, Mawrth 1931, t. 8. Cynhwyswyd y soned yn *DP*, t. 60. Mae fersiwn *Y Ford Gron* a fersiwn *DP* yn cyfateb i'w gilydd yn llwyr, ond bod yr ymadrodd 'ysguboriau mwy' heb ddyfynodau o gwbl yn *DP*.

96   Wil Ifan, 'Some Welsh Poets Translated', *The Welsh Outlook*, cyf. 19, rhif 5, Mai 1932, t. 118.

[97]   Ibid., t. 119.

[98]   'Ein Barn Ni', *Y Ford Gron*, cyf. 1, rhif 7, Mai 1931, t. 3.

[99]   Waldo Williams, 'Toili Parcmelyn', *WWRh*, t. 57; cyhoeddwyd yn wreiddiol yn *Y Ford Gron*, cyf. 1, rhif 7, Mai 1931.

[100]   Ibid., t. 57.

[101]   Ibid., t. 58.

[102]   Ibid., t. 59.

[103]   Ibid., t. 62.

[104]   Waldo Williams, 'Llety Fforddolion', *WWRh*, t. 63; cyhoeddwyd y stori yn wreiddiol yn *The Dragon*, cyf. LIII, rhif 3, Tymor yr Haf, 1931.

[105]   Ibid.

[106]   Ibid., t. 64.

[107]   Ibid.

[108]   Waldo Williams, 'Cwmwl Haf', *DP*, tt. 48–49.

[109]   Waldo Williams, 'Llety Fforddolion', t. 64.

[110]   Ibid., t. 65.

[111]   Ibid., t. 66.

[112]   Ibid.

[113]   Waldo Williams, 'Ffôn', *WWRh*, t. 47; cyhoeddwyd yn wreiddiol yn *Y Ford Gron*, cyf. 1, rhif 7, Mai 1931.

[114]   Ibid.

[115]   Ibid.

[116]   Waldo Williams, 'Yr Hen Allt', *Y Ford Gron*, cyf. 1, rhif 9, Gorffennaf 1931, t. 12. Ailgyhoeddwyd y gerdd yn *DP*, t. 45, yn union fel y mae yn *Y Ford Gron*. Awgrymodd E. Llwyd Williams mai'r allt y tu ôl i gapel y Gelli, rhwng Clunderwen a Llanhuadain, oedd yr hen allt y canodd Waldo Williams iddi: 'Cofiaf am garcharorion rhyfel o'r Almaen mewn gwersyll yn ymyl yr allt sy tu cefn i'r capel tua 1916, a thybiaf mai'r allt yma a dorrwyd i lawr ganddynt hwy yw honno a welwn "yn tyfu eto" yn nhelyneg feddylgar Waldo' (*Crwydro Sir Benfro*, 2, 1960, t. 52). Fodd bynnag, ar sail adroddiadau a ymddangosodd yn *The Narberth, Whitland and Clynderwen Weekly News* ym 1918, awgrymodd Robert Rhys mai yn y flwyddyn honno y torrwyd coed yr hen allt. Gw. *ChANG*, tt. 26/74.

[117]   Waldo Williams, 'Cwm Berllan', *Y Ford Gron*, cyf. 1, rhif 12, Hydref 1931, t. 17. Ailgyhoeddwyd y gerdd yn *DP*, t. 77, gydag un gwahaniaeth yn unig rhwng y ddau fersiwn, sef 'Yr hen gennad fudan' yn yr ail linell yn *DP*.

[118]   Hymyr, 'Hoffi Waldo', *Y Ford Gron*, cyf. 1, rhif 3, Ionawr 1931, t. 21.

[119]   J. Ellis Williams, 'Hiwmor Waldo', ibid., cyf. 1, rhif 4, Chwefror 1931, t. 21.

[120]   Ibid.

[121]   'Caius Noviios', 'Clod i Waldo', ibid., cyf. 1, rhif 5, Mawrth 1931, t. 21.

[122]   Papurau D. J. Williams yn y Llyfrgell Genedlaethol, P2/35/45, llythyr oddi wrth Waldo Williams at D. J. a Siân Williams, Mai 30, 1932.

123 Bobi Jones, 'Atgofion', *CMWW*, t. 49; cyhoeddwyd yn wreiddiol yn *Y Traethodydd*, cyf. CXXVI, rhif 540, Hydref 1971.

124 'J.D.', 'Llandissilio Funeral Tributes', *Weekly News*, Mehefin 9, 1932, t. 6.

125 Ibid.

126 Ibid.

127 Waldo Williams, 'Angharad', *DP*, t. 43.

128 Waldo Williams, 'Geiriau', *WWRh*, t. 50; cyhoeddwyd yr ysgrif yn wreiddiol yn *Y Ford Gron*, cyf. 2, rhif 9, Gorffennaf 1932. Thomas Parry oedd y cyntaf i sylwi ar y tebygrwydd rhwng y gerdd a'r ysgrif. Gw. 'Barddoniaeth Waldo Williams', *CMWW*, t. 270.

129 Waldo Williams, 'Y Cloc', *Y Ford Gron*, cyf. 3, rhif 6, Ebrill 1933, t. 126.

130 'Obituary: Mr. J. Edwal Williams, Llandissilio', *The Western Telegraph and Cymric Times*, Chwefror 22, 1934, t. 7.

131 Ibid.

132 Dyfynnir yn *ChANG*, tt. 7–8. Cyhoeddwyd y deyrnged yn wreiddiol yn *The Narberth, Whitland and Clynderwen Weekly News*, Chwefror 22, 1934.

133 W. R. Evans, 'Atgofion', ibid., tt. 40–41.

134 Bu'r englynion hyn ar goll am flynyddoedd lawer. Daethpwyd o hyd iddynt ymhlith papurau W. R. Evans, pan ofynnodd Mrs Gwawr Davies, merch W. R. Evans, i Mr Eurig Davies, Pontardawe, roi trefn ar bapurau ei thad. Pan oedd Robert Rhys ac awdur y cofiant hwn yn paratoi argraffiad cynhwysfawr o gerddi Waldo ar gyfer y wasg, fe'u gwahoddwyd i gartref Eurig Davies i gael golwg ar bapurau W. R. Evans, ac ymhlith y papurau hyn yr oedd yr englynion 'Dinistr yr Offerynnau', yn llawysgrifen Waldo ei hun.

135 Am ragor o enghreifftiau o ddiddordebau diwylliannol Waldo yn ystod y cyfnod hwn, gw. *ChANG*, tt. 18–20. Cefais lawer iawn o wybodaeth am weithgarwch diwylliannol Waldo yn ystod y cyfnod hwn ymhlith papurau'r teulu sydd ym meddiant David Williams, a chan Alun Ifans, Cymdeithas Waldo.

136 Waldo Williams, 'Sequoya (1760–1843)', *Y Ford Gron*, cyf. 4, rhif 8, Mehefin 1934, t. 186.

137 Rhys Puw, 'Byd y Ddrama: Mynegbost yn Hanes ein Drama', ibid., cyf. 4, rhif 7, Mai 1934, t. 160.

Pennod 4: Blynyddoedd Gwrthdystiaeth, 1935–1939

1 J. T. Job, 'Cofied y Wlad am Eisteddfod Abergwaun', *Y Ford Gron*, cyf. 5, rhif 6, Ebrill 1935, t. 125.

2 Papurau D. J. Williams yn y Llyfrgell Genedlaethol, P7/1.

3 Wil Ifan, 'Ail Orau ar y Gadair', *Western Mail*, Awst 7, 1936, t. 6.

4 W. R. Evans, 'Atgofion', t. 38.

5 Cadwyd y copi hwn o'r awdl gan Dilys Williams, ac wedyn aeth i ddwylo David Williams, nai Dilys a Waldo. Ar ddiwedd yr awdl ysgrifennwyd 'Clegyr Boia (Abergwaun 1936)'.

6 Llawysgrif LlGC 20882C, llythyr oddi wrth Waldo Williams at E. Llwyd Williams, Tachwedd 17, 1939.

7   D. J. Williams, 'Detholiad o Gofnodion Dyddiadurol', *Y Cawr o Rydcymerau: Cofiant D. J. Williams*, Emyr Hywel, 2009, t. 251.

8   Llawysgrif LlGC 20882C, llythyr oddi wrth Waldo Williams at E. Llwyd Williams, Tachwedd 17, 1939.

9   Ibid.

10   Ibid.

11   Ibid.

12   Ibid.

13   Ibid.

14   Ibid.

15   Ibid.

16   W. R. Evans, *Fi Yw Hwn*, t. 75.

17   Ibid.

18   T. Llew Jones, 'Waldo', *CMWW*, t. 24; cyhoeddwyd yr ysgrif yn wreiddiol yn *Y Cardi*, Chwefror 1972.

19   Euros Bowen, 'Waldo a Chrynwriaeth', ibid., t. 172; cyhoeddwyd yr ysgrif yn wreiddiol yn *Y Traethodydd*, Hydref 1971.

20   Cystadleuaeth y Gadair: beirniadaeth J. Lloyd Jones, *Cymdeithas yr Eisteddfod Genedlaethol: Yr Unfed Adroddiad ar Bymtheg a Deugain ynghyd a Rhestr o Swyddogion, Beirniaid, y Cystadleuaethau* [sic] *a'r Buddugwyr yn Eisteddfod Genedlaethol Abergwaun 1936 a'r Beirniadaethau Cyflawn ar y Prif Destunau yn Abergwaun 1936 a Machynlleth, 1937*, Golygydd: D. R. Hughes, 1937, t. 67.

21   Ibid.

22   Cystadleuaeth y Gadair: beirniadaeth Griffith John Williams, ibid., tt. 78–79.

23   Ibid., t. 81.

24   Cystadleuaeth y Gadair: beirniadaeth Gwenallt, ibid., t. 91.

25   Ibid., tt. 91–92.

26   Cystadleuaeth y Gadair: beirniadaeth J. Lloyd Jones, t. 68.

27   Cystadleuaeth y Gadair: beirniadaeth Griffith John Williams, ibid., t. 79.

28   Cystadleuaeth y Gadair: beirniadaeth Gwenallt, ibid., t. 90.

29   Waldo Williams, 'Tŷ Ddewi', y copi o'r awdl yng Nghasgliad David Williams; Papurau D. J. Williams yn y Llyfrgell Genedlaethol, P7/1, llinellau 9–16.

30   Ibid., llinellau 33–40.

31   Waldo Williams, 'Cyfeillach', *DP*, t. 72.

32   Waldo Williams, 'Gwanwyn', ibid., t. 97.

33   Waldo Williams, [Heb Deitl], ibid., t. 64.

34   'Seiat i'r Beirdd yng ng[ŵ]yl Coleg y Drindod', t. 20.

35   Waldo Williams, 'Tŷ Ddewi', llinellau 49–56.

36   Pennill olaf cerdd nad yw wedi goroesi yw hwn. 'Cenais gân arall i Weun Parc y Blawd a Parc y Blawd ar achlysur neilltuol,' meddai Waldo wrth gynnig eglurhad ar ei gerdd 'Mewn

Dau Gae' mewn llythyr 'anarferol o gynhwysfawr' a ddyfynnir gan Mignedd yn 'Ledled Cymru' yn *Y Faner*, Chwefror 13, 1958, t. 5. Dyfynnir y pennill hwn yn y llythyr. Gw. 'Eglurhad ar "Mewn Dau Gae"', *WWRh*, tt. 87–89.

[37] Waldo Williams, 'Tŷ Ddewi', llinellau 117–120.

[38] Ibid., llinellau 121–124.

[39] Ibid., llinellau 129–132.

[40] Waldo Williams, 'Y Methiant', t. 109, llinellau 258–264.

[41] J. Edwal Williams, 'No More War: an Epistle to All whom it may Concern (and the Subject Concerns All)', t. 2.

[42] Waldo Williams, 'Tŷ Ddewi', llinellau 153–160. 'Llyma'r wawd' a geir yn P7/1.

[43] Ibid., llinellau 145–152.

[44] Ibid., llinell 197.

[45] Ibid., llinellau 201–208.

[46] Ibid., llinellau 209–216.

[47] Ibid., llinellau 217–224.

[48] Ibid., llinellau 245–248.

[49] Waldo Williams, 'Cymru'n Un', *DP*, t. 93.

[50] Waldo Williams, 'Tŷ Ddewi', llinellau 249–256.

[51] Ibid., llinellau 265–272.

[52] Ibid., llinellau 273–280.

[53] Ibid., llinellau 141–144.

[54] Ibid., llinellau 177–182.

[55] Ibid., llinellau 193–200. Hyd yn hyn, y mae rhifau'r llinellau yn y copi o'r awdl a gedwid gan Dilys Williams a P7/1 wedi cyfateb yn berffaith, ond ceir yn P7/1 bennill cyfan a ddilëwyd, ond a gadwyd yng nghopi'r teulu. Penderfynwyd peidio â chynnwys y pennill hwn wrth rifo'r llinellau (ni ddyfynnir mohono, beth bynnag), a chadw at fersiwn P7/1 yn unig.

[56] Ibid., llinellau 281–288.

[57] Waldo Williams, 'Sgwrs â T. Llew Jones', t. 99.

[58] Waldo Williams, 'Tŷ Ddewi', llinellau 297–300.

[59] Ibid., llinellau 305–308.

[60] Ibid., llinellau 313–320. 'O'r oesau têr' a geir yn y copi o'r awdl sydd ym meddiant David Williams.

[61] Ibid., llinellau 321–328.

[62] Ibid., llinellau 329–336.

[63] Ibid., llinellau 339–340.

[64] Ibid., llinellau 341–343.

[65] Ibid., llinellau 345–346.

[66] Ibid., llinellau 361–368.

[67] Ibid., llinell 384.

[68]   Ibid., llinellau 401–402.

[69]   Ibid., llinellau 385–392.

[70]   Ibid., llinellau 421–424.

[71]   Ibid., llinellau 417–420.

[72]   Ibid., llinellau 425–428.

[73]   Ibid., llinellau 433–440.

[74]   Ibid., llinellau 461–464.

[75]   Ibid., llinellau 441–442, 449–456; 'gan nwyd anniwall' a geir yng nghopi Waldo o'r awdl.

[76]   Waldo Williams, 'Y Tŵr a'r Graig', *DP*, t. 39.

[77]   Edward Carpenter, *Civilisation: its Cause and Cure and Other Essays*, t. 3.

[78]   Waldo Williams, 'Tŷ Ddewi', llinell 218.

[79]   Edward Carpenter, *Civilisation: its Cause and Cure*, t. 31.

[80]   Ibid., t. 122.

[81]   Cyhoeddwyd 'Brenhines y Lamp' yn *Barddas*, rhif 245, Mawrth/Ebrill 1998, tt. 2–3, mewn ysgrif yn dwyn y teitl 'Brenhines y Lamp/Cerdd Anghyhoeddedig o Waith Waldo', gan B. G. Owens. Derbyniodd B. G. Owens, Ceidwad yr Adran Llawysgrifau a Chofysgrifau yn y Llyfrgell Genedlaethol ar y pryd, ddeunydd lleol o gasgliad E. T. Lewis yn rhodd i Lyfrgell Genedlaethol Cymru, ac ymhlith y deunydd hwnnw roedd y gerdd hon. Yn ôl B. G. Owens: 'Deunydd gan mwyaf o eiddo William Griffith ar hanes yr eglwys ym Methel yw cynnwys papurau E. T. Lewis, ac y mae'r gân hon felly wedi ei gwahanu ar silffoedd y Llyfrgell Genedlaethol wrth y rhif Llawysgrif LlGC 21102 D.'

[82]   Waldo Williams, 'Enwau', *Cerddi'r Plant*, 1936, t. 40.

[83]   Waldo Williams, 'Y Tŵr a'r Graig', *Heddiw*, cyf. 4, rhif 3, Tachwedd 1938, t. 69.

[84]   Papurau D. J. Williams yn y Llyfrgell Genedlaethol, P2/35/18, llythyr oddi wrth Waldo Williams at D. J. Williams, Tachwedd 21, 1938; atgynhyrchwyd yn *WWRh*, tt. 81–82.

[85]   Ibid. Dilynwyd y llythyr gwreiddiol yma. '[C]odi o natur ei hun', nid 'o'i natur ei hun' (*WWRh*, t. 82), a geir yn y llythyr.

[86]   Waldo Williams, 'Y Tŵr a'r Graig', *Heddiw*, t. 70, llinellau 33–36; *DP*, t. 32. Cafwyd cambrint yn llinell 35 yn *Heddiw*: 'Gan y gwŷr a'n drygai'n gaeth.'

[87]   Ibid., llinell 37; *DP*, t. 32.

[88]   Ibid., llinellau 45–54; *DP*, t. 32.

[89]   Ibid., t. 71, llinellau 74–81; *DP*, t. 33.

[90]   Ibid., llinellau 90–97; *DP*, t. 34.

[91]   Ibid., tt. 73–74, llinellau 186–197; *DP*, t. 37. 'Wrth ffwrm fraisg buarth fferm fro' yw llinell 187 yn *DP*; y mae llinellau 190–191 mewn trefn wahanol yn *DP*: 'Ni phlyg cadernid ei phlant/Nac i bôr nac i'w beiriant.'

[92]   Ibid., t. 75, llinellau 238–245; *DP*, t. 39.

[93]   Ibid., llinellau 224–227; *DP*, t. 38.

[94]   Ibid., llinellau 248–255; *DP*, t. 39.

[95]   Aneirin ap Talfan, 'Mis y Cadoediad', *Heddiw*, cyf. 4, rhif 3, Tachwedd 1938, tt. 77–78.

96   Ibid.

97   'Be Jay, Solva', *The Western Telegraph and Cymric Times*, Mawrth 30, 1939, t. 6.

98   Waldo Williams, 'Esboniad ar Gefndir "Daw'r Wennol yn Ôl i'w Nyth"', *WWRh*, tt. 82–83; cyhoeddwyd yn wreiddiol yn *Y Faner*, Mawrth 29, 1939.

99   Waldo Williams, 'Daw'r Wennol yn Ôl i'w Nyth'. Cyhoeddwyd y cywydd yn wreiddiol yn *Y Faner*, Mawrth 29, 1939, t. 8, ac yn *The Western Telegraph and Cymric Times*, Mawrth 30, 1939, t. 6. Fersiwn *Y Faner* a ddyfynnir yma. Yn wahanol i *DP*, tt. 28–29, lle ceir 'Gweddw buarth heb ei gwartheg', 'Gweddw buarth heb ei wartheg' a geir yn *Y Faner* ac yn y *Western Telegraph*. Ceir cryn dipyn o wahaniaeth rhwng fersiwn *Y Faner* a fersiwn y *Western Telegraph* o'r pedwerydd pennill ymlaen. Tra bo fersiwn *Y Faner* yn dilyn fersiwn *DP*, ond gyda'r cwpled clo yn gwpled ar wahân i weddill pob pennill, ceir y ddau bennill clo hyn yn y *Western Telegraph*:

> Ar ddydd gwlyb yr ysgubor
> Ni rydd waith o mewn i'r ddôr.
> Mae parabl y stabl a'i stŵr,
> Tynnu'r gwair, gair y gyrrwr?
> Peidio'r pystylad cadarn,
> Peidio'r cur o'r pedwar carn.
>
> Eu gyrru hwnt i'w goror,
> Castell Martin min y môr.
>
> Ysbeilio eiddo heddwch,
> Sarhau'r sofl, sorri o'r swch.
> Hyn a fynaig draig y drin:
> Llawr gwag fydd yn lle'r gegin.
> Tewi'r iaith ar y trothwy
> A miri'r plant. Marw yw'r plwy.
>
> Gaeaf ni bydd tragyfyth,
> Daw'r wennol yn ôl i'w nyth.

100 Llawysgrif LlGC 20882C, llythyr ac englynion ar y testun 'Y Daten' oddi wrth Waldo Williams at W. R. Evans, dyddiedig 'Yr ail o Fis Bach', 1939.

101 Ibid.

102 Ibid.

103 Ibid.

104 Waldo Williams, ['Cywydd i Longyfarch E. Llwyd Williams'], Llawysgrif LlGC 20882C. Gw. hefyd 'B. G. Owens yn dilyn hanes Cywydd Waldo i Llwyd', *Barddas*, rhif 257, Ebrill/ Mai 2000, tt. 22–23.

105 Waldo Williams, 'Rebeca (1839)', *The Western Telegraph and Cymric Times*, Mawrth 9, 1939, t. 6.

106 Waldo Williams, 'Cleddau', ibid., Mehefin 8, 1939, t. 6.

[107] Waldo Williams, 'Plentyn y Ddaear (neu Polisi'r Rhyfelwyr: "Scorched Earth")', *Y Faner*, Mai 17, 1939, t. 8. 'Plentyn y Ddaear' yw teitl y gerdd yn *DP*, t. 68, a cheir rhai gwahaniaethau rhwng fersiwn *Y Faner* a fersiwn *DP*. Ni roir prif lythyren i 'nef' yn ail linell y pennill cyntaf yn *DP*, 'A dygent' a geir yn y drydedd linell, ac ni roir prif lythyren i 'ddaear' yn llinell 7. 'Ni ildiodd' a geir yn llinell 6 yn yr ail bennill yn *DP*, nid 'Nid ildiodd'.

[108] Waldo Williams, 'Arfau', *Y Faner*, Mehefin 28, 1939, t. 8, fel cyflwyniad i gyfres o ysgrifau gan y Parchedig E. K. Jones, Wrecsam, ar 'Y Rhai a Safodd/Hanes Gwrthwynebwyr Cydwybodol 1916–1918'. Ceir holograff o'r gerdd ymhlith papurau D. J. Williams yn y Llyfrgell Genedlaethol, P2/33, sef casgliad o lythyrau oddi wrth J. E. Caerwyn Williams at D. J. Williams. Nid oes dyddiad ar y gerdd. Y mae cryn dipyn o wahaniaeth rhwng y ddau fersiwn. Fersiwn *Y Faner* a ddilynir yma.

[109] Waldo Williams, 'Diwedd Bro', *Heddiw*, cyf. 5, rhif 2, Mehefin 1939, t. 49. Yr un fersiwn yn union a gyhoeddwyd yn *DP*, t. 65.

[110] Waldo Williams, 'Y Darlun', *WWRh*, t. 68; cyhoeddwyd 'Y Darlun' yn wreiddiol yn *Heddiw*, cyf. 5, rhif 3, Gorffennaf 1939.

[111] Ibid.

[112] Ibid.

[113] Ibid., tt. 69–70.

[114] Ibid., t. 70.

[115] Ibid., t. 71.

[116] Ibid.

[117] Waldo Williams, 'Preseli', *DP*, t. 30.

[118] Waldo Williams, 'Cwmwl Haf', *DP*, t. 49.

[119] Waldo Williams, 'Y Darlun', t. 71.

[120] Waldo Williams, 'Mewn Dau Gae', *DP*, t. 26.

Pennod 5: Blynyddoedd Brawdoliaeth, 1939–1945

[1] 'Bleddyn ap Blewddyn', 'Llythyr Agored', *Heddiw*, cyf. 5, rhif 7, Rhagfyr 1939, tt. 363–364.

[2] Waldo Williams, 'Sgwrs gyda Chyfaill', *CMWW*, t. 118. Dyfynnir fersiwn llawnach a chywirach *CMWW* yma, yn hytrach na fersiwn *WWRh*. Cyhoeddwyd y sgwrs am y tro cyntaf yn rhifyn Ionawr 1978 o *Bro*, dan y teitl 'Waldo Williams: Ffeithiau Newydd am ei Fywyd a'i Waith'. Darlledwyd y sgwrs yn wreiddiol ar y BBC ym 1965.

[3] Waldo Williams, 'Ateb', *Y Faner*, Hydref 18, 1939, t. 6.

[4] Waldo Williams, 'Gair i Werin Cred', *Y Faner*, Ionawr 3, 1940, t. 6.

[5] Papurau D. J. Williams yn y Llyfrgell Genedlaethol, P2/35/20, llythyr oddi wrth Waldo Williams at D. J. a Siân Williams, Chwefror 27, 1941.

[6] Ibid.

[7] Waldo Williams, 'O Bridd', *DP*, tt. 84–85.

[8] Waldo Williams, 'Brenhiniaeth a Brawdoliaeth', *WWRh*, t. 311. Cyhoeddwyd yr anerchiad

hwn, a draddodwyd o flaen y Gymdeithas Heddwch yn ystod Cynhadledd Undeb Bedyddwyr Cymru yng Nghapel y Tabernacl, Abergwaun, ar Fai 9, 1956, yn *Seren Gomer*, cyf. XLVIII, rhif 2, Haf 1956. Cyhoeddwyd yr anerchiad yn *CDWW* yn ogystal.

9   J. Edwal Williams, 'No More War: an Epistle to All whom it may Concern (and the Subject Concerns All)', t. 2.

10   Waldo Williams, 'Llythyr at Anna Wyn Jones ynghylch "O Bridd"', *WWRh*, t. 102; Llawysgrif LlGC 23896D, 13, llythyr oddi wrth Waldo Williams at Anna Wyn Jones, Mehefin 5, 1966.

11   Damian Walford Davies a ddarganfu enwau Waldo a Linda Llewellyn yn Llyfr Ymwelwyr Bwthyn Coleridge. Gw. Damian Walford Davies, '"Cymodi â'r Pridd": Wordsworth, Coleridge, a Phasg Gwaredol Waldo Williams', *CAA*, tt. 90–91.

12   Waldo Williams, 'Llythyr at Anna Wyn Jones ynghylch "O Bridd"', t. 102; Llawysgrif LlGC 23896D, 13–14.

13   Waldo Williams, 'Brawdoliaeth', *Y Faner*, Mai 29, 1940, t. 4; *DP*, t. 79. Nid oes dim gwahaniaeth rhwng fersiwn *Y Faner* a fersiwn *DP* o'r gerdd.

14   Waldo Williams, 'Carol', ibid., Ionawr 8, 1941, t. 8.

15   'Abergwaun Group of the Peace Pledge Union', Casgliad David Williams, cofnod o gyfarfod a gynhaliwyd ar Hydref 10, 1939. Mae'r llyfr cofnodion yn rhychwantu'r cyfnod Gorffennaf 12, 1939–Mehefin 2, 1945.

16   Dewi W. Thomas, '"Dyn Od ar y Ffordd"', *CMWW*, t. 26.

17   Ibid.

18   Ibid., tt. 26–27.

19   Waldo Williams, 'Y Tangnefeddwyr', *Y Faner*, Mawrth 5, 1941, t. 4; *DP*, tt. 41–42. Yr un fersiwn o'r gerdd a geir yn *DP*.

20   Papurau D. J. Williams yn y Llyfrgell Genedlaethol, P2/35/47, llythyr oddi wrth Waldo Williams at D. J. a Siân Williams, Mawrth 17, 1941.

21   Ibid.

22   Ibid.

23   Waldo Williams, 'Englynion y Rhyfel', *Y Faner*, Mawrth 19, 1941, t. 4. 'Drud byd a rhod bywydau' yw llinell gyntaf 'Y Drefn' yn *Y Faner*.

24   Waldo Williams, 'Fel Hyn y Bu', *The Western Telegraph and Cymric Times*, Mawrth 27, 1941, t. 4; *DP*, tt. 104–105. Gw. hefyd ysgrif ragorol Eirwyn George, 'Helynt Waldo a'r Identity Card', *Barddas*, rhif 296, Ionawr/Chwefror 2008, tt. 15–16.

25   E. Llwyd Williams, 'Wel, Waldo (Gair o gysur ar ôl helynt yr "Identity Card['"])', *The Western Telegraph and Cymric Times*, Ebrill 3, 1941, t. 4.

26   'Castellwr' [John Williams?], 'Adfesur', ibid.

27   W. R. Morris Pant y cabal, 'Fel Hyn y Bu', ibid., Ebrill 24, 1941, t. 4.

28   Waldo Williams, 'Cyrraedd yn Ôl', *Y Faner*, Ebrill 16, 1941, t. 4; *DP*, tt. 70–71. 'Trwy chwys bwytei di' yw llinell olaf y pennill cyntaf yn *Y Faner*. 'Gweled ein gwir ein gwael' yw llinell 5 yr ail bennill yn *Y Faner*, ond cam-brint amlwg yw hwn. Yn ail linell y trydydd

pennill, 'Cwymp' gyda phrif lythyren a geir yn *Y Faner*, ond hepgorwyd y brif lythyren yn *DP*.

29 Papurau D. J. Williams yn y Llyfrgell Genedlaethol, P2/35/21, llythyr oddi wrth Waldo Williams at D. J. a Siân Williams, Medi 16, 1941.

30 Ibid.

31 Waldo Williams, 'Yr Hwrdd', *Y Faner*, Rhagfyr 17, 1941, t. 4; *DP*, t. 96. 'Ant ar eu ôl' [*sic*] a geir yn llinell 9 yn *Y Faner*, 'Ânt ar eu cil' yn *DP*.

32 Papurau D. J. Williams yn y Llyfrgell Genedlaethol, P2/35/43, llythyr oddi wrth Waldo Williams at D. J. a Siân Williams, [Chwefror 6], 1942.

33 Ibid.

34 Ibid.

35 Bobi Jones, 'Atgofion', tt. 48–49.

36 Waldo Williams, 'Statement', *WWRh*, t. 292; cyhoeddwyd yn wreiddiol yn *Y Traethodydd*, cyf. CXXVI, Hydref 1972.

37 Ibid., t. 293.

38 Ibid.

39 Ibid.

40 Waldo Williams, 'Cyfeillach', *Y Faner*, Ionawr 10, 1945, t. 4; *DP*, t. 72. Ceir y nodyn eglurhaol hwn, sef dyfyniad o bapur newydd, yn *Y Faner*: 'Nid oes dim cyfeillachu i fod rhwng milwyr y Cynghreiriaid a phobl yr Almaen ... Dywedodd swyddog y dirwyid i un-bunt-ar-bymtheg filwr a ddymunai Nadolig Llawen i Almaenwr.' Ceir nodyn tebyg yn *DP*, ond nid ar ffurf dyfyniad.

41 Waldo Williams, 'Statement', t. 293.

42 Adroddiad ar yr achos yn *The Carmarthen Journal*, Chwefror 20, 1942, t. 6.

43 T. J. Morgan, 'Atgofion', *CMWW*, tt. 65–66; cyhoeddwyd yr ysgrif yn wreiddiol yn *Y Genhinen*, cyf. 21, rhif 3, Haf 1971.

44 Waldo Williams, llythyr diddyddiad at Dilys Williams, Casgliad David Williams.

45 Bobi Jones, 'Atgofion', t. 47.

46 Papurau D. J. Williams yn y Llyfrgell Genedlaethol, P2/35/21, llythyr oddi wrth Waldo Williams at D. J. a Siân Williams, Medi 16, 1941.

47 Ibid., P2/35/43, llythyr oddi wrth Waldo Williams at D. J. a Siân Williams, diddyddiad.

48 Waldo Williams, 'Ar Weun Cas' Mael', *Y Faner*, Ebrill 2, 1942, t. 4. Yr un fersiwn o'r gerdd a geir yn *DP*, tt. 24–25, gyda'r gwahaniaeth bychan mai 'Deffroit' a 'Gwnait' a geir yn y pennill olaf a ddyfynnir yma, sef y pumed pennill yn y gerdd ei hun.

49 Llawysgrif LlGC 20882C, llythyr oddi wrth Waldo Williams at E. Llwyd Williams, Mai 24, 1942.

50 Ibid.

51 Ibid.

52 Papurau D. J. Williams yn y Llyfrgell Genedlaethol, P2/35/22, llythyr oddi wrth Waldo Williams at D. J. a Siân Williams, Ionawr 6, 1943.

53 Ibid.

54 Ibid.

55 Ibid.

56 Ibid.

57 Ibid.

58 Ibid.

59 Ibid.

60 Ibid.

61 Ibid.

62 Ibid.

63 Ibid.

64 Ibid.

65 Ibid., P2/35/23, llythyr oddi wrth Waldo Williams at D. J. a Siân Williams, Chwefror 3, 1943.

66 Waldo Williams, 'A New Year Appeal', *WWRh*, tt. 282–283; cyhoeddwyd yn wreiddiol yn *The Western Telegraph and Cymric Times*, Ionawr 11, 1940.

67 Ibid., t. 283.

68 Ibid.

69 Waldo Williams, 'Conscience and Truth', ibid., t. 284; cyhoeddwyd yn wreiddiol yn *The Western Telegraph and Cymric Times*, Ionawr 2, 1941.

70 Ibid.

71 Waldo Williams, 'Democracy and War (1941a)', ibid., t. 285; cyhoeddwyd yn wreiddiol yn *The Western Telegraph and Cymric Times*, Mehefin 19, 1941.

72 Ibid., t. 286.

73 Waldo Williams, 'Democracy and War (1941c)', ibid., t. 290; cyhoeddwyd yn wreiddiol yn *The Western Telegraph and Cymric Times*, Gorffennaf 24, 1941.

74 Waldo Williams, 'Democracy and War (1941a)', ibid., t. 286.

75 Papurau D. J. Williams yn y Llyfrgell Genedlaethol, P2/35/23, llythyr oddi wrth Waldo Williams at D. J. a Siân Williams, Chwefror 3, 1943.

76 Ibid.

77 Ibid.

78 Ibid.

79 Ibid.

80 Ibid., P2/35/50, llythyr oddi wrth Waldo Williams at D. J. a Siân Williams, Mawrth 5, 1943.

81 Ibid.

82 Ibid.

83 Ibid.

84 Ibid.

85 E. Prosser Rhys, 'Y Golofn Farddol', *Y Faner*, Mawrth 17, 1943, t. 7.

86 Waldo Williams, 'Democracy and War (1941c)', tt. 288–289.

[87] Waldo Williams, 'Gwyl Dewi', *Y Faner*, Mawrth 17, 1943, t. 4. Yn *DP*, t. 92, 'ffun a ffug', nid 'ffein a ffug', a geir yn llinell 11 yn yr ail soned.

[88] Papurau D. J. Williams yn y Llyfrgell Genedlaethol, P2/35/24, llythyr oddi wrth Waldo Williams at D. J. a Siân Williams, [Mai?] 1943.

[89] Ibid.

[90] Ibid.

[91] Anna Wyn Jones, 'Waldo', *CDWW*, t. 40.

[92] Ibid.

[93] Waldo Williams, 'Linda', cerdyn coffa, Mehefin 1943, Casgliad David Williams.

[94] Anna Wyn Jones, 'Waldo', tt. 41–42.

[95] John Gruffydd Jones, neges ebost at yr awdur, Ionawr 28, 2014.

[96] O gasgliad Bobi Jones yn ei ysgrif 'Atgofion', t. 59.

[97] Waldo Williams, 'Sgwrs â T. Llew Jones', t. 100.

[98] Thomas Parry, 'Barddoniaeth Waldo Williams', *CMWW*, tt. 270–271; cyhoeddwyd yr ysgrif yn wreiddiol yn *Y Genhinen*, cyf. 21, rhif 3, Haf 1971.

[99] Ibid., t. 271.

[100] 'Death of Mrs. Waldo Williams', *The Western Telegraph and Cymric Times*, Mehefin 10, 1943, t. 5.

[101] Ibid.

[102] 'Abersoch: Profedigaeth', *Yr Herald Cymraeg*, Mehefin 7, 1943, t. 5.

[103] Lluniodd Ann Williams, Pontllyfni, Caernarfon, nodiadau am atgofion ei rhieni, a'i hatgofion hithau, am Waldo yn union cyn darlith flynyddol Cymdeithas Waldo yn Ysgol Botwnnog, Medi 30, 2013. Ni allai Ann Williams ei hun ddod i'r ddarlith, ond sicrhaodd fod y nodiadau hyn yn cyrraedd Alun Ifans. Ebostiodd Alun y nodiadau at yr awdur ar Chwefror 9, 2014.

[104] Ibid.

[105] Diolch i Alun Ifans eto am y nodyn hwn. Ar ôl darlith flynyddol Cymdeithas Waldo yn Ysgol Botwnnog, Medi 30, 2013, rhoddodd John Gruffydd Jones gopi teipiedig o 'Ychydig Ffeithiau gan ei chwaer Miss Dilys Williams' i Alun Ifans, ac yn ôl John Gruffydd Jones: 'Mae hwn wedi ei deipio o'r gwreiddiol sydd gan Mr Elwyn Williams, Abergele, ac ni newidiwyd dim.' Cefais hefyd gopi o'r ddogfen gan Elwyn Williams ei hun.

[106] R. M. Jones, 'Waldo: y Cyfrinydd Ymarferol', *Cyfriniaeth Gymraeg*, 1994, t. 247.

[107] Euros Bowen, 'Waldo a Chrynwriaeth', *CMWW*, tt. 172–173; cyhoeddwyd yr ysgrif yn wreiddiol yn *Y Traethodydd*, cyf. CXXVI, rhif 540, Hydref 1971.

[108] Waldo Williams, 'Cân o Glod i J. Barrett, Ysw., gynt o Lynges ei Fawrhydi, garddwr Ysgol Botwnnog yn awr', papurau D. J. Williams yn y Llyfrgell Genedlaethol, Llawysgrif LlGC 19289.

[109] Waldo Williams, 'Adnabod', *DP*, t. 62.

[110] Waldo Williams, 'Y Plant Marw', *Y Faner*, Chwefror 23, 1944, t. 4; *DP*, t. 81. Nid oes dim gwahaniaeth rhwng fersiwn *Y Faner* a fersiwn *DP* o'r gerdd.

[111] Waldo Williams, 'Dan y Dyfroedd Claear', *DP*, t. 69.

[112] Waldo Williams, 'Beirniadaeth ar y Bryddest ("Yr Aradr"), Eisteddfod Genedlaethol

Llandybïe (1944)', *WWRh*, t. 146; cyhoeddwyd yn wreiddiol yn *Cyfansoddiadau a Beirniadaethau Eisteddfod Genedlaethol 1944 (Llandybïe)*, Golygydd: Gomer M. Roberts.

[113] Ibid.

[114] Waldo Williams, beirniadaeth ar gystadleuaeth y delyneg, *Cyfansoddiadau a Beirniadaethau Eisteddfod Genedlaethol 1942 (Aberteifi)*, Golygydd: Tom Parry, t. 50.

[115] Papurau D. J. Williams yn y Llyfrgell Genedlaethol, P2/35/25, llythyr oddi wrth Waldo Williams at D. J. a Siân Williams, Hydref 1, 1944.

[116] Ibid.

[117] Ibid.

[118] Ibid.

[119] Ibid., P2/35/51, llythyr oddi wrth Waldo Williams at D. J. a Siân Williams, Hydref 10, 1944.

[120] Ibid.

[121] Ibid.

[122] Waldo Williams, 'Beauty's Slaves', *The Western Telegraph and Cymric Times*, Tachwedd 23, 1944, t. 4.

[123] 'Poems by D. R. Geraint Jones', ibid., Tachwedd 9, 1944, t. 4.

[124] Ibid.

[125] Ibid.

[126] 'Poem by D. R. Geraint Jones', ibid., Tachwedd 16, 1944, t. 4.

[127] Ibid., Tachwedd 23, 1944, t. 4. Cyhoeddwyd y tair cerdd hyn mewn cyfrol fechan o'r enw *For Your Tomorrow: an Anthology of Poetry Written by Young Men from English Public Schools Who Fell in the World War 1939–1945*, cyfrol a baratowyd gan R. W. Moore, prifathro Ysgol Harrow, ac a gyhoeddwyd ym 1950. Cynhwyswyd un gerdd o eiddo D. Geraint Jones ym mlodeugerdd enwog Brian Gardner, *The Terrible Rain: The War Poets 1939–1945* (1966), sef 'The Light of Day ...', ac yn *For Your Tomorrow* y cafodd honno. Yn *The Western Telegraph and Cymric Times*, 'Haute Avenue' a geir yn y gerdd 'The Light of Day ...', ond mae'n amlwg mai Haute Avesnes a olygir, sef y fynwent filwrol yng nghyffiniau Arras yn Ffrainc.

[128] Waldo Williams, 'Yn y Tŷ', *DP*, t. 54.

[129] Waldo Williams, 'Elw ac Awen', *Y Faner*, Tachwedd 8, 1944, t. 4; *DP*, t. 61. Ni cheir dim gwahaniaeth rhwng fersiwn *Y Faner* a fersiwn *DP* o'r gerdd.

[130] Waldo Williams, 'Y Sant', *Y Faner*, Rhagfyr 6, 1944, t. 4; *DP*, t. 108. Ni cheir dim gwahaniaeth rhwng fersiwn *Y Faner* a fersiwn *DP* o'r gerdd.

[131] Waldo Williams, 'Cyfeillach', *Y Faner*, Ionawr 10, 1945, t. 4; *DP*, tt. 72–73. 'Cenais y gân hon ddydd Nadolig 1945' meddai Waldo yn y 'Sylwadau' yng nghefn *Dail Pren*, ond Nadolig 1944 a olygai. Ni cheir dim gwahaniaeth rhwng fersiwn *Y Faner* a fersiwn *DP* o'r gerdd.

[132] Anna Wyn Jones, 'Waldo', t. 40.

[133] Nodiadau Ann Williams.

[134] Waldo Williams, 'Tri Bardd o Sais a Lloegr', *DP*, t. 47.

Pennod 6: Blynyddoedd Alltudiaeth, 1945–1948

[1] 'On February 1ˢᵗ the Masters were joined by Mr. W. G. Williams, B.A., as Latin Master to replace Miss D. E. Budd', *The Kimboltonian Magazine*, Mawrth 1945, t. 1.

[2] William Ingram, *The Power in a School*, 1951, t. 13.

[3] Ibid., t. 238.

[4] Waldo Williams, 'Brenhiniaeth a Brawdoliaeth', *WWRh*, t. 309. Tynnir sylw at y gyfatebiaeth rhwng dwy linell olaf pennill cyntaf 'Cân Bom' a'r hyn a ddywedir yn 'Brenhiniaeth a Brawdoliaeth' gan Damian Walford Davies yn *WWRh*, t. 271.

[5] Ibid.

[6] Waldo Williams, 'Cân Bom', *Y Faner*, Ebrill 3, 1946, t. 1; *DP*, t. 86. Nid yw 'pryf yn y pren' rhwng dyfynodau yn *DP*.

[7] Papurau D. J. Williams yn y Llyfrgell Genedlaethol, P2/35/27, llythyr oddi wrth Waldo Williams at D. J. a Siân Williams, Ebrill 16, 1946.

[8] Waldo Williams, 'Adnabod', *Y Faner*, Mai 29, 1946, t. 4; *DP*, t. 62. Mae fersiwn P2/35/27 o'r gerdd ychydig bach yn wahanol i fersiwn *Y Faner* a *DP*. Yn y pennill cyntaf, 'Cwyd pen' a geir yn llinell 5, ac ni cheir yr 'O' ebychiadol yn llinell 8. Yn yr ail bennill a ddyfynnir, sef pedwerydd pennill y gerdd, y llinellau hyn a geir yn P2/35/27:

> Adnabod, ti a'n puri
>
> Ac ni fynni un rhwysg amdanom,
>
> Ti yw Tosturi
>
> Pan ddelych i'th deyrnas ynom.

[9] Nikolai Berdyaev, *Slavery and Freedom*, cyfieithiad R. M. French, 1943, t. 20.

[10] Ibid., t. 21.

[11] Ibid., t. 140.

[12] Ibid., t. 142.

[13] Ibid., t. 155.

[14] Ibid., t. 156.

[15] Nikolai Berdyaev, *Rhyfel a'r Gydwybod Gristnogol*, cyfieithiad T. Gwynn Jones, *Proffwydi Rwsia: y Ddau Ddewis* (Pamffledi Heddychwyr Cymru), 1940, tt. 4–5.

[16] Fyodor Dostoevsky, *Y Brodyr Karamazov*, cyfieithiad T. Gwynn Jones, *Proffwydi Rwsia: y Ddau Ddewis*, t. 12.

[17] Ibid., t. 26.

[18] Ibid.

[19] Ibid., t. 30.

[20] Ibid., tt. 30–31.

[21] Waldo Williams, 'Almaenes', *Y Faner*, Ebrill 24, 1946, t. 1; *DP*, t. 75. Yn fersiwn *Y Faner* yn unig y ceir 'ar goll' mewn dyfynodau. Nid oes dyfynodau am y ddau air yn *DP*.

[22] Waldo Williams, 'Eu Cyfrinach', *Y Faner*, Mehefin 12, 1946, t. 1; *DP*, t. 57. Cytunaf yn llwyr â sylw Robert Rhys mai cerdd 'am barhad y genedl Iddewig ar adeg argyfyngus yn ei hanes' a luniwyd 'ar adeg argyfyngus arall yn ei hanes' yw 'Eu Cyfrinach' ('"Ni Thraetha'r

Môr ei Maint": Cerddi "Almaenig" Waldo Williams yn 1946', *Llên Cymru*, cyf. 34, 2011, t. 227).

[23] Papurau D. J. Williams yn y Llyfrgell Genedlaethol, P2/35/28, llythyr oddi wrth Waldo Williams at D. J. a Siân Williams, Mehefin 13, 1946.

[24] Ibid.

[25] 'German C.O.s in Buchenwald and Other Camps', *The War Resister*, rhif 51, Haf 1946, tt. 23–24, Casgliad David Williams.

[26] Waldo Williams, 'Odidoced Brig y Cread', *DP*, t. 82.

[27] Ibid.

[28] Waldo Williams, 'Die Bibelforscher', *DP*, t. 66.

[29] Oliver Tomkins, 'Church and State in the New Testament', *The Presbyter: a Journal of Confessional and Catholic Churchmanship*, cyf. 3, rhif 2, Mai 1945, t. 15.

[30] P2/35/28.

[31] D. J. Williams, *Yn Chwech ar Hugain Oed*, 1959, t. 188.

[32] Ibid.

[33] Waldo Williams, 'Caniad Ehedydd', Papurau D. J. Williams yn y Llyfrgell Genedlaethol, P2/35/11, dan y teitl 'Caniad yr Ehedydd'; *DP*, t. 94. Y fersiwn a anfonwyd at D. J. Williams a ddyfynnir yma, yn naturiol. Ceir rhai gwahaniaethau rhwng y fersiwn hwnnw a fersiwn *DP*. 'Codaf o'r cyni/A'm cân yn egni/Herodr goleuni' a geir yn y pennill cyntaf yn *DP*, a 'Gwiwfoes yr oesoedd/Hardd yr ynysoedd,/Branwen cenhedloedd/Codaf i'w hadfer' a geir yn yr ail bennill. Cyhoeddwyd y gerdd yn wreiddiol yn *Y Llinyn Arian*, Urdd Gobaith Cymru, 1947, t. 20.

[34] Waldo Williams, 'Yn y Tŷ (i D.M.J.)', *Y Faner*, Medi 4, 1946, t. l; *DP*, tt. 54–55. Yn *Y Faner* y rhoir prif lythyren i 'clod' ym mhennill olaf y gerdd.

[35] P2/35/28.

[36] Waldo Williams, 'Preselau', *Y Faner*, Tachwedd 20, 1946, t. 1; *DP*, t. 30. Newidiwyd 'Preselau' yn 'Preseli' yn *DP*, ac yn y pennill cyntaf a ddyfynnir, 'ac yn cario' a geir, nid 'ac yn curo'.

[37] Waldo Williams, 'Sgwrs â T. Llew Jones', tt. 99–100.

Mick Rich, 'Random Thoughts', cofnod a luniwyd yn arbennig ar gyfer y cofiant hwn. ___iwyd y cofnod at yr awdur ar Chwefror 9, 2013.

___.

___bid.

Llyfr Cofnodion Ysgol Gynradd Lyneham yng Nghanolfan Hanes Wiltshire a Swindon, cyfeirnod F8/500/181/1/3, t. 153: 'Mr. W. G. Williams B.A. has taken up duties as Assistant Master.'

[42] Waldo Williams, Llawysgrif LlGC 23896D, llythyr oddi wrth Waldo Williams at Anna Wyn Jones, Ionawr 25, 1948.

[43] Ibid.

[44] Papurau D. J. Williams yn y Llyfrgell Genedlaethol, P2/35/37, llythyr oddi wrth Waldo Williams at D. J. a Siân Williams, diddyddiad.

45 LlGC 23896D, llythyr oddi wrth Waldo Williams at Anna Wyn Jones, Ionawr 25, 1948.

46 Waldo Williams, cerdd ddi-deitl, Casgliad David Williams.

47 LlGC 23896D, llythyr oddi wrth Waldo Williams at Anna Wyn Jones, Ionawr 25, 1948.

48 Ibid.

49 Waldo Williams, 'Y Gynghanedd Yfory', Casgliad David Williams.

50 Waldo Williams, 'Y Gynghanedd, Beth Yw Hi?', Casgliad David Williams.

51 Dilys Williams, 'Atodiad', *CDWW*, t. 179.

52 Waldo Williams, 'Cwmwl Haf', Llawysgrif LlGC 23896D, llythyr oddi wrth Waldo Williams at Anna Wyn Jones, Ionawr 25, 1948. Ceir dau gopi o'r gerdd ymhlith papurau D. J. Williams yn y Llyfrgell Genedlaethol, Llawysgrif LlGC 19289, a 'Mis Gorff. 1947 mewn llythyr o Lyneham' ar frig un copi. Ai Gorffennaf 1948 a olygai, gan fod y ddau fersiwn a anfonwyd ato ef yn fwy gorffenedig na'r fersiwn a anfonodd at Anna Wyn Williams ym mis Ionawr 1948? Y fersiwn a anfonodd at Anna Wyn Jones a ddyfynnir yma. Mae fersiwn *DP*, tt. 48–49, yn cyfateb i'r copïau a geir yn Llawysgrif LlGC 19289. Yn *DP*, mae'r llinellau canlynol yn wahanol i'r hyn a geir yn Llawysgrif LlGC 23896D: llinell 22, 'Gan daro'r criw dringwyr o'u rhaffau cerdd'; llinell 24, 'Distawrwydd llaith a llwyd'; llinell 32, 'Mewn byd sy'n rhy fawr i fod'; llinell 33, 'Nid oes acw. Dim ond fi yw yma.' Ni cheir dyfynodau sengl o gylch enwau'r tai yn y llinell gyntaf yn Llawysgrif LlGC 23896D.

53 Llyfr Cofnodion Ysgol Gynradd Lyneham yng Nghanolfan Hanes Wiltshire a Swindon, cyfeirnod F8/500/181/1/3, tt. 153–154: 'Mr. W. G. Williams is absent through illness' a 'Mr. W. G. Williams returned from sick leave'.

54 Waldo Williams, 'Daear Cymru', *Y Ddraig Goch*, cyf. XXI, rhif 5, Mai 1947, t. 1.

55 Waldo Williams, 'Adolygiad ar D. J. Williams, *Storïau'r Tir Coch*', *WWRh*, t. 140; cyhoeddwyd yn wreiddiol yn *The Western Telegraph and Cymric Times*, Mawrth 12, 1942.

56 Waldo Williams, 'Cymru a Chymraeg', *Y Faner*, Tachwedd 26, 1947, t. 5; *DP*, t. 100; cyhoeddwyd hefyd yn *Seren Cymru*, Ionawr 16, 1948, t. 8. Ceir rhai gwahaniaethau rhwng fersiwn *Y Faner* a fersiwn *DP* o'r soned. 'Merch perygl yw hithau. Ei llwybr y mae'r gwynt yn chwipio' a geir yn *DP*, nid 'Merch perygl yw hithau, ei llwybr lle mae'r gwynt yn chwipio.'

57 Papurau D. J. Williams yn y Llyfrgell Genedlaethol, P2/35/39, llythyr-gerdyn od Waldo Williams at D. J. Williams, Awst 25 neu 26, 1947.

58 Papurau D. J. Williams yn y Llyfrgell Genedlaethol, P2/35/29, llythyr oddi wrth Williams at D. J. a Siân Williams, Hydref 3, 1948.

59 Ibid.

60 Ibid.

61 Ibid.

62 Ibid.

63 Ibid.

64 Ibid.

[65] Ibid.

[66] Ibid.

[67] Ibid.

[68] Ibid.

[69] Papurau D. J. Williams yn y Llyfrgell Genedlaethol, P2/35/26, llythyr oddi wrth Waldo Williams at D. J. a Siân Williams, Hydref 12, 1948.

[70] John Morris-Jones, *Cerdd Dafod*, 1925, t. 178.

[71] Oliver Tomkins, 'Church and State in the New Testament', t. 14.

[72] Waldo Williams, 'Wedi'r Canrifoedd Mudan', *Y Wawr* (cylchgrawn cangen Prifysgol Cymru, Aberystwyth, o Blaid Cymru), cyf. III, rhif 4, 1948, t. 75; *DP*, tt. 90–91. Cywirwyd un cam-brint a geid yn y fersiwn o'r gerdd a gyhoeddwyd yn *Y Wawr*.

[73] Waldo Williams, 'Yr Heniaith', *Y Faner*, Hydref 20, 1948, t. 8; *DP*, t. 95. Ceir copi o'r gerdd ymhlith Papurau D. J. Williams yn y Llyfrgell Genedlaethol, P2/35/63. 'Disglair yw eu coronau yn llewych llysoedd' yw'r llinell gyntaf yn *DP*.

[74] Waldo Williams, 'Llythyr at Anna Wyn Jones ynghylch "Yr Heniaith"', *WWRh*, tt. 102–103. Ceir y llythyr gwreiddiol yn Llawysgrif LlGC 23896D, llythyr oddi wrth Waldo Williams at Anna Wyn Jones, Mawrth 16, 1967. Dilynwyd testun *WWRh* yma, ond gan newid un neu ddau o bethau trwy ddilyn y gwreiddiol. Felly hefyd gyda'r ddau gyfeiriad dilynol.

[75] Ibid., t. 103.

[76] Ibid., tt. 103–104.

[77] Waldo Williams, 'Y Geni', *Y Faner*, Rhagfyr 22, 1948, t. 1; *DP*, t. 74.

[78] Waldo Williams, 'Sylwadau', *DP*, t. 120.

[79] Waldo Williams, 'Eneidfawr', *DP*, t. 89.

[80] Waldo Williams, 'Sylwadau', t. 119.

[81] Waldo Williams, 'Geneth Ifanc', *DP*, t. 23.

[82] Papurau D. J. Williams yn y Llyfrgell Genedlaethol, P2/35/34, llythyr oddi wrth Waldo Williams at D. J. a Siân Williams, Rhagfyr 3, 1948.

[83] Waldo Williams, Llawysgrif LlGC 23896D, llythyr oddi wrth Waldo Williams at Anna Wyn Jones, Ionawr 25, 1948.

[84] Ibid.

[85] Llyfr Cofnodion Ysgol Gynradd Lyneham yng Nghanolfan Hanes Wiltshire a Swindon, cyfeirnod F8/500/181/1/3, tt. 160–161: 'A presentation of a travelling case was made by the Rev. H. T. A. Kendall M.A. to Mr. Waldo G. Williams B.A. who is returning to Wales to do Supply Work.'

Pennod 7: Blynyddoedd Erledigaeth, 1949–1956

[1] Papurau D. J. Williams yn y Llyfrgell Genedlaethol, P2/35/33, llythyr oddi wrth Waldo Williams at D. J. a Siân Williams, Gorffennaf 24, 1949.

[2] Ibid.

[3] Ibid.

4   Ibid.

5   Ibid.

6   Ibid.

7   Bobi Jones, 'Atgofion', tt. 60–61.

8   Papurau D. J. Williams yn y Llyfrgell Genedlaethol, P2/35/30, llythyr oddi wrth Waldo Williams at D. J. a Siân Williams, Tachwedd 14, 1949.

9   Ibid.

10   J. Gwyn Griffiths, 'Barddoniaeth Waldo Williams', *I Ganol y Frwydr: Efrydiau Llenyddol*, 1970, t. 132.

11   Waldo Williams, englyn sydd wedi goroesi ar lafar.

12   Papurau D. J. Williams yn y Llyfrgell Genedlaethol, P2/35/32, llythyr oddi wrth Waldo Williams at D. J. a Siân Williams, Hydref 2, 1949.

13   Manylion a gafwyd mewn sgwrs ar y ffôn. Rwy'n ddiolchgar iawn i John Davies, Aberhonddu, am fy rhoi mewn cysylltiad â Jim Davies.

14   P2/35/32.

15   Ibid.

16   Ibid.

17   P2/35/30.

18   Ibid.

19   Ibid.

20   Ibid.

21   Ibid.

22   Ibid.

23   Ibid.

24   Ibid.

25   Waldo Williams, 'Beirniadaeth', *Y Faner*, 18 Gorffennaf, 1951, t. 2.

26   Walter Lewin, 'Introductory Notice', *Poems of R. W. Emerson* (*The Canterbury Poets*), Golygydd: William Sharpe, diddyddiad [Rhagfyr 1885 yw'r dyddiad a geir ar ddiwedd rhagarweiniad Walter Lewin], t. xxii.

27   Ralph Waldo Emerson, 'The Problem', ibid., t. 23.

28   Ralph Waldo Emerson, 'Politics', ibid., t. 142.

29   Ibid.

30   John Greenleaf Whittier, 'Clerical Oppressors', *Songs of Freedom* (*The Canterbury Poets*), Golygydd: William Sharpe, [1900], tt. 191–192.

31   James Russell Lowell, 'On the Capture of Certain Fugitive Slaves near Washington', ibid., t. 202.

32   Thomas Cooper, 'Chartist Song', ibid., t. 115.

33   Richard B. Gregg, *The Power of Non-Violence*, 1935, ond argraffiad 1938 a feddai Waldo Williams, tt. 224–225.

34   Ibid., t. 228.

35   Cecil John Cadoux, *Christian Pacifism Re-examined*, 1940, t. 34.

36   Ibid.

37   Waldo Williams, 'Braslun', *WWRh*, t. 258; cyhoeddwyd 'Braslun' yn wreiddiol yn *D. J. Williams, Abergwaun: Cyfrol Deyrnged*.

38   Max Plowman, *The Faith Called Pacifism*, 1936, t. 20.

39   Ibid., t. 21.

40   Ibid., t. 23.

41   Ibid., t. 46.

42   Ibid., t. 47.

43   Ibid., tt. 52–53.

44   Ibid., tt. 54–55.

45   John MacMurray, *Through Chaos to Community?* ('Peace Aims Pamphlets'), rhif 24, diddyddiad, tt. 12–13.

46   Mahatma Gandhi, dyfynnir yn *Mahatma Gandhi's Ideas*, C. F. Andrews, 1929, argraffiad 1930, t. 241.

47   Henry David Thoreau, *Civil Disobedience* ('Classics of Non-violence'), rhif 1, diddyddiad, t. 1.

48   Ibid., t. 17.

49   Waldo Williams, cerdd ddi-deitl, Casgliad David Williams.

50   Morgan Llwyd, *Llyfr y Tri Aderyn*, Golygydd: M. Wynn Thomas, 1988, t. 97. Cyhoeddwyd *Llyfr y Tri Aderyn* yn wreiddiol ym 1653.

51   Ibid., tt. 96–97.

52   Ibid., t. 108.

53   Waldo Williams, 'Sgwrs â T. Llew Jones', t. 100.

54   Waldo Williams, 'Pam y Gwrthodais Dalu Treth yr Incwm', *WWRh*, tt. 311–312; cyhoeddwyd yn wreiddiol yn *Y Faner*, Mehefin 20, 1956.

55   Ibid., t. 312.

56   Ibid., t. 313.

57   Papurau D. J. Williams yn y Llyfrgell Genedlaethol, P2/35/52, llythyr oddi wrth Waldo Williams at D. J. a Siân Williams, Mai 14, 1952.

58   Saunders Lewis, 'Dail Dyddiadur', Cwrs y Byd, *Y Faner*, Rhagfyr 20, 1950, t. 8; ailgyhoeddwyd 'Dail Dyddiadur' yn *Meistri a'u Crefft: Ysgrifau Llenyddol gan Saunders Lewis*, Golygydd: Gwynn ap Gwilym, 1981, tt. 193–197.

59   Ibid.

60   Ibid.

61   J. M. Edwards, 'S.L. a Barddoniaeth Fodern', ibid., Ionawr 3, 1951, t. 3.

62   Saunders Lewis, 'Ateb Mr J. M. Edwards', Cwrs y Byd, ibid., Ionawr 17, 1951, t. 8; ailgyhoeddwyd 'Ateb Mr J. M. Edwards' yn *Meistri a'u Crefft*, tt. 198–202.

63   Papurau D. J. Williams yn y Llyfrgell Genedlaethol, P2/33/56, llythyr oddi wrth J. E. Caerwyn Williams at D. J. Williams, Medi 9, 1952.

64   Kate Roberts, *Annwyl D.J.*, t. 189, llythyr oddi wrth Kate Roberts at D. J. Williams, Rhagfyr 19, 1952.

[65] D. J. Williams, ibid., llythyr oddi wrth D. J. Williams at Kate Roberts, Rhagfyr 27, 1952, t. 190.

[66] Waldo Williams, 'Paham yr Wyf yn Grynwr', *WWRh*, t. 319; darlledwyd fel sgwrs radio, Gorffennaf 15, 1956, a'i chyhoeddi yn *Seren Cymru*, Mehefin 25, 1971.

[67] Alice Kilroy a roddodd i'r awdur yr holl wybodaeth a geir yn y cofiant hwn am y teulu, mewn gohebiaethau ebost dros wythnosau lawer, rhwng Ionawr 19 a Chwefror 23, 2014.

[68] Steffan Griffith, 'Waldo Williams, y Crynwr', *CMWW*, t. 106.

[69] Papurau D. J. Williams, P2/35/56, llythyr oddi wrth Waldo Williams at D. J. a Siân Williams, diddyddiad [Rhagfyr 1953]. Ceir englyn arall ar amlen at D. J. Williams ar Ragfyr 8, 1953, 'Pont Marged Gors, uwch Llyn Diferynion – lle da am yr eos', yn yr un casgliad:

> Dewch o'ch tai, a dewch [â]'ch tors – Er Rutzen
> Beth yw'r ots, a'r Cawdors.
> Mae'r goetgul Bont Margetgors
> Yn rhy wingil i hil Hors.

[70] Papurau D. J. Williams yn y Llyfrgell Genedlaethol, P2/35/14, holograff mewn llythyr oddi wrth Waldo Williams at D. J. a Siân Williams, Tachwedd 5, 1954.

[71] 'Mae'n llwm – mae'r bwm wedi bod/Dim Treth Incwm – Meddai'r Bardd', *Y Cymro*, Chwefror 23, 1956, t. 1. Yn ôl ysgrif J. Gwyn Griffiths, '*Dail Pren*: y Cysodiad Cyntaf', *Taliesin*, cyf. 103, Gaeaf 1998, t. 45: 'Ymhen amser daeth galwad am daliad arall, a gofynnodd y bardd am gael cyflwyno ei achos mewn llys cyhoeddus. Gwrthodwyd ei gais. Galwyd ef yn hytrach i ymddangos yn Llundain gerbron y Meistr Diamond, a dyfarnodd ef na ellid ei ryddhau ar dir cydwybod. Rhaid oedd talu neu wynebu carchar. Ar ei ffordd yn ôl o Lundain, bu Waldo yn aros gyda ni yn Abertawe. Wedi clywed yr hanes ganddo, anfonais adroddiad i'r *Cymro*.'

[72] Waldo Williams, 'Gyda Ni y Mae'r Drydedd Ffordd', *WWRh*, t. 300.

[73] Waldo Williams, englyn i Lywelyn ap Gruffudd, *Y Ddraig Goch*, cyf. XXVI, rhif 11, Tachwedd 1954, t. 4, dan y pennawd 'Englynion Cilmeri'. Cyhoeddwyd hefyd yn *Y Faner*, Hydref 6, 1954, t. 1, dan y pennawd 'Englynion Llywelyn'.

[74] Waldo Williams, 'Wele Waldo Williams drannoeth ei ymddeol o Lywyddiaeth Cangen Abergwaun o Blaid Cymru am 1954', *Y Ddraig Goch*, cyf. XXVII, rhif 1, Ionawr 1955, t. 3.

[75] Waldo Williams, 'Y Daith (Ar y Beic i Spideal, Mehefin 1955)', *Cerddi '71*, Golygydd: James Nicholas, 1971, t. 119, ond y cywydd gwreiddiol, a geir ymhlith Papurau D. J. Williams yn y Llyfrgell Genedlaethol, P2/35/58, a ddilynir yma.

[76] Ibid.

[77] Ibid., tt. 122–123.

[78] Papurau D. J. Williams yn y Llyfrgell Genedlaethol, P2/35/35, llythyr oddi wrth Waldo Williams at D. J. a Siân Williams, Gorffennaf 29, 1955.

[79] Ibid.

[80] Ibid.

81 Ibid.

82 T. Llew Jones, 'Waldo', t. 23.

83 W. R. Evans, 'Waldo: Digrifwr neu Ddifrifwr?', *Y Genhinen*, cyf. 21, rhif 3, Haf 1971, t. 105.

84 Ibid.

85 Llythyr oddi wrth Alfred Ellis, Prif Glerc, at Waldo Williams, Ionawr 23, 1956, Casgliad David Williams. Ceir y cofnod canlynol yn *The London Gazette*, Tachwedd 23, 1956, t. 6667.

> No. 1,951. WILLIAMS, Waldo, of Great Harmeston Farm, Johnston, Pembrokeshire, LECTURER. Court – HIGH COURT OF JUSTICE. Date of Filing Petition – 11th Oct., 1956. No. of Matter – 561 of 1956. Date of Receiving Order – 15th Nov., 1956. No. of Receiving Order – 459. Whether Debtor's or Creditor's Petition – Creditor's. Act of Bankruptcy proved in Creditor's Petition – Section 1-1 (G), Bankruptcy Act, 1914.

86 'Mae'n llwm – mae'r bwm wedi bod/Dim Treth Incwm – Meddai'r Bardd', t. 1.

87 Ibid.

88 Waldo Williams, 'Pam y Gwrthodais Dalu Treth yr Incwm', t. 318.

89 Copi yn llawysgrifen Dilys Williams, Casgliad David Williams.

90 Waldo Williams, 'Pam y Gwrthodais Dalu Treth yr Incwm', t. 318.

91 Waldo Williams, 'Brenhiniaeth a Brawdoliaeth', t. 304.

92 Ibid.

93 Ibid., t. 305.

94 Ibid., t. 306.

95 Ibid., t. 307.

96 Waldo Williams, 'Casglu "Dail Pren" Ynghyd', *WWRh*, t. 90; cyhoeddwyd yn wreiddiol yn *Y Faner*, Chwefror 20, 1958.

97 J. Gwyn Griffiths, 'Casglu "Dail Pren" Ynghyd', *Y Faner*, Chwefror 6, 1958, t. 4.

98 Ibid.

99 Waldo Williams, 'Llythyr at J. Gwyn Griffiths a Kate Bosse-Griffiths ynghylch cyhoeddi *Dail Pren*', *WWRh*, t. 83; ymddangosodd y llythyr yn wreiddiol yn ysgrif J. Gwyn Griffiths, 'Waldo Williams: Bardd yr Heddychiaeth Heriol', *Y Genhinen*, cyf. 23, rhif 3, Haf 1971. Dyddiad y llythyr yw Mehefin 19, 1956.

100 Ibid.

101 Ibid., t. 84.

102 Ibid.

103 Waldo Williams, 'Llythyr at J. Gwyn Griffiths ynghylch Cyhoeddi *Dail Pren*', *WWRh*, t. 85; cyhoeddwyd y llythyr yn wreiddiol yn *Y Genhinen*, cyf. 23, rhif 3, Haf 1971. Nid oes dyddiad wrtho.

104 D. J. Williams, 'Detholiad o Gofnodion Dyddiadurol', Medi 17–18, 1956, *Y Cawr o Rydcymerau*, t. 243.

[105] Ibid., Medi 19, 1956, t. 244.

[106] Ibid., Hydref 13–14, 1956, t. 245.

[107] Ibid., Medi 17–18, 1956, t. 243.

[108] Ibid., Hydref 16, 1956, t. 245.

[109] Ibid., Hydref 17, 1956, t. 246.

[110] Waldo Williams, 'Llythyr at D. J. Williams ynghylch Cyhoeddi *Dail Pren*', *WWRh*, tt. 85–86; Papurau D. J. Williams yn y Llyfrgell Genedlaethol, P2/35/36, llythyr oddi wrth Waldo Williams at D. J. Williams, Hydref 15, 1956.

[111] Waldo Williams, 'Mewn Dau Gae', *DP*, tt. 26–27.

[112] Waldo Williams, 'Eglurhad ar "Mewn Dau Gae"', *WWRh*, tt. 87–89; cyhoeddwyd yr eglurhad yn wreiddiol yng ngholofn 'Ledled Cymru' yn *Y Faner*, Chwefror 13, 1958; ond nid fersiwn *Y Faner* na fersiwn *WWRh* a ddyfynnir yma, ond yn hytrach yr hyn a ysgrifennodd Waldo ei hun. Cadwyd y llythyr gwreiddiol, yn llawysgrifen Waldo, gan y teulu. Ysgrifennwyd y llythyr ar Chwefror 2, 1958.

[113] Waldo Williams, 'Tŷ Ddewi', *DP*, t. 18.

[114] Waldo Williams, 'Yr Hen Fardd Gwlad', ibid., t. 106.

[115] Waldo Williams, 'Mewn Dau Gae', ibid., t. 27. Yng Nghasgliad David Williams y ceir y copi o 'Mewn Dau Gae' yn llawysgrifen Waldo ei hun. Un o'r rhai a fu'n dadlau o blaid adfer 'ein gilydd' yw awdur y cofiant hwn, er enghraifft, yn ei sylwadau golygyddol yn *Barddas*, rhif 290, Tachwedd/Rhagfyr 2006/Ionawr 2007, t. 4. Nodwyd tri rheswm o blaid adfer 'ein gilydd':

> 1) 'Mor agos at ein gilydd y deuem' oedd y ffurf ar y llinell pan gyhoeddwyd hi am y tro cyntaf erioed yn *Y Faner*, Mehefin 13, 1956. Mae'n bur sicr mai methu canfod y cambrint wrth ddarllen proflenni *Dail Pren* a wnaed. Ni olygwyd *Dail Pren* gystal ag y dylid. Mae'r atalnodi yn wael ac yn ddiffygiol yn fynych ...
>
> 2) Mae'r llinell yn wallus yn ramadegol. Un ai 'Mor agos at ein gilydd y deuem' neu 'Mor agos at ei gilydd y deuent'. Ni ellir ei chael hi y ddwy ffordd.
>
> 3) Mae 'at ei gilydd' yn idiom Gymraeg. Yn ogystal â golygu 'ynghyd' – 'tynnu ynghyd/ tynnu at ei gilydd', ac yn y blaen – 'at ei gilydd' yw'r idiom Gymraeg sy'n gyfystyr ag 'on the whole' yn Saesneg. Cyfieithiad slafaidd o'r Saesneg yw 'ar y cyfan'.

Anfonodd y Prifardd John Gwilym Jones lythyr i'r cylchgrawn yn anghytuno â sylwadau'r golygydd:

> Byddaf yn rhyfeddu o hyd at afael Waldo ar dafodiaith ei fro, ac mae'r llinell hon yn enghraifft fendigedig. Yn nhafodiaith Dyfed y mae'r ffurf unigol wedi parhau yn fyw gyda'r *cyntaf* lluosog yn ogystal â'r trydydd lluosog. Am ryw reswm nid yw hynny'n wir am yr ail berson lluosog. 'At ych gilydd' a glywir. Ond am y cyntaf lluosog, ymadroddion megis 'fe awn ni lawr gyda'i gilydd' sy'n naturiol. Cofiaf hen ewyrth yn gweiddi am gydymdrech, pan oedd yntau a chwmni o gymdogion yn codi car o'r ffos, 'Gyda'i gily' nawr 'te, bois'.
>
> O barch at feinder clust Waldo, ac er mwyn cadw naturioldeb braf y llinell yna yn

y gerdd, buaswn yn apelio, i'r gwrthwyneb i'ch apêl chi ... am i olygyddion dderbyn y darlleniad fel y mae yn *Dail Pren*. Buasai'n haws gen i gredu, yn yr achos hwn, mai *Y Faner* a gamolygodd y geiriau!

Ni allaf weld fod bodolaeth yr ymadrodd arall, 'at ei gilydd' (= *on the whole*), yn ddadl dros orfodi Waldo i ymwrthod â'r ffurf dafodieithol hollol ddilys a chywir y byddai yntau yn gartrefol ynddi.

John Gwilym Jones, 'Llythyr: "Ei Gilydd" neu "Ein Gilydd"', *Barddas*, rhif 291, Chwefror/ Mawrth 2007, t. 35.

Ond nid *Y Faner* a gamolygodd y geiriau, gan mai 'ein gilydd', fel y nodwyd eisoes, a geir yn y copi gwreiddiol o'r gerdd yn llaw Waldo.

Ceir y troednodyn canlynol gan Jason Walford Davies yn ei ysgrif '"Pa Wyrth Hen eu Perthynas": Waldo Williams a "Chymdeithasiad Geiriau"', *CAA*, t. 194:

'[E]*in* y dylid ei ddarllen nid *ei*', medd Dafydd Elis Thomas yng nghyswllt yr ail linell a ddyfynnir yma; '"Mewn Dau Gae"', *CMWW*, 164. Y mae'r darlleniad yn *Baner ac Amserau Cymru*, 13 Mehefin 1956, 7 (y man cyhoeddi gwreiddiol) o blaid hyn: 'Mor agos at ein gilydd y deuem'. Ond ni ddylid ychwaith golli golwg ar y ffaith fod y tro cam gramadegol (nid wyf am ddweud 'camgymeriad') yn y llinell fel y'i ceir yn *Dail Pren* ar lawer ystyr yn cyd-daro'n berffaith â'r cysyniad o gyfannu – o ddwyn y 'ni' ('deuem') a'r 'nhw' ('ei gilydd') ynghyd – yn y rhan hon o 'Mewn Dau Gae'. (Diogelwyd yr 'ei' yng ngolygiad J. E. Caerwyn Williams; *Cerddi Waldo Williams*, 67.)

O hyn ymlaen, bydd yn rhaid i bawb gydnabod mai gwall oedd 'ei gilydd' yn *DP*.

[116]   Waldo Williams, 'Y Tŵr a'r Graig', *DP*, t. 31.

[117]   Euros Bowen, '*Dail Pren*. Cerddi gan Waldo Williams', *CMWW*, t. 291; cyhoeddwyd yr adolygiad yn wreiddiol yn *Y Ddraig Goch*, Awst 1957.

[118]   Alun Llywelyn-Williams, 'Dail Pren', *CMWW*, t. 230; cyhoeddwyd yr adolygiad yn wreiddiol yn *Lleufer*, cyf. 13, rhif 1, Gwanwyn 1957.

[119]   Ibid., tt. 233–234.

[120]   Pennar Davies, 'Waldo Williams – Bardd Myfyrdod', *Y Faner*, Ionawr 23, 1958, t. 7.

[121]   Ibid.

[122]   Ibid.

[123]   Waldo Williams, 'Casglu "Dail Pren" Ynghyd'.

Pennod 8: Blynyddoedd Buddugoliaeth, 1957–1971

[1]   Papurau Bobi Jones yn y Llyfrgell Genedlaethol, 962, llythyr oddi wrth Waldo Williams at Bobi Jones, Rhagfyr 16, 1956.

[2]   Papurau D. J. Williams yn y Llyfrgell Genedlaethol, P2/35/60, llythyr oddi wrth Waldo Williams at D. J. a Siân Williams, Hydref 15, 1956.

[3]   Waldo Williams, 'Canu Bobi Jones', *WWRh*, t. 171; cyhoeddwyd yr adolygiad yn wreiddiol yn *Lleufer*, cyf. XIII, rhif 4, Gaeaf 1957.

4   Bobi Jones, *O'r Bedd i'r Crud: Hunangofiant Tafod*, 2000, t. 131.

5   Ibid., t. 132.

6   Waldo Williams, 'Pa Bryd?', papurau Rachel Mary Davies yn y Llyfrgell Genedlaethol, Llawysgrif LlGC A1997/38, llythyr oddi wrth Waldo Williams at Rachel Mary Davies, Medi 20, 1958.

7   Ceir yr englyn hwn yn llaw Waldo ei hun mewn dau lyfr nodiadau sydd ym meddiant David Williams. Ceir y nodyn 'Cyfarfod dathlu Llew yn neuadd Pantycelyn yn Aberystwyth' uwchben yr englyn yn y naill lyfr, a 'Cwrdd Croeso Llew ym Mhantycelyn' oddi tano yn y llall.

8   Papurau Bobi Jones yn y Llyfrgell Genedlaethol, 985 VIII.

9   W. R. Evans, *Fi Yw Hwn*, t. 107.

10   Waldo Williams, 'Cywydd Cyfarch W. R. Evans', *Cardigan and Tivyside Advertiser*, Ionawr 23, 1959, t. 2, a hefyd *Y Genhinen*, cyf. IX, rhif 2, Gwanwyn 1959, tt. 113–114. Ailgyhoeddwyd y cywydd yn *Beirdd Penfro*, Golygydd: W. Rhys Nicholas, 1961, tt. 150–153.

11   Ibid.

12   Y Chwaer Bosco, 'Atgofion', *CDWW*, t. 51.

13   Ibid.

14   D. J. Williams, Dyddiaduron D. J. Williams 1950–1966, Llyfrgell Genedlaethol Cymru, Gorffennaf 21, 1959; *Y Cawr o Rydcymerau*, t. 27.

15   Papurau Bobi Jones yn y Llyfrgell Genedlaethol, 893, llythyr oddi wrth D. J. Williams at amryw, Awst 26, 1959.

16   Taflen etholiadol Waldo Williams, Casgliad David Williams. Ceir llun llawn o'r daflen yn *Bro a Bywyd: Waldo Williams*, t. 73.

17   Ibid.

18   Cassie Davies, *Hwb i'r Galon*, t. 119.

19   D. J. Williams, Dyddiaduron D. J. Williams 1950–1966, Llyfrgell Genedlaethol Cymru, Awst 29–30, 1959; *Y Cawr o Rydcymerau*, t. 113.

20   Dyfynnir gan B. G. Owens yn 'Gweithiau Waldo Williams', *CDWW*, t. 247; cyhoeddwyd y llyfryddiaeth yn wreiddiol yn *Y Traethodydd*, cyf. CXXVI, rhif 540, Hydref 1971.

21   Waldo Williams, 'Llythyr at Islwyn Jones ynghylch "Y Dderwen Gam"', *WWRh*, t. 106. Anfonwyd y llythyr at Islwyn Jones ar Fai 11, 1969, ac fe'i ceir yng Nghasgliad Gwilym Rees Hughes ac Islwyn Jones, Gwaith Awduron Cyfoes, 1968–1975, yn y Llyfrgell Genedlaethol.

22   Y Chwaer Bosco, 'Atgofion', *CDWW*, tt. 53–54.

23   Waldo Williams, 'Y Dderwen Gam', t. 72.

24   Waldo Williams, 'Dan y Dderwen Gam', Casgliad David Williams.

25   Papurau Bobi Jones yn y Llyfrgell Genedlaethol, 970, llythyr oddi wrth Waldo Williams at Bobi Jones, Ebrill 22, 1959.

26   Llawysgrif LlGC 20882C, llythyr oddi wrth Waldo Williams at Eiluned Williams a Nest, Ionawr 18, 1960.

27 Waldo Williams, 'Y Parchedig E. Llwyd Williams, Rhydaman', *WWRh*, t. 246; cyhoeddwyd y portread yn wreiddiol yn *Seren Cymru*, Mawrth 18, 1958.

28 Waldo Williams, 'Llwyd', *Cardigan and Tivy-Side Advertiser*, Chwefror 19, 1960, t. 2. Ailgyhoeddwyd y cywydd yn *Beirdd Penfro*, tt. 148–149.

29 Ibid.

30 Waldo Williams, 'Y Parchedig E. Llwyd Williams, Rhydaman', t. 246.

31 E. Llwyd Williams, 'Lan (enw'r Hen Gartref)', *Tir Hela*, 1956, t. 40.

32 Waldo Williams, 'Llwyd', t. 2.

33 Ibid.

34 Papurau Rachel Mary Davies yn y Llyfrgell Genedlaethol, Llawysgrif LlGC A1997/38, llythyr oddi wrth Waldo Williams at Rachel Mary Davies, Ionawr 1, 1961.

35 'Waldo Williams told friends "Don't pay my tax bill"', *The Western Telegraph and Cymric Times*, Medi 8, 1960, t. 9.

36 'Artemus': 'Between You and Me', 'A Matter of principle', ibid., t. 6.

37 Saunders Lewis, *Annwyl D.J.*, llythyr oddi wrth Saunders Lewis at D. J. Williams, Medi 9, 1960, t. 255.

38 'Tra pery gorfodaeth filwrol – Thalai yr un ddimai – carchar neu beidio', *Y Cymro*, Hydref 27, 1960, t. 1.

39 Ibid.

40 Ibid.

41 J. Tysul Jones, 'Atgofion', t. 123.

42 Waldo Williams, 'Mewn Carchar yn Rutland, 1961 (i ymadael ar *Lady-day*)', papurau Bobi Jones yn y Llyfrgell Genedlaethol, 985 VI.

43 Y Chwaer Bosco, 'Atgofion', *CDWW*, t. 54.

44 Ibid., t. 55.

45 Papurau'r Parchedig W. Rhys Nicholas yn y Llyfrgell Genedlaethol, 1/48, llythyr oddi wrth Waldo Williams at W. Rhys Nicholas, Mai 24, 1961.

46 D. J. Williams, Dyddiaduron D. J. Williams 1950–1966, Llyfrgell Genedlaethol Cymru, Mawrth 28–29, 1961 ac Ebrill 1–2, 1961; *Y Cawr o Rydcymerau*, t. 113.

47 Papurau Bobi Jones yn y Llyfrgell Genedlaethol, 978, llythyr oddi wrth Waldo Williams at Bobi Jones, Ebrill 6, 1962.

48 Ibid.

49 Papurau Cassie Davies yn y Llyfrgell Genedlaethol, 238, llythyr oddi wrth Waldo Williams at Cassie Davies, Medi 8, 1958.

50 Ibid.

51 D. T. Guy, 'O'r Swyddfa yng Nghaerdydd', *Lleufer*, cyf. 14, rhif 2, Haf 1958, t. 87.

52 Waldo Williams, rhan o ddarlith ar y gynghanedd, Casgliad David Williams.

53 Ibid.

54 Waldo Williams, 'Y Gynghanedd Yfory', Casgliad David Williams.

55 D. J. Williams, 'Detholiad o Gofnodion Dyddiadurol', Mai 1–4, 1959, *Y Cawr o Rydcymerau*, tt. 254–255.

56   Papurau Bobi Jones yn y Llyfrgell Genedlaethol, 980, llythyr oddi wrth Waldo Williams at Bobi Jones, Mawrth 8, 1965.

57   Waldo Williams, dyfynnir gan Bobi Jones yn 'Atgofion', t. 57.

58   Dafydd Iwan, 'Ambell Atgof gan Dafydd', *Clebran*, Awst 2004, rhif 328, tt. 9–10.

59   Waldo Williams, 'Cywydd Mawl i D.J.', *D. J. Williams Abergwaun: Cyfrol Deyrnged*.

60   D. J. Williams, 'Detholiad o Gofnodion Dyddiadurol', Mai 28–30, 1965, *Y Cawr o Rydcymerau*, t. 274.

61   D. J. Williams, ibid., Rhagfyr 4, 1966, tt. 285–286.

62   Y Chwaer Bosco, 'Atgofion', *CMWW*, t. 69; cyhoeddwyd yn wreiddiol yn *Y Traethodydd*, cyf. CXXVI, rhif 540, Hydref 1971.

63   Ibid., t. 70.

64   Y Chwaer Bosco, 'Waldo', rhan 1, *Y Faner Newydd*, rhif 13, 1999, t. 9.

65   Waldo Williams, 'Bardd', *DP*, t. 58.

66   Waldo Williams, 'Gwenallt', *Y Traethodydd*, cyf. CXXIV, rhif 531, Ebrill 1969, t. 53.

67   Llythyr oddi wrth Ioan Edmunds at Waldo Williams, Ebrill 17, 1970, Casgliad David Williams.

68   Llythyr oddi wrth Anna Wyn Jones at Waldo Williams, Awst 18, 1970, ibid.

69   Ibid.

70   Y Chwaer Bosco, 'Atgofion', *CMWW*, tt. 71–72.

71   Ibid., t. 71.

72   J. Tysul Jones, 'Atgofion', t. 123.

73   Waldo Williams, 'Llandysilio-yn-Nyfed', *Cerddi '70*, Golygydd: Bedwyr Lewis Jones, 1970, t. 79.

74   W. R. Evans, 'Atgofion', t. 44.

75   Waldo Williams, 'Ymddiddan rhwng Dewi, Teilo a Cholman', Casgliad David Williams.

76   Waldo Williams, 'Oes y Seintiau: Cân II', ibid. Cyhoeddwyd y tair cerdd, 'Oes y Seintiau: Cân I', 'Oes y Seintiau: Cân II' ac 'Ymddiddan rhwng Dewi, Teilo a Cholman', yn *Y Llien Gwyn* (papur bro Abergwaun a'r cylch), Mawrth 1982. Cyfeirir at Efengyl Mathew yn y gerdd hon eto: llinellau 15–16: 'Yna yr Iesu a arweiniwyd i fyny i'r anialwch gan yr ysbryd, i'w demtio gan ddiafol. Ac wedi iddo ymprydio ddeugain niwrnod a deugain nos, ar ôl hynny efe a newynodd' (Mathew 4:1–2); llinell 18: 'Na thrysorwch i chwi drysorau ar y ddaear, lle y mae gwyfyn a rhwd yn llygru, a lle y mae lladron yn cloddio trwodd ac yn lladrata: Eithr trysorwch i chwi drysorau yn y nef, lle nid oes na gwyfyn na rhwd yn llygru, a lle nis cloddia lladron trwodd ac nis lladratânt' (Mathew 6:19–20).

77   E. Llwyd Williams, 'Emyn', taflen angladdol Waldo Williams, Casgliad David Williams.

78   James Nicholas, 'Teyrnged i Waldo', *CDWW*, t. 11.

79   Waldo Williams, 'Emyn', taflen angladdol Waldo Williams; fe'i cyhoeddwyd yn wreiddiol yn *Beirdd Penfro*, t. 158.

80   'Waldo', *Y Ddraig Goch*, cyf. 40, rhif 4, Mai–Mehefin 1971, t. 1.

81   'Artemus': 'Between You and Me', 'Man without malice', *The Western Telegraph and Cymric Times*, Mai 27, 1971, t. 14.

Mynegai

(*n*.: cyfeiriad yn y Nodiadau)

Hefyd gan yr un awdur:

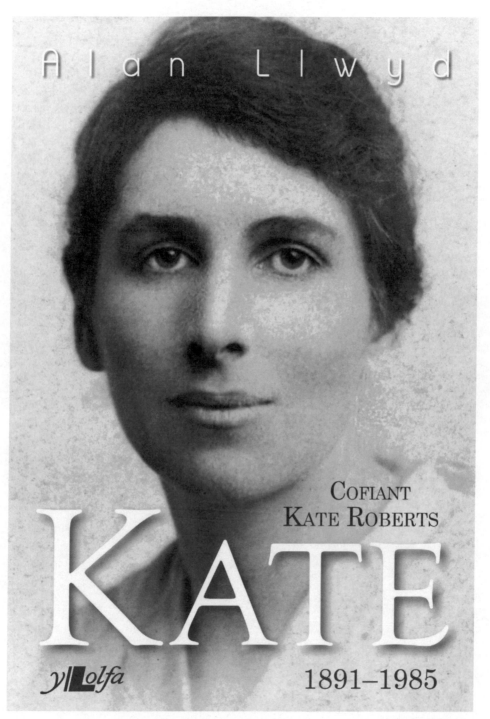

Alan Llwyd

COFIANT
KATE ROBERTS

KATE

y Lolfa

1891–1985

£19.95 / £29.95